अष्टावक्र महागीता भाग 3
जो है सो है

ओशो द्वारा अष्टावक्र-संहिता के 298 सूत्रों में से
66 से 98 सूत्रों पर प्रश्नोत्तर सहित दिए गए
दस प्रवचनों का संकलन

फ्यूजन बुक्स

ISBN : 81-89605-79-8

प्रकाशक
फ्यूजन बुक्स
X-30, ओखला इंडस्ट्रीयल एरिया, फेज-II
नई दिल्ली-110020
फोन : 011-41611861, 011-40712100
फैक्स : 011-41611866
ई-मेल : sales@dpb.in
वेबसाइट : www.diamondbook.in
संस्करण : 2011
मुद्रक : जी.एस. इंटरप्राइजिज

अनुक्रम

प्रवचन : 21

ज्ञान मुक्ति है

अष्टावक्र उवाच।

न ते संगोऽस्ति केनापि किं शुद्धस्त्यक्तुमिच्छसि।
संघातविलयं कुर्वन्नेमेव लयं व्रज।।66।।
उदेति भवतो विश्वं वारिधेरिव बुदबुदः।
इति ज्ञात्वैकमात्मानमेवमेव लयं व्रज।।67।।
प्रत्यक्षमप्यवस्तुत्वद्विश्वं नास्त्यमले त्वयि।
रज्जुसर्प इव व्यकृमेवमेव लयं व्रज।।68।।
समदुःख सुखः पूर्ण आशानैराश्ययोः समः।
समजीवित मृत्युः सन्नैवमेव लयं व्रज।।69।।

जनक उवाच।

आकाशवदनंतोऽहं घटवत् प्राकृतं जगत्।
इति ज्ञानं तथैतस्य न त्यागो न ग्रहो लयः।।70।।
महौदधिरिवाहं स प्रपंचो वीचिसन्निभिः।
इति ज्ञानं तथैतस्य न त्यागो न ग्रहो लयः।।71।।
अहं स शुक्तिसंकाशो रूप्पवद्विश्वकल्पना।
इति ज्ञानं तथैतस्य न त्यागो न ग्रहो लयः।।72।।
अहं वा सर्वभूतेषु सर्वभूतान्ययो मयि।
इति ज्ञानं तथैतस्य न त्यागो न ग्रहो लयः।।73।।

संसार छूटता है तो जरूरी नहीं कि अज्ञान की पकड़ छूट जाए। भोग छूटता है तो जरूरी नहीं कि भोग के आंतरिक कारण विनष्ट हो जाएं। आंतरिक कारण तो फिर भी मौजूद रहेंगे। तुम धन छोड़ दो; वह जो पकड़ने की आकांक्षा थी, वह त्याग को पकड़ लेगी। तुम घर छोड़ दो; वह जो पकड़ने की आकांक्षा थी, आश्रम को पकड़ लेगी। तुम बाजार छोड़ दो; वह जो पकड़ने की पुरानी वृत्ति थी, वह एकांत पकड़ लेगी। और पकड़ पकड़ की है...पकड़ छोड़नी है।

इसलिए जो व्यक्ति भोग से जागता है, उसके लिए तत्क्षण एक दूसरा खतरा पैदा होता है। वह खतरा भोगी को कभी नहीं है। वह खतरा केवल उसको है जो भोग से जागता है। वह खतरा है—त्याग में उलझ जाने का।

अगर पुरानी आदत बनी ही रही और परिवर्तन बाहरी हुआ, भीतर क्रांति न घटी, तो तुम त्याग में उलझ जाओगे। संसारी से संन्यासी हो जाओगे। धन छोड़ दोगे, परिवार, घर-द्वार छोड़ दोगे; लेकिन भीतर तुम्हारे जो जाल थे पकड़ने के, वे मौजूद रहेंगे। तुम कुछ और पकड़ लोगे। एक लंगोटी काफी है; कोई साम्राज्य नहीं चाहिए पकड़ने को। नंगापन भी आदमी पकड़ ले सकता है। त्याग भी आदमी पकड़ ले सकता है।

पुरानी सूफियों की एक कथा है। एक सम्राट जब छोटा बच्चा था, स्कूल में पढ़ता था, तो उसकी एक युवक से बड़ी मैत्री थी। फिर जीवन के रास्ते अलग-अलग हुए। सम्राट का बेटा तो सम्राट हो गया। वह जो उसका मित्र था, वह त्यागी हो गया, वह फकीर हो गया। उसकी दूर-दिगंत तक प्रशंसा फैल गई—फकीर की। यात्री दूर-दूर से उसके चरणों में आने लगे। खोजी उसका सत्संग करने आने लगे। जैसे-जैसे खोजियों की भीड़ बढ़ती गई, उसका त्याग भी बढ़ता गया। अंततः उसने वस्त्र भी छोड़ दिए, वह दिगंबर हो गया। फिर तो वह सूर्य की भांति चमकने लगा। और त्यागियों को उसने पीछे छोड़ दिया।

लेकिन सम्राट को सदा मन में यह होता था कि मैं उसे भलीभांति जानता हूं, वह बड़ा अहंकारी था स्कूल के दिनों में, कालेज के दिनों में—अचानक इतना महात्याग उसमें फलित हो गया! इस पर भरोसा सम्राट को न आता था। फिर यह जिज्ञासा उसकी बढ़ती गई। अंततः उसने अपने मित्र को निमंत्रण भेजा कि अब तुम महात्यागी हो गए हो, राजधानी आओ, मुझे भी सेवा का अवसर दो। मेरे प्रजाजनों को भी बोध दो, जगाओ!

निमंत्रण स्वीकार हुआ। वह फकीर राजधानी की तरफ आया। सम्राट ने उसके स्वागत के लिए बड़ा आयोजन किया। पुराना मित्र था। फिर इतना ख्यातिलब्ध, इतनी प्रशंसा को प्राप्त, इतना गौरवान्वित! तो उसने कुछ छोड़ा नहीं, सारी राजधानी

को सजाया—फूलों से, दीपों से! रास्ते पर सुंदर कालीन बिछाए, बहुमूल्य कालीन बिछाए। जहां से उसका प्रवेश होना था, वहां से राजमहल तक दीवाली की स्थिति खड़ी कर दी।

फकीर आया, लेकिन सम्राट हैरान हुआ...वह नगर के द्वार पर उसकी प्रतीक्षा करता था अपने पूरे दरबारियों को लेकर, लेकिन चकित हुआ : वर्षा के दिन न थे, राहें सूखी पड़ी थीं, लोग पानी के लिए तड़फ रहे थे और फकीर घुटनों तक कीचड़ से भरा था। वह भरोसा न कर सका कि इतनी कीचड़ राह में कहां मिल गई, और घुटने तक कीचड़ से भरा हुआ है! पर सबके सामने कुछ कहना ठीक न था। दोनों राजमहल पहुंचे। जब दोनों एकांत में पहुंचे तो सम्राट ने पूछा कि मुझे कहें, यह अड़चन कहां आई? आपके पैर कीचड़ से भरे हैं!

उसने कहा, अड़चन का कोई सवाल नहीं। जब मैं आ रहा था तो लोगों ने मुझसे कहा कि तुम्हें पता है, तुम्हारा मित्र, सम्राट, अपना वैभव दिखाने के लिए राजधानी को सजा रहा है? वह तुम्हें झेंपाना चाहता है। तुम्हें कहना चाहता है, 'तुमने क्या पाया? नंगे फकीर हो! देखो मुझे!' उसने रास्ते पर बहुमूल्य कालीन बिछाए, लाखों रुपये खर्च किए गए हैं। राजधानी दुल्हन की तरह सजी है। वह तुम्हें दिखाना चाहता है। वह तुम्हें फीका करना चाहता है।...तो मैंने कहा कि देख लिए ऐसा फीका करने वाले! अगर वह बहुमूल्य कालीन बिछा सकता है, तो मैं फकीर हूं, मैं कीचड़ भरे पैरों से उन कालीनों पर चल सकता हूं। मैं दो कौड़ी का मूल्य नहीं मानता!

जब उसने ये बातें कहीं तो सम्राट ने कहा, अब मैं निश्चिंत हुआ। मेरी जिज्ञासा शांत हुई। आपने मुझे तृप्त कर दिया। यही मेरी जिज्ञासा थी।

फकीर ने पूछा, क्या जिज्ञासा थी?

'यही जिज्ञासा थी कि आपको मैं सदा से जानता हूं। स्कूल में, कालेज में आपसे ज्यादा अहंकारी कोई भी न था। आप इतनी विनम्रता को उपलब्ध हो गए, यही मुझे संदेह होता था। अब मुझे कोई चिंता नहीं। आओ हम गले मिलें, हम एक ही जैसे हैं। तुम मुझ ही जैसे हो। कुछ फर्क नहीं हुआ है। मैंने एक तरह से अपने अहंकार को भरने की चेष्टा की है—सम्राट होकर; तुम दूसरी तरह से उसी अहंकार को भरने की चेष्टा कर रहे हो। हमारी दिशाएं अलग हों, हमारे लक्ष्य अलग नहीं। और मैं तुमसे इतना कहना चाहता हूं, मुझे तो पता है कि मैं अहंकारी हूं, तुम्हें पता ही नहीं कि तुम अहंकारी हो। तो मैं तो किसी न किसी दिन इस अहंकार से ऊब ही जाऊंगा, तुम कैसे ऊबोगे? तुम पर मुझे बड़ी दया आती है। तुमने तो अहंकार को खूब सजा लिया। तुमने तो उसे त्याग के वस्त्र पहना दिए।'

जो व्यक्ति संसार से ऊबता है, उसके लिए त्याग का खतरा है।

दुनिया में दो तरह के संसारी हैं—एक, जो दुकानों में बैठे हैं; और एक, जो मंदिरों में बैठे हैं। दुनिया में दो तरह के संसारी हैं—एक, जो धन इकट्ठा कर रहे हैं; एक जिन्होंने धन पर लात मार दी है। दुनिया में दो तरह के दुनियादार हैं—एक जो बाहर की चीजों से अपने को भर रहे हैं; और दूसरे, जो सोचते हैं कि बाहर की चीजों को छोड़ने से अपने को भर लेंगे। दोनों की भ्रांति एक ही है। न तो बाहर की चीजों से कभी कोई अपने को भर सकता है और न बाहर की चीजों को छोड़ कर अपने को भर सकता है। भराव का कोई भी संबंध बाहर से नहीं है।

अष्टावक्र ने पहले तो परीक्षा ली जनक की। आज के सूत्रों में परीक्षा नहीं लेते, प्रलोभन देते हैं। वह प्रलोभन, जो हर त्यागी के लिए खड़ा होता है; वह प्रलोभन, जो भोग से भागते हुए आदमी के लिए खड़ा होता है। आज वे फुसलाते हैं जनक को कि तू त्यागी हो जा। अब तुझे ज्ञान हो गया, अब तू त्याग को उपलब्ध हो जा। अब छोड़ सब! अब उठ इस मायामोह के ऊपर!

ये जो सूक्ष्म प्रलोभन अष्टावक्र देते हैं जनक को, यह पहली परीक्षा से भी कठिनतर परीक्षा है। लेकिन यह प्रत्येक भोग से हटने वाले आदमी के जीवन में आता है; इसलिए बिलकुल ठीक अष्टावक्र करते हैं। ठीक ही है यह प्रलोभन का देना।

और जब तक कोई त्याग से भी मुक्त न हो जाए तब तक कोई मुक्त नहीं होता। भोग से तो मुक्त होना ही है, त्याग से भी मुक्त होना है। संसार से तो मुक्त होना ही है। मोक्ष से भी मुक्त होना है। तभी परम मुक्ति फलित होती है।

परम मुक्ति का अर्थ ही यही है कि अब कोई चीज की आकांक्षा न रही। त्याग में तो आकांक्षा है। तुम त्याग करते हो तो किसी कारण करते हो। और जहां कारण है, वहां कैसा त्याग? फिर भोग और त्याग में फर्क क्या रहा? दोनों का गणित तो एक हो गया।

एक आदमी भोग में पड़ा है, धन इकट्ठा करता, सुंदर स्त्री की तलाश करता, सुंदर पुरुष को खोजता, बड़ा मकान बनाता—तुम पूछो उससे, क्यों बना रहा है? वह कहता है, इससे सुख मिलेगा। एक आदमी सुंदर मकान छोड़ देता, पत्नी को छोड़ कर चला जाता, घर-द्वार से अलग हो जाता, नग्न भटकने लगता, संन्यासी हो जाता—पूछो उससे, यह सब तुम क्यों कर रहे हो? वह कहेगा, इससे सुख मिलेगा। तो दोनों की सुख की आकांक्षा है और दोनों मानते हैं कि सुख को पाने के लिए कुछ किया जा सकता है। यही भ्रांति है।

सुख स्वभाव है। उसे पाने के लिए तुम जब तक कुछ करोगे, तब तक उसे खोते रहोगे। तुम्हारे पाने की चेष्टा में ही तुमने उसे गंवाया है। संसांरी एक तरह से गंवाता, त्यागी दूसरी तरह से गंवाता। तुम किस भांति गंवाते, इससे कोई फर्क नहीं पड़ता। तुम किस ढंग की शराब पीकर बेहोश हो, इससे कुछ फर्क नहीं पड़ता। तुम किस मार्के की शराब पीते हो, इससे कोई फर्क नहीं पड़ता।

लेकिन इस गणित को ठीक खयाल में ले लेना। संसारी कहता है, इतना-इतना मेरे पास होगा तो मैं सुखी हो जाऊंगा। त्यागी कहता है, मेरे पास कुछ भी न होगा तो मैं सुखी हो जाऊंगा। दोनों के सुख सशर्त हैं। और जब तक तुम शर्त लगा रहे हो सुख पर, तब तक तुम्हें एक बात समझ में नहीं आई कि सुख तुम्हारा स्वभाव है। उसे पाने कहीं जाना नहीं; सुख मिला ही हुआ है। तुम जाना छोड़ दो। तुम कहीं भी खोजो मत। तुम अपने भीतर विश्राम में उतर जाओ।

यही तो अष्टावक्र ने प्राथमिक सूत्रों में कहा : चैतन्य में विश्राम को पहुंच जाना ही सुख है, आनंद है, सच्चिदानंद है।

तुम कहीं भी मत जाओ! तरंग ही न उठे जाने की! जाने का अर्थ ही होता है : हट गए तुम अपने स्वभाव से। मांगा तुमने कुछ, चाहा तुमने कुछ, खोजा तुमने कुछ—च्युत हुए अपने स्वभाव से। न मांगा, न खोजा, न कहीं गए—की आंख बंद, डूबे अपने में!

जो है। वह इसी क्षण तुम्हारे पास है। जो है, उसे तुम सदा से लेकर चलते रहे हो। जो है वह तुम्हारी गुदड़ी में छिपा है। वह हीरा तुम्हारी गुदड़ी में पड़ा है। तुम गुदड़ी देखते हो और भीख मांगते हो। तुम सोचते हो, हमारे पास क्या? और हीरा गुदड़ी में पड़ा है। तुम गुदड़ी खोलो। और जिसे तुम खोजते थे, तुम चकित हो जाओगे, वही तो आश्चर्य है—जो जनक को आंदोलित कर दिया है। जनक कह रहे हैं, 'आश्चर्य! ऐसा मन होता है कि अपने को ही नमस्कार कर लूं, कि अपने ही चरण छू लूं! हद हो गई, जो मिला ही था, उसे खोजता था! मैं तो परमेश्वरों का परमेश्वर हूं! मैं तो इस सारे जगत का सार हूं! मैं तो सम्राट हूं ही और भिखारी बना घूमता था!'

सम्राट होना हमारा स्वभाव है; भिखारी होना हमारी आदत। भिखारी होना हमारी भूल है। भूल को ठीक कर लेना है; न कहीं खोजने जाना है, न कुछ खोजना है।

तो जब कोई व्यक्ति भोग से जागने लगता है तब खतरा खड़ा होता है। फिर भी वह मांगेगा वही।

तंग आ चुका हूं सिद्दते-जहदे-हयात से।
मुतरिब! शुरू कोई मोहब्बत का राग कर।
—घबड़ा चुका हूं जीवन के संघर्ष से!
तंग आ चुका हूं सिद्दते-जहदे-हयात से
—बहुत हो गया यह संघर्ष! अब और नहीं। अब हिम्मत न रही। अब टूट चुका हूं।

मुतरिब! शुरू कोई मोहब्बत का राग कर।
—हे गायक, अब तू प्रेम का गीत गा!

मगर यह मामला क्या हुआ? अगर जिंदगी के राग से ऊब गए हो तो यह प्रेम का गीत? यह तो फिर जिंदगी का राग शुरू हुआ। अगर जिंदगी के संघर्ष से ऊब गए हो, तो फिर प्रेम की अभीप्सा, फिर जीवन की शुरुआत हो जाएगी।

हम बदलते हैं तो भी बदलते नहीं। हम मुड़ते हैं तो भी मुड़ते नहीं। हम ऊपर-ऊपर सब खेल खेल लेते हैं। हम लहरों-लहरों में तैरते रहते हैं, भीतर हम प्रवेश नहीं करते।

बे-गोता कैसे मिलता हमें गौहरे-मुराद
हम तैरते रहे सदा, लहरों के झाग पर।

एक लहर से दूसरी लहर, दूसरी से तीसरी लहर। हम लहरों के झाग पर ही तैरते रहते हैं। तो वह जो मणि है, जिसे मिल कर मुक्ति मिल जाती है—कहें मुक्ता, कहें मणि—वह जो परम मणि है, वह तो गहरे डुबकी लगाने से मिलती है।

बे-गोता कैसे मिलता हमें गौहरे-मुराद

वह जो हमारी सदा की आकांक्षाओं की आकांक्षा है, वह जो हमारी चाहतों की चाहत है, 'गौहरे-मुराद', जिसके अतिरिक्त हमने कभी कुछ नहीं चाहा है—हमने सब ढंग, सब रंग में उसी को चाहा है। कोई धन में खोजता है, कोई पद में खोजता है; लेकिन हम खोजते परमात्मा को ही हैं, पद पर बैठ कर परमात्मा होने का ही थोड़ा मजा लेते हैं कि थोड़ी शक्ति हाथ आई! धन पास होता है तो परमात्मा का थोड़ा सा मजा लेते हैं कि हम दीन-दरिद्र नहीं। ज्ञान होता है तो परमात्मा का थोड़ा सा मजा लेते हैं कि हम अज्ञानी नहीं।

बे-गोता कैसे मिलता हमें गौहरे-मुराद

वह परमात्मा ही गौहरे-मुराद है। उसको हमने बहुत-बहुत लहरों में खोजा, कभी पाया नहीं। हाथ में झाग लगता है। लहर को पकड़ते हैं, झाग मुट्ठी में रह जाता है। मगर फिर दूसरी लहर पर उठा झाग हमें बुलाने लगता है। झाग बड़ा सुंदर लगता है कभी! सूरज की सुबह की किरणों में झाग बड़ा रंगीन लगता है।

मणिमुक्ताएं हार जाएं, ऐसी शुभ्रता, ऐसे रंग, ऐसे इंद्रधनुष झाग में दिखाई पड़ सकते हैं। दूर उठती लहर के ऊपर झाग ऐसे लगता है जैसे हिमालय पर बर्फ जमी हो, पवित्र! झाग ऐसे लगता है जैसे सारे समुद्र का सार नवनीत हो। हाथ बांधो, मुट्ठी बांधो--कुछ भी हाथ नहीं आता।

बे-गोता कैसे मिलता हमें गौहरे-मुराद
हम तैरते रहे सदा, लहरों के झाग पर।

हमने बहुत बार करवटें बदलीं, मगर एक लहर से दूसरी लहर में उलझ गए, मैं तुमसे यह कहना चाहता हूं कि तुममें से बहुत अनेक बार संन्यासी हुए फिर भोगी हुए, फिर संन्यासी हुए, फिर भोगी हुए। ये करवटें तुम बहुत बार बदल चुके हो। यह कुछ नया खेल नहीं। यह खेल बड़ा पुराना है। तुम इसमें बड़े निष्णात हो चुके हो। कई बार मैं देखता हूं, कुछ लोग जब पहली दफा संन्यास लेने आते हैं, वे सोचते हैं कि पहली दफा संन्यास लेने आए; उनके भीतर मैं झांकता हूं तो आश्चर्य से भर जाता हूं: यह तो वे कई बार कर चुके हैं, क्या इस बार भी फिर वही पुराना ही खेल जारी रखेंगे, कि इस बार क्रांति होगी? मैं सोचने लगता: यह फिर एक नई लहर होगी या गहराई में उतरना होगा?

भोगियों को देखता हूं तो भोगी संन्यास का सपना देखते मिलते हैं और संन्यासियों से भी मैं मिलता रहा हूं। वर्षों तक घूमता रहा हूं, सब तरह के संन्यासियों से मिला हूं: संन्यासियों को भोग के सपने आने शुरू हो जाते हैं। यह बड़ा मजा है। जो लहर, जिस पर तुम सवार होते हो, वह व्यर्थ मालूम होती है; और जो लहर दूर है—वे दूर के ढोल सुहावने—वह बड़ी आकर्षक मालूम होती है!

भोगी कहता है कि त्यागी बड़ा आनंद ले रहा होगा। इसलिए तो भोगी त्यागी के चरण छूने जाता है। कब तुम्हें अक्ल आएगी? कब तुम्हारी आंखें खुलेंगी?

अगर तुमने त्यागी के चरण सिर्फ इसलिए छुए हैं कि तुम सोचते हो कि त्यागी मजा ले रहा है, तो खतरा है। जब तुम भोग से ऊबोगे, तुम त्यागी हो जाओगे। क्योंकि पैर तुम उसी के छूना चाहते हो, जो तुम होना चाहते हो। पैर छूना तो केवल इंगित है। तुम तो खबर दे रहे हो कि अगर हमारा बस चले तो ऐसे होते; जरा मुसीबत है, इसलिए उलझे हैं।

मुल्ला नसरुद्दीन एक दिन बड़ा उदास था। मैंने पूछा, तुम इतने उदास क्यों हो? माना कि तुम्हारी पत्नी मर गई; लेकिन तुम अभी जवान हो, दूसरी शादी हो सकती है। सच तो यह है कि कुछ लोगों ने मेरे पास आकर कहा भी है, किसी तरह मुल्ला को राजी कर दें, उनकी जवान लड़की है।

· मुल्ला ने कहा, कर तो लूं, लेकिन इसके चार कारण हैं; कर नहीं सकता हूं। चार कारण! मैंने कहा, ब्रह्मचारी भी चार कारण नहीं गिना सके हैं अब तक शादी न करने के, तू बता।

चार कारण...उसने कहा चार कारण हैं; तीन लड़कियां और एक लड़का। इन चार कारणों के कारण विवाह कर सकता नहीं। करना तो मैं भी चाहता हूं। मगर ये अटके हैं। इनसे फांसी लगी है।

भोगी त्यागी के पैर छूने जाता है। लेकिन हजार कारण अटके हैं उसके गले में, अन्यथा वह भी त्यागी होना चाहता। तुम क्यों जाते हो महात्मा के चरण छूने? तुम सोचते हो, कभी ऐसे सदभाग्य होंगे मेरे भी कि मैं भी महात्मा हो जाऊंगा! अभी नहीं हो सकता तो कम से कम चरण तो छू सकता हूं। अभी नहीं हो सकता तो कम से कम समादर तो दे सकता हूं।

तुम्हारा समादर तुम्हारी अपनी ही भविष्य की आकांक्षाओं के चरणों में चढ़ाए गए फूल हैं। तुम किसी महात्मा के चरण थोड़े ही छू रहे हो; तुम अपने ही भविष्य की प्रतिमा के चरणों में झुक रहे हो। कभी अगर तुम्हें मौका मिला, चार कारण न रहे, तब खतरा आएगा। तब तुम छलांग लगा कर संन्यासी हो जाओगे, त्यागी हो जाओगे। और मैं त्यागियों को जानता हूं, वे त्यागी होकर तड़फ रहे हैं।

मुझसे एक सत्तर-पचहत्तर साल के बूढ़े संन्यासी ने कहा कि 'आपसे कह सकता हूं, किसी और से तो कह भी नहीं सकता। यह दर्द ऐसा है, कहो किससे! लोग मेरे पैर छूने आते हैं। उनसे तो मैं कह नहीं सकता। वे तो मुझे आदर देते हैं, उनसे तो सत्य कहा नहीं जा सकता; लेकिन आपसे कहता हूं कि चालीस साल हो गए मुझे संन्यास लिए।' जैन मुनि हैं, चालीस साल से सब त्यागा है, लेकिन कुछ मिला नहीं। 'अब तो यह शक होने लगा है इस बुढ़ापे में,' उन्होंने मुझसे कहा, 'कि कहीं मैंने भूल तो नहीं कर दी! अब तो रात मुझे सपने आने लगे हैं कि इससे तो बेहतर था मैं ग्रहस्थ ही रहता। घर-द्वार था, पत्नी थी, बच्चे थे, इससे तो मैं वहीं बेहतर था। अब तो मुझे शक होने लगा है अपने उपक्रम पर। चालीस साल पहले की बातें मुझे अब प्रीतिकर लगने लगीं कि वही ठीक था, इससे तो वही ठीक था। अब वह लहर जो चालीस साल पहले छोड़ी थी, अब फिर झाग से भर गई है। अब उस लहर के सिर पर फिर सुंदर झाग ने मुकुट रचा दिए; फिर इंद्रधनुष पैदा हो रहे हैं।'

यह तुम चकित होओगे जान कर कि बुरे आदमी अच्छे आदमी होने के सपने देखते हैं। अच्छे आदमी बुरे आदमी होने के सपने देखते हैं। अगर तुम साधु-संतों के सपनों में झांक पाओ तो तुम घबड़ा जाओगे। वहां तुम अपराधियों को छिपा

पाओगे। और अगर तुम जेलखाने में जाओ और अपराधियों के सपनों में झांको, उनकी खोपड़ी में खिड़की बना लो और उनका सपना देखो, तुम चकित हो जाओगे, कि वे सब ऊब गए हैं, थक गए हैं बुरा कर-कर के, अब वे भले होना चाहते हैं। अब किसी तरह उनको एक बार मौका मिल जाए, तो वे दुनिया में सिद्ध कर देना चाहते हैं कि वे अपराधी नहीं हैं, संत हैं। यह दूसरी बात है कि जेल से जब वे छूटेंगे दस-पंद्रह साल बाद, तब फिर बाहर की लहरें ताजी मालूम होने लगेंगी। यह दूसरी बात है। लेकिन आदमी हमेशा वहां के सपने देखता है जहां नहीं है।

जनक की यह जो ध्यान की घटना घटी है, अष्टावक्र परीक्षा लिए, अब उसे प्रलोभन देते हैं। यह प्रलोभन और भी गहरी परीक्षा है। अब वे कहते हैं कि फिर ठीक, जब तुझे ज्ञान ही हो गया जनक, तो अब...अब छोड़, अब त्याग में उतर जा। अगर जनक इसमें फंस गया तो असफल हुआ—तो गहरी परीक्षा में असफल हुआ।

जनक की जगह कोई भी साधारण व्यक्ति होता तो उलझ जाता झंझट में। क्योंकि अष्टावक्र इन शब्दों में बात कर रहे हैं कि पकड़ना बहुत मुश्किल है। सुनो उनके सूत्र।

अष्टावक्र ने कहा : 'तेरा किसी से भी संग नहीं है। तूने घोषणा कर दी असंग होने की।'

'तेरा किसी से भी संग नहीं है, इसलिए तू शुद्ध है। तू किसको त्यागना चाहता है? इस प्रकार देहाभिमान को मिटाकर तू मोक्ष को प्राप्त हो।'

बड़ा उलझा हुआ सूत्र है। उकसाते हैं बड़े बारीक नाजुक रास्ते से। पूछते हैं : तू शुद्ध है, तेरा किसी से भी कोई संग नहीं है—फिर भी जनक, मैं देखता हूं, तेरे भीतर त्याग की लहरें उठ रही हैं। तू किसको त्यागना चाहता है? ठीक, अगर त्यागना ही चाहता है तो इस प्रकार के देहाभिमान को त्याग कर तू मोक्ष को प्राप्त हो जा।

'देहाभिमान को त्याग कर मोक्ष को प्राप्त हो जा!'

एक तो कहते हैं कि मैं तेरे भीतर त्याग की लहर उठते देखता हूं, धीमी तरंग है; शायद तूने भी अभी पहचानी न हो; शायद तुझे भी अभी पहचानने में समय लगे। तेरे गहरे अतल में उठ रही है एक लहर, जो थोड़ी-बहुत देर बाद तेरी चट्टान से टकराएगी चैतन्य की, और तू जान पाएगा। अभी शायद तुझे खबर भी नहीं।

जब मनुष्य के भीतर कोई विचार उठता है तो वह चार खंडों में बांटा जा सकता है। जब तुम बोलते हो, वह आखिरी बात है। बोलने के पहले तुम्हारे कंठ में होता है। तुम जानते हो। साफ-साफ होता है, क्या बोलना है। तुम भीतर तो परिचित हो

गए, भीतर तो तुमने बोल लिया। अभी बाहर प्रकट नहीं किया है। वह तीसरी अवस्था है।

उसके पहले दूसरी अवस्था होती है जब धुंधला होता है। तुम्हें साफ नहीं होता कि क्या है। ऐसा भी हो सकता है, वैसा भी हो सकता है। शायद हो शायद न हो! रूपरेखा स्पष्ट नहीं होती। सुबह के धुंधलके में छिपा होता है। मगर थोड़ी-थोड़ी भनक पड़ती है। लगता है कुछ है। थोड़ी आवाज आनी शुरू होती है। वह दूसरी अवस्था है।

उसके पहले एक पहली अवस्था है: जब तुम्हें बिलकुल ही पता नहीं होता, धुंधलके का भी पता नहीं होता। गहरी अंधेरी रात छाई होती है।

लेकिन तुम्हारे भीतर वह पहली अवस्था जब उठती है, तब भी गुरु देख लेता है। अष्टावक्र देख रहे हैं कि जनक की पहली अवस्था में विचार की कोई तरंग है। थोड़ी देर बाद दूसरी अवस्था होगी। थोड़ा धुंधला-धुंधला आभास होगा। फिर तीसरी अवस्था होगी: विचार प्रगाढ़ होगा, स्पष्ट होगा। फिर चौथी अवस्था होगी: जनक उदघोषणा करेंगे कि मैंने सब छोड़ा, मैंने सब त्यागा, अब मैं जाता वन की ओर।

इसके पहले कि विचार यहां तक पहुंच जाए...क्योंकि यहां तक पहुंच कर फिर लौटना मुश्किल हो जाता है। विचार से मुक्त होने की प्रक्रिया यही है कि पहली अवस्था में विचार को अगर पकड़ लिया जाए तो तुम कभी उसके बंधन में नहीं पड़ते। तुमने बीज में पकड़ लिया वृक्ष को, वृक्ष पैदा ही नहीं हो पाता। अधिक लोग तो जब वृक्ष न केवल पैदा हो जाता है, उसमें फल लग जाते, न केवल फल लग जाते, बल्कि वृक्ष हजारों बीजों को अपनी तरफ फेंक देता है भूमि में—तब सजग होते हैं, तब बड़ी देर हो गई। तब तुम इस वृक्ष को उखाड़ भी दो तो भी फर्क नहीं पड़ने वाला, क्योंकि हजारों बीज फेंक चुका। समय आने पर वे फूटेंगे, हजारों वृक्ष बनेंगे। और तुम्हारी पुरानी आदत है, तुम तभी पकड़ोगे जब वृक्ष बन जाएंगे, बीज गिर जाएंगे, तब तुम फिर पकड़ोगे, फिर तुम काट देना। तुम वृक्षों को काटते रहना और वृक्षों का कोई अंत न होगा। वृक्षों की नई शृंखलाएं आती चली जाएंगी। ऐसा ही हमारे जीवन में होता है।

बुद्ध ने विपस्सना का प्रयोग दिया है अपने भिक्षुओं को। विपस्सना का कुल अर्थ इतना ही है कि तुम इस भांति भीतर सजग होते जाओ कि धीरे-धीरे तुम्हें पहली अवस्था में विचार दिखाई पड़ने लगे। जब पहली अवस्था में विचार दिखाई पड़ता है, बड़ी सरल है बात। इतना ही कह देना काफी है: 'बस क्षमा कर! नहीं इच्छा पड़ने की इसमें।' इतना भाव ही कि 'नहीं' पर्याप्त है और बीज दग्ध हो जाता है।

दूसरी अवस्था में थोड़ा कठिन है। थोड़ा संघर्ष करना पड़ेगा। तीसरी अवस्था में और भी कठिन है। संघर्ष करोगे तो भी जीत पाओगे, संदिग्ध है। चौथी अवस्था में तो बहुत मुश्किल है। घोषणा हो चुकी। तुम फंस गए। लौटना करीब-करीब असंभव हो जाता है। अब तो फल भोगना पड़ेगा, क्योंकि विचार कर्म बन गया।

पहले विचार केवल भाव होता। उसके पहले शून्य में बीज-मात्र होता, संभावना मात्र होता। फिर भाव बनता, फिर विचार बनता, फिर अभिव्यक्ति बनता।

अभी जनक को शायद पता भी न हो, या शायद पता चलना शुरू हुआ हो; लेकिन अष्टावक्र को दिखाई पड़ा है।

'तेरा किसी से भी संग नहीं जनक, तू शुद्ध है! लेकिन फिर भी किसको त्यागना चाहता है?' ...एक काम कर, अगर त्यागना ही है तुझे, अगर त्यागने की जिद ही है तो...'देहाभिमान को मिटा कर तू मोक्ष को प्राप्त हो!'

बड़ा गहरा जाल है! अगर जनक इतना भी कह दे कि हां, देहाभिमान का त्याग करना है, तो बात तय हो जाएगी कि कुछ त्याग करना है इसे। कुछ भी त्याग करना हो तो अज्ञान शेष है। फिर अभी ज्ञान की क्रांति नहीं घटी। दीया जल गया और तुम कहो, अंधेरे का त्याग करना है, तो फिर दीया जला नहीं! दीया जल जाने पर अंधेरे का कैसा त्याग? दीया जल गया तो अंधेरा तो जा ही चुका, त्याग हो ही चुका। त्याग करना हो तो गलत, त्याग हो जाए तो सही। जो करना पड़े तो कर्ता बन जाते हैं हम; जो हो जाए तो साक्षी रहते हैं। भोग हुआ, त्याग हुआ। न हमने भोग किया, न हमने त्याग किया। जो होता था, होने दिया। हम करते भी क्या? जो होता था, होने दिया। देखते रहे। अपने देखने को विशुद्ध रखा!

न ते संगोऽस्ति केनापि किं शुद्धस्त्यक्तुमिच्छसि।
संघातविलयं कुर्वन्नेवमेव लयं व्रज।।

ते केन अपि संगः न...।

तेरा कोई संगी-साथी नहीं, छोड़ना किसको चाहता है? कोई संगी-साथी होता तो छोड़ देते।

समझो, बारीक है सूत्र। समझा तो क्रांति घट सकती है। कोई मेरे पास आता है, वह कहता है, पत्नी-बच्चे छोड़ने हैं। तो उसने एक बात तो मान ही ली कि पत्नी-बच्चे उसके हैं। कोई मेरे पास आता है, कहता है, धन छोड़ना है, घर-द्वार छोड़ना है। मैं उससे पूछता हूं, 'तुझे पक्का है कि वे तेरे हैं? तू न छोड़ेगा तो तेरे रहेंगे? कल तू मरेगा, फिर क्या करेगा? मरते वक्त तू कहेगा कि ये मेरे हैं और छूट रहे हैं, यह मामला क्या है? जन्म के पहले तू तो नहीं था, मकान यहीं था। जिस तिजोड़ी में तूने हीरे भर रखे हैं, वे भी यहीं थे, तू नहीं था। वे किसी और के थे।

किसी और को भ्रांति थी कि मेरे हैं। अब तुझे भ्रांति है कि मेरे हैं। तू जब नहीं था, तब भी थे; तू नहीं रहेगा, तब भी होंगे। छोड़ेगा तू? छोड़ना तो तभी घट सकता है जब तुझे पक्का हो कि ये मेरे हैं। मेरे हैं, तो छोड़ना संभव है। अगर मेरे नहीं हैं तो छोड़ेगा कैसे? छोड़ने में तो मालकियत का दावा जारी है।

जिस आदमी ने कहा, मैंने छोड़ दिया संसार, वह आदमी अभी छोड़ नहीं पाया, क्योंकि छोड़ने में भी दावेदार मौजूद है। वह कहता है, मैंने छोड़ा! तो उसने पहली भ्रांति को अभी भी पकड़ा हुआ है कि मेरा था! जो मेरा हो तो छोड़ा जा सकता है।

ते केन अपि संगः न...।

तेरा कौन संगी, तेरा कौन साथी! अकेला तू आता, अकेला तू जाता! न कुछ लेकर आता, न कुछ लेकर जाता! खाली हाथ आता, खाली हाथ जाता!

मामला तो अजीब ही है। आदमी जब पैदा होता है तो बंधी मुट्ठी; मरता है तो खुली मुट्ठी। और बुरी हालत में मरता है। कम से कम बंधी मुट्ठी लेकर आता है, बच्चा जब आता है। नहीं सही, कुछ भी नहीं है उसमें, कम से कम बंधी मुट्ठी...लोग कहते हैं बंधी मुट्ठी लाख की, खुली तो खाक की! जब मरता है तो मुट्ठी खुल जाती है, खाक की हो जाती है। न तो बंधी मुट्ठी में कुछ था, न खुली मुट्ठी में कुछ था। लेकिन बंधी मुट्ठी में कम से कम भ्रम तो था कि कुछ है। न हम कुछ लाते, न हम कुछ ले जाते। छोड़ेगा क्या? छोड़ने को क्या है?

ते केन अपि संगः न अतः शुद्धः।

बड़ा अदभुत सूत्र है! बड़े वैज्ञानिक सूत्र हैं! तेरा कोई संगी नहीं, साथी नहीं, तेरी कोई मालकियत नहीं, तेरी कोई वस्तु नहीं। अतः शुद्धः। इसलिए तू शुद्ध है। क्योंकि मालकियत भ्रष्ट करती है।

तुमने देखा, जिस चीज पर मालकियत कायम करो, उसी की मालकियत तुम पर कायम हो जाती है! बनो किसी स्त्री के स्वामी और वह तुम्हारी मालिक हो गई। बनो मकान के मालिक और मकान तुम्हारा मालिक हो गया।

फरीद एक रास्ते से गुजरता था अपने शिष्यों के साथ और एक आदमी एक गाय के गले में रस्सी बांध कर घसीटे ले जा रहा था। गाय घिसट रही थी, जा नहीं रही थी। परतंत्रता कौन चाहता है! फरीद ने घेर लिया उस आदमी को, गाय को। अपने शिष्यों से कहा, खड़े हो जाओ, एक पाठ ले लो। मैं तुमसे एक सवाल पूछता हूं: 'यह आदमी ने गाय को बांधा है कि गाय ने आदमी को बांधा है?'

वह आदमी जो गाय ले जा रहा था वह भी खड़ा हो गया: देखें मामला क्या है! यह तो बड़ा अजीब प्रश्न है। और फरीद जैसा ज्ञानी कर रहा है!

शिष्यों ने कहा, बात साफ है कि इस आदमी ने गाय को बांधा है, क्योंकि रस्सी इसके हाथ में है।

फरीद ने कहा, मैं दूसरा सवाल पूछता हूं। हम इस रस्सी को बीच से काट दें तो यह आदमी गाय के पीछे जाएगा कि गाय आदमी के पीछे जाएगी?

तो शिष्यों ने कहा, तब जरा झंझट है। अगर रस्सी काट दी तो इतना तो पक्का है कि गाय तो भागने को तैयार ही खड़ी है। यह इसके पीछे जाने वाली नहीं है, यह आदमी ही इसके पीछे जाएगा।

तो फरीद ने कहा, ऊपर से दिखता है कि रस्सी गले में बंधी है गाय के, पीछे से गहरे में समझो तो आदमी के गले में बंधी है।

जिसके हम मालिक होते हैं, उसकी हम पर मालकियत हो जाती है। तुम धन के कारण धनी थोड़े ही होते हो, धन के गुलाम हो जाते हो। धन के कारण धनी हो जाओ तो धन में कुछ भी खराबी नहीं है। लेकिन धन के कारण कभी कोई विरला धनी हो पाता है। धन के कारण तो लोग गुलाम हो जाते हैं। उनकी सारी जिंदगी एक ही काम में लग जाती है जैसे... तिजोड़ी की रक्षा! और धन को इकट्ठा करते जाना! जैसे वे इसीलिए पैदा हुए हैं! ये महत कार्य करने को इस संसार में आए हैं। तिजोड़ी में भर कर मर जाएंगे, उनका महत कार्य पूरा हो जाएगा! तिजोड़ी यहीं पड़ी रह जाएगी।

अष्टावक्र कहते हैं: तेरा कोई नहीं, तू किसी का नहीं, अकेला है—अतः शुद्धः। इसलिए मैं घोषणा करता हूं कि तू शुद्ध है। शुद्ध तेरा स्वभाव है।

जब भी कोई चीज किसी दूसरी चीज से मिल जाती है तो अशुद्ध हो जाती है। विजातीय से मिलने से अशुद्धि होती है। प्रत्येक चीज अपने आप में तो शुद्ध ही होती है, यह ध्यान रखना। तुम कहते हो, इस दूध वाले ने पानी मिला दिया दूध में, तो दूध अशुद्ध हो गया। तुमने कभी दूसरी बात सोची कि पानी भी अशुद्ध हो गया? वह तो तुम्हें जरूरत दूध की है, इसलिए तुम दूध की फिकर करते हो कि दूध अशुद्ध हो गया। लेकिन दूध, अगर दूध वाला यह कहे कि मैंने बिलकुल शुद्ध पानी मिलाया है, कैसी नासमझी की बात करते हो कि अशुद्ध हो गया! पानी बिलकुल शुद्ध था, मैंने मिलाया; दूध भी शुद्ध था—शुद्धता दोहरी हो गई! तुम अशुद्धता की बात कर रहे हो? कोई अशुद्ध पानी नहीं मिलाया है, कोई डबरे से सड़क के किनारे नहीं भर कर मिला दिया, बिलकुल शुद्ध करके, उबाल कर, प्राशुक इसमें मिलाया है। तुम कैसे कहते हो कि यह अशुद्ध है? दो शुद्ध चीजें जब मिलती हैं तो सीधा गणित है कि शुद्धि दोहरी हो जानी चाहिए, दुगनी हो जानी चाहिए।

मगर जिंदगी में गणित नहीं चलता। जिंदगी गणित से कुछ ज्यादा है। दो शुद्ध चीजों को भी मिलाओ तो दोनों अशुद्ध हो जाती हैं। तुम कहते हो, दूध अशुद्ध हो गया, क्योंकि दूध की तुम्हें जरूरत है, दूध के दाम लगते हैं। पानी भी अशुद्ध हो गया।

तो अशुद्धि का अर्थ समझ लेना...मल-मूत्र भी पड़ा हो और तुम उसमें सोना डाल दो तो मलमूत्र भी अशुद्ध हो गया। मलमूत्र मलमूत्र की तरह शुद्ध है। शुद्ध का मतलब यह कि सिर्फ स्वयं है। शुद्ध का अर्थ ही इतना होता है : स्वयं होना।

मुल्ला नसरुद्दीन एक चाय-घर में बैठ कर गप-शप कर रहा था और कह रहा था कि भगवान ने सब चीजें परिपूर्ण बनाई हैं। भगवान पूर्ण है, तो भगवान ने हर चीज पूर्ण बनाई। लोग बड़ी गंभीरता से सुन रहे थे, बात जंच भी रही थी, तभी एक कुबड़ा आदमी—रहा होगा अष्टावक्र जैसा—खड़ा हो गया। और उसने कहा, मेरे संबंध में क्या? वह कई जगह से इरछा-तिरछा था। थोड़ा तो मुल्ला भी चौंका कि जरा मुश्किल बात है। उसने कहा कि तू बिलकुल...तेरे संबंध में भी सही है। तुझ जैसा परिपूर्ण कुबड़ा मैंने देखा ही नहीं। तू बिलकुल पूर्ण कुबड़ा है। इसमें और सुधार करने का उपाय नहीं है। परमात्मा बनाता ही पूर्ण चीजें है, तुझे पूर्ण कुबड़ा बनाया है!

प्रत्येक वस्तु जैसी है, अपने में शुद्ध है। तो शुद्ध का अर्थ हुआ : स्वभाव में होना। अशुद्ध का अर्थ हुआ : परभाव में होना। जब भी तुम पर का भाव करते हो, विशुद्धता खो जाती है, अशुद्ध हो जाते हो। धन चाहा तो तुम्हारी चेतना में धन की छाया पड़ने लगी; पद चाहा तो पद की छाया पड़ने लगी; प्रतिष्ठा चाही तो प्रतिष्ठा की छाया पड़ने लगी। जब तक तुमने कुछ चाहा, चाह का अर्थ ही है अपने से अन्यथा की चाह। स्वयं को तो कौन चाहता है! स्वयं तो तुम हो ही, चाहने को कुछ है नहीं।

इसलिए तो लोग आत्मा को चूकते चले जाते हैं, क्योंकि आत्मा को कोई चाहेगा क्यों! आत्मा तो है ही। जो नहीं है, उसे हम चाहते हैं। जो हम नहीं हैं, उसे हम चाहते हैं—और उसकी चाह ही हमें अशुद्ध करती है।

ते केन अपि संगः न अतः शुद्धः।

तू शुद्ध है जनक, क्योंकि तेरी कोई चाह नहीं।

किम् त्यक्तुम इच्छसि!

लेकिन तेरे भीतर मैं देखता हूं, इच्छा पैदा हो रही है त्याग की। किसे तू छोड़ना चाहता है? किसे? क्योंकि छोड़ने में भ्रांति—मेरी है—ऐसी तो रहेगी ही। इतना जान लेना काफी है कि मेरा कुछ भी नहीं—त्याग हो गया! न कहीं भागना है, न

कहीं जाना है। तुम जहां हो वहीं बैठे-बैठे किसी को कानों-कान खबर भी न होगी, पत्नी पास ही बैठी रहेगी, बच्चे वहीं खेलते रहेंगे, दुकान चलती रहेगी, ग्राहक आते-जाते रहेंगे; तुम वहीं बैठे-बैठे इस छोटे से बोध के दीये से मुक्त हो जा सकते हो कि मेरा कुछ भी नहीं!

किम् त्यक्तुम इच्छसि!

तू किसे छोड़ने की इच्छा कर रहा है? तेरे भीतर मैं एक इच्छा का अंकुर उठते देखता हूं।

एवम् एव संघातविलयम् कुर्वन् लयम् व्रज।

और अगर ऐसा है तो एक बात छोड़ने जैसी है, वह है देहाभिमान। यह बात कि मैं देह हूं, यह बात कि मैं मन हूं, यह बात कि मेरा कोई तादात्म्य है—यह छोड़ने जैसी है, तू इसका त्याग कर दे।

देखें जाल! ऊपर से कह रहे हैं कि तेरे भीतर कोई भी त्याग की आकांक्षा उठे तो गलत है। और फिर बड़ी बारीकी से, बड़ी कुशलता से कहते हैं: लेकिन फिर भी अगर तेरी मर्जी हो, छोड़ने का ही मन हो तो और कुछ छोड़ना तो व्यर्थ है, यह बात छोड़ दे कि मैं देह, कि मैं मन, कि मेरा किसी से तादात्म्य। ऐसे वे त्याग के लिए उकसाते हैं। बड़ी जटिल बात है!

तुमने कभी कुम्हार को घड़ा बनाते देखा? क्या करता कुम्हार? भीतर से तो सम्हालता है घड़े को। चाक पर रखता है मिट्टी को, भीतर से सम्हालता है और बाहर से चोट मारता है। एक हाथ से चोट मारता है, एक हाथ से सम्हालता है। इसी से घड़े की दीवाल उठनी शुरू होती है। घड़ा बनना शुरू होता है। भीतर से सम्हालता जाता है, बाहर से चोट करता जाता है।

कबीर ने कहा है: यही गुरु का काम है। एक हाथ से चोट करता, एक हाथ से सम्हालता है। अगर तुमने चोट ही देखी तो तुमने आधा देखा। तुमने अगर सम्हालना ही देखा तो भी तुमने आधा देखा, तो तुम गुरु की पूरी कीमिया से परिचित न हो सके, फिर पूरा रसायन तुम्हें समझ में न आएगा। इधर चोट मारता, इधर समझा लेता। इतनी भी चोट नहीं मारता कि तुम भाग ही खड़े होओ। इतना भी नहीं समझा लेता कि तुम वही के वही रह जाओ जैसे आए थे। चोट भी किए चला जाता है, ताकि तुम बदलो भी। लेकिन चोट भी इतनी मात्रा में करता है—होमियोपैथी के डोज देता है, धीरे-धीरे! एकदम ऐलोपैथी का डोज नहीं दे देता कि तुम या तो भाग ही खड़े होओ या खत्म ही हो जाओ। बड़ी छोटी मात्रा में, चोट करता है! देखता है कितनी दूर तक सह सकोगे, उतनी चोट कर देता है। फिर रुकता है, देखता है कि

ज्यादा हो गई, तिलमिला गए, भागे जा रहे हो, बिस्तर-विस्तर बांध रहे हो, तो फिर थोड़ा समझा लेता है।

देखा! 'स्वभाव' के साथ वही तो किया न। अब उन्होंने फिर बिस्तर वगैरह खोल कर रख दिया है। अब वे फिर मजे-मजे से बैठे हुए हैं, सिर घुटाए हुए, अब उनको कोई अड़चन नहीं है। अब फिर चोट की तैयारी है। अब उन पर फिर मार पड़नी चाहिए।

...एक हाथ से सम्हालो, एक हाथ से चोट करते जाओ।

तो वे उससे कहते, 'ऐसा कर कि तू छोड़। धन इत्यादि छोड़ना तो छोटी बातें हैं, मैं तुझे बड़ी बात छोड़ने की बताता हूं। तू देहाभिमान छोड़ दे!'

संघातविलयम्!

यह जो देह का संघात है, इसको लय कर दे! मैं देह हूं, ऐसे भाव को विलीन कर दे। इस प्रकार देहाभिमान को मिटा कर तू मोक्ष को अभी प्राप्त हो जा सकता है।

देखना बारीकी: 'मोक्ष को प्राप्त हो जा सकता है, अगर देहाभिमान को छोड़ दे!' फिर कारण-कार्य की दुनिया बनाई जा रही है। फिर उसे कहा जा रहा है कि यह कारण है, देह का अभिमान छूट जाए तो मोक्ष फले।

मोक्ष फल नहीं है; मोक्ष के लिए कुछ करना जरूरी नहीं है। मोक्ष तुम्हारा स्वभाव है। मगर जनक भी अदभुत कुशल व्यक्ति रहे होंगे। उनके सूत्र शीघ्र ही आएंगे, तब तुम समझोगे, उन्होंने कैसा अदभुत उत्तर दिया!

'तुझसे संसार उत्पन्न होता है; जैसे समुद्र से बुलबुला। इस प्रकार आत्मा को एक जान और ऐसा जान कर मोक्ष को प्राप्त हो।'

उदेति भवतो विश्वं वारिधेरिव बुद्‌बुदः।
इति ज्ञात्वैकमात्मानमेवमेव लयं व्रज।।

इतनी ही भावना कर कि मुझसे संसार उत्पन्न हुआ है; जैसे समुद्र में बुलबुला उत्पन्न होता है। और अपने को और जगत को, स्वयं को और समष्टि को एक मान कर, एक जान कर तू मोक्ष को प्राप्त हो जा।

जैसे कि मोक्ष किसी जानने पर निर्भर है! जैसे मोक्ष के लिए कोई ज्ञान आवश्यक है!

अगर मोक्ष के लिए कुछ भी आवश्यक है तो वह मोक्ष न रहा। क्योंकि जिस मोक्ष के लिए कोई कारण है, वह कारण पर निर्भर होगा; उसकी शर्त हो गई; वह कारण से बंधा होगा; किसी दिन कारण हट जाएगा तो मोक्ष गिर जाएगा। मोक्ष अकारण है। मोक्ष का कोई भी कारण नहीं है।

तुमने अगर पूछा कि मैं कैसे मुक्त हो जाऊं तो तुम बंधने का नया उपाय पूछ रहे हो। तुम पूछ रहे हो कि मुझे अब कुछ और बताएं; पुराने बंधन पुराने पड़ गए, उनमें अब रस नहीं आता; अब मैं कैसे मुक्त हो जाऊं? तो कोई कहता है, अब तुम योगासन करो, इससे मुक्त हो जाओगे। तो पहले तुम दुकान पर बैठे थे, गद्दी पर आसन लगा रहे थे, अब तुम बैठ गए कहीं जंगल में जाकर झाड़ के नीचे, योगासन लगाने लगे। मगर, जारी रहा काम। आकांक्षा भविष्य की रही।

मोक्ष तो है ही! तुम कुछ न करो—मोक्ष है। जब तुम कुछ भी नहीं करते होओगे, उसी क्षण तुम्हें दिखाई पड़ेगा। क्योंकि करने से ऊर्जा मुक्त हुई कि फिर क्या करेगी? फिर देखेगी!

कर्ता में ऊर्जा उलझी रहे तो साक्षी नहीं बन पाती। वही ऊर्जा जब कर्ता में नहीं उलझी होती, कुछ करने को नहीं होता, तो साक्षी बन जाती है।

झेन गुरु अपने शिष्यों को कहते हैं: बस बैठो और कुछ न करो। इससे क्रांतिकारी सूत्र कभी दिया ही नहीं गया। वे कहते हैं, बस बैठो कुछ न करो। शिष्य बार-बार आता है कि कुछ करने को दे दो। सदगुरु कहता है: कुछ करने को दे दिया, बस शुरू हुआ गोरखधंधा!

'गोरखधंधा' शब्द बड़ा अदभुत शब्द है। यह गोरखनाथ से चला। क्योंकि जितनी विधियां गोरखनाथ ने खोजीं, मेरे अलावा किसी और ने नहीं खोजीं। गोरखधंधा। मानते नहीं, कुछ करेंगे... करो! कुंडलिनी करो, नादब्रह्म करो! करने के बिना चैन नहीं है! तुम कहते हो, बिना कुछ किए तो हम बैठ ही नहीं सकते। तो मैं कहता हूं चलो ठीक है, कुछ करो! जब थक जाओगे करने से, किसी दिन जब कहोगे कि अब कुछ ऐसा बताएं कि करने से बहुत हो गया, अब करने से कुछ होता नहीं, तो तुमसे कहूंगा, अब बैठ रहो!

जैसे छोटा बच्चा घर में होता है—बेचैन—तुम उसे कहते हो, शांत बैठ! वह शांत क्या, कैसे बैठे? इतना बूढ़ा नहीं है कि शांत बैठे। अभी ऊर्जा से भरा है, अभी उबल रही है आग! अभी वह शांत भी बैठे तो कसमसाता है, हिलता-डुलता है। वह रात में सो भी नहीं सकता, बिस्तर से नीचे गिर जाता है। तो करवटें बदलता है, हाथ-पैर फेंकता है। अभी तो शक्ति उठ रही है। तुम उसे कहते हो, 'शांत बैठ! आंख बंद कर!' वह बैठ नहीं सकता। उसके लिए तो एक ही उपाय है। उससे कहो कि जा घर के पंद्रह चक्कर लगा आ, जोर से दौड़ना। फिर कुछ कहने की जरूरत न रहेगी। वे पंद्रह चक्कर लगा कर खुद ही शांति से आकर बैठ जाएंगे। तब तुम देखना उनकी शांति में फर्क है। ऊर्जा बह गई है, थकान आ गई है—उस थकान में बैठना आसान हो जाता है।

सारी विधियां गोरखधंधे हैं। उनका उपयोग केवल एक है कि तुम थक जाओ; तुम्हारे कर्ता में धीरे-धीरे थकान आ जाए। तुम यह सोचने लगो, कर-कर के तो कुछ हुआ नहीं, अब जरा न करके देख लें! तुम करने से ऐसे परेशान हो जाओ कि एक दिन तुम कहने लगो, अब तो प्रभु करने से छुड़ाओ! अब तो यह करना बड़ा जान लिए ले रहा है। अब तो हम शांत होना चाहते हैं, बैठना चाहते हैं!

जब तुम्हीं शांत बैठना चाहोगे, तभी शांत बैठ सकोगे।

जब तक शिष्य कर्ता में अभी रस ले रहा है किसी तरह का, तब तक उसे कुछ न कुछ कर्म देना पड़ेगा, कोई प्रक्रिया देनी पड़ेगी। लेकिन झेन फकीर आखिरी बात कहते हैं। वे कहते हैं, बैठ जाओ, कुछ करो मत! बड़ा कठिन होता है बैठ जाना और कुछ न करना।

तुमने कभी खयाल किया, घर में कुछ करने को न हो तो कैसी मुसीबत आ जाती है! फर्नीचर ही जमाने लगते हैं लोग; अभी कल ही जमाया था, फिर से जमाने लगते हैं। झाड़-पोंछ करने लगते हैं। कल ही की थी, फिर से करने लगते हैं। अखबार पुराना पड़ा है, उसी को पढ़ने लगते हैं; उसे पढ़ चुके हैं पहले ही। तुमने कभी खयाल किया? कुछ न कुछ करने लगते हैं! कुछ न हो तो कुछ खाने-पीने लगेंगे।

मैं यात्रा करता था वर्षों तक, तो मेरे साथ एक मित्र कभी-कभी यात्रा पर जाते थे। तो वे मुझसे बोले कि बड़ी अजीब बात है, घर ऐसी भूख नहीं लगती। ट्रेन में मेरे साथ कभी उनको तीस घंटे बैठना पड़ता। घर ऐसी भूख नहीं लगती, क्या मामला है? और घर तो काम में लगे रहते हैं और भूख नहीं लगती, और ट्रेन में तो सिर्फ बैठे हुए हैं। ट्रेन में अनेक लोगों को भूख लगती है। और अगर घर से कुछ कलेवा लेकर चले हैं फिर तो बड़ी बेचैनी हो जाती है। फिर तो कब खोलें...!

तो मैंने उनसे कहा कि इसका कारण...कारण कुल इतना है कि तुम खाली नहीं बैठ सकते। अब यह एक झाझेन हो गया, एक क्रिया हो गई झेन की, कि बैठे ट्रेन में तीस घंटे तक, अब कुछ काम भी नहीं है। बाहर भी कब तक देखो, आंखें थक जाती हैं। अखबार भी कब तक पढ़ो, थोड़ी देर में चुक जाता है। तो कुछ खाओ, फिर से बिस्तर जमाओ, फिर से सूटकेस खोल कर देखो; जैसे कि किसी और का है! तुम्हीं जमा कर आए हो घर से। उसको व्यवस्थित कर लो!

मैंने देखा कि...मैं देखता रहता कि क्या रहे हैं वे। फिर चले बाथरूम! क्यों? अभी तुम गए थे! न मालूम क्या मामला है? खिड़की खोलते, बंद करते!

आदमी को कुछ उलझन चाहिए। उलझा रहे, व्यस्त रहे तो ठीक मालूम पड़ता है। उलझा रहे, व्यस्त रहे तो पुरानी आदत के अनुकूल सब चलता रहता है। खाली

छूट जाए, शून्य पकड़ने लगता है। वही शून्य ध्यान है। खाली छूट जाए, मोक्ष उतरने लगता है।

मोक्ष का तुम्हें पता ही नहीं। तुम दरवाजा बंद कर-कर देते हो। जब भी मोक्ष कहता है, जरा भीतर आने दो, तुम फिर कुछ करने में लग जाते हो।

मोक्ष तभी आएगा, जब तुम ऐसी घड़ी में होओगे जब कुछ भी नहीं कर रहे। तब अचानक उतर आता है। वह परम आशीष बरस जाता है। एकदम प्रसाद सब तरफ खड़ा हो जाता है। क्योंकि मोक्ष तो प्रत्येक का स्वभाव है; तुम्हारे करने पर निर्भर नहीं।

लेकिन गुरु देखता है अगर कोई वासना करने की थोड़ी-बहुत शेष रह गई, उसको भी निपटा लो।

'तुझ से संसार उत्पन्न होता है; जैसे समुद्र से बुलबुला। इस प्रकार आत्मा को एक जान और ऐसा जान कर मोक्ष को प्राप्त हो।'

इति ज्ञात्वैकमात्मानमेवमेव लयं व्रजं।

वे कहते हैं, तू एक काम कर ले। इतना जान ले कि आत्मा सर्व के साथ एक है।

अब यह ज्ञान की यात्रा शुरू करवा रहे हैं। ऐसे तो कई नासमझ बैठे हैं, जो दोहराते रहते हैं बैठे-बैठे कि मैं और ब्रह्म एक, मैं और ब्रह्म एक। दोहराते रहो जन्मों तक, कुछ भी न होगा। तोते बन जाओगे। दोहराते-दोहराते ऐसी भ्रांति भी पैदा हो सकती है कि शायद मैं और ब्रह्म एक। मगर इस भ्रांति का नाम ज्ञान नहीं है।

'दृश्यमान जगत प्रत्यक्ष होता हुआ भी रज्जु-सर्प की भांति तुझ शुद्ध के लिए नहीं है। इसलिए तू निर्वाण को प्राप्त हो।'

यह सब भ्रांति है। यह सब भ्रांति से जाग! निर्वाण को प्राप्त हो! यह सब सपना है; जैसे रस्सी में सांप दिखाई पड़ जाए।

व्यक्तम् विश्वम् प्रत्यक्षम् अपि अवस्तुत्वात्।

यद्यपि दिखाई पड़ता है यह विश्व, फिर भी नहीं है। ऐसा ही दिखाई पड़ता, जैसे रस्सी में सांप।

अमले त्वयि रज्जुसर्पः इव न अस्ति।

तुझ शुद्ध में, तुझ बुद्ध में, कोई भी मल, कोई भी दोष नहीं है। अगर दोष दिखाई भी पड़ता हो तो वह भी रज्जु में सर्पवत है।

एवम् एव लयम् व्रज।

ऐसा जान कर तू लय को प्राप्त हो जा! तू निर्वाण को प्राप्त हो जा!

दो ही बातें हैं जो संसार के भोग से जागे हुए आदमी को पकड़ सकती हैं: एक त्याग और एक ज्ञान। त्याग: कि छोड़ो; तपश्चर्या में उतरो, उपवास करो, नींद त्यागो, इसको छोड़ो उसको छोड़ो; और ज्ञान: ऐसा जानो, वैसा जानो, और जानने को मजबूत करो।

दो तरह के लोग हैं संसार में: जो बहुत सक्रिय प्रवृति के लोग हैं वे तो संसार से छूटते ही त्याग में लग जाते हैं। जो थोड़ी निष्क्रिय प्रवृति के लोग हैं, विचारक वृत्ति के लोग हैं, वे संसार से छूटते ही ज्ञान में लग जाते हैं। मगर दोनों ही अड़चनें हैं।

तुम अक्सर पाओगे: या तो संसार से भागा हुआ आदमी पंडित हो जाता है, शास्त्र दोहराने लगता; या शरीर को गलाने लगता, सताने लगता। दोनों ही अवरोध हैं। न तो यहां कुछ जानने को है, न यहां कुछ करने को है। ज्ञाता तुम्हारे भीतर छुपा है, जानना क्या है? जानने वाला तुम्हारे भीतर बैठा है, सबको जानने वाला तुम्हारे भीतर बैठा है। जानना क्या है?

ये अध्यात्म के आत्यंतिक उदघोष हैं। इसलिए तुम्हें कठिन भी मालूम पड़ें तो भी समझने की कोशिश करना।

'दुख और सुख जिसके लिए समान हैं, जो पूर्ण है, जो आशा और निराशा में समान है, जीवन और मृत्यु में समान है; ऐसा होकर तू निर्वाण को प्राप्त हो।'

समदुःखसुखः पूर्ण आशानैराश्ययोः समः।

सुख-दुख जिसे समान दिखाई पड़ें, आशा-निराशा जिसे समान दिखाई पड़े—यही तो वैराग्य की परिभाषा है।

समजीवितमृत्युः।

—मृत्यु और जीवन भी जिसे समान मालूम पड़ें।

सन्नैवमेव लयं व्रज।

—ऐसा जान कर तू निर्वाण को प्राप्त कर ले जनक।

फिर एक लक्ष्य दे रहे उसे। या तो त्याग दे देहाभिमान और या 'मैं स्वयं परमब्रह्म हूं, आत्मा हूं, आत्मा सर्व से एक है'—ऐसे ज्ञान को पकड़ ले। ये दो रास्ते हैं तेरे मुक्त हो जाने के।

अगर कोई भी साधारण साधक होता तो उलझ गया होता। अगर सक्रिय व्यक्ति होता तो कर्मयोग में पड़ जाता। अगर निष्क्रिय व्यक्ति होता तो ज्ञानयोग में पड़ जाता।

भक्ति की बात अष्टावक्र ने नहीं उठाई, क्योंकि जनक में उसकी कोई संभावना

नहीं थी। ये दो संभावनाएं थीं। क्षत्रिय था जनक, तो सक्रिय होने की संभावना थी। बीज-रूप से योद्धा था, तो सक्रिय होने की संभावना थी। इसीलिए तो जैनों के सारे तीर्थंकर, चूंकि क्षत्रिय थे, गहन त्याग में पड़ गए।

तो एक तो संभावना थी कि जनक महात्यागी हो जाए। और एक संभावना थी—क्योंकि सम्राट था, सुशिक्षित था, सुसंस्कृत था उस जगत का, उस जमाने का जो भी शुद्धतम ज्ञान संभव था वह जनक को उपलब्ध हुआ था—दूसरी संभावना थी, बड़ा विचारक हो जाए। भक्ति की कोई संभावना न दिखाई पड़ी होगी, इसलिए अष्टावक्र ने वह कोई सवाल नहीं उठाया। ये दो सवाल उठाए। ये दो अचेतन में पड़ी हुई संभावनाएं हैं, कहीं भीतर सरकती हुई गुंजाइश है; इनमें अंकुरण हो सकता है।

हम अपने ही ढंग से समझते हैं, कुछ भी कहा जाए। मैं तुमसे कह रहा हूं; जितने लोग यहां हैं, उतनी बातें पैदा हो जाएंगी। मैं तो एक ही हूं कहने वाला; लेकिन जितने लोग यहां हैं उतनी बातें पैदा हो जाएंगी। लोग अपने ढंग से समझते हैं।

मुल्ला नसरुद्दीन के बेटे से मेरी बात हो रही थी। छोटा बच्चा है, उसने अचानक मुझसे पूछा कि आप एक बात बताएं। आप सबके सवाल का जवाब देते हैं, मेरे सवाल का जवाब दें। आदमी जब मरता है तो उसकी जान कहां से निकलती है?

छोटे बच्चे अक्सर ऐसी बात पूछ लेते हैं। मैं भी थोड़ा चौंका। मैंने उससे पूछा, तुझे पता है कहां से निकलती है? वह हंसने लगा। उसने कहा, मुझे पता है। मैंने कहा, तो पहले तू बता दे। उसने कहा, खिड़की से निकलती है।

मैंने उससे पूछा, अच्छा यह कैसे? तुझे कैसे पता चला?

उसने कहा, एक दिन मैंने देखा कि पापा (अर्थात मुल्ला नसरुद्दीन) …एक दिन मैंने देखा कि पापा जब खिड़की के पास खड़े थे, नीचे सड़क से कोई लड़की निकल रही थी तो वे बोले, ठहरो मेरी जान! तभी मैंने समझा कि जान खिड़की से निकल जाती है।

छोटा बच्चा है, उसने ठीक समझा, जहां तक समझ सकता था बिलकुल ठीक समझा।

हम वही समझते हैं जो हम समझ सकते हैं। जनक ऐसा समझा जैसा जनक समझ सकता है। जनक की समझ बड़ी असाधारण है, बड़ी विशिष्ट है। वह साधारण व्यक्ति की समझ नहीं है। अष्टावक्र को भी थोड़ा सा रहा होगा कि पता नहीं, जनक समझ पाएगा कि नहीं समझ पाएगा। स्वाभाविक भी है, क्योंकि

यह घटना इतनी बड़ी है, यह ऊंचाई इतनी बड़ी है, यहां तक कोई चढ़ पाएगा कि नहीं चढ़ पाएगा!

'सुख और दुख जिसके लिए समान हैं।'

खयाल रखना, तुम अगर चेष्टा करो तो सुख और दुख समान हो सकते हैं। और फिर भी तुम बंधन में रहोगे। जीवन और मृत्यु भी समान हो सकती हैं—मान्यता के आधार पर। तुम अपने को समझा ले सकते हो, तुम अपने को सम्मोहित कर ले सकते हो, कि सब समान है। लेकिन इससे कोई...कोई महत घटना न घटेगी जो तुम्हें बदल जाए और तुम्हें नये अर्थ और नये अभिप्राय और नये आकाश दे जाए।

जनक ने कहा...।

अब जनक के सूत्र हैं। ये बड़े अनूठे सूत्र हैं। ऐसा लगता है जैसे जनक की गहराई में उतर कर अष्टावक्र ने कहे होंगे। ऐसा लगता है कि जैसा अष्टावक्र चाहते होंगे, ठीक वैसा जनक ने प्रत्युत्तर दिया। ऐसा शिष्य पाना दुर्लभ है।

जनक ने कहा: 'मैं आकाश की भांति हूं। संसार घड़े की भांति प्रकृति-जन्य है, ऐसा ज्ञान है। इसलिए न इसका त्याग है, और न ग्रहण है, और न लय है।'

बड़ी क्रांति की बात कही जनक ने! नाच उठे होंगे अष्टावक्र। माना कि उनका शरीर आठ जगह से टेढ़ा था, लेकिन इस क्षण रुक न सके होंगे, नाचे होंगे। यह तो परम कमल खिला, सहस्त्रार खिला।

आकाशवदनंतोऽहं घटवत् प्राकृतं जगत्।

मैं हूं आकाश की भांति। संसार तो घड़े की भांति है; बनता और मिटता रहता है। आकाश पर इसका कोई परिणाम नहीं है। संसार उठते हैं, बनते हैं, मिटते हैं; जैसे सपने बनते, उठते, मिटते हैं। लेकिन साक्षी तो आकाश जैसा शुद्ध बना रहता है। मुझे कोई चीज अशुद्ध कर ही नहीं सकती—इसकी घोषणा की जनक ने। इसलिए आप यह तो बात ही छोड़ दें कि मैं शुद्ध होकर और मुक्ति को प्राप्त हो जाऊं। मैं कभी अशुद्ध हुआ ही नहीं।

माना कि दूध में पानी मिलाया जा सकता है, क्योंकि दूध और पानी दोनों ही एक ही ढंग के पदार्थ हैं। तुम तेल में पानी को तो न मिला सकोगे। फिर भी तेल और पानी को साथ-साथ तो किया ही जा सकता है; मिलें न मिलें, एक ही बोतल में भरा तो जा ही सकता है। क्योंकि दोनों फिर भी पदार्थ हैं। लेकिन आकाश को तो तुम किसी चीज से भी मिला नहीं सकते। आकाश तो शुद्ध निर्विकार है।

इस पृथ्वी पर कितने लोग पैदा हुए—अच्छे-बुरे, पुण्यात्मा-पापी; कितने युद्ध

हुए, कितने प्रेम घटे; कितने वसंत आए, पतझड़ हुए—आकाश तो निर्विकार खड़ा रहता। कोई रेखा नहीं छूट जाती। आकाश में तो कोई आकार नहीं बनता।

इति ज्ञानं!—यह बड़ी अदभुत बात है।

जनक कहते हैं ः मैं आकाशवत हूं। इति ज्ञानं। यही ज्ञान है। अब और किस ज्ञान की आप मुझसे कह रहे हैं कि मैं ज्ञान को पा लूं, ज्ञान को खोज लूं? ज्ञान हो गया! इति ज्ञानं!

तथैतस्य न त्यागो न ग्रहो लयः।

सारे आध्यात्मिक साहित्य में ऐसा सूत्र तुम न खोज सकोगे। ऐसे तो बहुत से शास्त्र हैं जो कहते हैं ः न भोग है न त्याग है। लेकिन जनक कहते हैं ः न भोग है, न त्याग है, न मोक्ष; लय भी नहीं है।

यह तीसरी बात सोचने जैसी है।

'मैं आकाश की भांति हूं। संसार घड़े की भांति प्रकृति-जन्य है।'

घड़े बनते-मिटते रहते हैं। घड़ा जब बन जाता है तो घड़े के भीतर आकाश हो जाता है, घड़े के बाहर हो जाता है। घड़ा फूट जाता है, भीतर का आकाश बाहर का आकाश फिर एक हो जाते हैं। शायद जब घड़ा बना रहता है तब भी बाहर और भीतर के आकाश अलग नहीं होते। क्योंकि घड़ा पोरस है, छिद्रों से आकाश जुड़ा हुआ है। आकाश छिन्न-भिन्न नहीं होता, खंडित नहीं होता। तुम तलवार से आकाश को काट तो नहीं सकते। सब सीमाएं काल्पनिक हैं, बनाई हुई हैं। आकाश पर कोई रेखा खिंचती नहीं।

मैं आकाश की भांति हूं—ऐसा ज्ञान है। इति ज्ञानं! इसलिए न इसका त्याग है, न इसका ग्रहण है और न लय है।

'मैं समुद्र के समान हूं। यह संसार तरंगों के सदृश्य है। ऐसा ज्ञान है। इसलिए न इसका त्याग है, न इसका ग्रहण है और न इसका लय है।'

महोदधिरिवाहं स प्रपंचो वीचिसन्निभिः।

इति ज्ञानं तथैतस्य न त्यागो न ग्रहो लयः।।

जनक कहने लगे, मुझे गुरुदेव उलझाओ मत। तुम मुझे उलझा न सकोगे। मुझे तुमने जगा ही दिया। अब जाल न फेंको। अब तुम्हारे प्रलोभन किसी भी काम के नहीं हैं। खूब ऊंचे प्रलोभन तुम दे रहे हो कि ऐसा जान कर तू मुक्ति को प्राप्त हो जा।

जनक कहते हैं, मैं मुक्त हूं। इति ज्ञानं! ऐसा ज्ञान है; अब और कहां ज्ञान बचा? मुक्त हो जाऊं—तो फिर तुम वासना को जगाते हो। मोक्ष को खोजूं—तो फिर तुम आकांक्षा को जगाते हो। फिर पल्लवित करते हो—जो जल गया, दग्ध

हो गया, मिट गया। यह बात किससे कर रहे हो? बंद कर लो यह प्रलोभन देना। अब तुम मुझे न फुसला सकोगे।

अष्टावक्र जैसा कुशल व्यक्ति भी बड़ी सूक्ष्म भाषा में छिपे हुए जाल को जनक को अब बेच नहीं पाता है। जनक अब ग्राहक ही न रहे। जनक निश्चित ही जागे हैं।

महोदधि...जैसे समुद्र में, महोदधि में उठती हैं तरंगें—ऐसा ज्ञान है। मैं महोदधि हूं। मैं समुद्र हूं। यह संसार तरंगों के सदृश्य है। यह संसार मुझसे अलग दिखाई पड़ता हुआ भी अलग कहां? लहरें समुद्र से अलग कहां हैं? समुद्र में हैं, समुद्र की हैं। समुद्र ही तो लहराता है, और कौन है? यह संसार भी मैं हूं; इस संसार का न होना भी मैं हूं। जब लहरें होती हैं तब भी समुद्र है, जब लहरें नहीं होतीं, तब भी समुद्र है। इति ज्ञानं! ऐसा ज्ञान है। अब किसको छोड़ूं? समुद्र लहरों को छोड़े?—बात ही नासमझी की है। समुद्र लहरों को पकड़े?—पकड़ने की कोई जरूरत ही नहीं है; लहरें समुद्र की ही हैं। मुक्ति कहां, मोक्ष कहां? कैसी मुक्ति, कैसा मोक्ष? ऐसा जान कर मैं मुक्त हो ही गया हूं। इति ज्ञानं!

'मैं सीपी के समान हूं। विश्व की कल्पना चांदी के सदृश्य है। ऐसा ज्ञान है। इसलिए न इसका त्याग है, न इसका ग्रहण है, न लय है।'

अहं स शुक्तिसंकाशो रूप्यवद्विश्वकल्पना।

इति ज्ञानं तथैतस्य न त्यागो न ग्रहो लयः।।

'मैं निश्चित सब भूतों में हूं और यह सब भूत मुझमें हैं। ऐसा ज्ञान है। इसलिए न इसका त्याग है, न ग्रहण है और न लय है।'

ज्ञान पाना नहीं है। ज्ञान है। या तो है या नहीं है। पाकर कभी किसी ने पाया नहीं। पाने वाला पंडित बन जाता है; जागने वाला, ज्ञानी।

जो होना चाहिए, वह हुआ ही हुआ है। जैसा होना चाहिए, वैसा ही है। अन्यथा क्षण भर को न तो हुआ था, न हो सकता है। इस दशा को जो उपलब्ध हो जाए वही संत है।

कुछ लोग हैं जो संसार में पाने में लगे हैं: धन मिलना चाहिए, पद मिलना चाहिए, प्रतिष्ठा...। कुछ लोग हैं जो स्वर्ग पाने में लगे हैं: वहां पद मिलना चाहिए, वहां प्रतिष्ठा...। कुछ लोग हैं जो इस संसार की कमाई कर रहे हैं, कुछ लोग परलोक की कमाई कर रहे हैं। किन्हीं का बैंक यहां है, किन्हीं का दूर स्वर्गों में। पर कोई फर्क नहीं पड़ता। दोनों कमाने में लगे हैं। संत वही है जो कहता है, कैसा कमाना? यह सारा जगत मेरा है। इस सारे जगत का मैं हूं। मुझमें और इस जगत में रत्ती-मात्र भी फासला नहीं।

अब तो इस मंजिल पर आ पहुंचे हैं तेरी चाहत में,
खुद को तुझ में पाते हैं हम, तुझको खुद में पाते हैं।

अब यह मैं-तू का फासला नहीं है। यह सिर्फ भाषा का खेल है, शायद लीला है। एक तरंग दूसरी तरंग से अलग नहीं है।

अब तो इस मंजिल पर आ पहुंचे हैं तेरी चाहत में,
खुद को तुझ में पाते हैं हम, तुझको खुद में पाते हैं।

ऐसी घड़ी-इति ज्ञानं!

जमाले-निगारां पे अशआर कह कर,
करारे-दिले-आशिकां हो गए हम।

शनासा-ए-राजे-जहां हो गए हम,
तो बेफिक्रे-सूदो-जियां हो गए हम।

संसार के रहस्य से परिचित हो गए। तो फिर सब लाभ-हानि से निश्चिंत हो गए—यहां न कुछ लाभ है, यहां न कुछ हानि है; क्योंकि यहां हमारे अतिरिक्त कोई है ही नहीं। न तो कोई छीन सकता है, न कोई दे सकता है। न तो लोभ में कुछ अर्थ है, न क्रोध में कुछ अर्थ है।

क्रोध ऐसा ही है जैसे कोई अपना ही चांटा अपने ही गाल पर मार ले। लोभ ऐसा ही है जैसे कोई अपने ही घर में अपनी ही चीजों को छिपा कर, सम्हाल कर रख ले—अपने से ही—कि कहीं चोरी न कर बैठूं!

जमाले-निगारां पे अशआर कह कर,
करारे-दिले-आशिकां हो गए हम।

शनासा-ए-राजे-जहां हो गए हम!

जान लिया—

शनासा-ए-राजे-जहां हो गए हम!

जान लिया रहस्य-जगत का, जीवन का, संसार का। रहस्य खुल गया!

तो बेफिक्रे-सूदो-जियां हो गए हम।

अब न कुछ हानि है, अब न कोई लाभ है।

'आप किससे कहते हैं'—जनक ने कहा—'सुख-दुख में समान हो जा? यहां सुख है कहां? दुख है कहां? आप कहते हैं, जीवन-मृत्यु में समभाव रख। समभाव रखने का तो मतलब ही यह हुआ कि दोनों अलग हैं, दोनों में समभाव रखना है। दोनों एक ही हैं, समभाव रखना किसको है? और दोनों मुझमें ही हैं और दोनों में मैं हूं।'

व्यक्ति जहां शून्य हो जाता, वहां समष्टि के साथ एक हो जाता। इसलिए कहा

कि ब्रह्म को जो जान लेता, वह ब्रह्म हो जाता। सत्य को जो जान लेता, वह सत्य हो जाता। जो हम जान लेते हैं, वही हम हो जाते हैं।

अहं वा सर्वभूतेषु सर्वभूतान्ययो मयि।

इति ज्ञानं तथैतस्य न त्यागो न ग्रहो लयः।।

ये छोटे से चार सूत्र जब जनक ने कहे होंगे, तुम अष्टावक्र के आनंद की कल्पना नहीं कर सकते!

जब शिष्य उपलब्ध होता है तो तुम गुरु की प्रसन्नता का अनुभव नहीं कर सकते। जैसे फिर से गुरु को परम आनंद मिलता है; जो उसे मिला ही हुआ था, वह उसे फिर से मिलता है। जब शिष्य में दीया जलता है तो जैसे गुरु के प्रकाश में और भी एक नया सूरज जुड़ा! हजारों सूरज वहां थे, एक हजार एक हुए! इसकी ही अपेक्षा थी, इसलिए परीक्षा थी। इसकी ही अपेक्षा थी, इसलिए प्रलोभन था। जनक से यह संभावना थी, इसलिए जनक को जल्दी नहीं छोड़ दिया।

जिन शिष्यों को गुरु जल्दी छोड़ देता है, वह इसलिए छोड़ देता है कि उनकी संभावना बहुत नहीं है; उन्हें ज्यादा कसने में वे टूट जाएंगे। परीक्षा उतनी ही ली जा सकती है जितनी सामर्थ्य हो। परीक्षा सीमा के बाहर हो तो शिष्य को नष्ट कर जाएगी, बना न पाएगी।

जनक को आखिर तक खींचा, आखिरी प्रलोभन दिया ज्ञान का और त्याग का। ज्ञान और त्याग आखिरी बाधाएं हैं। जो उनके भी पार हो गया, वही मुक्त है।

जिसने ऐसा जान लिया कि मैं मुक्त हूं, वही मुक्त है। इति ज्ञानं!

ऐसे तो अज्ञानी भी बड़ी ज्ञान की बातें कर लेते हैं। अक्सर अज्ञानी ज्ञान की बातें करते हैं। तभी तो अपने अज्ञान को छिपा पाते हैं। नहीं तो छिपाएंगे कैसे? ज्ञान की बातों में अज्ञान खूब व्यवस्था से छिप जाता है। रोग हो, बीमारी हो, तो तुम स्वास्थ्य की चर्चा में छिपा सकते हो। अक्सर बीमार ही स्वास्थ्य की चर्चा करते हैं। घाव हो, तुम ऊपर से फूल लगा सकते हो; सुंदर वस्त्रों में ढांक सकते हो; मखमल रेशम में ढांक सकते हो। लेकिन उससे घाव मिटेगा नहीं।

तुम्हें अक्सर इस संसार में लोग कहते हुए मिल जाएंगे: सुख-दुख में समानता रखो, जीवन-मृत्यु में समानता रखो। लेकिन समानता रखो? तो इसका अर्थ ही यह हुआ कि दोनों असमान हैं और समानता तुम्हें रखनी है। यह तो चेष्टा हुई। जहां चेष्टा है, वहां ज्ञान नहीं। ज्ञान तो सहज है। सहज है तो ही ज्ञान है। इति ज्ञानं! जो चेष्टा से आता है, वह तो खबर दे रहा है कि भीतर विपरीत मौजूद है; नहीं तो चेष्टा किसके खिलाफ?

एक आदमी चेष्टा से क्रोध से लड़ रहा है और कहता है, शांत रहना चाहिए, शांत रहना ही धर्म है। ये तुम्हें बातें जंचती भी हैं कि शांत रहना धर्म है। शांत रहना धर्म नहीं है। शांत रहने की चेष्टा तो केवल क्रोध को छिपाने का उपाय है। शांत हूं, ऐसा जान लेना धर्म है; शांत रहने की चेष्टा नहीं। शांत हूं ही—ऐसे अनुभव में, ऐसे साक्षात्कार में उतर जाना।

मुल्ला नसरुद्दीन एक दिन अपने पड़ोसी से कहता था : घोर मुसीबत में इतना याद रखना चाहिए—आधे लोगों को तुम्हारी मुसीबत सुनने में रस नहीं और बाकी आधे लोगों का खयाल है कि तुम इसी लायक हो।

अब वह बड़े ज्ञान की बात कह रहे हैं। अज्ञानियों से भी तुम ज्ञान के बड़े वचन सुनोगे; हालांकि उनके कारण हमेशा गलत होंगे। वे बातें तो सही करेंगे, लेकिन कारण गलत होंगे।

क्रोध के विपरीत नहीं है शांति कि तुम साध लो। जहां शांति है वहां क्रोध नहीं है, यह सच है। शांति क्रोध का अभाव है, विपरीत नहीं। लोग यही सोचते हैं कि शांति क्रोध का वैपरीत्य है, विपरीत स्थिति है; तो क्रोध को हटाओ तो शांति होगी। हटाने से शांति न होगी। हटाने में तुम और अशांत हो जाओगे। हटाने में इतना ही हो सकता है कि तुम शांति का एक कलेवर ओढ़ लो; एक वस्त्राभरण, और भीतर सब छिप जाए, जहर की तरह, मवाद की तरह। वह कभी फूटेगा।

कामवासना के विपरीत नहीं है ब्रह्मचर्य। जहां ब्रह्मचर्य है, वहां कामवासना नहीं है—यह सच है। इति ज्ञानं! पर कामवासना के विपरीत नहीं है ब्रह्मचर्य। कामवासना को रोक रोक कर, सम्हाल-सम्हाल कर कोई ब्रह्मचर्य नहीं होता। कोई जान लेता है कि मैं ब्रह्म हूं, उसकी चर्या में ब्रह्म उतर आता है। ब्रह्मचर्य यानी ब्रह्म जैसी चर्या। उसका कामवासना से कोई भी संबंध नहीं है। इस शब्द को तो देखो! इतना अदभुत शब्द है ब्रह्मचर्य। उसको तुम्हारे तथाकथित महात्माओं ने बुरी तरह भ्रष्ट किया। ब्रह्मचर्य का वे मतलब करते हैं : कामवासना से मुक्त हो जाना। ब्रह्मचर्य में कहीं कामवासना की बात ही नहीं है। ब्रह्म जैसी चर्या! ईश्वरीय व्यवहार!

मगर ब्रह्म जैसी चर्या तो तभी होगी जब तुम्हें ब्रह्म का भीतर अनुभव हो। जिसको ब्रह्म का अनुभव हो गया, उसकी चर्या में ब्रह्मचर्य। वह कहेगा, सागर में लहरें हैं, वह भी मेरी। वह कहेगा, सब कुछ मेरा है और सब कुछ का मैं हूं। न यहां कुछ छोड़ने को है, न यहां कुछ पकड़ने को। संसार ही मोक्ष है फिर, फिर जाना कहां है?

झेन फकीर रिंझाई का बड़ा प्रसिद्ध वचन है: संसार निर्वाण है। सैकड़ों वर्षों से अनेकों लोगों को बेचैन करता रहा रिंझाई का यह सूत्र। संसार निर्वाण है? यह तो बात बड़ी अजीब सी है। संसार, और निर्वाण? यह तो ऐसे हुआ कि जैसे कोई कहे भोग त्याग है। मगर बात सही है।

रिंझाई यही कह रहा है: न कुछ छूटने को है, न कुछ छोड़ने को है, न कुछ पाने को है—ऐसा जिसने जान लिया वह निर्वाण की अवस्था में आ गया। इति ज्ञानं! फिर वह संसार में ही रहेगा, भागेगा कहां? जाएगा कहां? जाना कहां है? जो है वह उसे स्वीक्रार है। लहर है तो लहर स्वीकार है; लहर खो गई तो लहर का खो जाना स्वीकार है। उसकी स्वीकृति परम है। उसकी अवस्था तथाता की है। जो है, उसे स्वीकार है। अन्यथा की वह मांग नहीं करता; अन्यथा हो भी नहीं सकता।

जब तक तुम चाहते हो अन्यथा हो जाए, कुछ और हो जाए, जैसा है उससे भिन्न हो जाए—तब तक तुम बेचैन रहोगे। जिस दिन तुमने कहा—जैसा है वैसा है; और जैसा है वैसा ही रहेगा; और जैसा है उससे मैं राजी हूं—तुम मुक्त हो गए! इति ज्ञानं!

हरि ॐ तत्सत्!

* * *

प्रवचन : 22

एकटि नमस्कारे प्रभु एकटि नमस्कारे!

पहला प्रश्न: कपिल ऋषि के सांख्य-दर्शन, अष्टावक्र की महागीता और कृष्णमूर्ति की देशना में क्या देश-काल अनुसार अभिव्यक्ति का ही भेद है? कृपा करके समझाइए!

सत्य तो कालातीत है, देशातीत है। सत्य का तो देश और काल से कोई संबंध नहीं। सत्य तो शाश्वत है; समय की सीमा के बाहर है। लेकिन अभिव्यक्ति कालातीत नहीं है, देशातीत नहीं है। अभिव्यक्ति समय के भीतर है; सत्य समय के बाहर है। जो जाना जाता है, वह तो समय में नहीं जाना जाता; लेकिन जो कहा जाता है, वह समय में कहा जाता है। जो जाना जाता है, वह तो नितांत एकांत में; वहां तो कोई दूसरा नहीं होता। लेकिन जो कहा जाता है, वह तो दूसरे से ही कहा जाता है।

सत्य की घटना तो घटती है व्यक्ति में; अभिव्यक्ति की घटना घटती है समाज में, समूह में।

तो स्वभावतः, कपिल जिनसे बोले, उनसे बोले। अष्टावक्र ने जिससे कहा, उससे कहा। कृष्णमूर्ति जिससे बोलते हैं, स्वभावतः उससे ही बोलते हैं। भेद अभिव्यक्ति में पड़ेगा। लेकिन जो जाना गया है, वह अभिन्न है।

इसका यह अर्थ मत समझ लेना कि कृष्णमूर्ति अष्टावक्र को दोहरा रहे हैं, या अष्टावक्र कपिल को दोहरा रहे हैं, या कपिल कृष्णमूर्ति को दोहरा रहे हैं। कोई किसी को दोहरा नहीं रहा है। जब तक दोहराना है तब तक सत्य का कोई अनुभव नहीं है। दोहराया गया सत्य, असत्य हो जाता है। जाना हुआ सत्य ही सत्य है। माना हुआ सत्य, असत्य है। प्रत्येक ने स्वयं जाना है।

और जब कोई सत्य को जानता है स्वयं, तो उसे ऐसा जरा भी भाव पैदा नहीं होता कि ऐसा किसी और ने भी जाना होगा। वह घटना इतनी अलौकिक, इतनी अद्वितीय, इतनी मौलिक है कि प्रत्येक व्यक्ति जब जानता है तो ऐसा ही अनुभव करता है : पहली बार, प्रथम बार यह किरण उतरी!

जैसे कि जब कोई व्यक्ति किसी के प्रेम में पड़ता है, तो क्या उसे लगता है यह प्रेम किसी और ने कभी जाना होगा? पृथ्वी पर अनेक प्रेमी हुए, अनंत प्रेमी हुए; लेकिन जब भी प्रेम की किरण उतरती है किसी हृदय में, तो उसे लगता है ऐसा प्रेम बस मैं ही जान रहा हूं। क्योंकि प्रेम पुनरुक्ति नहीं है; तुम किसी से उधार नहीं लेते। जब घटता है तो तुम्हें घटता है। और जब घटता है तो तुम्हें तो पहली बार ही घटता है। दूसरों को घटा, इसका न तो तुम्हें पता हो सकता...। दूसरों को कैसा घटा, इसका कोई अनुभव भी तुम्हें नहीं हो सकता। तुम्हें तो अपना ही अनुभव प्रतीत होता है।

इसलिए सत्य जब भी घटता है तो मौलिक उदघोषणा होती है। इस कारण ही अनुयायी बड़े धोखे में पड़ जाते हैं। अनुयायी भी दावा करने लगते हैं कि जो कपिल ने जाना वह किसी ने नहीं जाना; जो अष्टावक्र ने जाना वह किसी ने नहीं जाना; जो कृष्णमूर्ति कहते हैं वह किसी ने नहीं कहा। यह अनुयायी की भ्रांति है। यही जाना गया है; अन्यथा जानने को कुछ है ही नहीं। और यही कहा गया है। शब्दों के कितने ही भेद हों, सुनने वालों के कितने ही भेद हों-यही जाना गया है, यही कहा गया है!

लेकिन जब भी यह जाना जाता है तो सत्य का यह गुणधर्म है कि उसके साथ-साथ मौलिक होने की स्फुरणा होती है। तुम्हें लगता है, बस पहली दफा! न ऐसा कभी हुआ, न ऐसा फिर कभी होगा।

जब बुद्ध को सत्य का अनुभव हुआ तो उन्होंने उदघोषणा की : अपूर्व! पहले कभी हुआ नहीं, ऐसा मुझे अनुभव हुआ है।

यह उनके संबंध में घोषणा है। लेकिन शिष्यों ने समझा कि अपूर्व! अर्थात किसी को ऐसा नहीं हुआ, जैसा बुद्ध को हुआ है। भ्रांति हो गई। फिर बुद्ध के पीछे चलने वाला दावा करता है कि जो बुद्ध को हुआ वह महावीर को नहीं हुआ। जो बुद्ध को हुआ वह शंकर को नहीं हुआ। जो बुद्ध को हुआ वह अपूर्व है। खुद बुद्ध का वचन है कि जो मुझे हुआ वह अपूर्व है।

लेकिन बुद्ध के वचन का अर्थ बड़ा भिन्न है। बुद्ध सिर्फ अपने अनुभव की बात कर रहे हैं। वे कह रहे हैं, ऐसा मुझे कभी न हुआ था। यह सुबह पहली बार हुई। यह रात पहली बार टूटी। यह अंधेरा पहली बार हटा है।

अनुत्तर अपूर्व समाधि-बुद्ध ने कहा। लेकिन जब भी किसी को समाधि घटती है, तभी अनुत्तर अपूर्व होती है। उपद्रव होता है सुनने वाले, श्रावक, अनुयायी, पांथिक से। जैसे ही तुम सुनते हो, एक बड़ी अड़चन होती है।

मैं तुमसे कुछ कह रहा हूं, जब तक मैंने नहीं कहा तब तक सत्य है; जैसे ही मैंने कहा और तुमने सुना, असत्य हुआ। क्योंकि जो मैं कह रहा हूं वह मेरा अनुभव है। जो तुम सुन रहे हो, वह तुम्हारा अनुभव नहीं। जो मैं कह रहा हूं, वह मेरी प्रतीति है; जो तुम सुन रहे हो, वह ज्यादा से ज्यादा तुम्हारा विश्वास होगा। विश्वास असत्य है। तुम मानोगे; तुमने जाना नहीं। मानने से उपद्रव खड़ा होता है।

फिर, मानने वालों में संघर्ष खड़ा होता है। क्योंकि किसी ने बुद्ध को सुना, किसी ने महावीर को सुना, किसी ने कपिल को, किसी ने अष्टावक्र को, किसी ने कृष्णमूर्ति को। उन्होंने अलग-अलग अभिव्यक्तियां सुनीं। एक ही गीत है, लेकिन हर कंठ से स्वर भिन्न हो जाते हैं।

तुम्हें पता है ध्वनि-शास्त्री क्या कहते हैं? आधुनिक ध्वनि-शास्त्र की बड़ी से बड़ी खोजों में एक खोज यह है कि जैसे तुम्हारे अंगूठे का चिह्न भिन्न होता है, ऐसे प्रत्येक आदमी की आवाज भिन्न होती है। साऊंड-प्रिंट! दो आदमियों की आवाज एक जैसी नहीं होती। इतना वैभिन्य है व्यक्तित्वों का, कि दो आदमियों की आवाज भी एक जैसी नहीं होती। गीत एक ही दोहराओ, राग भिन्न हो जाता है। गीत एक ही दोहराओ, स्वर भिन्न हो जाता है। गीत एक ही दोहराओ, रंग भिन्न हो जाता है।

तो कृष्णमूर्ति जो कहते हैं, उस पर उनकी ध्वनि की छाप है; उनके व्यक्तित्व की छाप है; उनके हस्ताक्षर हैं। कपिल जो कहते हैं, उस पर उनके हस्ताक्षर हैं। इन हस्ताक्षरों में अगर उलझ गए तो संप्रदाय बनेगा, और अगर हस्ताक्षर को हटा कर मूल को देखने की चेष्टा की तो धर्म का जन्म होता है।

सब संप्रदायों के भीतर कहीं धर्म छिपा है। संप्रदाय वस्त्रों की भांति हैं। और जब तक तुम वस्त्रों को अलग न कर दोगे और निर्वस्त्र धर्म को न खोज लोगे, तक तक तुम्हें धर्म का कोई पता नहीं चलेगा। हिंदू, मुसलमान, ईसाई, सिक्ख, जैन- ये सब संप्रदाय हैं। ये अभिव्यक्तियों के भेद हैं। यह एक ही बात को अलग-अलग भाषाओं में कहने के कारण इतनी भिन्नता मालूम होती है। और भाषाएं अनेक हो सकती हैं। सभी धर्म भाषाओं जैसे हैं।

लेकिन मैं तुमसे यह नहीं कह रहा हूं कि तुम इन सभी धर्मों के बीच कोई समन्वय स्थापित करो। उस भ्रांति में मत पड़ना। वह भ्रांति बौद्धिक होगी। अष्टावक्र को पढ़ो, कृष्णमूर्ति को पढ़ो, कपिल को पढ़ो, फिर उनके बीच समानता खोजो और जो-जो मेल खाता लगे उसे इकट्ठा करो और फिर एक सिंथीसिस, एक

समन्वय बनाओ-वह सब बुद्धि का जाल होगा। उससे कुछ तुम्हें धर्म का पता न चलेगा। जहां पहले तीन संप्रदाय थे, वहां चार हो जाएंगे बस। एक तुम्हारा संप्रदाय और संयुक्त हो जाएगा।

एक गांव में कुछ लोग झगड़ रहे थे। मुल्ला नसरुद्दीन पास से गुजरता था। तो उसने कहा, भई! झगड़ते क्यों हो? यह निपटारा तो बातचीत से हो सकता है। इतनी तलवारें क्यों खींचे हुए हो? खून, खतरा हो जाएगा, रुको!

उसने गांव के दो-चार पंच इकट्ठे कर दिए और कहा कि आप...तो दोनों पार्टियों ने अपने पांच-पांच पंच चुन लिए...ये निर्णय कर देंगे झगड़े का।

जब शाम को मुल्ला वहां वापस पहुंचा तो देखा, जहां सुबह थोड़े-से झगड़ने वाले थे वहां और भारी भीड़ है। तलवारें खिंची हैं। उसने कहा, मामला क्या है?

उन्होंने कहा कि अब ये पंच भी लड़ रहे हैं। पहले तो सुबह विवादी थे, वे लड़ रहे थे; अब ये पंच भी लड़ रहे हैं। और तो कोई उपाय नहीं है। किसी ने सलाह दी कि नसरुद्दीन पंचों के लिए भी पंच नियुक्त करो। नसरुद्दीन ने कहा, अब बहुत हो गया। अब मुझे अक्ल आ गई। यह तो सुबह ही निपट लेते तुम, तो बेहतर था; यह तो झगड़ा और बढ़ गया।

जो समन्वयवादी हैं इनसे संप्रदाय समाप्त नहीं होते। जहां तीन संप्रदाय होते हैं, वहां इन तीन की जगह यह चार, चौथा समन्वयः अल्लाह ईश्वर तेरे नाम! चौथा खड़ा हो जाता है। उसके अपने दावे शुरू हो जाते हैं। समन्वय का उसका दावा हो जाता है।

तुमने देखा, महावीर के साथ ऐसा हुआ! महावीर ने कहा कि सभी सत्य की अभिव्यक्तियां सत्य हैं, आंशिक सत्य हैं; कोई अभिव्यक्ति पूर्ण सत्य नहीं है। इसलिए महावीर ने एक सिद्धांत को जन्म दिया-स्यादवाद। स्यादवाद का अर्थ होता हैः मैं भी ठीक हूं, तुम भी ठीक हो, वह भी ठीक है। कुछ न कुछ तो ठीक सभी में है। इसलिए हम क्यों झगड़ें? स्यादवाद का अर्थ हैः सभी के भीतर सत्य के अंश की स्वीकृति, ताकि विवाद न हो, व्यर्थ का झगड़ा न हो। लेकिन परिणाम क्या हुआ? स्यादवाद का अलग एक झगड़ा खड़ा हो गया।

एक जैन मुनि से मैं बात कर रहा था। मैंने उनसे कहा कि आप मुझे संक्षिप्त में कहिए कि स्यादवाद का अर्थ क्या है? उन्होंने कहा, स्यादवाद का अर्थ है कि कोई भी पूर्ण सत्य नहीं है; सभी सत्य आंशिक हैं। सभी में सत्य है थोड़ा-थोड़ा। हम सभी के सत्य को देखते हैं; हम विवादी नहीं हैं; हम संवादी हैं। मैंने थोड़ी देर इधर-उधर की बात की, और मैंने पूछा कि मैं आपसे एक बात पूछता हूंः स्यादवाद पूर्ण सत्य है या नहीं? उन्होंने कहा, बिलकुल पूर्ण सत्य है।

अब यह स्यादवाद पूर्ण सत्य है! अब अगर इसको कोई कहे कि यह आंशिक सत्य है, यह भी आंशिक सत्य है, तो झगड़ा खड़ा हो जाएगा। सब आंशिक सत्य हैं, लेकिन जो मैं कह रहा हूं वह पूर्ण सत्य है-यही तो झगड़ा था। इसी झगड़े को हल करने को स्यादवाद खोजा गया। अब स्यादवाद भी झगड़ा करने वालों में एक हिस्सा हो गया, एक पार्टी। वह भी एक विवाद है। वह भी एक संप्रदाय है।

अगर स्यादवाद समझा गया होता तो जैनों का कोई संप्रदाय होना नहीं चाहिए, क्योंकि स्यादवाद के आधार पर संप्रदाय खड़ा नहीं हो सकता। स्यादवाद का अर्थ ही यह है कि सभी में सत्य है और किसी में पूर्ण सत्य नहीं है; इसलिए संप्रदाय खड़े करने की कोई जगह नहीं है। संप्रदाय का तो मतलब ही यह होता है कि सत्य यहां है, वहां नहीं है। स्यादवाद ने तो संप्रदाय की जड़ काटी थी। लेकिन जैनों का एक संप्रदाय खड़ा है, जो अब स्यादवाद की रक्षा करता है।

इन तीनों के बीच तुमसे मैं समन्वय खोजने को नहीं कह रहा हूं। मैं तुमसे यही कह रहा हूं कि अगर तुम ध्यान की गहराइयों में गए, तुम साक्षी-भाव को उपलब्ध हुए तो अचानक तुम्हें दिखाई पड़ेगा कि इस साक्षी के शिखर पर बैठ कर पता चलता है : सभी मार्ग इसी पहाड़ के शिखर की तरफ आते हैं। उन मार्गों के प्रारंभ होने के बिंदु कितने ही भिन्न हों, उनकी अंतिम पूर्णाहुति एक ही शिखर पर होती है। सभी मार्ग वहीं आ जाते हैं जहां साक्षी-भाव है। कैसे तुम आते हो, यह तुम्हारी मर्जी है-बैलगाड़ी पर, घोड़े पर, पैदल, हवाई जहाज पर, ट्रेन पर, मोटर, बस में...। कैसे तुम आते हो, यह तुम्हारी मर्जी है। अगर जरा भी समझदारी हो तो इसमें कोई झगड़ा करने की जरूरत नहीं-कोई घोड़े पर आ रहा है, कोई बैलगाड़ी पर आ रहा है, अपनी-अपनी मौज। कोई मस्जिद से आ रहा है, कोई मंदिर से आ रहा है, कोई प्रार्थना करके आ रहा है, कोई ध्यान करके आ रहा है, कोई नाच कर, कोई चुप बैठ कर। लेकिन अगर साक्षी-भाव जग रहा है, अगर तुम्हारे भीतर जागरूकता की किरण फूट रही है, प्रभात हो रहा है, होश गहन हो रहा है—अब तुम बेहोशी से नहीं जीते, होश से जीने लगे हो और तुम्हारे जीवन में करुणा और प्रेम की छाया आने लगी है; तुम्हारे जीवन से क्रोध और हिंसा विसर्जित होने लगे हैं।

बस दो बातें जानने की हैं। वे दो बातें भी एक ही सिक्के के दो पहलू हैं। भीतर ध्यान घटता है तो बाहर प्रेम घटता है। बाहर प्रेम घटता है तो भीतर ध्यान अनिवार्य रूप से घटता है। अगर प्रार्थना करो तो प्रेम घटेगा और ध्यान उसके पीछे आएगा। अगर ध्यान करो तो ध्यान घटेगा और प्रार्थना उसके पीछे से आएगी। तुम दो में से कोई एक साध लो, दूसरा अपने-आप सध जाता है।

साक्षी में पहुंच कर ही तुम्हें सारे जगत के सत्यों के बीच समन्वय की प्रतीति होगी। उस अनुभव की तरफ मेरा इशारा है। इसे तुम बौद्धिक समन्वय बनाने की कोशिश मत करना।

दूसरा प्रश्नः आपने कल कहा कि सभी साधनाएं गोरखधंधा हैं। लेकिन साथ ही आप अपने संन्यासियों के लिए ध्यान करना अनिवार्य कर रखे हैं। इससे मन दुविधा में पड़ता है। ध्यान नहीं करने से लगता है कुछ चूक हो रही है और करने पर मन कहता है कि समय तो नहीं गंवा रहे हो? कृपापूर्वक मार्गदर्शन करें।

निश्चित ही सभी अनुष्ठान गोरखधंधे हैं। लेकिन इसका यह अर्थ नहीं कि तुम अनुष्ठान करना मत। जैसे कि मैं तुमसे कहूं, नाव पर सवार हो जाओ, लेकिन उस पार जा कर उतर जाना। तुम कहो कि आप तो दुविधा में डाल रहे हैंः एक हाथ से तो कहते हैं, सवार हो जाओ और तत्क्षण कहते हैं, उतर जाना। अगर उतरना ही है तो हम नाव पर चढ़ें ही क्यों? और अगर चढ़ ही गए तो फिर उतरें क्यों? यह तो आप दुविधा में डालते हैं; चढ़ने को भी कहते हैं, उतरने को भी कहते हैं।

लेकिन इसमें दुविधा है। नाव पर चढ़ना होगा और नाव से उतरना भी होगा।

दुनिया में दो तरह के पागल हैं। वे बड़े तार्किक हैं। तर्क बड़ा विक्षिप्त होता है। ठीक है तर्क यह।

मैंने सुना है कि कुछ लोग तीर्थ-यात्रा को जा रहे हैं—हरिद्वार। और ट्रेन पर बड़ी भीड़-भड़क्का है। और एक आदमी बड़ी कोशिश कर रहा है, लेकिन चढ़ नहीं पा रहा। किसी ने ऐसे ही मजाक में उससे कहा कि अरे, इतने क्यों मरे जा रहे हो चढ़ने के लिए, आखिर उतरना पड़ेगा! तो वह आदमी रहा होगा बड़ा विचारक, वह उतर ही गया। उसने चढ़ने की कोशिश छोड़ दी। उसके साथी जो अंदर चढ़ गए थे, उन्होंने कहा कि भई, तू खड़ा क्यों है, गाड़ी छूटने को हो रही है, चढ़! उसने कहा कि तुम्हें पता नहीं, उतरना पड़ेगा। जब उतरना ही है तो चढ़ने के लिए इतनी धक्कम-धक्की क्या करनी? समझ गए, यहीं उतर गए।

वे घबड़ाए, क्योंकि गाड़ी छूटी जा रही है। और उस आदमी को साथ ले आए हैं, कहां उसे छोड़ जाएं? उनमें से कुछ उतरे और जबरदस्ती उसे चढ़ाया। वह चिल्लाता-चीखता रहा। उसने कहा, यह कर क्या रहे हो? जब उतरना ही है तो हम क्यों इस मुसीबत में फंसें?

पर उन्होंने उसकी कोई फिकर नहीं की। उन्होंने कहा, विवाद पीछे कर लेंगे, पहले तू चढ़! अब तुझे हम कहां छोड़ जाएं यहां अनजान जगह में?

कहीं गांव से आते थे। खैर किसी तरह उसको चढ़ा लिया। बड़ी मुश्किल वह चढ़ा। एक तो वैसे ही भीड़ थी और वह चढ़ने में झगड़ा खड़ा कर रहा था। वह उतर जाना चाहता था। चढ़ गया। फिर हरिद्वार आ गया। अब उतारने की झंझट खड़ी हुई। वह उतरता नहीं। वह कहता है, जब चढ़ ही गए, जब एक दफा चढ़ ही गए तो अब क्या उतरना बार-बार? अब फिर चढ़ने की झंझट होगी। इसलिए हम चढ़े ही रहेंगे। अब हमें तुम यहीं छोड़ दो, तुम जाओ।

अब उसको वे जबरदस्ती उतार रहे हैं। वह आदमी चिल्ला रहा है कि तुम कैसे असंगत हो? क्षण भर पहले चढ़ाते, क्षण भर बाद उतारते—असंगति तो देखो! तुम मुझे दुविधा में डाल रहे हो। तुम मुझे सीधा सार-सूत्र कह दो कि या चढ़ना या उतरना, तो हम निपटा लें। हम वही हो जाएं।

तुम जिंदगी को इतना तर्क से अगर चले तो बड़ी बुरी तरह चूकोगे। अगर तुम चढ़ोगे ही नहीं तो तीर्थ नहीं पहुंचोगे। और अगर चढ़े ही रह गए तो भी तीर्थ नहीं पहुंचोगे।

इसलिए मैं तुमसे कहता हूं कि ध्यान भी करना और एक दिन स्मरण रखना कि ध्यान भी छोड़ देना है। दोनों बातें तुमसे कहता हूं। तुम तो चाहोगे कि कोई एक कहूं तो तुम्हें सुविधा हो जाए। तुम सुविधा की फिकर कर रहे हो; तुम साधना की फिकर नहीं कर रहे हो। तुम सुविधा खोज रहे हो। तुम क्रांति नहीं खोज रहे हो।

तो सुविधाओं में दो उपाय हैं। या तो मैं तुमसे कहूं कि करो ही मत। जैसे कृष्णमूर्ति कहते हैं—उनकी बात सीधी-साफ है—ध्यान करने की कोई जरूरत नहीं। जिनको ध्यान नहीं करना है वे उनके पास इकट्ठे हो गए हैं; यद्यपि उन्हें कुछ भी नहीं हुआ।

मेरे पास आते हैं लोग। वे कहते हैं, हम कृष्णमूर्ति को सुनते-सुनते थक गए। हमें बात भी समझ में आ गई कि ध्यान इत्यादि में कुछ भी नहीं है, मगर हमें कुछ हुआ भी नहीं है। कुछ हुआ भी नहीं है और समझ में भी आ गया है कि ध्यान इत्यादि में कुछ भी नहीं है।

ये इसी पार रह गए, नाव पर न चढ़े। फिर दूसरी तरफ महेश योगी या उन जैसे लोग हैं, जो कहते हैं : 'ध्यान, ध्यान, ध्यान! करो!' और फिर कभी नहीं कहते कि इसे छोड़ना है। तो कुछ लोग हैं जो बस जप रहे हैं : राम, राम, राम, राम। राम-राम जपते ही चले जाते हैं। जिंदगी गुजर गई। वे भी मेरे पास आ जाते हैं। वे कहते

हैं, राम-राम जपते हम थक गए, अब कब तक जपते रहें? और ध्यान तो छोड़ा नहीं जा सकता। ध्यान तो धर्म की विधि है।

तुम मेरी स्थिति को समझने की कोशिश करो। मैं तुमसे कहता हूं, ध्यान शुरू करो। नहीं तो खतरा है कि तुम कृष्णमूर्ति जैसी आखिरी बात सुन कर बैठ गए। यह बात सही है, नाव छोड़ देनी है—मगर उस किनारे, इस किनारे नहीं। और कृष्णमूर्ति ने नाव छोड़ी, इसलिए तुमसे कह रहे हैं कि छोड़ दो नाव। लेकिन यह उस किनारे की बात है, इस किनारे की बात नहीं है। इस किनारे छोड़ दी तो तुम कभी उस किनारे न पहुंचोगे। तुमने कृष्णमूर्ति को नाव से उतरते देखा है, यह सच है; तुम मत उतर जाना, क्योंकि तुम इस किनारे ही हो। तुम अगर उतर गए तो भटक जाओगे। और तुमने महेश योगी को चढ़ते देखा नाव पर, यह भी सच है। अब चढ़े ही मत रह जाना। क्योंकि दूसरा किनारा आ जाए तो उतरने का खयाल रखना।

मैं तुम्हें जब ये विरोधाभासी बातें कहता हूं कि ध्यान करो और ध्यान छोड़ो भी, तो ये दो किनारों की बातें हैं। इस किनारे से शुरू करो, उस किनारे पर छोड़ देना। अगर मैं कहूं सिर्फ ध्यान करो, तो एक खतरा पैदा होगा, जब छोड़ने की बात आएगी, तुम छोड़ न सकोगे। अगर मैं सिर्फ इतना ही कहूं कि छोड़ दो, तो तुम करोगे ही नहीं, छोड़ने की संभावना का सवाल ही नहीं; करोगे ही नहीं तो छोड़ोगे क्या खाक?

मैं तुमसे कहता हूं: कमाओ और दान कर दो! कमाने में भी मजा है, फिर दान करने में तो बहुत मजा है। ध्यान में बहुत रस है; फिर ध्यान के छोड़ने में तो महारस है।

दुविधा में पड़ने की तुम्हें जरूरत नहीं। सीधी-साफ बात है। मैं सभी विरोधों का उपयोग करना चाहता हूं। तुम चाहते हो अविरोधी वक्तव्य, जिसमें तुम्हें अड़चन न हो; तुम लकीर के फकीर बन जाओ और चल पड़ो। तुम लकीर के फकीर बनने को इतने आतुर हो कि बस तुम्हें एक झंडा पकड़ा दिया जाए, बस तुम चलते रहोगे।

निश्चित ही मेरी बात में विरोधाभास है, क्योंकि सारा जीवन विरोधाभास से निर्मित है। जन्म होता है, मृत्यु होती है—यह विरोधाभास है। तुम जीवन से नहीं कहते: यह क्या मामला है? तुम परमात्मा से कभी खड़े होकर शिकायत नहीं करते कि यह क्या मामला है? अगर जन्म दिया तो मारते क्यों हो फिर? और अगर मारना ही है तो जन्म देना ही बंद कर दो।

तुम कहो तो भी परमात्मा तुम्हारी सुनेगा नहीं। कई लोगों ने कई बार कहा भी है। लेकिन परमात्मा जन्म देता है, मृत्यु देता है। एक हाथ से जन्म देता है, दूसरे हाथ से जन्म वापस ले लेता है। यहां रात होती, दिन होता। यहां गर्मी आती, सर्दी

आती। यहां मौसम बदलते रहते। यही तो जीवन की रसमयता है। यहां विरोध का मिलन है। अगर इकहरा होता जीवन तो इसमें रस न होता, इसमें समृद्धि न होती। यहां विपरीत संघात मिल कर अपूर्व संगीत का जन्म होता है। यहां जन्म और मृत्यु के बीच जीवन का खेल चलता है, जीवन का रास रसा जाता है

वही मैं तुमसे कह रहा हूं: ध्यान करो भी और ध्यान रखना कि छोड़ना है। एक दिन छोड़ना है। विधि का एक दिन विसर्जन कर देना है।

तुमने देखा, हिंदू इस संबंध में बड़े कुशल हैं। गणेश जी बना लिए मिट्टी के, पूजा इत्यादि कर ली—जा कर समुद्र में समा आए। दुनिया का कोई धर्म इतना हिम्मतवर नहीं है। अगर मंदिर में मूर्ति रख ली तो फिर सिराने की बात ही नहीं उठती। फिर वे कहते हैं अब इसकी पूजा जारी रहेगी। हिंदुओं की हिम्मत देखते हो! पहले बना लेते हैं, मिट्टी के गणेश जी बना लिए। मिट्टी के बना कर उन्होंने भगवान का आरोपण कर लिया। नाच-कूद, गीत, प्रार्थना-पूजा सब हो गई। फिर अब वह कहते हैं, अब चलो महाराज, अब हमें दूसरे काम भी करने हैं! अब आप समुद्र में विश्राम करो, फिर अगले साल उठा लेंगे।

यह हिम्मत देखते हो? इसका अर्थ क्या होता है? इसका बड़ा सांकेतिक अर्थ है: अनुष्ठान का उपयोग कर लो और समुद्र में सिरा दो। विधि का उपयोग कर लो, फिर विधि से बंधे मत रह जाओ। जहां हर चीज आती है, जाती है, वहां भगवान को भी बना लो, मिटा दो। जो भगवान तुम्हारे साथ करता है वही तुम भगवान के साथ करो—यही सज्जन का धर्म है। वह तुम्हें बनाता, मिटा देता। उसकी कला तुम भी सीखो। तुम उसे बना लो, उसे विसर्जित कर दो।

जब बनाते हिंदू, तो कितने भाव से! दूसरे धर्मों के लोगों को बड़ी हैरानी होती है। कितने भाव से बनाते, कैसा रंगते, मूर्ति को कितना सुंदर बनाते, कितना खर्च करते! महीनों मेहनत करते हैं। जब मूर्ति बन जाती, तो कितने भाव से पूजा करते, फूल-अर्चन, भजन, कीर्तन! मगर अदभुत लोग हैं! फिर आ गया उनका विसर्जन का दिन। फिर वे चले बैंड-बाजा बजाते, तो भी नाचते जाते हैं। जन्म भी नृत्य है, मृत्यु भी नृत्य होना चाहिए। चले परमात्मा को सिरा देने! जन्म कर लिया था, मृत्यु का वक्त आ गया।

इस जगत में जो भी चीज बनती है वह मिटती है। और इस जगत में हर चीज का उपयोग कर लेना है और किसी चीज से बंधे नहीं रह जाना है—परमात्मा से भी बंधे नहीं रह जाना है। मैं नहीं कहता कि हिंदुओं को ठीक-ठीक बोध है कि वे क्या कर रहे हैं। लेकिन जिन्होंने शुरू की होगी यात्रा उनको जरूर बोध रहा होगा। लोग भूल गए होंगे। अब उन्हें कुछ भी पता न हो कि वे क्या कर रहे हैं। मूर्च्छा में

कर रहे होंगे। पुरानी परंपरा है कि बनाया, विसर्जन कर रहे होंगे; लेकिन उसका सार तो समझो। सार इतना ही है कि विधि उपयोग कर ली। फिर विधि से बंधे नहीं रह जाना है। अनुष्ठान पूरा हो गया, विसर्जन कर दिया।

वही मैं तुमसे कहता हूं: नाचो, कूदो, ध्यान करो, पूजा, प्रार्थना—इसमें उलझे मत रह जाना। यह पथ है, मार्ग है; मंजिल नहीं। जब मंजिल आ जाए तो तुम यह मत कहना कि 'मैं इतना पुराना यात्री, अब मार्ग को छोड़ दूं? छोड़ो! इतने दिन जन्मों-जन्मों तक मार्ग पर चला, अब आज मंजिल आ गई, तो मार्ग को धोखा दे दूं? दगाबाज, गद्दार हो जाऊं? जिस मार्ग से इतना साथ रहा और जिस मार्ग ने यहां तक पहुंचा दिया, उसको छोड़ दूं? मंजिल छोड़ सकता हूं, मार्ग नहीं छोड़ सकता।' तब तुम समझोगे कि कैसी मूढ़ता की स्थिति हो जाएगी। इसी मंजिल को पाने के लिए मार्ग पर चले थे; मार्ग से नाता-रिश्ता बनाया था—वह टूटने को ही था।

मार्ग की सफलता ही यही है कि एक दिन घड़ी आ जाए जब मार्ग छोड़ देना पड़े।

ध्यान के जो परम सूत्र हैं, उनमें एक सूत्र यह भी है कि जब ध्यान छोड़ने की घड़ी आ जाए तो ध्यान पूरा हुआ। जब तक ध्यान छूट न सके, तब तक जानना अभी कच्चा है, अभी पका नहीं। जब फल पक जाता है तो वृक्ष से गिर जाता है। और जब ध्यान का फल पक जाता है, तब ध्यान का फल भी गिर जाता है। जब ध्यान का फल गिर जाता है तब समाधि फलित होती है।

पतंजलि ने ध्यान की प्रक्रिया को तीन हिस्सों में बांटा है: धारणा, ध्यान, समाधि। धारणा छोटी सी पगडंडी है, जो तुम्हें राजपथ से जोड़ देती है। तुम जहां हो वहां से राजपथ नहीं गुजरता। एक छोटी सी पगडंडी है, जो राजपथ से जोड़ती है। मार्ग, जो राजमार्ग से जोड़ देता है—धारणा। फिर राजमार्ग—ध्यान। फिर राजमार्ग मंजिल से जोड़ देता है—मंदिर से, अंतिम गंतव्य से। धारणा छूट जाती है जब ध्यान शुरू होता है। ध्यान छूट जाता जब समाधि आ जाती है।

इसलिए ध्यान करना—उतने ही भाव से जैसे गणेश को हिंदू निर्मित करते हैं, उतने ही अहोभाव से! ऐसा मन में खयाल मत रखना कि 'इसे छोड़ना है तो क्या...तो क्या रंगना? कैसे भी बना लिया, क्या फिकर करनी कि सुंदर है कि असुंदर है, कोई भी रंग पोत दिए, चेहरा जंचता है कि नहीं जंचता, आंख उभरी कि नहीं उभरी, नाक बनी कि नहीं—क्या करना है? अभी चार दिन बाद तो इसे विदा कर देना होगा, तो कैसे ही बना-बनू कर पूजा कर लो।' नहीं, तो

फिर पूजा हुई ही नहीं। तो छोड़ने की घड़ी आएगी ही नहीं। जब बने ही नहीं गणेश तो विसर्जन कैसे होगा?

तो जब ध्यान करो, तब ऐसे करना जैसे सारा जीवन दांव पर लगा है। तब ही उस महाघड़ी का आगमन होगा, वह महासौभाग्य का क्षण आएगा—जब तुम पाओगे अब विसर्जन का समय आ गया; अब ध्यान को भी छोड़ दें; अब ध्यान से भी ऊपर उठ जाएं; अब समाधि; अब समाधान; अब मंजिल।

तो मैं तुमसे यह विरोधाभास कहता हूं कि जो ध्यान को समग्रता से करेंगे वे ही एक दिन ध्यान को समग्रता से छोड़ पाएंगे। और जिन्होंने ऐसे-ऐसे किया, कुनकुने-कुनकुने किया, और कभी उबले नहीं और भाप न बने, उनकी कभी छोड़ने की घड़ी न आएगी। वे इसी किनारे अटके रह जाएंगे।

जैन शास्त्रों में एक कथा है। एक साधु स्नान कर रहा है। और वह देख रहा है कि एक आदमी आया, वह नाव में बैठा, पतवार चलाई; लेकिन कुछ हैरान है। वह साधु हंसने लगा। उस आदमी ने पूछा कि मेरे भाई, तुम्हें शायद पता हो, मामला क्या है? यह नाव चलती क्यों नहीं?

उस साधु ने कहा कि सज्जन पुरुष, महाशय! नाव किनारे से बंधी है। पतवार चलाने से कुछ भी न होगा। पहले खूंटी से रस्सी तो खोल लो!

वे पतवार चला रहे हैं, तेजी से चला रहे हैं! यह सोच कर कि शायद धीमे-धीमे चलाने से नाव नहीं चल रही है, तो और तेजी से चलाओ। पसीने-पसीने हुए जा रहे हैं। लेकिन नाव किनारे से बंधी है। उसे छोड़ा नहीं गया। नाव चलाने के पहले किनारे से छोड़ लेना जरूरी है।

तो अगर, तुमने आधे-आधे मन से ध्यान किया तो नाव किनारे से छूटेगी ही नहीं। तो तुम उस किनारे कभी पहुंचोगे ही नहीं। उतरने की घड़ी कभी आएगी ही नहीं।

अष्टावक्र ने जनक को कहा कि सब अनुष्ठान बंधन हैं। बिलकुल ठीक कहा। लेकिन तुम यह याद रखना कि यह नाव उस किनारे पहुंच गई है, तब कहे गए वचन हैं। इसलिए मैंने इसको महागीता कहा। कृष्ण की गीता को मैं सिर्फ गीता कहता हूं; अष्टावक्र की गीता को महागीता। क्योंकि कृष्ण की गीता अर्जुन से कही गई है—इस किनारे पर। वह नाव पर सवार ही नहीं हो रहा है। वह भाग-भाग खड़ा हो रहा है। वह कह रहा है, 'मुझे संन्यास लेना है। मैं नाव पर नहीं चढ़ता। क्या सार है? मुझे जाने दो।' वह भाग रहा है। वह कहता है, 'मेरे गात शिथिल हो गए। मेरा गांडीव ढीला हो गया। मैं नहीं चढ़ना चाहता।' वह रथ पर बैठा है, सुस्त हो गया है। वह कहता है, नाव पर मुझे चढ़ना ही नहीं। कृष्ण उसे पकड़-पकड़

कर, समझा-समझा कर नाव पर बिठाते हैं। कृष्ण की गीता सिर्फ गीता है; इस किनारे अर्जुन को नाव पर बिठा देना है। अष्टावक्र की गीता महागीता है। यह उस किनारे की बात है। ये जनक उस किनारे हैं, लेकिन नाव से उतरने को शायद तैयार नहीं; या नाव में बैठे रह गए हैं। बहुत दिनों तक नाव में यात्रा की है, नाव में ही घर बना लिया है।

अष्टावक्र कहते हैं: उतर आओ। सब अनुष्ठान बंधन हैं, अनुष्ठान छोड़ो!

कृष्ण कहते हैं: उतरो संघर्ष में, भागो मत ! सब परमात्मा पर छोड़ दो। वह जो करवाए, करो। तुम निमित्त-मात्र हो जाओ। इस नाव में चढ़ना ही होगा। यही तुम्हारी नियति, तुम्हारा भाग्य है।

अगर अर्जुन नाव में चढ़ जाए—चढ़ ही गया कृष्ण की बात मान कर—तो खतरा है, वह भी बड़ा तर्कनिष्ठ व्यक्ति था। एक दिन उसको फिर अष्टावक्र की जरूरत पड़ेगी, क्योंकि वह उस किनारे जा कर उतरेगा नहीं। जितना विवाद उसने चढ़ने में किया था, उससे कम विवाद वह उतरने में नहीं करेगा, शायद ज्यादा ही करे। क्योंकि वह कहेगा, कृष्ण चढ़ा गए हैं। अब उतरना एक तरह की गद्दारी होगी। यह तो अपने गुरु के साथ धोखा होगा। बामुश्किल तो मैं चढ़ा था, अब तुम उतारने आ गए? मैं तो पहले ही कह रहा था कि मुझे चढ़ना नहीं है। यह भी क्या खेल है?

और अष्टावक्र कहते हैं, सब अनुष्ठान बंधन हैं। ध्यान बंधन है, धारणा बंधन है, योग बंधन है, पूजा-प्रार्थना बंधन है—सब बंधन हैं।

कृष्ण की गीता उसके लिए है जो अभी अ ब स सीख रहा है अध्यात्म का। अष्टावक्र की गीता उसके लिए है जिसके सब पाठ पूरे हो गए, दीक्षांत का समय आ गया। कृष्ण की गीता दीक्षारंभ है। अष्टावक्र की गीता दीक्षांत-प्रवचन है। इन दोनों गीताओं के बीच में सारी यात्रा पूरी ही जाती है। एक चढ़ा देती है अनुष्ठानों में, एक उतार लेती है अनुष्ठानों से। एक बताती है गणेश को कैसे निर्मित करो, कैसे भाव-भक्ति से, कैसे रंग भरो; एक बताती है, कैसे नाचते, गीत गुनगुनाते विसर्जित करो।

ऐसा जन्म और मृत्यु के बीच जीवन है, ऐसे ही नाव में चढ़ने और नाव से उतरने के बीच परमात्मा का अनुभव है।

तीसरा प्रश्न : जब मैं आपका प्रवचन सुनता हूं तो न जाने क्यों उसके प्रेम-संगीत में खो जाता हूं। मुझे लगता है कि आप सितार बजा रहे हैं और मैं तबला बजा रहा हूं। कभी लगता है कि मैं तानपूरा बजा रहा हूं और आप तान लगा रहे हैं। प्रभु, मुझे यह क्या हो गया है? कृपा कर मुझे थामें!

थामें? धक्का देंगे! ऐसी शुभ घड़ी आ गई, तुम कहते हो, कृपाकर थामें? यही तो मैं चाहता हूं कि सभी को हो, जो तुम्हें हुआ है।

यह जो मैं कह रहा हूं, यह शब्द नहीं, संगीत ही है। और इसे अगर तुम सुनना चाहते हो तो सुनने की जो श्रेष्ठतम व्यवस्था है वह यही कि तुम भी मेरे संगीत में सहभागी हो जाओ। मेरी इस लय में तुम भी तानपूरा तो बजाओ कम से कम। तुम ऐसे दूर-दूर खड़े न रह जाओ। तुम इस आर्केस्ट्रा के अंग बन जाओ, तभी तुम समझ पाओगे।

शुभ हो रहा है, सौभाग्य की घटना घट रही है। तुम डरो मत। दो तबले पर ताल! बजाओ तानपूरा! साथ मेरे गाओ, साथ मेरे नाचो। इसी नृत्य में तुम खो जाओगे। इसी खोने से तुम्हारा वास्तविक होना शुरू होगा। इसी नृत्य में तुम विसर्जित हो जाओगे; तुम्हारी सीमाएं असीम में डूब जाएंगी। अचानक तुम पहली दफा जागोगे और पाओगे कि तुम कौन हो! इसी खो जाने में नींद टूटेगी, जागरण होगा।

और तुम कहते हो, प्रभु, थामें! समझ रहा हूं तुम्हारी अड़चन भी, तुम्हारे प्रश्न को भी समझ रहा हूं। क्योंकि जब कोई ऐसा डूबने लगता, तो घबड़ाहट स्वाभाविक होती है कि यह क्या हो रहा? कहीं मैं पागल तो नहीं हुआ जा रहा? यहां कैसी वीणा और कैसा तबला?

पूछने में भी तुम डरे होओगे। प्रश्न को मैंने कहा तो बहुत लोग हंसे भी। उनको भी लगा, यह क्या पागलपन है? तुमको भी लगा होगा, क्या पागलपन है? यह मैं कर क्या रहा हूं? यहां सुनने आया हूं कि तबला बजाने? और यह कैसा तानपूरा मैंने साध लिया। यह कैसी कल्पना में मैं उलझा जा रहा हूं, यह कोई सम्मोहन तो नहीं? यह कोई मन की विक्षिप्तता तो नहीं? यह कैसी लहर मुझमें उठी?

मत घबड़ाओ, यही लहर तुम्हें ले जाएगी उस पार। यही लहर नाव बनेगी। इसी लहर पर चढ़ने को कह रहा हूं। चढ़ जाओ इस लहर पर। इस लहर को चूको मत। यह लहर डुबाए तो डूब जाओ। यह उबारे तो उबरो, डुबाए तो डूबो। इस लहर के साथ अपना तादात्म्य कर लो। इस लहर से लड़ो मत। इसके विपरीत तैरो मत।

इससे बचने की चेष्टा मत करो।

तब बुला जाता मुझे उस पार जो
दूर के संगीत-सा वह कौन है?

जो तुम्हें बुला रहा है, वह अभी दूर का संगीत है। तुम उसके साथ अगर तानपूरा बजाने लगे, वह करीब आने लगेगा।

तब बुला जाता मुझे उस पार जो
दूर के संगीत-सा वह कौन है?

अभी दूर है संगीत। सहभागी बनो।

एक तो सुनने का ढंग होता है कि सुन रहे हैं—तटस्थ भाव से; जैसे कुछ लेना-देना नहीं। सुन रहे हैं—एक निष्क्रिय अवस्था में मुर्दे की तरह। कान हैं तो सुन रहे हैं। एक तो निष्क्रिय सुनना है। और एक सक्रिय सुनना है—प्रफुल्लित, आनंदमग्न, नाचते हुए, सहयोग करते हुए; जैसे मैं नहीं बोल रहा हूं, तुम्हीं बोल रहे हो; जैसे तुम्हारा ही भविष्य बोल रहा है; जैसे तुम्हारे ही भीतर छिपी हुई संभावना बोल रही है। मैं तुम्हारी ही गुनगुनाहट हूं। जो गीत तुम अभी गाए नहीं और गाना है, उसी की तरफ थोड़े से पाठ तुम्हें दे रहा हूं।

अभी जो तुम्हें लगेगा तानपूरा है, बजाते-बजाते वही तुम्हारी वीणा हो जाएगी। अभी तुम मेरे साथ बजाओगे, धीरे-धीरे तुम पाओगे तुम और मैं का फासला तो समाप्त हो गया; न तो मैं हूं, न तुम हो—परमात्मा बजा रहा है। और तब तुम इस योग्य हो जाओगे कि कोई तुम्हारे पास आए तो वह अपना तानपूरा बजाने लगे।

प्राणों के अंतिम पाहुन!

चांदनी धुला अंजन-सा
विद्युत मुस्कान बिछाता
सुरभित समीर पंखों से
उड़ जो नभ में घिर आता
वह वारिद तुम आना बन!

ज्यों श्रांत पथिक पर रजनी
छाया-सी आ मुस्काती
भारी पलकों में धीरे
निद्रा का मधु खुलकाती
त्यों करना तुम बेसुध जीवन!

अज्ञात लोक से छिप-छिप

ज्यों उतर रश्मियां आतीं

मधु पीकर प्यास बुझाने

फूलों के उर खुलवातीं

छिप आना तुम छाया तन!

आने दो मुझे, तुम्हारे भीतर आने दो। थामने की बात ही मत उठाओ। तुम्हें मदमस्त होना है। तुम्हें शराबी बनना है। तुम्हें डोलना है किसी मदिरा में। थामने की बात ही मत उठाओ।

तुम्हारा डर मैं समझता हूं—कि यह क्या हो रहा है? कहीं मैं अपना होश तो न खो दूंगा? कहीं मैं बेसुध तो न हो जाऊंगा?

ज्यों श्रांत पथिक पर रजनी

छाया-सी आ मुस्काती

भारी पलकों में धीरे

निद्रा का मधु खुलकाती

त्यों करना तुम बेसुध जीवन!

यही अब तुम्हारी प्रार्थना हो :

त्यों करना तुम बेसुध जीवन!

तुम मुझसे कहो कि जल्दी करो! तुम मुझसे कहो कि अब ऐसा भय मुझे न रहे कि मैं कुछ थाम कर रुक जाऊं। तुम मुझसे कहो कि अब मुझे डुबाओ, मुझे बेसुध करो। क्योंकि तुमने जिसे अब तक सुध समझी है वह तो बेसुधि थी। तुमने जिसे अब तक होश समझा है वह तो बेहोशी थी। और तुम जिसे अब तक जागरण समझते थे वह सपनों से ज्यादा नहीं था। वह बड़ी गहन अंधेरी रात और नींद थी।

अब यह जो बेसुधि मैं तुम्हें देना चाहता हूं, जो बेहोशी तुम्हें पिलाना चाहता हूं—यह होश का आगमन है। यह तुम्हें बेहोशी लगती है, क्योंकि तुम जिसे अब तक होश समझे थे, यह उससे विपरीत है। यह मदिरा ऐसी है जो होश लाती है।

अज्ञात लोक से छिप-छिप

ज्यों उतर रश्मियां आतीं

मधु पीकर प्यास बुझाने

फूलों के उर खुलवातीं

छिप आना तुम छाया तन!

तुम मुझे आने दो। तुमने जो कहा है : थामें! उसका अर्थ हुआ कि तुम भयभीत हो गए हो। उसका अर्थ हुआ, अगर मैं तुम्हारे द्वार पर दस्तक दूंगा तो तुम द्वार न

खोलोगे। उसका अर्थ हुआ कि तुम मुझे पास देख कर द्वार बंद कर लोगे। उसका अर्थ हुआ कि तुम पागलपन से घबड़ा रहे हो।

लेकिन ध्यान रखना, धर्म एक अनूठा पागलपन है—ऐसा पागलपन जो बुद्धिमानों की बुद्धियों से बहुत ज्यादा बुद्धिमान है; ऐसा पागलपन जो साधारण बुद्धि से बहुत पार और अतीत है; ऐसा पागलपन जो परमात्मा के निकट ले जाता है।

दुनिया में दो तरह के लोग पागल हो जाते हैं : एक तो वे, जो बुद्धि से नीचे गिर जाते हैं; और एक वे जो बुद्धि के पार निकल जाते हैं।

इसलिए आश्चर्य की बात नहीं है कि मनस्विद संतों को पागलों के साथ ही गिनते हैं—दोनों को एबनार्मल...। मनोविज्ञान की किताबों में तुम संतों के लिए और पागलों के लिए अलग-अलग विभाजन न पाओगे। उनके हिसाब से दो ही तरह के आदमी हैं—नार्मल, एबनार्मल; साधारण और रुग्ण। साधारण तुम हो। रुग्ण दो तरह के लोग हैं—फिर वे किसी ढंग के रुग्ण हों; चाहे धार्मिक रुग्ण हों, चाहे अधार्मिक हों; चाहे नास्तिक, चाहे आस्तिक—लेकिन एबनार्मल हैं।

अभी भी जीसस पर किताबें लिखी जाती हैं पश्चिम में, जिनमें दावा किया जाता है कि जीसस पागल थे, न्यूरोटिक थे। अभी हिंदुस्तान में मनोविज्ञान का उतना प्रभाव नहीं है, इसलिए बुद्ध और महावीर, अष्टावक्र अभी बचे हैं। लेकिन ज्यादा दिन यह बात चलेगी नहीं। जल्दी ही हिंदुस्तान के मनोवैज्ञानिक भी हिस्मत जुटा लेंगे। अभी उनकी इतनी हिम्मत भी नहीं है; लेकिन जल्दी हिम्मत जुटा लेंगे। जो जीसस के खिलाफ लिखा जा रहा है, वह किसी न किसी दिन महावीर के खिलाफ लिखा जाएगा। और तुम पक्का समझो कि जीसस को पागल सिद्ध करने के लिए उतने प्रमाण नहीं हैं, जिससे ज्यादा प्रमाण महावीर को पागल सिद्ध करने के लिए मिल जाएंगे।

तुमने देखा, महावीर नग्न खड़े हैं! कम से कम जीसस कपड़े तो पहने हैं। अब यह तो पागलपन है। तुमने देखा, महावीर अपने बालों को लोंच कर उखाड़ते हैं! पागलों का एक खास समूह होता है जो अपने बाल लोंच कर उखाड़ता है। तुमने पागलों को देखा होगा, तुमने कभी खुद भी देखा होगा, जब तुम पर कभी पागलपन चढ़ता है, तो तुम कहते हो, बाल लोंच लेने का मन होता है। कहावत है कि बाल लोंच लेने का मन होता है। स्त्रियों को गुस्सा आ जाता है तो बाल लोंच लेती हैं—किसी पागलपन के क्षण में! बहुत पागल हैं पागलखानों में जो अपने बाल लोंच लेते हैं। महावीर अपने बाल लोंच लेते थे। केश लुंच।

तुम्हारे पास एक गाली है—नंगा-लुच्चा। वह सबसे पहले महावीर को दी गई थी। क्योंकि वे नंगे थे और बाल लोंचते थे। नंगा-लुच्चा! अगर महावीर में खोजना हो पागलपन तो पूरा मिल जाएगा।

लेकिन मनोवैज्ञानिक अभी कुछ भी नहीं जानते हैं। जो उनका विभाजन है, अज्ञानमय है। यह भी हो सकता है कि एक आदमी शराब के नशे में चल रहा हो रास्ते पर—डांवाडोल, डगमगाता; और कोई किसी के प्रेम में मदमस्त होकर चल रहा हो; और कोई किसी प्रार्थना में डोल रहा हो। तीनों राह पर डांवाडोल चल रहे हों, पैर जगह पर न पड़ते हों, समाए न समाते हों, भीतर की खुशी ऐसी बही जा रही हो—पीछे से तुम तीनों को देखो तो तीनों लगेंगे कि शराबी हैं। क्योंकि जैसा शराबी डांवांडोल हो रहा है, वैसी ही मीरा भी डांवाडोल हो रही है, वैसे ही चैतन्य भी डांवाडोल हो रहे हैं। जैसे शराबी गीत गुनगुना रहा है, वैसी मीरा भी गीत गुनगुना रही है। पीछे से तुम देखोगे तो तुम्हें दोनों एक जैसे लगेंगे। लेकिन कहां मीरा और कहां शराबी! कहां चैतन्य और कहां शराबी! शराबी ने बुद्धि गंवा दी शराब पी कर। मीरा ने भी बुद्धि गंवा दी।

मीरा कहती है, सब लोक-लाज खोई। कोई और बड़ी शराब पी ली! अंगूरों से बनती है जो शराब, वही तो शराब नहीं। एक और भी शराब है, जो प्रभु-प्रेम से बनती है। वह पी ली। वह भी मदमस्त है।

लेकिन मीरा रुग्ण नहीं है। अगर मीरा रुग्ण है तो फिर तुम्हारे स्वास्थ्य की परिभाषाएं गलत हैं। क्योंकि मीरा जैसी मस्त और आनंदित है...स्वास्थ्य का लक्षण ही मस्ती और आनंद होना चाहिए। साधारण, जिसको मनोवैज्ञानिक कहते हैं नार्मल, वह तो बड़ा अशांत, बेचैन, परेशान, दुखी दिखाई पड़ता है। यह कोई स्वास्थ्य की परिभाषा हुई? ये चिंताग्रस्त लोग, दुखी लोग, परेशान लोग, जिनके जीवन में कभी कोई फूल नहीं खिला, कोई सरगम नहीं फूटा, कोई रसधार नहीं बही—ये स्वस्थ लोग हैं? अगर यही स्वस्थ लोग हैं तो समझदार लोग तो मीरा का पागलपन चुनेंगे। वह चुनने योग्य है। पागलपन सही, नाम से क्या फर्क पड़ता है? गुलाब को तुम क्या नाम देते हो, इससे क्या फर्क पड़ता है? गुलाब तो गुलाब है। गुलाब तो गुलाब ही रहेगा; तुम गेंदा कहो, इससे क्या फर्क पड़ता है?

तुम महावीर को पागल कहो, इससे क्या फर्क पड़ता है? या परमहंस कहो, इससे क्या फर्क पड़ता है? महावीर महावीर हैं।

यह तुम खयाल में लेना। घबड़ा मत जाना।

मेरे पास अगर तुम हो, तो निश्चित ही किसी शराब के पिलाने का आयोजन चल रहा है। यह मधुशाला है। इसे मंदिर कहने से बेहतर मधुशाला ही कहना उचित

है। यहां मैं चाहता हूं कि तुम डोलो, नाचो! यहां तुम किसी गहरी मस्ती में उतरो! नया आयाम खुले!

दूर दिल से सब कदूरत हो गई है
जीस्त कितनी खूबसूरत हो गई है!

थोड़ा पीओ मुझे!

दूर दिल से सब कदूरत हो गई है
सब चिंता, फिकर, बेचैनी, अशांति, सब दूर हो जाएगी!
जीस्त कितनी खूबसूरत हो गई है!

और जिंदगी बड़ी खूबसूरत हो जाएगी। एक-एक फूल में हजार-हजार फूल खिलते दिखाई पड़ेंगे।

इस कदर सतही है दुनिया की मसर्रत
दिल को फिर गम की जरूरत हो गई है।

और जब तुम जिंदगी के असली आनंद को जानोगे तो तुम चकित हो जाओगे। तुम पाओगे इस दुनिया के सुख से तो परमात्मा को, परमात्मा के विरह में, परमात्मा के बिछोह में पैदा होने वाला दुख बेहतर है। इस दुनिया के सुखों से तो परमात्मा के बिछोह में रोना बेहतर है। इस दुनिया की मुस्कुराहटों से तो परमात्मा के लिए बहे आंसू बेहतर हैं।

इस कदर सतही है दुनिया की मसर्रत
दिल को फिर गम की जरूरत हो गई है।

यूं बसी है मुझमें तेरी याद साजन
मेरे मन-मंदिर की मूरत हो गई है।

तेरी याद ने दिल को चमका दिया,
तेरे प्यार से यह सभा सज गई है।

जबां पर न आया कोई और नाम,
तेरा नाम ही रात-दिन भज गई है।

मेरे दिल में शहनाई-सी बज गई है।

इस शहनाई को बजने दो। इस इकतारे को बजने दो। इस तानपूरे को बजने दो। उठने दो तबले पर धुन। नाचो, गाओ, गुनगुनाओ!

मेरी दृष्टि में, धर्म वही है जो नाचता हुआ है। और दुनिया को एक नाचते हुए परमात्मा की जरूरत है। उदास परमात्मा काम नहीं आया। उदास परमात्मा सच्चा सिद्ध नहीं हुआ। क्योंकि आदमी वैसे ही उदास था, और उदास परमात्मा को लेकर बैठ गया। उदास परमात्मा तो लगता है उदास आदमी

की ईजाद है, असली परमात्मा नहीं। नाचता, हंसता परमात्मा चाहिए! और जो धर्म हंसी न दे और जो धर्म खुशी न दे और जो धर्म तुम्हारे जीवन को मुस्कुराहटों से न भर दे, उत्सव से न भर दे, उत्साह से न भर दे—वह धर्म, धर्म नहीं है, आत्महत्या है। उससे राजी मत होना। वह धर्म बूढ़ों का धर्म है या मुर्दों का धर्म है—जिनके जीवन की धारा बह गई है और सब सूख गया है। धर्म तो जवान चाहिए! धर्म तो युवा चाहिए! धर्म तो छोटे बच्चों जैसा पुलकता, फुदकता, नाचता, आश्चर्य-भरा चाहिए!

तो मैं यहां तुम्हें उदास और लंबे चेहरे सिखाने को नहीं हूं। और मैं नहीं चाहता कि तुम यहां बड़े गंभीर होकर जीवन को लेने लगो। गंभीरता ही तो तुम्हारी छाती पर पत्थर हो गई है। गंभीरता रोग है। हटाओ गंभीरता के पत्थर को।

वह पत्थर सरक रहा है और तानपूरा बजने को है, और तुम कहते हो थामो! तुम कहते हो, थामो मुझे! कहो कि धक्का दो! कहो कि ऐसा धक्का दो कि मैं तो मिट ही जाऊं, तानपूरा ही बजता रहे।

चौथा प्रश्नः   जिंदगी देने वाले, सुन!
            तेरी दुनिया से जी भर गया
            मेरा जीना यहां मुश्किल हो गया।
            रात कटती नहीं, दिन गुजरता नहीं,
            जख्म ऐसा दिया जो भरता नहीं।
            आंख वीरान है, दिल परेशान है,
            गम का सामान है
            जिंदगी देने वाले सुन!
            तेरी दुनिया से जी भर गया।

अगर जी सचमुच भर गया है, अगर सच में ही दुनिया से जी भर गया है तो उसका परिणाम उदासी नहीं है। उसका परिणाम निराशा भी नहीं है। उसका परिणाम तो एक अपूर्व उत्फुल्लता का जन्म है। जिसका जीवन से जी भर गया—अर्थ हुआ कि उसने जान लिया कि जीवन व्यर्थ है। अब कैसी निराशा? निराशा के लिए तो आशा चाहिए। इसे समझने की कोशिश करो।

जब तक तुम्हारे जीवन में आशा है कि कुछ मिलेगा जिंदगी से, कुछ मिलेगा—तब तक जिंदगी तुम्हें निराश करेगी, क्योंकि मिलने वाला कुछ भी नहीं है। जिस दिन तुम्हारी आशा छूट गई, उसी दिन निराशा भी छूट गई। लोग सोचते

हैं: जब आशा छूट जाएगी तो हम बिलकुल निराश हो जाएंगे। आशा छूट गई, फिर तो निराश होने का उपाय ही नहीं। क्योंकि आशा, निराशा साथ ही विदा हो जाते हैं। आशा की छाया है निराशा। जितनी तुम आशा करोगे उतनी निराशा पलेगी। उतने ही तुम हारोगे। जीतना चाहा तो ही हार सकते हो।

लाओत्सु कहता है: मुझे कोई हरा नहीं सकता क्योंकि मैं जीतना चाहता ही नहीं। कैसे हराओगे उस आदमी को जो जीतना चाहता ही नहीं। लाओत्सु कहता है मैं हारा ही हुआ हूं, मुझे तुम हराओगे कैसे?

जिस आदमी को जीतने की आकांक्षा है, वह हारेगा—और जितनी ज्यादा आकांक्षा है, उतना ज्यादा हारेगा। जो आदमी धनी होना चाहता है वह निर्धन रहेगा—और जितना ज्यादा धनी होना चाहता है उतना निर्धन रहेगा। क्योंकि उसकी धन की अपेक्षा कभी भी भर नहीं सकती। जितना मिलेगा वह छोटा मालूम पड़ेगा, ओछा मालूम पड़ेगा। उसकी आकांक्षा का पात्र तो बड़ा है। उस पात्र में सभी जो मिलेगा, खो जाएगा।

इस सूत्र को खयाल में लेना: तुम्हारी आशा निराशा की जन्मदात्री है। तुम्हारी आकांक्षा तुम्हारी विफलता का सूत्र-आधार है। तुम्हारी मांग तुम्हारे जीवन का विषाद है।

अगर सच में ही जीवन से जी भर गया...। लगता नहीं।

'जिंदगी देने वाले सुन
तेरी दुनिया से जी भर गया।'

अभी भरा नहीं। थक गए होओगे। आशाएं पूरी नहीं हुईं, लेकिन आशाएं समाप्त नहीं हो गई हैं। जिसको तुम जीवन से जी भर जाना कहते हो, वह विषाद की अवस्था है। तुम जो चाहते थे वह नहीं हुआ, इसलिए ऊब गए हो। लेकिन अगर अभी परमात्मा कहे कि हो सकता है, तुम फिर दौड़ पड़ोगे। अगर कोई तुम्हें फिर से कह दे कि दौड़ जाओ, अभी मिल जाएगा, बस पास ही है—तुम फिर चल पड़ोगे; फिर आशा का दीया जलने लगेगा।

यह तुम्हारी हार है, समझ नहीं। यह तुम्हारी पराजय है, लेकिन बोध नहीं। और पराजय को बोध मत समझ लेना। पराजित आदमी बैठ जाता है थक कर; लेकिन गहरे में तो अभी भी सोचता रहता है: मिल जाता शायद, कुछ और उपाय कर लेता! शायद कोई और ढंग होगा खोजने का! मैंने शायद गलत ढंग से खोजा, ठीक न खोजा। या मैंने पूरी ताकत न लगाई खोजने में!

तुम कितनी ही ताकत लगाओ, संसार में हार सुनिश्चित है। संसार में जीत होती नहीं।

मैंने सुना है, एक महिला एक दुकान पर बच्चों के खिलौने खरीद रही है। एक खिलौने को वह जमाने की कोशिश कर रही है, जो टुकड़े-टुकड़े में है और जमाया जाता है। उसने बहुत कोशिश की, उसके पति ने भी बहुत कोशिश की; लेकिन वह जमता ही नहीं। आखिर उसने दुकानदार से पूछा कि सुनो, पांच साल के बच्चे के लिए हम यह खिलौने खरीद रहे हैं; न मैं इसको जमा पाती हूं; न मेरे पति जमा पाते हैं। मेरे पति गणित के प्रोफेसर हैं। अब और कौन इसको जमा पाएगा? मेरा पांच साल का बच्चा इसको कैसे जमाएगा?

उस दुकानदार ने कहा, सुनें, परेशान न हों। यह खिलौना जमाने के लिए बनाया ही नहीं गया। यह तो बच्चे के लिए एक शिक्षण है कि दुनिया भी ऐसी ही है; कितना ही जमाओ, यह जमती नहीं। यह तो बच्चा अभी से सीख ले जीवन का एक सत्य...। इसको जमाने की कोशिश करेगा बच्चा, हजार कोशिश करेगा; मगर यह जमाने के लिए बनाया ही नहीं गया, यह जम सकता ही नहीं। इसमें तुम चूकते ही जाओगे। इसमें हार निश्चित है।

संसार एक प्रशिक्षण है। यह जमने को है नहीं। यह कभी जमा नहीं। यह सिकंदर से नहीं जमा। यह नेपोलियन से नहीं जमा। यह तुमसे भी जमने वाला नहीं है। यह किसी से कभी नहीं जमा। अगर यह जम ही जाता तो बुद्ध, महावीर छोड़ कर न हट जाते; उन्होंने जमा लिया होता। बुद्ध-महावीरों से नहीं जमा, तुमसे नहीं जमेगा। यह जमने को है ही नहीं। यह बनाया ही इस ढंग से गया है कि इसमें हार सुनिश्चित है, विषाद निश्चित है।

यह जागने को बनाया गया है कि तुम देख-देख कर, हार-हार कर जागो। एक दिन, जिस दिन तुम जाग जाओगे, तुम्हें यह समझ आ जाएगी कि यह जमता ही नहीं—नहीं कि मेरे उपाय में कोई कमी है; नहीं कि मैंने मेहनत कम की; नहीं कि मैं बुद्धिमान पूरा न था; नहीं कि मैं थोड़ा कम दौड़ा, अगर थोड़ा और दौड़ता तो पहुंच जाता। जिस दिन तुम समझोगे यह जमने को बना ही नहीं, उस दिन विषाद मिट जाएगा। उस दिन सब भीतर की पराजय, हार, सब खो जाएगी। उस दिन तुम खिलखिला कर हंसोगे। तुम कहोगे, यह भी खूब मजाक रही!

इस मजाक को जान कर ही हिंदुओं ने जगत को लीला कहा। खूब खेल रहा! इस संसार से तुम जब तक अपेक्षा रखे हो, तब तक बेचैनी है।

ऐ दिले-मर्ग-आशनां खत का जवाब सुन लिया?

और तू बेकरार हो! और तू इंतजार कर!

—बैठे हैं, बड़ी प्रतीक्षा कर रहे हैं कि प्रेयसी का पत्र आता होगा।

ऐ दिले-मर्ग-आशनां!

—ऐ प्रेयसी पर मिटे हुए दिल।

ऐ दिले-मर्ग-आशनां खत का जवाब सुन लिया?

और तू बेकरार हो! और तू इंतजार कर!

अब जागो, बहुत हो चुका इंतजार! देखो, यहां कुछ मिलने को है नहीं। खेल है, खेल की तरह खेल लो। इसमें भटक मत जाओ। इसको अति गंभीरता से मत लो।

और तुम तो ऐसे पागल हो कि फिल्म देखने जाते हो, उसी को गंभीरता से ले लेते हो। देखा, फिल्म में किसी की हत्या हो जाती है, अनेक आहें निकल जाती हैं! पागल हो गए हो? कुछ तो होश रखो! लोगों के रूमाल अगर तुम फिल्म के बाद पकड़ कर एक-एक के देखो तो गीले पाओगे। आंसू बह जाते हैं, पोंछ लेते हैं अपने आंसू जल्दी से, रूमाल छिपा लेते हैं। अच्छा है वह तो अंधेरा रहता है सिनेमागृह में, तो कोई देख नहीं पाता। पत्नी भी बगल में रो रही है, पति भी रो रहे हैं। दोनों पोंछ कर अपना...। मगर दोनों को यह समझ में नहीं आ रहा कि पर्दे पर कुछ भी नहीं है। धूप-छांव! लेकिन वह भी प्रभावित कर जाती है। उससे भी तुम बड़े आंदोलित हो जाते हो। प्रतीक प्रभावित कर जाते हैं। शब्द प्रभावित कर जाते हैं।

तो स्वाभाविक है कि यह जीवन जो चारों तरफ फैला है, इतना विराट मंच, इसमें अगर तुम भटक जाओ तो कुछ आश्चर्य नहीं! तुम होश में नहीं हो, तुम मूर्च्छित हो।

'जिंदगी देने वाले सुन
तेरी दुनिया से जी भर गया,
मेरा जीना यहां मुश्किल हो गया।'

मुश्किल? इसका मतलब है कि अभी भी अपेक्षा बनी है; नहीं तो क्या मुश्किल है? मुश्किल का मतलब है: अभी भी तुम चाहते हो कुछ सुविधा हो जाती, कुछ सफलता मिल जाती, कुछ तो राहत दे देते। एकदम हार ही हार तो मत दिलाए चले जाओ। कुछ बहाना तो, कुछ निमित्त तो रहे जीने का।

'रात कटती नहीं, दिन गुजरता नहीं
जख्म ऐसा दिया, जो भरता नहीं।'

फिर से गौर से देखो। क्योंकि जानने वालों ने तो कहा कि जगत माया है, इससे जख्म तो हो ही नहीं सकता। यह तो ऐसा ही है—अष्टावक्र बार-बार कहते हैं—जैसे रज्जू में सर्प। जैसे कोई आदमी अंधेरे में देख कर रस्सी और भाग खड़ा

हो कि सांप है; भागने में पसीना-पसीना हो जाए, छाती धड़कने लगे, हृदय का दौरा पड़ने लगे—और कोई दीया ले आए और कहे कि पागल, जरा देख भी तो, वहां न कुछ भागने को है, न कुछ भयभीत होने को है! रस्सी पड़ी है।

मेरे गांव में एक कबीरपंथी साधु थे। वे यह रज्जू में सर्प का उदाहरण सदा देते। छोटा सा था, तब से उन्हें सुनता था। जब भी उनको सुनने जाता तो यह उदाहरण तो रहता ही। यह बड़ा प्राचीन, भारत का उदाहरण है। आखिर एक दफा मुझे सूझी कि यह आदमी इतना कहता है कि संसार तो रज्जू में सर्पवत, जरा इसकी परीक्षा भी कर ली जाए।

तो वे रोज मेरे घर के सामने से रात को निकलते थे। उनका मकान मेरे घर के पीछे, नाले को पार करके था, तो एक रस्सी में एक पतला धागा बांध कर मैं अपने घर में बैठ गया। रस्सी को दूसरी तरफ सड़क के किनारे नाली में डाल दिया। जब वे निकले अपना डंडा इत्यादि लिए हुए, तो मैंने धीरे से वह धागा खींचना शुरू किया। मैं दूसरी तरफ बैठा हूं, इसलिए उस...।

और जब रस्सी उन्होंने देखी सरकती हुई, तो वे ऐसे भागे, ऐसी चीख-पुकार मचा दी कि मैं एक खाट के पीछे छिपा था, उनकी चीख-पुकार में खाट गिर गई, मैं पकड़ा गया। बहुत डांट पड़ी कि यह...यह बात ठीक नहीं है, एक बूढ़े आदमी के साथ ऐसा मजाक करना! पर मैंने कहा, यह मजाक उन्होंने सुझाया है। मैं थक गया सुनते-सुनते—रज्जू में सर्पवत, रज्जू में सर्पवत! तो मैंने सोचा कि कम से कम ये तो न घबड़ाएंगे; ये तो पहचान लेंगे कि रस्सी है। ये भी चूक गए तो औरों का क्या कहना?

यह संसार प्रतीत होता, भासमान होता। और भासमान ऐसा होता है कि लगता है सच है। लेकिन तुम एक दिन नहीं थे और एक दिन फिर नहीं हो जाओगे। यह जो बीच का थोड़ी देर का खेल है, यह एक दिन सपने जैसा विलीन जाएगा। पीछे लौट कर देखो, तुम तीस साल जी लिए, चालीस साल जी लिए, पचास साल जी लिए—ये जो पचास साल तुम जीए, आज क्या तुम पक्का निर्णय कर सकते हो कि सपने में देखे थे पचास साल या असली जीए थे? अब तो सिर्फ स्मृति रह गई। स्मृति तो सपने की भी रह जाती है। आज तुम्हारे पास क्या उपाय है यह जांच करने का कि जो पचास साल मैंने जीए, ये वस्तुतः मैं जीया था। वस्तुतः या एक सपने में देखी कथा है? बड़ी मुश्किल में पड़ जाओगे। बड़ा चित्त बेचैन हो जाएगा अगर सोचने बैठोगे। अगर इस पर ध्यान करोगे तो बड़े बेचैन, पसीने-पसीने हो जाओगे। क्योंकि तुम पकड़ न पाओगे सूत्र कि यह कैसे सिद्ध करें कि जो मैंने, सोचता हूं कि देखा, वह सच में देखा था, या केवल एक मृग-मरीचिका थी?

मरते वक्त जब मौत तुम्हारे द्वार पर खड़ी हो जाएगी और मौत का अंधकार तुम्हें घेरने लगेगा, क्या तुम्हें याद न आएगी कि जो मैं साठ, सत्तर, अस्सी साल जीवन जीया, वह था? तुम कैसे तय करोगे कि वह था? मृत्यु सब पोंछ जाएगी। कितने लोग इस जमीन पर रहे, कितने लोग इस जमीन पर गुजर गए, आए और गए—उनका आज कोई भी तो पता-ठिकाना नहीं है।

वैज्ञानिक कहते हैं कि तुम जिस जगह बैठे हो वहां कम से कम दस आदमियों की लाशें गड़ी हैं। इतने लोग इस जमीन पर मर चुके हैं। इंच-इंच जमीन कब्र है। तुम यह मत सोचना कि कब्र गांव के बाहर है। जहां गांव है वहां कभी कब्र थी, कभी कब्रिस्तान था, मरघट था। जहां अब मरघट है, वहां कभी गांव था। सब चीजें बदलती रही हैं। कितने करोड़ों वर्षों में! जमीन का एक-एक इंच आदमी की लाशों से पटा है। हर इंच पर दस लाशें पटी हैं। तुम जहां बैठे हो, वहां दस मुर्दे नीचे गड़े हैं। तुम भी धीरे से ग्यारहवें हो जाओगे, उन्हीं में सरक जाओगे।

फिर इस सब दौड़-धूप का, इस आकांक्षा-अभिलाषा का, इस महत्वाकांक्षा का क्या अर्थ है? क्या सार है? इस सत्य को देख कर जो जागता, फिर वह ऐसा नहीं कहता कि 'रात कटती नहीं, दिन गुजरता नहीं।' फिर वह ऐसा नहीं कहता कि 'जख्म ऐसा दिया जो भरता नहीं। आंख वीरान है, दिल परेशान है, गम का सामान है।' यह तो सब आशा-अपेक्षा की ही छायाएं हैं। इनसे कोई धार्मिक नहीं होता। और इनके कारण जो आदमी धार्मिक हो जाता है, वह धर्म के नाम पर संसार की ही मांग जारी रखता है। वह मंदिर में भी जाएगा तो वही मांगेगा जो संसार में नहीं मिला है! उसका स्वर्ग उन्हीं चीजों की पूर्ति होगी जो संसार में नहीं मिल पाई हैं; उनकी आकांक्षा वहां पूरी कर लेगा। इसलिए तो स्वर्ग में हमने कल्पवृक्ष लगा रखे हैं; उनके नीचे बैठ गए, सब पूरा हो जाता है।

मैंने सुना, एक आदमी भूले-भटके कल्पवृक्ष के नीचे पहुंच गया। उसे पता नहीं था कि यह कल्पबृक्ष है। वह उसके नीचे बैठा, बड़ा थका था। उसने कहा, 'बड़ा थका-मांदा हूं। ऐसे में कहीं कोई भोजन दे देता। मगर कहीं कोई दिखाई पड़ता ही नहीं।' ऐसा उसका सोचना ही था कि अचानक भोजन के थाल प्रकट हुए। वह इतना भूखा था कि उसने ध्यान भी न दिया कि कहां से आ रहे हैं? क्या हो रहा है? भूखा आदमी, मर रहा था। उसने भोजन कर लिया। भोजन करके उसने सोचा, बड़ी अजीब बात है। मगर दुनिया है, यहां सब होता है, हर चीज होती है। इस वक्त तो अब चिंता करने का समय भी नहीं, पेट खूब भर गया है। उसने डट कर खा लिया है। जरूरत से ज्यादा खा लिया, तो नींद आ रही है। तो वह सोचने लगा

कि एक बिस्तर होता तो मजे से सो जाते। सोचना था कि एक बिस्तर लग गया। जरा सा शक तो उठा मगर उसने सोचा, 'अभी कोई समय है! अभी तो सो लो, देखेंगे। अभी तो बहुत जिंदगी पड़ी है, जल्दी क्या है, सोच लेंगे।' सो भी गया। जब उठा सो कर, अब जरा निश्चिंत था। अब उसने देखा चारों तरफ कि मामला हो क्या रहा है। यहां कोई भूत-प्रेत तो नहीं हैं! भूत-प्रेत खड़े हो गए, क्योंकि वह तो कल्पवृक्ष था। उसने कहा, मारे गए! तो मारे गए! कि भूत-प्रेत झपटे उन पर, वे मारे गए!

कल्पवृक्ष की कल्पना कर रखी है स्वर्ग में । जो-जो यहां नहीं है, वहां सिर्फ कामना से मिलेगा।

तुमने देखा, आदमी की कामना कैसी है! यहां तो श्रम करना पड़ता है; कामना से ही नहीं मिलता। श्रम करो, तब भी जरूरी नहीं कि मिले। कहां मिलता? श्रम करके भी कहां मिलता? तो इससे ठीक विपरीत अवस्था स्वर्ग में है। वहां तुमने सोचा, तुमने सोचा नहीं कि मिला नहीं। तत्क्षण! उसी क्षण! समय का जरा भी अंतराल नहीं होता। लेकिन ध्यान रखना, तुम वहां भी सुखी न हो सकोगे।

देखा, इस आदमी की क्या हालत हुई! जहां सब मिल जाएगा वहां भी तुम सुखी न हो सकोगे। क्योंकि सुखी तुम तब तक हो ही नहीं सकते जब तक तुम सुख में भरोसा करते हो।

सुख से जागो! सुख से जागने से ही दुख विसर्जित हो जाता है।

बुद्ध के पास एक आदमी आया—उनका भिक्षु था, उनका संन्यासी था। उसने बहुत दिन ध्यान किया, बहुत शांत भी हो गया। एक दिन ध्यान करते-करते उसे खयाल आया कि बुद्ध ने असली बातों के तो जवाब ही नहीं दिए। वह आया उनके पास भागा हुआ। उसने कहा कि सुनिए, न तो आपने कभी बताया है कि ईश्वर है या नहीं, न आपने कभी यह बताया है कि स्वर्ग है या नहीं, न आपने कभी यह बताया है कि आत्मा मर कर कहां जाती है, पुनर्जन्म होता कि नहीं? इन बातों के उत्तर दें।

बुद्ध ने कहा, सुनो, अगर मैं इन बातों के उत्तर दूं तो तुम्हारे तक उत्तर पहुंचने के पहले मैं मर जाऊंगा और तुम्हारे समझने के पहले तुम मर जाओगे। इन बातों के उत्तर व्यर्थ हैं। ये तो ऐसे हैं जैसे किसी आदमी को तीर लग गया हो और वह मरने के करीब पड़ा हो और मैं उससे कहूं कि ला मैं तेरा तीर खींच लूं; और वह कहे, रुको, पहले मेरी बातों के उत्तर दोः 'यह तीर किस दिशा से आया? यह किसने चलाया? चलाने वाला मित्र था कि दुश्मन था? भूल से लगा कि जान कर मारा गया? तीर जहर-बुझा है या साधारण है? पहले इन बातों के उत्तर दो!' तो मैं

उस आदमी को कहूंगा, फिर तू मरेगा। मुझे पहले तीर खींच लेने दे, फिर तू फिकर करना इन प्रश्नों की। अभी तो बच जा।

तो बुद्ध ने उस भिक्षु को कहा कि मैंने तुम्हें बताया है कि जीवन में दुख है और मैंने तुम्हें बताया है कि जीवन के दुख से मुक्त होने का मार्ग है। मेरी देशना पूरी हो गई। इससे ज्यादा मुझे तुम्हें कुछ नहीं बताना। तुम्हारा दुख मिट जाए, फिर तुम जानो, खोज लेना।

यह बड़े सोचने जैसी बात है। बुद्ध ने ऐसा क्यों कहा? क्या बुद्ध ईश्वर के संबंध में उत्तर नहीं देना चाहते थे? बुद्ध जानते हैं कि तुम ईश्वर को भी दुख के कारण ही खोज रहे हो। जिस दिन दुख मिट जाएगा, तुम ईश्वर इत्यादि की बकवास बंद कर दोगे। ईश्वर भी तुम्हारी दुख की ही आकांक्षा है कि किसी तरह दुख मिट जाए। संसार में नहीं मिटा तो स्वर्ग में मिट जाए। यहां तो मांग-मांग कर हार गए, यहां तो न्याय मिलता नहीं, परमात्मा के घर तो मिलेगा!

लोग कहते हैं, वहां देर है अंधेर नहीं। कहते हैं, चाहे देर कितनी हो जाए, जन्म के बाद मिले, जन्मों के बाद मिले, मरने के बाद; लेकिन न्याय तो मिलेगा। अंधेर नहीं है।

लेकिन तुम्हारी आकांक्षाएं अपनी जगह खड़ी हैं। तुम कहते हो, कभी तो भरी जायेंगी! देर है, अंधेर नहीं।

बुद्ध ने कहा, मैंने दो ही बातें सिखाईं: दुख है, इसके प्रति जागो; और दुख से पार होने का उपाय है—साक्षी हो जाओ! बस इससे ज्यादा मुझे कुछ कहना नहीं, मेरी देशना पूरी हो गई। तुम ये दो काम कर लो, बाकी तुम खोज लेना।

और बुद्ध ने बिलकुल ठीक कहा। जिस आदमी का दुख मिट गया वह बिलकुल चिंता नहीं करता कि स्वर्ग है या नहीं। स्वर्ग तो हो ही गया, जिस आदमी का दुख मिट गया। और जिस आदमी का दुख मिट गया वह नहीं पूछता कि ईश्वर है या नहीं? जिस आदमी का दुख मिट गया, वह स्वयं ईश्वर हो गया। अब और बचा क्या?

जिसने पूछा है प्रश्न, उसे बहुत कुछ समझने की जरूरत है। जिंदगी को आकांक्षाओं के पर्दे से मत देखो। जिंदगी को अपेक्षाओं के ढंग से मत देखो। जैसी जिंदगी है उसे देखो और बीच में अपनी आकांक्षा को मत लाओ। और तब तुम अचानक पाओगे: सांप खो गया, रस्सी पड़ी रह गई। फिर उससे भय भी पैदा नहीं होता, जख्म भी नहीं लगते, हार भी नहीं होती, पराजय भी नहीं होती, विषाद भी नहीं होता। और उससे तुम्हारे भीतर उस दीये का जलना शुरू हो जाएगा, जिसको अष्टावक्र साक्षी-भाव कह रहे हैं।

दुख को देखो। सुख को चाहो मत, दुख को देखो।

दो ही तरह के लोग हैं दुनिया में : सुख को चाहने वाले लोग, और दुख को देखने वाले लोग। जो सुख को चाहता है वह नये-नये दुख पैदा करता जाता है, क्योंकि हर सुख की आकांक्षा में नये दुख का जन्म है। और जो दुख को देखता है, दुख विसर्जित हो जाता है। और दुख के विसर्जन में सुख का आविर्भाव है।

मैं फिर से दोहरा दूं : दो ही तरह के लोग हैं, और तुम्हारी मर्जी जिस तरह के लोग तुम्हें बनना हो बन जाना।

सुख को मांगो, दुख बढ़ता जाएगा। क्योंकि सुख मिलता ही नहीं, मांगने से मिलता ही नहीं; इसलिए दुख बढ़ता जाता है। फिर जितना दुख बढ़ता है, उतना ही तुम सुख की मांग करते हो—उतना ही ज्यादा दुख बढ़ता है। पड़े एक दुष्टचक्र में, जिसके बाहर आना मुश्किल हो जाएगा। इसी को तो ज्ञानियों ने संसार-चक्र कहा है—भवसागर! बड़ा सागर बनता जाता है, क्योंकि जैसे-जैसे तुम्हारा दुख बढ़ता है, तुम सोचते हो : और सुख की खोज करें। और सुख की खोज करते हो, और दुख बढ़ता है। अब इसका कहीं पारावार नहीं, इसका कोई अंत नहीं। भवसागर निर्मित हुआ।

दूसरे तरह के लोग हैं, जो दुख को देखते हैं। दुख है, ठीक है। इससे विपरीत की आकांक्षा करने से क्या सार है? इसे देख लें : यह कहां है, क्या है, कैसा है? दुख तथ्य है तो इसके प्रति जाग जाएं।

तुम इसका छोटा-मोटा प्रयोग करके देखो। जब भी तुम उदास हो, दुखी हो, बैठ जाओ शांत अपने कमरे में। रहो दुखी! वस्तुतः जितने दुखी हो सको उतने दुखी हो जाओ। अतिशयोक्ति करो।

तिब्बत में एक प्रयोग है : अतिशयोक्ति। ध्यान का गहरा प्रयोग है। वे कहते हैं, जिस चीज से तुम्हें छुटकारा पाना हो, उसकी अतिशयोक्ति करो, ताकि वह पूरे रूप में प्रकट हो जाए, ऐसा मंद-मंद न हो। तुम दुखी हो रहे हो, बंद कर लो द्वार-दरवाजे, बैठ जाओ बीच कमरे के और हो जाओ दुखी, जितने होना है। तड़फो, आह भरो, चीखो; लोटना-पोटना हो जमीन पर, लोटो-पोटो; पीटना हो अपने को, पीटो—लेकिन दुख की अतिशयोक्ति करो। दुख को उसकी पूरी गरिमा में उठा दो, दुख की आग जला दो। और जब दुख की आग भभक कर जलने लगे, धू-धू करके जलने लगे, तब बीच में खड़े होकर देखने लगो : क्या है, कैसा है दुख? इस दुख के साक्षी हो जाओ।

तुम चकित हो जाओगे, तुम हैरान हो जाओगे कि तुम्हारे साक्षी बनते ही दुख दूर होने लगा; तुम्हारे और दुख के बीच फासला होने लगा, तुम साक्षी बनने लगे,

फासला बड़ा होने लगा। तुम और भी साक्षी बनने लगे, फासला और बड़ा होने लगा। और जैसे-जैसे फासला बड़ा होने लगा, सुख की धुन आने लगी, सुख की सुवास आने लगी। क्योंकि दुख का दूर होना, यानी सुख का पास आना। धीरे-धीरे तुम पाओगे, दुख इतने दूर पहुंच गया कि अब समझ में भी नहीं आता कि है या नहीं; दूर तारों पर पहुंच गया और सुख की वीणा भीतर बजने लगी। फिर एक ऐसी घड़ी आती है, जब दुख चला ही गया। जब दुख चला जाता है, तो जो शेष रह जाता है, वही सुख है।

सुख तुम्हारा स्वभाव है। सुख, दुख के विपरीत नहीं है। तुम्हें सुख पाने के लिए दुख से लड़ना नहीं है। दुख का अभाव है सुख। दुख की अनुपस्थिति है सुख। दुख को तुम देख लो भर आंख—और दुख गया। यही करो तुम क्रोध के साथ। यही करो तुम लोभ के साथ। यही करो तुम चिंता के साथ। और सौ में से नब्बे मौकों पर तो शरीर के दुख के साथ भी तुम यही कर सकते हो।

अभी पश्चिम में बड़े मनोवैज्ञानिक प्रयोग चल रहे हैं, जिन्होंने इस बात की सच्चाई की गवाही दी है। सौ में निन्यानबे मौकों पर सिरदर्द केवल साक्षी-भाव से देखने से चला जाता है—निन्यानबे मौके पर। एक ही मौका है जब कि शायद न जाए, क्योंकि उसका कारण शारीरिक हो, अन्यथा उसके कारण मानसिक होते हैं।

तुम्हें अब जब दुबारा सिरदर्द हो तो जल्दी से सेरिडॉन मत ले लेना, एस्प्रो मत ले लेना। अब की बार जब दुख हो तो ध्यान का प्रयोग करना, तुम चकित होओगे। यह तो प्रयोगात्मक है। यह तो अब वैज्ञानिक रूप से सिद्ध है, धार्मिक रूप से तो सदियों से सिद्ध रहा है, अब वैज्ञानिक रूप से सिद्ध है। जब तुम्हारे सिर में दर्द हो, तुम बैठ जाना। उस दर्द को खोजने की कोशिश करनाः कहां है ठीक-ठीक? ताकि तुम अंगुली रख सको, कहां है। पूरे सिर में मालूम होता है तो खोजने की कोशिश करनाः कहां है ठीक-ठीक? तुम चकित होओगेः जैसे तुम खोजते हो, दर्द सिकुड़ने लगता है, उसकी जगह छोटी होने लगती है। पहले लगता था पूरे सिर में है, अब लगता है एक थोड़ी सी जगह में है। और खोजते जाना, और खोजते जाना, और खोजते जाना, देखते जाना भीतर—और जरा भी चेष्टा नहीं करना कि दुख न हो, दर्द न हो; है तो है, स्वीकार कर लेना। और तुम अचानक पाओगे, एक ऐसी घड़ी आएगी कि दर्द ऐसा रह जाएगा जैसे कि कोई सुई चुभो रहा है। इतने से, छोटे से बिंदु पर! और तब तुम हैरान होओगे कि कभी-कभी दर्द खो जाएगा। कभी-कभी लौट आएगा। कभी-कभी फिर खो जाएगा। कभी-कभी फिर लौट आएगा। और तब तुम्हें एक बात साफ हो जाएगी कि जब भी

तुम्हारा साक्षी-भाव सधेगा, दर्द खो जाएगा। और जब भी साक्षी-भाव से तुम विचलित हो जाओगे, दर्द वापस लौट आएगा। और अगर साक्षी-भाव ठीक सध गया तो दर्द बिलकुल चला जाएगा।

इसे तुम जरा प्रयोग करके देखो। मानसिक दुख तो निश्चित रूप से चले जाते हैं; शायद शारीरिक दुख न जाएं। अब किसी ने अगर सिर में पत्थर मार दिया हो तो उसके लिए मैं नहीं कह रहा हूं। इसलिए सौ में एक मौका छोड़ा है कि तुमने अपना सिर दीवाल से टकरा लिया हो, फिर दर्द हो रहा हो, तो वह दर्द शारीरिक है। उसका मन से कुछ लेना-देना नहीं। लेकिन अगर किसी ने सिर में पत्थर भी मार दिया हो तो भी अगर तुम साक्षी-भाव से देखोगे तो दर्द मिटेगा तो नहीं, लेकिन एक बात साफ हो जाएगी कि तुम दर्द नहीं हो। तुम दर्द से भिन्न हो। दर्द रहेगा। अगर मानसिक दर्द है तो मिट जाएगा। अगर शारीरिक दर्द है तो दर्द रहेगा। लेकिन दोनों हालत में तुम दर्द के पार हो जाओगे। मानसिक होगा तो दर्द गया; अगर शारीरिक होगा तो दर्द रहा; लेकिन अब मुझे दर्द हो रहा है, ऐसी प्रतीति नहीं होगी। दर्द हो रहा है, जैसे किसी और के सिर में दर्द हो रहा है; जैसे किसी और के पैर में दर्द हो रहा है; जैसे किसी और को चोट लगी है। बड़े दूर हो जाएगा। तुम खड़े देख रहे हो। तुम द्रष्टा, साक्षी-मात्र!

घबड़ाओ मत।

'जिंदगी देने वाले सुन!

तेरी दुनिया से जी भर गया।

मेरा जीना यहां मुश्किल हो गया।'

यह जिसने तुम्हें जिंदगी दी है, उसके कारण नहीं हुआ है; यह तुम्हारे कारण हुआ है। इसलिए घबड़ाओ मत; क्योंकि अगर उसके कारण हुआ हो, तब तो तुम्हारे हाथ में कुछ भी नहीं। तुम्हारे कारण हुआ है, इसलिए तुम्हारे हाथ में सब कुछ है। तुम जागो तो यह मिट सकता है। और ये गीत गाने से कुछ भी न होगा—कुछ करना होगा! कुछ श्रम करना होगा, ताकि भीतर की निद्रा टूटे।

निद्रा टूट सकती है। यह जो अंधेरा दिखाई पड़ रहा है, यह सदा रहने वाला नहीं है। सुबह हो सकती है।

यह एक शब की तड़फ है, सहर तो होने दो

बहिश्त सर पे लिए रोजगार गुजरेगा।

फिजा के दिल से परअफ्शां है आरजू-ए-गुबार

जरूर इधर से कोई शहसवार गुजरेगा।

'नसीम' जागो, कमर को बांधो,

उठाओ बिस्तर कि रात कम है।
रात तो गुजर ही जाएगी। तैयारी करो!
'नसीम' जागो, कमर को बांधो,
उठाओ बिस्तर कि रात कम है।

साक्षी-भाव बिस्तर का बांध लेना है, कि अब तो सुबह होने के करीब है। और तुमने जिस दिन बांधा बिस्तर, उसी दिन सुबह करीब आ जाती है। यह सुबह कुछ ऐसी है कि तुम्हारे बिस्तर बांधने पर निर्भर है। इधर तुमने बांधा, इधर तुमने तैयारी की, तुम जाग कर खड़े हो गए—सुबह हो गई!

सुबह अर्थात तुम्हारा जाग जाना। रात अर्थात तुम्हारा सोया रहना।

रो-रो कर दर्द की बातें कर लेने से कुछ हल न होगा। यह तो तुम करते ही रहे हो। यह रोना तो काफी हो चुका है। यह तो जन्मों-जन्मों से तुम रो रहे हो और कह रहे हो कि कोई कर दे, दुनिया को बनाने वाला हो या न हो। तुम किससे प्रार्थना कर रहे हो? उसका तुम्हें कुछ पता भी नहीं है। हो न हो; हो, बहरा हो; हो, और तुम्हें दुख देने में मजा लेता हो; हो, और तुम्हारा दुख उसे दुख जैसा दिखाई न पड़ता हो—तुम किससे प्रार्थना कर रहे हो? और वह है भी, इसका कुछ पक्का नहीं है।

आदमी ने अपने भय में भगवान खड़े किए हैं और अपने दुख में मूर्तियां गढ़ ली हैं, और अपनी पीड़ा में किसी का सहारा खोजने के लिए आकाश में आकार निर्मित कर लिए हैं। इनसे कुछ भी न होगा।

अष्टावक्र या बुद्ध या कपिल तुमसे इस तरह की बातें करने को नहीं कहते।

वे तो कहते हैं, जो हो सकता है वह एक बात है कि तुम्हारे भीतर चैतन्य है, इतना तो पक्का है; नहीं तो दुख का पता कैसे चलता? दुख का जिसे पता चल रहा है उस चैतन्य को और निखारो, साफ-सुथरा करो! कूड़े-कर्कट से अलग करो। उसको प्रज्वलित करो, जलाओ कि वह एक मशाल बन जाए। उसी मशाल में मुक्ति है।

आखिरी सवाल—और आखिरी सवाल सवाल नहीं है:
एकटि नमस्कारे प्रभु,
एकटि नमस्कारे!
सकल देह लूटिए पड़ूक
तोमार ए संसारे
घन श्रावण-मेघेर मतो
रसेर भारे नम्र नत

एकटि नमस्कारे प्रभु,
एकटि नमस्कारे!
समस्त मन पड़िया थाक,
तव भवन-द्वारे
नाना सुरेर आकुल धारा
मिलिए दिए आत्महारा
एकटि नमस्कारे प्रभु,
एकटि नमस्कारे!
समस्त गान समाप्त होक,
नीरव पारावारे
हंस येमन मानस-यात्री
तेमन सारा दिवस-रात्रि
एकटि नमस्कारे प्रभु,
एकटि नमस्कारे!
समस्त प्राण उड़े चलूक
महामरण-पारे!
स्वामी आनंद सागरेर प्रणाम!

आनंद सागर ने निवेदन किया है, प्रश्न तो नहीं है। लेकिन सार्थक पंक्तियां हैं। उन्हें स्मरण रखना।

'सकल देह लूटिए पडूक,
तोमार ए संसारे!'
—तेरे इस संसार में सब लुट गया! अब तो एक नमस्कार ही बचा है।
'एकटि नमस्कारे प्रभु,
एकटि नमस्कारे!
सकल देह लूटिए पडूक,
तोमार ए संसारे
घन श्रावण-मेघेर मतो'
—और जैसे आषाढ़ में मेघ भर जाते हैं जल से।
'रसेर भारे नम्र नत'...
—और रस से भरे हुए झुक जाते पृथ्वी पर और बरस जाते हैं।
'एकटि नमस्कारे प्रभु,

एकटि नमस्कारे!'

—ऐसा मैं बरस जाऊं तुम्हारे चरणों में जैसे रस से भरे हुए मेघ बरस जाते हैं।

'समस्त मन पड़िया थाक,
तव भवन द्वारे!'

—और तेरे भवन के द्वार पर सारे मन को थका कर तोड़ डालूं, मन से मुक्त हो जाऊं तेरे द्वार पर, बस इतनी ही प्रार्थना है।

'नाना सुरेर आकुल धारा
मिलिए दिए आत्महारा
एकटि नमस्कारे प्रभु,
एकटि नमस्कारे!
समस्त गान समाप्त होक,
नीरव पारावारे!'

—ऐसा हो कि मेरे सब गीत अब खो जाएं, केवल नीरव पारावर बचे! शून्य का गीत शुरू हो, स्वरहीन स्वहीन गीत शुरू हो!

'समस्त गान समाप्त होक,
नीरव पारावारे!'

—अब आखिरी गीत नीरव हो, बिना कहे हो, बिना शब्दों का हो! अब मौन ही आखिरी गीत हो।

'हंस येमन मानस-यात्री
तेमन सारा दिवस-रात्रि।'

—ये प्राण तो मानस-सरोवर के लिए, मान-सरोवर के लिए उड़ रहे हैं। ये प्राण तो हंस जैसे हैं, जो अपने घर के लिए तड़फ रहे हैं।

'हंस येमन मानस-यात्री
तेमन सारा दिवस-रात्रि।'

—अहर्निश बस एक ही प्रार्थना है कि कैसे उस शून्य में, कैसे उस महाविराट में, कैसे उस मानसरोवर में इस हंस की वापसी हो जाए! कैसे घर पुनः मिले!

'एकटि नमस्कारे प्रभु,
एकटि नमस्कारे!
समस्त प्राण उड़े चलूक,
महामरण-पारे।'

—ऐसा कुछ हो कि सारे प्राण अब इस जन्म और मृत्यु को छोड़ कर, जन्म और मृत्यु के जो अतीत है उस तरफ उड़ चलें।

ऐसी बस एक नमस्कार शेष रह जाए! बस, ऐसी एक प्रार्थना शेष रह जाए और मेघों की भांति तुम्हारे प्राण झुक जाएं अनंत के चरणों में—तो सब प्रसाद-रूप फलित हो जाता है, घट जाता है। तुम झुको कि सब हो जाता है। तुम अकड़े खड़े रहो कि वंचित रह जाते हो।

तुम्हारे किए, तुम्हारी अस्मिता और अहंकार से, और तुम्हारे संकल्प से, दौड़-धूप ही होगी। तुम्हारे समर्पण से, तुम्हारे विसर्जन से, तुम्हारे डूब जाने से महाप्रसाद उतरेगा। तुम झुको।

'रसेर भारे नम्र नत
घन श्रावण-मेघेर मतो
एकटि नमस्कारे प्रभु,
एकटि नमस्कारे!
समस्त मन पड़िया थाक
समस्त गान समाप्त होक
समस्त प्राण उड़े चलूक,
महामरण-पारे!'

जीवन का परम सत्य मृत्यु के पार है। जीवन का परम सत्य वहीं है जहां तुम मिटते हो। तुम्हारी मृत्यु ही समाधि है। और तुम्हारा न हो जाना ही प्रभु का होना है। जब तक तुम हो—प्रभु रुका, अटका। तुम दीवाल हो। तुम मिटे कि द्वार खुला! सीखो मिटना!

और मिटने के दो ही उपाय हैं: या तो साक्षी बन जाओ—जो कि अष्टावक्र, कपिल, कृष्णमूर्ति, बुद्ध इनका उपाय है; या प्रेम में डूब जाओ—जो कि मीरा, चैतन्य, जीसस, मोहम्मद, इनका मार्ग है। दोनों ही मार्ग ले जाते हैं—या तो बोध, या भक्ति। मगर दोनों मार्ग का सार-सूत्र एक ही है। बोध में भी तुम मिट जाते हो, क्योंकि अहंकार साक्षी में बचता नहीं; और प्रेम में भी तुम मिट जाते हो, क्योंकि प्रेम में अहंकार के बचने की कोई संभावना नहीं। तो एक बात सार-निचोड़ की है: अहंकार न रहे तो परमात्मा प्रकट हो जाता है।

हरि ॐ तत्सत्!

❋ ❋ ❋

प्रवचन : 23

दृष्टि ही सृष्टि है

जनक उवाच।

मय्यनन्तमहाम्भोधौ   विश्वपोत   इतस्ततः।
भ्रमति स्वान्तवातेन न ममास्त्यसहिष्णुता।। 74।।
मय्यनन्तमहाम्भोधौ   जगद्वीचिः   स्वभावतः।
उदेतु वास्तमायातु न मे वृद्धिर्न न क्षतिः।। 75।।
मय्यनन्तमहाम्भोधौ   विश्वं   नाम   विकल्पना।
अतिशान्तो निराकार एतदेवाहमास्थितः।। 76।।
नात्मा भावेषु नो भावस्तत्रानन्ते निरंजने।
इत्यसक्तोऽस्पृहः शान्त एतदेवाहमास्थिताः।। 77।।
अहो   चिन्मात्रमेवाह   मिन्द्रजालोपमं   जगत्।
अतो मम कथं कुत्र हेयोपादेयकल्पना।। 78।।

सत्य को कहा नहीं जा सकता, इसीलिए बार-बार कहना पड़ता है। बार-बार कह कर भी पता चलता है कि फिर छूट गया। फिर छूट गया। जो कहना था, वह नहीं समा पाया शब्दों में।

अरब में एक कहावत है कि पूर्ण मनुष्य नहीं बनाया जा सकता। इसलिए परमात्मा रोज नये बच्चे पैदा करता जाता है। अभी भी कोशिश कर रहा है पूर्ण मनुष्य को बनाने की-हारा नहीं, थका नहीं, हताश नहीं हुआ है।

ठीक वैसी ही स्थिति सत्य के संबंध में भी है। सनातन से बुद्धपुरुष कहने की चेष्टा करते रहे हैं। हजार-हजार ढंग से उस तरफ इशारा किया है, लेकिन फिर भी

जो कहना था वह अनकहा रह गया है। उसे कहा ही नहीं जा सकता है। स्वभाव से ही शब्द में बंधने की कोई संभावना नहीं है। जैसे कोई मुट्ठी में आकाश को नहीं भर ले सकता।

एक आश्चर्य की बात देखी! मुट्ठी बांधो तो आकाश बाहर रह जाता है; मुट्ठी खोल दो तो आकाश मुट्ठी में होता है। खुली मुट्ठी में तो होता है, बंधी मुट्ठी में खो जाता है। तो मौन में तो सत्य होता है, शब्द में खो जाता है। शब्द तो बंधी मुट्ठी है; मौन खुला हाथ है। लेकिन फिर भी बुद्धपुरुष कहने की चेष्टा करते हैं-करुणावशात। और शुभ है कि चेष्टा जारी है। सत्य भला न कहा जा सके, लेकिन सत्य को कहने की जो चेष्टा है वह चलती रहनी चाहिए; क्योंकि उसी चेष्टा में बहुत-से सोए व्यक्ति जागते हैं। सुन कर सत्य मिलता भी नहीं, लेकिन सुन-सुन कर प्यास तो जग जाती है; सत्य की खोज की आकांक्षा तो प्रज्वलित हो जाती है।

मैं तुमसे कह रहा हूं जो कुछ, जान कर कह रहा हूं कि तुम तक नहीं पहुंचेगा। लेकिन फिर भी जो मैं कहूंगा, वह भला न पहुंचे, तुम्हारे जीवन के भीतर छिपी हुई अग्नि में घी का काम करेगा; अग्नि प्रज्वलित होगी। सत्य तुम्हें मिले न मिले, लेकिन तुम्हारे भीतर सोई हुई अग्नि को ईंधन मिलेगा। इसी आशा में सारे शास्त्रों का जन्म हुआ है। लेकिन अगर तुम सत्य को पकड़ने की चेष्टा में शब्द में उलझ जाओ तो चूक गए। जैसे कि कोई गीत तो कंठस्थ कर ले और गीत के भीतर छिपा हुआ अर्थ भूल जाए।

तोतों को देखा! याद कर लेते हैं। राम-राम रटने लगते हैं। भजन भी दोहरा देते हैं।

तुम शब्द सीख ले सकते हो। सुंदर शब्द उपलब्ध हैं। और तुम्हें ऐसी भ्रांति भी हो सकती है कि जब शब्द आ गया तो सत्य भी आ गया होगा। शब्द तो केवल खाली मंजूषा है। सत्य तो आता नहीं, इसलिए शब्द को कभी भूल कर सत्य मत समझ लेना और शास्त्र को सिर पर मत ढोना।

अष्टावक्र की यह महागीता है। इससे शुद्धतम वक्तव्य सत्य का कभी नहीं दिया गया और कभी दिया भी नहीं जा सकता। फिर भी तुम्हें याद दिला दूं, इन शब्दों में मत उलझ जाना। ये शब्द खाली हैं। ये बड़े प्यारे हैं-इसलिए नहीं कि इनमें सत्य है; ये बड़े प्यारे हैं, क्योंकि जिस आदमी से निकले हैं उसके भीतर सत्य रहा होगा; ये बड़े प्यारे हैं, क्योंकि जिस हृदय से उमगे हैं, जहां से उठे हैं, वहां सत्य का आवास रहा होगा।

सदगुरु के पास या सदवचनों के सान्निध्य में कुछ ऐसी घटना घटती है, जैसे

सुबह कुहासा घिरा हो और तुम घूमने गए हो, तो एकदम भीग नहीं जाते; कोई वर्षा तो हो नहीं रही है कि तुम भीग जाओ; लेकिन अगर घूमते ही रहे, घूमते ही रहे, तो वस्त्र धीरे-धीरे आर्द्र हो जाते हैं। वर्षा हो भी नहीं रही कि तुम भीग जाओ, कि तर-बतर हो जाओ; लेकिन कुहासे में अगर घूमने गए हो तो घर लौट कर पाओगे कि वस्त्र थोड़े गीले हो गए।

सत्संग में ऐसा ही गीलापन आता, आर्द्रता आती; वर्षा नहीं हो जाती। लेकिन अगर तुम शास्त्र के शुद्ध वचनों को शांति से सुनते रहे और शब्दों में न उलझे, तो कुहासे की तरह शब्दों के आस-पास लिपटी हुई जो गंध आती है वह तुम्हें सुगंधित कर जाएगी, और तुम्हें प्रज्वलित कर जाएगी; तुम्हारे भीतर की मशाल को ईंधन बन जाएगी।

कवि ने गीत लिखे नये-नये बार-बार

पर उसी एक विषय को देता रहा विस्तार—

जिसे कभी पूरा पकड़ पाया नहीं;

जो कभी किसी गीत में समाया नहीं

किसी एक गीत में वह अट गया दिखता

तो कवि दूसरा गीत ही क्यों लिखता?

तुम्हें बहुत बार लगेगा अष्टावक्र वही कहे जाते हैं, जनक वही दोहराए चले जाते हैं।

कवि ने गीत लिखे नये-नये बार-बार

पर उसी एक विषय को देता रहा विस्तार—

जिसे कभी पूरा पकड़ पाया नहीं;

जो कभी किसी गीत में समाया नहीं,

एक गीत हार जाता, कवि दूसरा गीत रचता है। लेकिन जो उसने पहले गीत में गाना चाहा था वही वह दूसरे गीत में गाना चाहता है।

विन्सेंट वानगाग को किसी ने पूछा कि तुमने अपने जीवन में कितने चित्र बनाए हैं? उसने कहा कि बनाए तो बहुत, लेकिन बनाना एक ही चाहता था।

ठीक कहा। उस एक को बनाने की चेष्टा में बहुत बने और वह एक हमेशा रह जाता है, वह बन नहीं पाता है।

रवींद्रनाथ मरणशय्या पर थे। उनकी आंखों से आंसू टपकते देख कर उनके एक मित्र ने कहा, आप, और रोते हैं? अरे धन्यवाद दो! प्रभु ने तुम्हें सब कुछ दिया। तुमसे बड़ा महाकवि नहीं हुआ। तुमने छह हजार गीत लिखे जो संगीत में बंध सकते हैं। पश्चिम में शैली की बड़ी ख्याति है; उसने भी दो हजार ही गीत

लिखे हैं जो संगीत में बंध जाएं। तुमने छह हजार लिखे। और क्या चाहते हो? अब किसलिए रोते हो? अब तो शांति से विदा हो जाओ।

रवींद्रनाथ हंसने लगे। उन्होंने कहा, इसलिए रोता भी नहीं। इधर प्रभु से निवेदन कर रहा था भीतर-भीतर, आंख में आंसू आ गए। निवेदन कर रहा था, यह भी कैसा मजाक है! अभी तो मैं साज बिठा पाया था। अभी गीत गाया कहां? अभी तो साज बिठा पाया था। और यह विदा की बेला आ गई। यह कैसा अन्याय है? ये छह हजार गीत जो मैंने गाए, यह तो सिर्फ साज का बिठाना था।

जैसे तुमने देखा, तबलची तबले को ठोंकता-पीटता, वीणाकार वीणा को कसता। उस वीणा को कसने से जो आवाज निकलती है, तारों को खींचने से, जांचने से जो आवाज निकलती है, उसे संगीत मत समझ लेना; वह तो केवल अभी आयोजन किया जा रहा है।

रवींद्रनाथ ने कहा, अभी तो आयोजन पूरा होने को आया था। अब मैं गा सकता था, ऐसा लगता था; और यह विदा होने का वक्त आ गया, यह कैसा अन्याय है?

जिन्होंने भी कुछ कहने की कोशिश की है, सभी का यही अनुभव है। जो गाना है, वह अनगाया रह जाता है। जो कहना है, अनकहा छूट जाता है।

फिर दूसरी तरफ से चेष्टा होती है कि चलो, इस आयाम से नहीं हुआ, दूसरे आयाम से हो जाएगा; ये शब्द काम न आए, कोई और शब्द काम आ जायेंगे; इससे न जल सका दीया, किसी और बात से जल जाएगा। लेकिन दीया जल सकता नहीं, क्योंकि शब्द और सत्य का मिलन होता नहीं। फिर भी, अगर तुमने शांति से सुना, तुमने अगर पीया, तो शब्द तो खो जाएगा, लेकिन शब्द के पास कुहासे की तरह जो आभामंडल था, वह तुम्हारे भीतर की अग्नि को प्रज्वलित कर देगा, तुम प्यासे हो जाओगे।

जनक के आज के सूत्र, पीछे जो सूत्र थे उन्हीं के सिलसिले में हैं, उन्हीं की क्रमबद्धता में हैं। पीछे के चार सूत्र बड़े क्रांतिकारी थे। अब उन्हीं का विस्तार है। और वस्तुतः, पूरी महागीता में उन्हीं का विस्तार होगा। उन चार सूत्रों में जो मौलिक बात थी वह इतनी ही थी कि अष्टावक्र ने कहा है जनक को कि अब तू ज्ञान को उपलब्ध हो जा। और जनक कहते हैं, ज्ञान को उपलब्ध हो जाऊं? यह भी आप कैसी बात कह रहे हैं? ज्ञान को उपलब्ध हो गया हूं! यह आप कैसी बात कर रहे हैं कि ज्ञान को उपलब्ध हो जाओ; जैसे कि ज्ञान मुझसे कुछ भिन्न हो! मेरा स्वभाव, मेरा बोध है। इति ज्ञानं! यही ज्ञान है। यह जो साक्षी का अनुभव हो रहा है, यही ज्ञान है। 'हो जाओ' में तो ऐसा लगता है भविष्य में होगा। 'हो जाओ'

में तो ऐसा लगता है, कुछ साधन करना पड़ेगा, विधान करना पड़ेगा, अनुष्ठान करना पड़ेगा। 'हो जाओ' में तो ऐसा लगता है यात्रा करनी होगी; मंजिल भविष्य में है, मार्ग तय करना होगा।

जनक ने कहा, नहीं-नहीं! आप मुझे उलझाने की कोशिश मत करें और आप मुझे ऐसे प्रलोभन न दें। हो गया है, घट गया है। और जब कह रहे हैं कि घट गया है तो इसका यह अर्थ नहीं है कि पहले नहीं घटा था, अब घटा है। इसका इतना अर्थ है कि घटा तो सदा ही से था, मुझे ही बोध न था, मुझे स्मरण न था। संपत्ति तो मुझमें पड़ी थी; मैं उधर आंख को न ले गया; मैं कहीं और खोजता रहा। मिलने में कोई अड़चन न थी; मेरी गलत खोज ही अड़चन थी। ऐसा नहीं था कि मेरा श्रम पूरा नहीं था, मेरी साधना पूरी नहीं थी, या मेरे साधन अधूरे थे, या मैंने पूरी जीवन-ऊर्जा को दांव पर न लगाया था—ऐसा नहीं था। सिर्फ जहां मुझे देखना था वहां मैंने नहीं देखा था। मैंने अपने भीतर नहीं देखा था। खोजने वाले ने खोजने वाले में नहीं देखा था, कहीं और खोज रहा था। देखा भीतर, हो गया। 'हो गया', कहना पड़ता है भाषा में; कहना तो ऐसा चाहिए: वही हो गया जो सदा से था।

बुद्ध को ज्ञान हुआ तो बुद्ध से किसी ने पूछा, क्या मिला? बुद्ध ने कहा, मिला कुछ भी नहीं। जो मिला ही हुआ था, उसका पता चला। जो मिला ही हुआ था, जिसे खोने का कोई उपाय ही नहीं है!

अष्टावक्र बड़े प्रसन्न हो रहे होंगे सुन कर जनक के उत्तर। शायद ही कभी किसी शिष्य ने गुरु की आकांक्षा को इस परिपूर्णता से पूरा किया है। क्योंकि शिष्य की उत्सुकता तो होने में होती है, बनने में होती है, विकसित होने में, समृद्ध होने में, ज्ञानवान होने में, शक्तिसंपन्न होने में, सिद्धि पाने में। अष्टावक्र बड़े प्रफुल्लित हुए होंगे। उनका मन बहुत मग्न हुआ होगा। क्योंकि जो जनक कह रहे थे वही अष्टावक्र सुनना चाहते थे।

तेरे हुस्ने-जवाब से आई,
मेरे रंगीं सवाल की खुशबू।

जरूर जनक के जवाब में अपने सवाल की आत्यंतिक सुगंध को अष्टावक्र ने अनुभव किया होगा। इधर भीतर तो वह प्रफुल्लित हो रहे होंगे, लेकिन बाहर उन्होंने रुख बड़े कठोर बना रखा है। बाहर तो परीक्षक हैं। बाहर तो आंखें जांच रही हैं। पैनी धार आंखों की जनक के हृदय को काट रही है।

गुरु को कठोर होना ही चाहिए—यही उसकी करुणा है। वह तो आत्यंतिक स्थिति में ही कहेगा कि ठीक, उसके पहले नहीं। जब तक जरा सी भी संभावना है भूल-भटक की, तब तक वह कुरेदे जाएगा, तब तक वह काटे जाएगा, तब तक

वह और उपाय करेगा कि तुम फंस जाओ, और उपाय करेगा कि कहीं तुमसे भूल-चूक हो जाए।

जनक ने कहा ः 'मुझ अंतहीन महासमुद्र में, विश्व-रूपी नाव अपनी ही प्रकृत वायु से इधर-उधर डोलती है। मुझे असहिष्णुता नहीं है।'

यह सूत्र इतना सरल मालूम होता है, लेकिन बड़ा गहन है! इसमें उतरने की कोशिश करो। खूब ध्यान से सुनोगे तो ही उतर सकोगे। इस सूत्र का यह अर्थ हुआ कि दुख आए चाहे सुख, दोनों ही प्रकृति से उत्पन्न हो रहे हैं। मेरे चुनाव की सुविधा कहां है! मुझसे पूछता कौन है! जैसे समुद्र में लहरें उठ रही हैं—छोटी लहरें, बड़ी लहरें; अच्छी लहरें, बुरी लहरें; सुंदर, कुरूप लहरें—यह समुद्र का स्वभाव है कि ये लहरें उठती हैं। ऐसे ही मुझ में लहरें उठती हैं—सुख की, दुख की; प्रेम की, घृणा की; क्रोध की, करुणा की। ये स्वभाव से ही उठती हैं और इधर-उधर डोलती हैं। इसमें मैंने चुनाव नहीं किया है, चुनाव छोड़ दिया है। और जब से चुनाव छोड़ा तभी से असहिष्णुता भी चली गई। करने को ही कुछ नहीं है तो असहिष्णुता कैसे हो?

मेरे पास लोग आते हैं, वे कहते हैं कि किसी तरह अशांति के बाहर निकाल लें। मैं उनसे कहता हूं कि तुम अशांति को स्वीकार कर लो। एकदम उन्हें समझ में नहीं आता, क्योंकि वे आए हैं अशांति को छोड़ने। मैं उनसे कहता हूं, अशांति को स्वीकार कर लो। उनके आने का कारण बिलकुल भिन्न है। वे चाहते हैं कि कोई अशांति से छुड़ा दे। कोई विधि होगी, कोई उपाय होगा, कोई औषधि होगी, कोई मंत्र-तंत्र, कुछ यज्ञ-हवन-कुछ होगा, जिससे अशांति छूट जाएगी। और दुनिया में सौ गुरुओं में निन्यानबे ऐसे हैं कि तुम जाओगे तो वे जरूर तुम्हें कुछ कह देंगे कि यह करो तो अशांति छूट जाएगी।

मेरी अड़चन यह है कि मैं जानता हूं अशांति को छोड़ने का कोई उपाय ही नहीं है—स्वीकार करने का उपाय है। और स्वीकार करने में अशांति विसर्जित हो जाती है। मैं जब कहता हूं अशांति विसर्जित हो जाती है तो तुम यह मत समझना कि अशांति छूट जाती है। अशांति होती रहे या न होती रहे, तुम अशांति से छूट जाते हो। तुमसे अशांति छूटे या न छूटे; तुम अशांति से छूट जाते हो।

इस मन की व्यवस्था को समझें। मन अशांत है, तुम कहते हो शांत होना चाहिए। मन तो अशांत था, एक और नई अशांति तुमने जोड़ी कि अब शांत होना चाहिए। मन की अशांति को समझो। तुम्हारे पास दस हजार रुपये हैं, तुम दस लाख चाहते थे, इसलिए मन अशांत है। जितना है उससे तुम तृप्त न थे। जो नहीं है वह तुम मांग रहे थे। 'नहीं' की मांग से अशांति आई। अशांति आती है अभाव से। जो

है, उससे अशांति कभी नहीं आती है; जो नहीं है, उसकी मांग से आती है। जो पत्नी तुम्हारी है, उससे सुंदर चाहिए। जो पति तुम्हारा है, उससे ज्यादा यशस्वी चाहिए। जो बेटा तुम्हारा है, उससे ज्यादा बुद्धिमान चाहिए। जैसा मकान है, उससे बड़ा चाहिए। जितनी तुम्हारी प्रतिष्ठा है, उससे गहरी चाहिए। जो पद तुम्हारे पास है, उससे आगे का पद चाहिए। अशांति आती है उसकी मांग से जो तुम्हारे पास नहीं है। फिर, जब तुम अशांत हो गए तो अब तुम एक और नई बात मांगना शुरू करते हो—पुराना जाल तो कायम है और उसी जाल का गणित और फैलता है—अब तुम कहते हो, मुझे शांति चाहिए। अब शांति नहीं है तुम्हारे पास, अब तुम्हें शांति चाहिए। तुम समझे? इसका मतलब हुआ कि अब जाल और भी जटिल हो जाएगा।

जो आदमी साधारणतः अशांत है और शांति की झंझट में नहीं पड़ा है, वह उस आदमी से ज्यादा शांत होता है जो शांत होना चाहने की झंझट में पड़ गया है। यह एक और उपद्रव हुआ। अशांत तो तुम थे ही, तर्क था कि जो नहीं है वह होना चाहिए; अब शांति नहीं है, शांति होना चाहिए। एक और नई झंझट शुरू हुई।

जो तथाकथित धार्मिक लोग हैं, उनसे ज्यादा अशांत व्यक्ति तुम दूसरे न पाओगे। सांसारिक व्यक्ति उतने अशांत नहीं हैं। मंदिरों में, मस्जिदों में झुके लोग, पूजागृहों में बैठे लोग, तपश्चर्या उपवास करते लोग तुम्हें जितने अशांत दिखाई पड़ेंगे उतने तुम्हें साधारण लोग, होटलों में बैठे, चाय पीते, अखबार पढ़ते, उतने अशांत न दिखाई पड़ेंगे। कम से कम उनके पास एक ही अशांति है—वे संसार में कुछ पाना चाहते हैं। धार्मिक व्यक्ति के पास दोहरी अशांति है—वह परलोक में भी कुछ पाना चाहता है। न केवल परलोक में कुछ पाना चाहता है, यहां भी शांति पाना चाहता है, आनंद पाना चाहता है, ध्यान पाना चाहता है। और सारा जाल इतना ही है कि तुम अगर कुछ पाना चाहते हो तो तुम और अशांत होते जाओगे।

मैं कहता हूं—जब कोई शांति की खोज में आता—कि तुम अशांति को स्वीकार कर लो। उसे समझाता हूं। कभी-कभी उसकी समझ में भी आ जाता है। यह बात कठिन हैः 'अशांति को स्वीकार कर लो! तो फिर शांत कैसे होंगे?' तुम्हारी बात भी मेरी समझ में आती है। लेकिन मैं तुमसे कहता हूंः जब भी कोई शांत हुआ है, अशांति को स्वीकार करके हुआ है। सुन कर मुझे, समझ कर मुझे कोई राजी हो जाता है कि 'अच्छा, तो स्वीकार कर लेते हैं; फिर शांत हो जाएंगे? स्वीकार कर लेते हैं, फिर शांत हो जाएंगे? कब तक शांत होंगे? चलो स्वीकार कर लेते हैं।' तो मैं उनसे कहता हूं यह तुमने स्वीकार किया ही नहीं। अभी भी तुम्हारी मांग तो कायम है कि शांत होना है। स्वीकार करने का अर्थ हैः जैसा है,

वैसा है; अन्यथा हो नहीं सकता। जैसा है, वैसा ही होगा। जैसा हुआ है, वैसा ही होता रहा है।

जब तुम इस भांति स्वीकार कर लेते हो तो पीछे यह प्रश्न खड़ा नहीं होता कि स्वीकार करने से हम शांत हो जाएंगे? और शांति उसी घटना की स्थिति है, जब जो है स्वीकार है। फिर कैसे अशांत होओगे बताओ मुझे? फिर क्या उपाय है अशांत होने का? जो है, जैसा है—स्वीकार है। फिर तुम्हें कौन अशांत कर सकेगा, कैसे अशांत कर सकेगा? फिर तो अगर अशांति भी होगी तो स्वीकार है। फिर तो दुख भी आएगा तो स्वीकार है। फिर तो मौत भी आएगी तो स्वीकार है। तुमने चुनाव छोड़ दिया, तुमने संकल्प छोड़ दिया, तुम समर्पित हो गए। तुमने कहा, अब जो है वही है। और उसी दिन वह महाक्रांति घटती है जिसका इस सूत्र में इंगित है।

मयि अनंत महाम्भोधौ विश्वपोत इतस्ततः।

'मुझ अंतहीन महासमुद्र में विश्व-रूपी नाव अपनी ही प्रकृत वायु से इधर-उधर डोलती है।'

भ्रमति स्वान्तवातेन न मम अस्ति असहिष्णुता।

अब मैं जान गया कि यह स्वभाव ही है। कोई मेरे विपरीत मेरे पीछे नहीं पड़ा है। कोई मेरा शत्रु नहीं है जो मुझे अशांत कर रहा है। ये मेरे ही स्वभाव की तरंगें हैं। यह मैं ही हूं। यह मेरे होने का ढंग है कि कभी इसमें लहरें उठती हैं, कभी लहरें नहीं उठतीं; कभी सब शांत हो जाता है, कभी सब अशांत हो जाता है। यह मैं ही हूं और यह मेरा स्वभाव है।

एक मित्र ने पूछा कि आप कहते हैं, आत्मा जब मुक्त हो जाएगी तब परिपूर्ण आनंद में होगी, स्वतंत्र होगी; लेकिन क्या फिर आत्मा में वासना नहीं उठ सकती? और अगर वासना फिर नहीं उठ सकती तो पहले ही वासना क्यों उठी? क्योंकि आत्मा तो स्वभाव से ही स्वतंत्र है, शुद्ध-बुद्ध है। पहले से ही वासना क्यों उठी?

उन मित्र को...उनका प्रश्न बिलकुल स्वाभाविक है, तर्कयुक्त है। उनको यह खयाल में नहीं आ रहा कि वासना का उठना भी आत्मा की स्वतंत्रता का हिस्सा है। यह किसी ने उठा नहीं दी तुममें। यह तुम्हारा स्वभाव है। वासना भी उठती है तुम्हारे स्वभाव में और मोक्ष भी उठता है तुम्हारे स्वभाव में। जब वासना उठती है तो तुम संसारी हो जाते हो। जब वासना उठती है तो तुम देह में प्रवेश कर जाते हो। जब वासना से थक जाते हो तो मुक्त हो जाते हो। मगर दोनों तुम्हारे ही स्वभाव हैं। ऐसा नहीं है कि वासना कोई शैतान तुम में डाल रहा है और मोक्ष तुम लाओगे। वासना भी तुम्हारी, मोक्ष भी तुम्हारा। और जिसने ऐसा समझ लिया, उसे एक बात खयाल में आ जाएगी कि अगर आत्मा में वासना न उठ सके तो वह आत्मा मुक्त

ही नहीं। क्योंकि मुक्ति ऐसी क्या मुक्ति हुई? अगर तुम्हें स्वर्ग जाने की ही मुक्ति हो और नरक जाने के लिए दरवाजे ही बंद हों और जा ही न सको, तो यह मुक्ति कोई पूरी मुक्ति न हुई। यह स्वर्ग भी बेमजा हो जाएगा। इसका भी स्वाद खो जाएगा। मुंह कड़वाहट से भर जाएगा स्वर्ग में जा कर।

स्वर्ग का मजा ही यह है कि नरक जाने की भी सुविधा है। सुख का मजा यही है कि दुखी होने की सुविधा है। विपरीत के कारण ही जीवन में सारा रंग है, सारा संगीत है। अगर विपरीत न हो तो सब संगीत खो जाए। वीणावादक अंगुलियों से तार को छेड़ता है तो संगीत है। अंगुलियों और तार में जो संघर्ष होता है वही संगीत है। संघर्ष बंद हो जाए, संगीत शून्य हो जाए, संगीत खो जाए।

स्त्री और पुरुष के बीच जो विपरीतता है, वही प्रेम है। अगर विपरीतता समाप्त हो जाए, प्रेम विदा हो जाए। संसार और मोक्ष के बीच जो विकल्प है, वही स्वतंत्रता है। स्वतंत्रता का मतलब यह है कि अगर मैं चाहूं तो मैं नरक की आखिरी परत तक जा सकता हूं, कोई मुझे रोकने वाला नहीं। और अगर मैं चाहूं तो स्वर्ग की सब ऊंचाइयां मेरी हैं, मुझे कोई रोकने वाला नहीं। यह मेरा निर्णय है। और ये दोनों मेरे स्वभाव हैं। नरक मेरी ही निम्नतम दशा है, स्वर्ग मेरी ही उच्चतम दशा है। समझो कि नरक मेरे पैर हैं और स्वर्ग मेरा सिर है। मगर दोनों मेरे हैं और भीतर मेरा खून दोनों को जोड़े हुए है।

भ्रमति स्वान्तवातेन...।

अपनी ही हवा है, उसी से भ्रम पैदा हो रहा है। डांवांडोल होती नौका।

'मुझ अंतहीन महासमुद्र में विश्व-रूपी नाव अपनी ही प्रकृत वायु से इधर-उधर डोलती है। मुझे असहिष्णुता नहीं है।'

जनक कहते हैं, अब मैं चुनाव नहीं करना चाहता। मैं यह नहीं चाहता कि नाव न डोले, क्योंकि वह मेरा आकर्षण कि नाव न डोले, मेरे मन का तनाव बनेगा।

जब भी तुमने कुछ चाहा, जब भी तुमने कुछ चाह की, तनाव पैदा हुआ। जब भी तुमने स्वीकार किया, जो है, तभी तनाव खो गया। अगर तुमने चाहा कि अज्ञान हटे और ज्ञान आए—उपद्रव शुरू हुआ। अगर तुमने चाहा कि वासना मिटे, निर्वासना आए—पड़े तुम झंझट में! अगर तुमने चाहा संसार से मुक्ति हो, मोक्ष बने मेरा साम्राज्य—अब तुमने एक तरह की परेशानी मोल ली, जो तुम्हें चैन न देगी।

जनक बड़ी अदभुत बात कह रहे हैं। जनक कह रहे हैं : संसार और मोक्ष दोनों ही मुझमें उठती तरंगें हैं। अब मैं चुनाव नहीं करता; जो तरंग उठती है, देखता रहता हूं। यह भी मेरी है। यह भी स्वाभाविक है।

देखा इस स्वीकार-भाव को! फिर कैसी असहिष्णुता? फिर तो सहिष्णुता बिलकुल ही नैसर्गिक होगी। जो हो रहा है, हो रहा है। बड़ी कठिन है यह बात स्वीकार करनी, क्योंकि अहंकार के बड़े विपरीत है।

कोई मेरे पास आया और कहने लगा, मैं महाक्रोधी हूं, मुझे क्रोध से मुक्त होना है। मैंने उससे पूछा कि तू महाक्रोधी क्यों है? इसको थोड़ा समझ। अहंकार के कारण होगा।

उसने कहा, आप ठीक कहते हैं। और मैंने कहा, उसी अहंकार के कारण तू कहता है कि मुझे क्रोध से बाहर होना है, क्योंकि क्रोध के कारण अहंकार को चोट लगती है। तो क्रोध के पीछे भी अहंकार है और अक्रोधी बनने के पीछे भी अहंकार है। जब भी तू क्रोध करता है तो तेरी प्रतिमा नीचे गिरती है, तेरे अहंकार को भाता नहीं है। तू चाहता है कि लोग तुझे संत की तरह पूजें, चरण छुएं तेरे। तेरे क्रोध के कारण वह सब गड़बड़ हो जाता है। तेरे कोई चरण नहीं छूता। चरण कौन तेरे छुए? नमस्कार कौन करे तुझे? तो अब तू चाहता है कि क्रोध से कैसे छूटें। लेकिन मूल जड़ तो वही की वही है। जिसके कारण तू क्रोध करता था—जिस अहंकार के कारण—वही अहंकार अब संत-महात्मा बन जाना चाहता है। इसे समझ और अब तू चुनाव छोड़ दे। मैं तुझसे कहता हूं, तू क्रोधी है, तू राजी हो जाः ठीक है, मैं क्रोधी हूं। और क्रोध के जो परिणाम हैं, वे होंगे। कोई तुझे सम्मान नहीं देगा, ठीक है, बिलकुल ठीक है। सम्मान देना ही क्यों चाहिए। कोई तेरा अपमान करेगा, ठीक है। क्रोधी हूं, इसलिए अपमान होता है।

समझने की कोशिश करना। अगर यह व्यक्ति क्रोध को समझ ले, स्वीकार कर ले तो क्या क्रोध बचेगा?

उस व्यक्ति ने दो दिन पहले मुझे पत्र लिखा था कि मुझे अब बचाएं, मुझे बाहर निकालें; क्योंकि मैं वेश्या के घर जाने लगा हूं, और ये और लोग मुझे संत मानते हैं, साधु मानते हैं। और अगर मैं पकड़ा गया या किसी को पता चल गया तो फिर क्या होगा?

देखते हैं, वही अहंकार नये-नये रूप लेगा! वही अहंकार वेश्या के घर ले जाएगा। वही अहंकार संत बनने की आकांक्षा पैदा करवा देगा।

उस व्यक्ति को मैंने कहा, तू एक काम कर। या तो तू स्वीकार कर ले कि तू वेश्यागामी है और घोषणा कर दे कि मैं वेश्यागामी हूं। बात खत्म हो गई। फिर न तुझे डर रहेगा, न भय रहा; फिर तुझे जाना है जा, नहीं जाना है न जा। तेरी मर्जी है। तेरे लिए शायद अभी यही उचित होगाः जो हो रहा है ठीक हो रहा है। मैं तुझे नहीं कहता कि मत जा। अगर इस स्वीकार-भाव से यह गिर जाए वृत्ति तो ठीक,

तो तू जाग जाएगा। तब जागरण को स्वीकार कर लेना, अभी सोने को स्वीकार कर। और स्वीकार के माध्यम से ही सोने और जागरण के बीच सेतु बनता है।

क्या किया उस व्यक्ति ने? वह चीखा, मेरे सामने ही चिल्लाया कि मुझे बुद्ध बनने से कोई भी नहीं रोक सकता! इतने जोर से चीखा कि शीला मेरे पास बैठी थी, वह एकदम कंप गई।

वही क्रोध, वही अहंकार नये-नये रूप ले लेता है। अब बुद्ध बनने से कोई नहीं रोक सकता! जैसे कि मैं उसको बुद्ध बनने से रोक रहा हूं! क्योंकि मैंने उससे कहा, स्वीकार कर ले। जो हो रहा है, स्वीकार कर ले! जैसा है स्वीकार कर ले।

यह बात चोट कर गई। यह कैसे स्वीकार कर लें! बुरा से बुरा आदमी भी यह स्वीकार नहीं करता कि मैं बुरा हूं। इतना ही मानता है कि कुछ बुराई मुझमें है; हूं तो मैं आदमी अच्छा। देखो, अच्छा होने की कोशिश में लगा हूं। पूजा करता, प्रार्थना करता, ध्यान करता, साधु-सत्संग में जाता—आदमी तो मैं अच्छा हूं; जरा कमजोरी है; थोड़ी-थोड़ी बुराई कभी हो जाती है, मिट जाएगी धीरे-धीरे! कभी नहीं मिटेगी। क्योंकि यह अच्छाई तुम्हारी बुराई को छिपाने का उपाय भर है। यह साधु-सत्संग, तुम्हारे भीतर जो क्रोध पड़ा है, उसके लिए आड़ है। ये अच्छी-अच्छी बातें और ये अच्छी-अच्छी कल्पनाएं कि कभी तो संत हो जाऊंगा, बुद्ध बनने से कोई भी मुझे रोक नहीं सकता—यह अहंकार अब बड़ी अच्छी आड़ ले रहा है; बड़े सुंदर पर्दे में छिप रहा है—बुद्ध होने का पर्दा!

अगर मन को तुम ठीक से देखोगे तो जनक की बात का महत्व समझ में आएगा। स्वीकार है! यह भी स्वाभाविक है, वह भी स्वाभाविक है। जो इस घड़ी हो रहा है, उससे अन्यथा मैं नहीं होना चाहता। इस बात की क्रांति को समझे? जो इस क्षण हो रहा है, वही मैं हूं: क्रोध तो क्रोध, लोभ तो लोभ, काम तो काम। इस क्षण मैं जो हूं वही मैं हूं; और इससे अन्यथा की मैं कोई मांग नहीं करता और न अन्यथा का कोई आवरण खड़ा करता हूं।

अक्सर अच्छे-अच्छे आदर्शों के पीछे तुम अपने जीवन के घाव छिपा लेते हो। हिंसक, अहिंसक बनने की कोशिश में लगे रहते हैं। कभी बनते नहीं, बन सकते नहीं। क्योंकि अहिंसक बनने का एक ही उपाय है—और वह है: हिंसा को परिपूर्ण रूप से स्वीकार कर लेना। क्रोधी करुणा की चेष्टा करते रहते हैं--कभी नहीं बन सकते। हो सकता है ऊपर-ऊपर आवरण ओढ़ लें, पाखंड रच लें, लेकिन बन नहीं सकते। कामी ब्रह्मचर्य की चेष्टा में लगे रहते हैं। जितना कामी पुरुष होगा उतना ही ब्रह्मचर्य में आकर्षित होता है। क्योंकि ब्रह्मचर्य के आदर्श में ही छिपा सकता है अपनी कामवासना की कुरूपता को, और तो कोई उपाय नहीं। आज तो

गलत है, कल अच्छा हो जाऊंगा—इस आशा में ही तो आज को जी सकता है; नहीं तो आज ही जीना मुश्किल हो जाएगा।

मैं तुमसे कहता हूंः कल है ही नहीं; तुम जो आज हो, वही तुम हो। इसको समग्र-भावेन, इसको परिपूर्णता से अंगीकार कर लेते ही तुम्हारे जीवन से द्वंद्व विसर्जित हो जाता है। तुम जो हो हो, अन्यथा हो नहीं सकते; द्वंद्व कहां? चुनाव कहां? जैसे तुम हो, वैसे हो। यही तुम्हारा होना है। प्रभु ने तुम्हें ऐसा ही चाहा है। इस घड़ी प्रभु को तुम्हारे भीतर ऐसी ही घटना घटाने की आकांक्षा है। इस घड़ी समस्त जीवन तुम्हें ऐसा ही देखना चाहता है; ऐसे ही आदमी की जरूरत है। तुम्हारे भीतर यही विधि है, यही भाग्य है।

'मुझ अंतहीन महासमुद्र में विश्व-रूपी नाव अपनी प्रकृत वायु से इधर-उधर डोलती है।'

कभी क्रोध बन जाती, कभी करुणा बन जाती; कभी काम, कभी ब्रह्मचर्य; कभी लोभ, कभी दान-इधर-उधर, इतस्ततः! मुझे लेकिन असहिष्णुता नहीं है। मैं इससे अन्यथा चाहता नहीं। इसलिए मुझे कुछ करने को नहीं बचा है। गया कृत्य। अब तो मैं बैठ कर देखता हूं कि लहर कैसी उठती है।

भ्रमति स्वांतवातेन...।

भटक रही अपनी ही हवा से। न कहीं जाना, नहीं मुझे कुछ होना। कोई आदर्श नहीं है, कोई लक्ष्य नहीं है। अब तो मैं बैठ गया। अब तो मैं मौज से देखता हूं। सब असहिष्णुता खो गई।

जब तुम कहते हो मैं क्रोधी हूं और मुझे अक्रोधी होना है—तो इसका अर्थ समझे? तुम क्रोध के कारण बहुत असहिष्णु हो रहे हो। तुम क्रोध को धैर्य के साथ स्वीकार नहीं कर रहे। तुम बड़े अधैर्य में हो। तुम कहते हो, 'क्रोध और मैं! मुझ जैसा पवित्र पुरुष और क्रोध करे—नहीं, यह बात जंचती नहीं। मुझे क्रोध से छुटकारा चाहिए! मुझे मुक्त होना है! मैं उपाय करूंगा, यम-नियम साधूंगा, आसन-व्यायाम करूंगा, धारणा-ध्यान करूंगा; मुझे लेकिन क्रोध से मुक्त होना है!' तुमने अधैर्य बता दिया। तुमने कह दिया कि जो है, तुम उसके साथ राजी नहीं; तुम कुछ और चाहते हो। बस वहीं से तुम अशांत होने शुरू हुए।

असहिष्णुता अशांति का बीज है।

जनक कह रहे हैंः ये लहरें हैं। कभी-कभी क्रोध आता, कभी-कभी काम आता, कभी-कभी लोभ आता। इतस्ततः! यहां-वहां! स्वांतवातेन! भटकता सब कुछ! पर मैं तो देखता हूं। अब मुझे कुछ लेना-देना नहीं। अब मेरा कोई भी आग्रह नहीं है कि ऐसा हो जाऊं। मैं जैसा हूं, बस प्रसन्न हूं।

आदर्श-मुक्ति में सहिष्णुता है। और मैं किसे संन्यासी कहता हूं? उसी व्यक्ति को संन्यासी कहता हूं, जिसने आदर्शों का त्याग कर दिया। अब तुम जरा चौंकोगे। तुमने सदा यही सुना है कि जिसने संसार का त्याग कर दिया वही संन्यासी। मैं तुमसे कहता हूं: जिसने आदर्शों का त्याग कर दिया, वह संन्यासी। क्योंकि आदर्श के त्याग के बाद असहिष्णु होने का कोई उपाय नहीं रह जाता।

तुम जरा करके तो देखो। एक महीना सही। एक महीना, तुम जो है, उसे स्वीकार कर लो। किसी ने कुछ कहा, और तुम क्रोधित हो गए—स्वीकार कर लो। स्वीकार करने का मतलब यह नहीं कि तुम सिद्ध करो कि मेरा क्रोध ठीक है। तुम इतना ही स्वीकार कर लो कि मैं आदमी क्रोधी हूं। और दूसरे से कहना कि भई क्रोधी से दोस्ती बनाई, तो कांटे तो चुभेंगे। मैं आदमी क्रोधी हूं। गलती तुम्हारी है कि मुझसे दोस्ती बनाई, कि मुझसे पहचान की। अब अगर मेरे साथ रहोगे तो क्रोध कभी-कभी होने वाला है। मैं तुम्हें यह भी वचन नहीं देता कि कल मैं अक्रोधी हो जाऊंगा। कल का किसको पता है! जहां तक मैं जानता हूं, अतीत में कभी भी अक्रोधी नहीं रहा, इसलिए बहुत संभावना तो यही है कि कल भी क्रोधी रहूंगा। तुम सोच लो। मैं पश्चात्ताप भी नहीं कर सकता, क्योंकि पश्चात्ताप बहुत बार कर चुका, उससे कुछ हल नहीं होता, वह धोखा सिद्ध होता है। क्रोध कर लेता हूं, पछता लेता हूं, फिर क्रोध करता हूं। पश्चात्ताप का क्या सार है? तुमसे इतना ही कहता हूं कि अब पश्चात्ताप की लीपापोती भी न करूंगा।

पश्चात्ताप का मतलब होता है: लीपापोती। तुम किसी से क्रोधित हो गए, फिर घर लौट कर आए, तुमने सोचा: 'यह भी क्या हुआ, बीच बाजार में भद्द करवा ली, लोग क्या सोचेंगे! अब तक सज्जन समझे जाते थे। लोग कहते थे कि बड़े गुरु-गंभीर! आज सब उथलापन सिद्ध हो गया। लोग सोचते थे स्वर्ण-पात्र, अल्यूमीनियम के सिद्ध हुए, जरा में एकदम गरमा गए। अब कुछ करो, प्रतिमा खंडित हो गई, औंधे मुंह पड़ी है! उठाओ, सिंहासन पर फिर बिठाओ।' फिर तुम गए सोच-विचार कर कहा, क्षमा करना भाई! मैं करना नहीं चाहता था, हो गया!

सोचते हो, क्या लोग कहते हैं? लोग कहते हैं—मैं करना नहीं चाहता था, हो गया! मेरे बावजूद हो गया। न मालूम कैसे हो गया! कौन शैतान मेरे सिर चढ़ गया।

सुनते हो लोगों की बातें? अब खुद शैतान हैं, यह स्वीकार न करने का उपाय कर रहे हैं। 'कौन शैतान मेरे सिर चढ़ गया। कैसी दुर्बुद्धि? लेकिन होश आया, पछताने आया हूं, क्षमा करना।'

तुम कर क्या रहे हो? तुम यह कर रहे हो कि वह जो प्रतिमा तुम्हारी बीच

बाजार में खंडित हो गई, वह जो गिर पड़ी जमीन पर, उसे तुम उठा रहे हो। तुम कह रहे हो कि मैं बुरा आदमी नहीं हूं। भूल-चूक हो गई। भूल-चूक किससे नहीं हो जाती! आदमी भूल-चूक करता ही है।

तुम्हें अपने आदमी होने की याद ही तब आती है जब तुम भूल-चूक करते हो। तब तुम कहते हो : टू ईर्र इज ह्यूमन। भूल-चूक करना तो आदमी है। और तुम्हें आदमी होने की याद नहीं आती? क्षमा मांग कर या उसके चरण छू कर...वह भी सोचता है कि नहीं, आदमी तो अच्छा है। वह भी क्यों सोचता है कि आदमी अच्छा है? क्रोध करके तुमने उसके अहंकार को चोट पहुंचा दी थी, तो वह नाराज था। अब तुमने उसके पैर छू लिए, फूल चढ़ा आए, गुलदस्ता भेंट कर आए। वह भी सोचता है कि आदमी तो अच्छा है। वह क्यों सोचता है? तुमसे उसे भी कुछ लेना-देना नहीं। न तुम्हें उससे कुछ लेना-देना है। वह सोचता है आदमी अच्छा है, क्योंकि अब तुमने उसके अहंकार पर फूल रख दिए। घड़ी भर पहले चांटा मार आए थे तो वह तमतमा गया था, बदला लेने की सोच रहा था, अदालत में जाने की सोच रहा था। तुम फूल रख आए, झंझट बची। अदालत भी बची। प्रतिष्ठा तुम्हें मिली। उसका अहंकार भी प्रतिष्ठित हो गया, तुम्हारा भी प्रतिष्ठित हो गया। संसार फिर वैसा ही चल पड़ा जैसा तुम्हारे चांटा मारने के पहले चल रहा था। फिर जगह पर आ गईं चीजें। फिर वहीं के वहीं खड़े हो गए जहां थे।

नहीं, जिस व्यक्ति को वस्तुतः समझना हो, वह जाएगा—पश्चात्ताप करने नहीं, स्वीकार करने। वह जाएगा कहने कि भाई देख लिया, आदमी मैं कैसा हूं? तुम्हारी धारणा मेरे प्रति गलत थी। तुम जो सोचते थे कि मैं आदमी अच्छा हूं, वह गलत धारणा थी। मेरा असली आदमी प्रगट हो गया। और अच्छा हुआ कि प्रगट हो गया। अब तुम सोच लो, आगे मुझसे संबंध रखना कि नहीं रखना। मैं कोई भरोसा नहीं देता कि कल ऐसा फिर न होगा। मैं भरोसे-योग्य नहीं हूं। मैं भरोसा दूं भी तो भरोसा रखना मत, क्योंकि मैंने पहले लोगों को भरोसे दिए और धोखा दिया। मैं आदमी बुरा हूं। शैतानियत मेरा स्वभाव है।

सोचते हो तुम इसका क्या परिणाम होगा? दूसरे पर क्या होगा, वह दूसरा जाने; लेकिन तुम्हारे भीतर एक सरलता आ जाएगी। तुम एकदम सरल हो जाओगे। तुम एकदम विनम्र हो जाओगे। यह पश्चात्ताप नहीं है, यह स्वीकार-भाव है। तुमने सब चीजें साफ कर दीं अपने बाबत, कि तुम आदमी कैसे हो। और तुमने अपने बाबत कोई भ्रम नहीं संजोया है। और तब एक क्रांति घटित होती है। वह क्रांति घटती है स्वीकार के इस महासत्य से, इस महासूत्र से। तुम अचानक पाते हो कि धीरे-धीरे क्रोध मुश्किल हो गया, अब क्रोध करने का कारण क्या रहा? क्रोध तो

इसलिए हो जाता था कि कोई तुम्हारे अहंकार को गिराने की कोशिश कर रहा था, तो क्रोध हो जाता था। अब तो तुमने खुद ही वह प्रतिमा गिरा दी। तुम तो उसे खुद ही कचरे-घर में फेंक आए। अब तो कोई तुम्हें क्रोधित कर नहीं सकता।

ध्यान रखना, हमारा मन सदा होता है जिम्मेवारी दूसरे पर छोड़ दें। हम सब यही करते हैं। हजार-हजार उपाय से हम यही काम करते हैं कि हम दूसरे पर जिम्मेवारी छोड़ देते हैं।

एक आदमी को मैं जानता हूं—महाक्रोधी। उससे मैंने पूछा, इतना क्रोध कैसे हो गया है? उसने कहा, क्या करूं, मेरा बाप बड़ा क्रोधी था। उसकी वजह से, बचपन से ही कुसंस्कार पड़ गए।

मगर यह आदमी जो कह रहा है, हंसना मत। फ्रायड भी यही कह रहा है। बड़े से बड़े मनोवैज्ञानिक भी यही कह रहे हैं। सारा उपाय यह चलता है कि किसी पर हटा दो जिम्मेवारी। पुराने धर्म भी यही कहते थे। अगर तुम पूरी मनुष्य-जाति का इतिहास देखो तो अष्टावक्र या जनक जैसी बात को कहने वाले इने-गिने, उंगलियों पर गिने जा सकें, इतने लोग मिलेंगे; बाकी सब लोग तो कुछ और कह रहे हैं।

ईसाइयत कहती है कि परमात्मा ने अदम को और हव्वा को स्वर्ग के बगीचे से बाहर खदेड़ दिया, क्योंकि उन्होंने आज्ञा का उल्लंघन किया था। जब परमात्मा आया और उसने अदम से पूछा कि 'तूने क्यों खाया इस वृक्ष का फल? तुझे मना किया गया था।' उसने कहा, 'मैं क्या करूं? यह हव्वा, इसने मुझे फुसलाया।' देखते हैं, शुरू हो गई कहानी! उसने अपनी जिम्मेवारी हव्वा पर फेंक दी। यह इस पत्नी को देखिए, अब मैं पति ही हूं, और पति की तो आप जानते ही हैं हालतें! अब पत्नी कहे और पति न माने तो झंझट। अब अगर पति को पत्नी और परमात्मा में चुनना हो तो इसको ही चुनना पड़ेगा। माना, आपकी आज्ञा मुझे मालूम है, मगर इसकी आज्ञा भी तो देखिए! यह फल ले आई और कहने लगी चखो, तो मुझे खाना पड़ा।

तो परमात्मा ने हव्वा से पूछा कि तुझे भी पता था, फिर तू क्यों फल लाई? उसने कहा, मैं क्या करूं? वह शैतान सांप बन कर मुझसे कहने लगा। सांप कहने लगा मुझसे कि खाओ इसका फल। उसने मुझे काफी उत्तेजित किया। उसने कहा, इस फल को खाने से तुम मनुष्य नहीं, परमात्म-रूप हो जाओगे। परमात्मा स्वयं इसका फल खाता है और तुम्हें कहता है, मत खाओ। जरा धोखा तो देखो! यह ज्ञान का फल, इसी को खाकर परमात्मा ज्ञानी है और तुमको अज्ञानी रखना चाहता है। तो साधारण स्त्री हूं, फुसला लिया उसने।

स्त्री का सदा से यही कहना रहा है कि दूसरों ने फुसला लिया। हर पति जानता है कि पत्नी कहती है कि हम तुम्हारे पीछे न पड़े थे। तुम्हीं हमारे पीछे पड़े थे, तुम्हीं ने फुसला लिया और यह झंझट खड़ी कर दी।

...मैं क्या करूं, सांप ने फुसला लिया!

अगर सांप भी बोल सकता होता, तो किसी और पर टाल देता। हो सकता था, वृक्ष पर ही टाल देता कि यह वृक्ष ही विज्ञापन करता है कि जो मेरे फल को खाएगा वह ज्ञान को उपलब्ध हो जाएगा। लेकिन सांप बोल नहीं सकता था; उसने शायद सुना भी न होगा कि मामला क्या चल रहा है। आदमी-आदमी के बीच की बात थी; वह चुपचाप रहा, इसलिए कहानी वहां पूरी हो गई; नहीं तो कहानी पूरी हो नहीं सकती थी।

मार्क्स कहता है, समाज जिम्मेवार है। अगर तुम बुरे हो तो इसलिए बुरे हो, क्योंकि समाज बुरा है। यह कुछ फर्क न हुआ। यह वही पुरानी चाल है, नाम बदल गया।

हिंदू कहते हैं, विधि, भाग्य, विधाता ने ऐसा लिख दिया; तुम क्या करोगे? छोड़ो किसी पर! विधाता लिख गया है! जब पैदा हुए थे तो माथे पर लिख गया कि ऐसा-ऐसा होगा, तुम क्रोधी बनोगे, कामी बनोगे, कि साधु, कि संत, कि क्या तुम्हारी जिंदगी में होगा—सब लिखा हुआ है। सब तो पहले से तय किया हुआ है, हमारे हाथ में क्या है? तो वही करवा रहा है, सो हो रहा है।

फ्रायड कहता है कि बचपन में मां-बाप ने जो संस्कार डाले, तुम्हारे मन पर जो संस्कारित हो गया, उसका ही परिणाम है।

लेकिन ये सब तरकीबें हैं एक बात से बचने की कि यह मेरा स्वभाव है; यह जो भी हो रहा है, मेरा स्वभाव है। इस महत सत्य से बचने की सब तरकीबें हैं, ईजादें हैं, आविष्कार हैं कि कैसे हम टाल दें। और मैं उसी को हिम्मतवर कहता हूं, वही है साहसी, जो जनक की भांति कह दे कि अपनी ही प्रकृत वायु से इधर-उधर डोलती लहरें हैं।

भ्रमति स्वांतवातेन!

मम असहिष्णुता न अस्ति।

मुझे कोई असहिष्णुता नहीं है। मैं इसमें कुछ फर्क नहीं करना चाहता, गुरुदेव! अष्टावक्र से उन्होंने कहा, जो है, है; मैं राजी हूं। मेरे राजीपन में जरा भी ना-नुच नहीं है।

इससे महाक्रांति का उदय होता है। इस सत्य को जिस दिन तुम देख पाओगे, तुम पाओगे बिना कुछ किए सब हो जाता है।

'मुझ अंतहीन महासमुद्र में जगतरूपी लहर स्वभाव से उदय हो, चाहे मिटे...।'

सुनो!

'मुझ अंतहीन महासमुद्र में जगतरूपी लहर, स्वभाव से उदय हो चाहे मिटे, मेरी न वृद्धि है और न हानि है।'

न यहां कुछ खोता, न यहां कुछ कमाया जाता। फिर क्या फिक्र? न तो क्रोध में कुछ खोता है और न करुणा में कुछ कमाया जाता है। बड़ी अदभुत बात है! यह सब सपना है।

मयि अनंत महाम्भोधौ जगद्वीचिः स्वभावतः।

स्वभाविक रूप से उठ रही हैं जगत की लहरें। छोटी-बड़ी, अनेक-अनेक रूप, अच्छी-बुरी, शोरगुल उपद्रव करती, शांत-सब तरह की लहरें उठ रही हैं।

उदेतु वास्तमायातु न मे वृद्धिर्न न क्षतिः।

न तो वृद्धि होती, न क्षति होती। कुछ भी मेरा तो कुछ आता-जाता नहीं।

रात तुमने सपना देखा, चोर हो गए कि साधु हो गए—सुबह उठ कर तो दोनों सपने बराबर हो जाते हैं। सुबह तुम यह तो नहीं कहते कि रात हम साधु हो गए थे सपने में। तो तुम कुछ गौरव तो अनुभव नहीं करते। और न सुबह तुम कोई अगौरव और ग्लानि अनुभव करते हो कि चोर हो गए थे कि हत्यारे हो गए थे—सपना तो सपना है। सपना तो टूटा कि गया।

तो जनक कहते हैं कि ये चाहे बनें चाहे मिटें! आप मुझसे कहते हैं कि जगत से मुक्त हो जाऊं? आप बात क्या कर रहे हैं? यह जो हो रहा है, होता रहेगा, होता रहा है, होता रहे; मुझे लेना-देना क्या है? न तो ऐसा करने से मुझे कुछ लाभ होता, न वैसा करने से मुझे कुछ हानि होती है। यहां चुनाव करने को ही कुछ नहीं है। यहां लाभ-हानि बराबर है।

हानि न लाभ कछु! यहां कुछ है ही नहीं हानि-लाभ, तुम नाहक ही खाते-बही फैलाए और लिख रहे हो बड़ी हानि-लाभ के—इसमें लाभ है, इसमें हानि है; यह करें तो लाभ, यह करें तो हानि।

जनक कहते हैं, जो हो रहा है, हो रहा है। मैं तो सिर्फ देख रहा हूं।

जगद्वीचिः स्वभावतः उदेतु वा अस्तम्।

मेरे किए परिवर्तन होने वाला भी नहीं है। क्योंकि स्वभाव में कैसे परिवर्तन होगा? पतझर आती है, पत्ते गिर जाते हैं। वसंत आता है, फिर नई कोंपलें उग आती हैं। जवानी होती है, वासना उठती है। बुढ़ापा आता है, वासना क्षीण हो जाती है।

मेरे किए हो भी नहीं रहा है। मैं कर्ता नहीं हूं। तो छोड़ना कैसा, भागना कैसा, त्याग करना कैसा?

अष्टावक्र ने एक जाल फैलाया है परीक्षा के लिए, और उससे कहा कि तू त्याग कर, यह सब छोड़ दे! जब तुझे ज्ञान हो गया, तू कहता है कि तुझे ज्ञान हो गया तो अब तू सब त्याग कर दे। अब यह शरीर मेरा, यह धन मेरा, यह राज्य मेरा, यह सब तू छोड़ दे।

जनक कहते हैं, मेरे छोड़ने से, पकड़ने से संबंध ही कहां है? यह मेरा है ही नहीं जो मैं छोड़ दूं। मैंने इसे कभी पकड़ा भी नहीं है जो मैं इसे छोड़ दूं। यह अपने से हुआ है, अपने से खो जाएगा।

स्वभावतः उदेतु वा अस्तम्।

मे न वृद्धिः च न क्षति।

मैं तो इतना ही देख पा रहा हूं कि न तो इसके होने से मुझे कुछ लाभ है, न इसके न—होने से मुझे कुछ लाभ है।

यह बड़ी अदभुत बात है। यही परम संन्यास है। बैठे दुकान पर तो बैठे। हो रही दुकान, तो चल रही है, तो चले! बंद हो जाए तो बंद हो जाए! जब दीवाला निकल गया तो प्रसन्नता से बाहर आ गए! जब तक चलती रही, चलती रही! करोगे क्या? चलती थी तो साथ थे, नहीं चलती तो रुक गए। इस भांति जो ले ले, वैसा व्यक्ति कभी अशांत हो सकता है? वैसा व्यक्ति कभी उद्विग्न हो सकता है? वैसे व्यक्ति के जीवन में कभी तनाव हो सकता है? उसकी विश्रांति आ गई। बचपन था तो बचपन के खेल थे, जवानी आई तो जवानी के खेल हैं, बुढ़ापा आया तो बुढ़ापे के खेल हैं। बच्चे खेल-खिलौनों से खेलते हैं; जवान, व्यक्तियों से खेलने लगते; बूढ़े, सिद्धांतों से खेलने लगते हैं।

बचपन में कामवासना का कोई पता नहीं है। तुम समझाना भी चाहो बच्चे को, तो समझा नहीं सकते कि कामवासना क्या है। कोई अभी उठी नहीं तरंग। अभी स्वभाव वासनामय नहीं हुआ। अभी स्वभाव ने वासना की तरंग नहीं उठाई। फिर जवान हो गया आदमी, उठीं वासना की तरंगें। फिर तुम लाख समझाओ...।

मुल्ला नसरुद्दीन मरता था। अपने बेटे को उसने पास बुलाया और कहने लगा कि कहने को तो बहुत कुछ है, लेकिन कहूंगा नहीं। बेटे ने पूछा, क्यों? उसने कहा कि मेरे बाप ने भी मुझसे कहा था, लेकिन मैंने सुना कहां! कहने को तो बहुत कुछ है, कहूंगा नहीं। पर बेटा कहने लगा, आप कह तो दें, मैं सुनूं या न सुनूं। उसने कहा कि फिर देख, मेरे बाप ने भी मुझसे कहा था कि स्त्रियों के चक्कर में मत

पड़ना, मगर मैं पड़ा। और एक के चक्कर में नहीं पड़ा; इस्लाम जितनी आज्ञा देता है, नौ स्त्रियां, पूरे नौ विवाह किए, और भोगा! खूब नरक सहा। तुझसे भी मैं कहना चाहता हूं, लेकिन कहना नहीं चाहता। क्योंकि मैं जानता हूं तू भी पड़ेगा। मेरे कहने से कुछ होगा नहीं। बाप मेरा मरा था तो कह गया था शराब मत पीना, पर मैंने पी, खूब पी, और सड़ा। और तू भी सड़ेगा; क्योंकि जो मैं नहीं कर पाया, मेरा बेटा कर पाएगा—यह भी मुझे भरोसा नहीं है। इतनी ही याद रखना कि इतना मैंने तुझसे कहा था कि कहने से कोई सुनता नहीं; अनुभव से ही कोई सुनता है। तो एक बार भूल करे, कर लेना; खूब अनुभव कर लेना उसका; लेकिन दुबारा वही भूल मत करना। और अगर तू मुझे मौका दे—वह कहने लगा—तो इतना कहना चाहता हूं, स्त्रियों की झंझट में तू पड़ेगा, लेकिन एक समय में एक ही स्त्री की झंझट में पड़ना। अगर इतना भी संयम साध सके तो काफी है।

आदमी के भीतर कुछ होता है जो स्वाभाविक है। जवान होता आदमी तो वासना उठेगी। बूढ़े सोचते हैं कि उन्हें कोई बड़ी भारी संपदा मिल गई, क्योंकि अब उनमें वासना के प्रति वैसा राग नहीं रहा, या उनमें अब वैराग्य उठ रहा है। यह बुढ़ापे का खेल है वैराग्य। राग जवानी का खेल है, वैराग्य बुढ़ापे का खेल है। जैसे राग स्वाभाविक है एक खास उम्र में, एक खास उम्र में वैराग्य स्वाभाविक है।

इसलिए हिंदुओं ने तो ठीक कोटि ही बांट दी थी कि पच्चीस साल तक विद्या-अर्जन, ब्रह्मचर्य; फिर पचास साल तक भोग, गृहस्थ-जीवन; फिर पचहत्तर तक वानप्रस्थ जीवन—सोचना, सोचना की अब संन्यास लेना, अब संन्यास लेना। वानप्रस्थ यानी सोचना, कि जाना जंगल, जाना जंगल; जाना—करना नहीं। थोड़े गए गांव के बाहर तक, फिर लौट आए—ऐसे बीच में उलझे रहना। फिर पचहत्तर के बाद संन्यास—अगर मौत इसके पहले न आ जाए तो! अक्सर तो मौत इसके पहले आ जाएगी और तुम्हें संन्यासी होने की झंझट नहीं पड़ेगी। अगर मौत न आ जाए इसके पहले, तो संन्यास।

पचहत्तर के बाद हिंदुओं ने संन्यास रखा। हिंदुओं की सोचने की पद्धति बड़ी वैज्ञानिक है। क्योंकि पचहत्तर के बाद संन्यास वैसा ही स्वाभाविक है, जैसे जवान आदमी में वासना उठती, तरंगें उठतीं, महत्वाकांक्षा उठती—धन कमा लूं, पद-प्रतिष्ठा कर लूं। ठीक एक ऐसी घड़ी आती है, जब जीवन-ऊर्जा रिक्त हो जाती है, झुक जाती है; तुम थक चुके होते—तब वैराग्य उठने लगता। थकान वैराग्य ले आती है।

यह पद्धति हिंदुओं की साफ वैज्ञानिक है और इसीलिए बुद्ध और महावीर दोनों ने इस पद्धति के खिलाफ बगावत की। उन्होंने कहा कि जो वैराग्य पचहत्तर के बाद

उठता, वह कोई वैराग्य है? वह तो यंत्रवत है। वह तो उठता ही है। वह तो मौत करीब आने लगी, उसकी छाया है। वह कोई वैराग्य है? वैराग्य तो वह है जो भरी जवानी उठता है।

बुद्ध और महावीर ने जो क्रांति की, उस क्रांति का भी तर्क यही है। वे कहते हैं, मान लिया, तुम्हारा हिसाब तो ठीक है; लेकिन जो पचहत्तर साल के बाद संन्यास उठेगा, वह कोई उठा? इस फर्क को समझना।

जैन या बौद्ध, उनकी संस्कृति श्रमण संस्कृति कहलाती है—श्रम वहां मूल्यवान है; पुरुषार्थ! वहां विधि, भाग्य, स्वभाव—इन सबकी कोई व्यवस्था नहीं है। वहां तो तुम्हारा संकल्प और श्रम! इसलिए स्वभावतः उन्होंने जवानी में संन्यास को डालने की चेष्टा की, क्योंकि जवान आदमी श्रम करेगा तो संन्यासी हो सकेगा; संकल्प से जूझेगा, संघर्ष करेगा, तो संन्यासी हो सकेगा। इसलिए तुम जैन संन्यासी को जितना अहंकारी पाओगे उतना हिंदू संन्यासी को न पाओगे। और मुसलमान संन्यासी को तो तुम बिलकुल ही अहंकारी न पाओगे। क्योंकि उसने कुछ छोड़ा ही नहीं है, सिर्फ समझा है; कर्ता का कोई भाव ही नहीं है।

जैन संन्यासी बहुत अहंकारी होगा, क्योंकि उसने बहुत कुछ किया है। भरी जवानी में या बचपन में सब छोड़ दिया है—धन, द्वार, घर, वासना, महत्वाकांक्षा! उठ तो रही हैं भीतर तरंगें, वह उन्हें दबाए बैठा है। तो वह जितना उनको दबाता है उतना ही वह चाहता है सम्मान मिले, क्योंकि वह काम तो बड़ा मेहनत का कर रहा है, कठिन काम कर रहा है।

मुल्ला नसरुद्दीन ने एक दफ्तर में नौकरी की दरखास्त दी थी। और जब वह इंटरव्यू देने गया तो उस दफ्तर के मालिक ने पूछा कि तुम्हें टाइपिंग आती है, तुमने टाइपिस्ट के लिए दरखास्त दी?

मुल्ला नसरुद्दीन ने कहा, नहीं, आती तो नहीं। तो उसने कहा, हद हो गई। जब टाइपिंग नहीं आती है तो दरखास्त क्यों दी? और फिर न केवल इतना, हद हो गई, तुमने इसमें तनख्वाह दुगनी मांगी है!

मुल्ला ने कहा, इसलिए तो मांगी दुगनी, कि अगर टाइपिंग आती तो आधे से ही कर देते काम। आती तो है नहीं, मेहनत बहुत पड़ेगी। मेहनत का तो सोचो!

तो जवानी में जो संन्यासी हो जाए, तो वह आदमी बहुत अहंकार की प्रतिष्ठा मांगेगा। वह कहता है, जरा देखो भी तो, जवान हूं अभी और संन्यास लिया हूं! जीवन की धार के विपरीत बहा हूं। गंगोत्री की तरफ तैर रहा हूं, जरा देखो तो!

हिंदू का संन्यास तो है गंगा के साथ, गंगासागर की तरफ तैरना। और जैन का संन्यास है गंगोत्री की तरफ तैरना, धार के उल्टे। तो वह आग्रह मांगता है कि कुछ मुझे प्रतिष्ठा मिलनी चाहिए, नहीं तो किसलिए मेहनत करूं? तो बजाओ तालियां, शोभा-यात्रा निकालो, चारों तरफ बैंड-बाजे करो! जैन मुनि आएं गांव में, तो बड़ा शोरगुल मचाते हैं। हिंदू संन्यासी आता है, चला जाता है, ऐसा कुछ खास पता नहीं चलता। मुसलमान फकीर का तो बिलकुल पता नहीं चलता। क्योंकि उसने तो कुछ छोड़ा नहीं है बाहर से। हो सकता है उसकी पत्नी हो, दूकान हो। सूफी तो कुछ भी नहीं छोड़ते। सूफियों को तो पहचानना तक मुश्किल है।

जब एक गुरु किसी दूसरे सूफी के पास अपने शिष्य को सीखने भेजता है, तो ही पता चलता है कि वह दूसरा गुरु है; नहीं तो पता ही नहीं चल सकता था। क्योंकि हो सकता है, दरी बुनने का काम कर रहा हो, जिंदगी भर से दरी बना कर बेच रहा हो। या जूता बना रहा हो और जिंदगी भर से जूते बना रहा हो।

गुरजिएफ जब सूफी फकीरों की खोज में पूरब आया तो बड़ी मुश्किल में पड़ा। कैसे उनका पता लगे कि कौन आदमी है? क्योंकि वे कोई अलग-थलग दिखाई नहीं पड़ते; जीवन में रमे हैं। तो उसने लिखा है कि बामुश्किल से सूत्र मिलने शुरू हुए। बामुश्किल से!

उसने किसी मुसलमान को पूछा कि मैं सूफी फकीरों का पता लगाना चाहता हूं। दमिश्क की गलियों में भटकता था कि कहीं खोज ले। मगर कैसे पता चले? तो उसने कहा, तुम एक काम करो। तुम पता न लगा सकोगे। तुम तो जाकर मस्जिद में जितनी देर बैठ सको, नमाज पढ़ सको, पढ़ो। किसी सूफी की तुम पर नजर पड़ जाएगी तो वह तुम्हें पकड़ेगा। तुम तो नहीं पकड़ पाओगे। क्योंकि शिष्य कैसे गुरु को खोजेगा? गुरु ही शिष्य को खोज सकता है।

यह बात जंची गुरजिएफ को। वह बैठ गया मस्जिद में, दिन भर बैठा रहता, आधी-आधी रात तक वहां बैठ कर नमाज पढ़ता रहता; किसी की तो नजर पड़ेगी—और नजर पड़ी। एक बुजुर्ग उसे गौर से देखने लगा, कुछ दिन के बाद। एक दिन वह बुजुर्ग उसके पास आया, उसने कहा कि तुम मुसलमान तो नहीं मालूम होते, फिर इतनी नमाज क्यों कर रहे हो?

उसने कहा कि मैं किसी सदगुरु की तलाश में हूं और मुझे कहा गया है कि मैं तो न खोज पाऊंगा। अगर मैं यहां नमाज पढ़ता रहूं तो शायद किसी की नजर मुझ पर पड़ जाए, कोई बुजुर्गवार। आपकी अगर नजर मुझ पर पड़ गई और अगर आप पाते हों कि मैं इस योग्य हूं कि किसी सूफी के पास मुझे भेज दें, तो मुझे बता दें।

उसने कहा कि तुम आज रात बारह बजे फलां-फलां जगह आ जाओ। वह जब वहां पहुंचा तो चकित हुआ। जिससे उसे मिलाया गया, वह होटल चलाता था, चाय इत्यादि बेचता था, चायघर चलाता था। और उस चायघर में तो गुरजिएफ कई दफे चाय पी आया था। न केवल यही, उस चाय वाले से पूछ चुका था कई बार कि अगर कोई सूफी का पता हो तो मुझे पता दे दो। तो वह चाय वाला हंसता था कि भई धर्म में मुझे कोई रुचि नहीं, तो मुझे तो कुछ पता नहीं।

वही आदमी गुरजिएफ के लिए गुरु सिद्ध हुआ। उसने गुरजिएफ से कहा कि बस अब तेरा वर्ष दो वर्ष तक तो यही काम है कि कप-प्याले साफ कर। कप-प्याले साफ करवाते-करवाते ध्यान की पहली सुध उस गुरु ने देनी शुरू की।

एक अमरीकन यात्री ढाका पहुंचा। किसी ने खबर दी कि वहां एक सूफी फकीर है—जो पहुंच गया है आखिरी अवस्था में; फना की अवस्था में पहुंच गया है, जहां मिट जाता है आदमी। तुम उसे पा लो तो कुछ मिल जाए।

तो वह ढाका पहुंचा। उसने जाकर एक टैक्सी की और उसने कहा कि मैं इस-इस हुलिया के आदमी की तलाश में आया हूं, तुम मुझे कुछ सहायता करो। उसने कहा कि जरूर सहायता करेंगे, बैठो। वह इसे लेकर गया, एक छोटे से झोपड़े के सामने गाड़ी रोकी और उसने कहा कि पांच मिनट के बाद तुम भीतर आ जाना। वह जब पांच मिनट बाद भीतर गया तो वह जो टैक्सी-ड्राइवर था, वहां बैठा था और दस-पंद्रह शिष्य बैठे थे। उसने कहा कि आप ही गुरु हैं क्या? उसने कहा कि मैं ही हूं और इसलिए टैक्सी-ड्राइविंग का काम करता हूं कि कभी-कभी खोजी आ जाते हैं तो उनको सीधा वहीं से पकड़ लेता हूं।

कहां खोजोगे तुम, तुम खोजोगे कैसे? सूफियों का तो पता भी न चलेगा, क्योंकि जीवन को बड़ी सहजता से...।

ये जो वक्तव्य हैं, सूफियों के वक्तव्य हैं। ये जो जनक ने कहे, यह सूफी मत का सार है।

'मुझ अंतहीन महासमुद्र में निश्चित ही संसार कल्पना-मात्र है। मैं अत्यंत शांत हूं, निराकार हूं और इसी के आश्रय हूं।'

मय्यनंतमहाम्भोधौ विश्वं नाम विकल्पना!

यह विश्व तो नाममात्र को है, कल्पना-मात्र है। यह वस्तुतः है नहीं—भासता है। यह तो हमारी धारणा है। यह तो हमारी नींद में चल रहा सपना है। हम जागे हुए नहीं हैं, इसलिए जगत है। हम जाग गए तो फिर जगत नहीं।

तुम थोड़ा सोचो! जगत कैसा होगा अगर तुम्हारे भीतर कोई वासना न बचे, तुम्हारे भीतर कुछ पाने की आकांक्षा न बचे। कुछ होने का पागलपन न बचे? तो

क्या तुम इसी जगत में रहोगे फिर? तुम अचानक पाओगे कि तुम्हारा जगत तो पूरा रूपांतरित हो गया। क्योंकि जो आदमी जो खोजता है उसी के आधार पर जगत बन जाता है। ऐसा हो सकता है कि तुम जिस रास्ते से रोज गुजरते हो, रास्ते के किनारे ही बंबा लगा है पोस्ट ऑफिस का, लेटर-बॉक्स लगा है, लाल रंग के हनुमान जी खड़े हैं, मगर तुम्हारी नजर शायद कभी न पड़े; लेकिन जिस दिन तुम्हें पत्र डालना है, उस दिन अचानक तुम्हारी नजर पड़ जाएगी। उसी रास्ते से तुम रोज गुजरते थे, लेकिन पत्र डालना नहीं था, तो पोस्ट ऑफिस के लेटर-बॉक्स को कौन देखता है? तुम्हारी आंखें उस पर न टिकती रही होंगी। वह आंख से ओझल होता रहा होगा। था वहीं, लेकिन तुम्हें तब तक नहीं दिखा था, जब तक तुम्हारे भीतर कोई आकांक्षा न थी, जो संबंध बना दे। आज तुम्हें चिट्ठी डालनी थी, अचानक...।

उपवास करके देखो और फिर जाओ एम.जी. रोड पर। फिर तुम्हें कुछ और न दिखाई पड़ेगा। फिर रैस्तरां, होटल, कॉफी-हाउस, बस इसी तरह की चीजें दिखाई पड़ेंगी। और अचानक तुम्हारी नाक ऐसी प्रगाढ़ हो जाएगी कि हर तरह की सुगंधें आने लगेंगी, हर तरह के आकर्षण बुलावे देने लगेंगे। तुम्हारे उपवास से तुम किसी और ही रास्ते से गुजरते हो जिससे तुम कभी नहीं गुजरे थे। कहने मात्र को एम.जी. रोड है। जब तुम भरे पेट से गुजरते हो, तब बात और है। जब तुम कपड़े खरीदने गुजरते हो, तब बात और है।

जो पुरुष अपनी पत्नी से तृप्त है वह भी गुजरता है, तो बात और। जो अपनी पत्नी से तृप्त नहीं है, वह भी उसी रास्ते से गुजरता है, लेकिन तब रास्ता और। क्योंकि दोनों के देखने का ढंग और, दोनों की आकांक्षा और।

तुम जो चाहते हो, उससे तुम्हारा जगत निर्मित होता है। हम सब एक ही जगत में नहीं रहते। हम सब अपने-अपने जगत में रहते हैं। यहां जितने मनुष्य हैं, जितने मन हैं, उतने जगत हैं। उसी जगत की बात हो रही है, तुम खयाल रखना। नहीं तो अक्सर भ्रांति होती है। पूरब के इन मनीषियों के वचन से बड़ी भ्रांति होती है, लोग सोचते हैं: 'जगत-कल्पना? तो अगर हम शांत हो गए तो यह मकान समाप्त हो जाएगा? ये वृक्ष खो जाएंगे?' तो तुम समझे नहीं। जगत का अर्थ होता है: तुम्हारे मन से जो कल्पित है, उतना खो जाएगा। जो है, वह तो रहेगा। सच तो यह है कि जो है वह पहली दफे दिखाई पड़ेगा। तुम्हारे मन के कारण वह तो दिखाई ही नहीं पड़ता था। तुम तो कुछ का कुछ देख लेते थे। तुम जो देखने के लिए आतुर थे वही तुम्हें दिखाई पड़ जाता था। तुम्हारी आतुरता बड़ी सृजनात्मक है। उसी सृजनात्मकता से सपना पैदा होता, कल्पना पैदा होती।

मय्यनन्तमहाम्भोधौ विश्वं नाम विकल्पना!

तुम्हारा विश्व तुम्हारी कल्पना है। तुम्हारे पड़ोसी का विश्व जरूरी नहीं कि तुम्हारा ही विश्व हो। दो व्यक्ति एक ही जगह बैठ सकते हैं—और दो अलग दुनियाओं में।

एक सिनेमाघर में मुल्ला नसरुद्दीन और उसकी पत्नी लगभग आधा समय तक आपस में ही बातें करते रहे। उनके पास बैठे दर्शकों को यह बड़ा बुरा लग रहा था। एक दर्शक ने—मुल्ला नसरुद्दीन के पीछे जो बैठा था—कहा, 'क्या तोते की तरह टायं-टायं लगा रखी है? कभी चुप ही नहीं होते।' इस पर मुल्ला बिगड़ गया। उसने कहा, क्या आप हमारे बारे में कह रहे हैं? उस दर्शक ने कहा, जी नहीं आपको कहां? फिल्म वालों को कह रहा हूं। शुरू से ही बकवास किए जा रहे हैं; आपकी दिलकश बातों का एक शब्द भी नहीं सुनने दिया।

अब यह हो सकता है दो आदमी पीछे बैठे हों फिल्म-गृह में, और पति-पत्नी आपस में बातें कर रहे हों तो एक हो सकता है परेशान हो कि फिल्म चल रही है वह सुनाई नहीं पड़ रही इनकी बकवास से; और दूसरा हो सकता है परेशान हो कि बड़ी गजब की बातें हो रही हैं इन दोनों की, यह फिल्म बंद हो जाए तो जरा सुन लें क्या हो रहा है? दोनों पास बैठे हो सकते हैं और दोनों के देखने के ढंग अलग हो सकते हैं।

हमारा देखने का ढंग हमारी दृष्टि है, हमारी सृष्टि है। दृष्टि से सृष्टि बनती है। जब तुम्हारी कोई दृष्टि नहीं रह जाती, जब तुम्हारे भीतर जैसा है वैसे को ही देखने की सरलता रह जाती, अन्यथा कुछ आरोपण करने की कोई गुंजाइश नहीं रह जाती, तुम्हारे भीतर का प्रोजेक्टर, प्रक्षेपन-यंत्र जब बंद हो जाता है, तब तुम अचानक पाते हो: पर्दा खाली है। वह पर्दा सच है। पर्दे पर चलने वाली जो धूप-छांव से बने जो चित्र हैं, वे सब तुम्हारे प्रोजेक्टर, तुम्हारे प्रक्षेपन से निकलते हैं।

तो जब भी शास्त्रों में तुम कहीं यह वचन पाओ कि यह सब संसार कल्पना-मात्र है, तो तुम इस भ्रांति में मत पड़ना कि शास्त्र यह कह रहे हैं कि अगर तुम्हारा जागरण होगा, समाधि लगेगी तो सारा संसार तत्क्षण स्वप्नवत खो जाएगा। इतना ही कह रहे हैं तुम्हारा संसार तत्क्षण खो जाएगा।

यह संसार तुम्हारा नहीं। यह तो तुम आए उसके पहले भी था; तुम चले जाओगे उसके बाद भी रहेगा। ये वृक्ष, ये पक्षी, यह आकाश...। तुम्हारा नहीं है इनसे कुछ लेना-देना। तुम सोओ तो है, तुम जागो तो है। तुम ध्यानस्थ हो जाओ, तो है; तुम वासनाग्रस्त रहो, तो है। यह तो नहीं मिटेगा। लेकिन इस संसार को पर्दा मान कर तुमने एक कल्पनाओं का जाल बुन रखा है। तुम जरा इस जाल को

पहचानने की कोशिश करना, तुम किस भांति रोज इस जाल को बुने जाते हो! और यह जाल तुम्हें परिचित नहीं होने देता उससे, जो है।

'मुझ अंतहीन महासमुद्र में निश्चित ही संसार कल्पना-मात्र है। मैं अत्यंत शांत हूं, निराकार हूं और इसी के आश्रय हूं।'

अतिशांतो निराकार एतदेवाहमास्थितः।

यह समझ कर कि ये सारी कल्पनाएं हैं—मुझमें ही उठती हैं और लीन हो जाती हैं, ये सब मेरी ही तरंगें हैं—मैं बिलकुल शांत हो गया हूं, मैं निराकार हो गया हूं। और अब तो यही मेरा एकमात्र आश्रय है। अब छोड़ने को कुछ बचा नहीं है, सिर्फ मैं ही बचा हूं।

'आत्मा विषयों में नहीं है और विषय उस अनंत निरंजन आत्मा में नहीं हैं। इस प्रकार मैं अनासक्त हूं, स्पृहा-मुक्त हूं और इसी के आश्रय हूं।'

नात्मा भावेषु नो भावस्तत्रानन्ते निरंजने।

न तो विषय मुझमें हैं और न मैं विषयों में हूं। सब सतह पर उठी तरंगों का खेल है। सागर की गहराई उन तरंगों को छूती ही नहीं।

तुम सागर के ऊपर कितनी तरंगें देखते हो! जरा गोताखोरों से पूछो कि भीतर तुम जाते हो, वहां तरंगें मिलतीं कि नहीं? सागर की अतल गहराई में कहां तरंगें? सिर्फ सतह पर तरंगें हैं। उस अतल गहराई में तो सब अनासक्त, शांत, निराकार है, स्पृहा-मुक्त! और वही मेरा आश्रय है। वही मेरा निजस्वरूप है। कैसा छोड़ना, कैसा त्यागना, किसको जानना? इति ज्ञानं! ऐसा जो मुझे बोध हुआ है, यही ज्ञान है।

'अहो, मैं चैतन्य-मात्र हूं। संसार इंद्रजाल की भांति है। इसलिए हेय और उपादेय की कल्पना किसमें हो?'

किसे छोडूं, किसे पकडूं? हेय और उपादेय, लाभ और हानि, अच्छा और बुरा, शुभ और अशुभ—अब ये सब कल्पनाएं व्यर्थ हैं। जो हो रहा है, स्वभाव से हो रहा है। जो हो रहा है, सभी ठीक है। इसमें न कुछ चुनने को है, न कुछ छोड़ने को है।

कृष्णमूर्ति जिसे बार-बार च्वायसलेस अवेयरनेस कहते हैं, जनक उसी सत्य की घोषणा कर रहे हैं: चुनावरहित बोध!

अहो अहम् चिन्मात्रम्!

—बस केवल चैतन्य हूं मैं! बस केवल साक्षी हूं!

जगत इंद्रजालोपमम्!

—और जगत तो ऐसा है जैसा जादू का खेल है, इंद्रजाल। सब ऊपर-ऊपर भासता, और है नहीं; प्रतीत होता, और है नहीं।

अतः मम हेयोपादेय कल्पना कथम् च कुत्र।

—तो मैं कैसे कल्पना करूं कि कौन ठीक, कौन गलत?

अब यह सब कल्पना ही छोड़ दी। इति ज्ञानं! यही ज्ञान है। यही जागरण है। यही बोध है।

भोग एक तरह की कल्पना है, त्याग दूसरे तरह की कल्पना है। भोग से बचे तो त्याग में गिरे—तो ऐसे ही जैसे कोई चलता खाई और कुएं के बीच, कुएं से बचे तो खाई में गिरे। बीच में है मार्ग। न तो त्यागी बनना है, न भोगी बनना है। अगर तुम त्याग और भोग से बच सको, अगर तुम दोनों के पार हो सको, अगर तुम दोनों के साक्षी बन सको, तो संन्यस्त, तो संन्यास का जन्म हुआ।

संसारी संन्यासी नहीं है, त्यागी भी संन्यासी नहीं है। दोनों ने चुनाव किया है। भोगी ने चुनाव किया है कि भोगेंगे, और-और भोगेंगे, और भोग चाहिए, तो ही सुख होगा। त्यागी ने चुनाव किया है कि त्यागेंगे, खूब त्यागेंगे, तो सुख होगा। संन्यासी वही है, जो कहता हैः सुख है। इति सुखम्! होगा नहीं। न कुछ पकड़ना है न कुछ छोड़ना है—अपने में हो जाना है। वहीं अपने में होने में सुख और ज्ञान है।

अन्यथा, तुम पीड़ाएं बदल ले सकते हो। तुम एक कंधे का बोझ दूसरे कंधे पर रख ले सकते हो। तुम एक नरक से दूसरे नरक में प्रवेश कर सकते हो, लेकिन अंतर न पड़ेगा।

मुल्ला नसरुद्दीन की पत्नी मुल्ला से कह रही थीः हमने फरीदा के लिए जो लड़का पसंद किया है, वह वैसे तो बहुत ठीक है, दो ही बातों की भूल-चूक है। एक तो यह उसकी दूसरी शादी है, पहली पत्नी तो मर गई है। विधुर है। मगर यह कोई बड़ी बात नहीं, पत्नी ने कहा। अभी जवान है। मगर जो बात अखरती है, वह यह है कि सब ठीक है—खिलता हुआ रंग, ऊंचा कद, तंदरुस्त, नाक-नक्शा भी अच्छा—पर एक ऐब खटकता है।

मुल्ला ने पूछा, वह क्या?

पत्नी ने कहा, लगता है तुमने ध्यान नहीं दिया। जब वह हंसता है तो उसके लंबे-लंबे दांत बाहर आ जाते हैं और वह कुरूप लगने लगता है।

मुल्ला ने कहा, अजी छोड़ो भी! फरीदा से विवाह तो होने दो, फिर उसे हंसने का मौका ही कहां मिलेगा?

अभी एक पत्नी मरी है उनकी, अब वे फरीदा के चक्कर में पड़ रहे हैं।

हम ज्यादा देर बिना उलझनों के नहीं रह सकते। एक उलझन छूट जाती है तो लगता है खाली-खाली हो गए। जल्दी हम दूसरी उलझन निर्मित करते हैं। आदमी उलझनों में व्यस्त रहता है।

मनोवैज्ञानिक कहते हैं, गैर-शादीशुदा लोग ज्यादा पागल होते हैं, बजाए शादीशुदा लोगों के। यह बड़ी हैरानी की बात है। जब मैंने पहली दफा पढ़ा तो मैं भी सोचने लगा कि मामला क्या है! होना तो उल्टा चाहिए कि शादीशुदा लोग पागल हों, यह समझ में आ सकता है; ज्यादा पागल हों, यह भी समझ में आ सकता है। सारी दुनिया से आंकड़े इकट्ठे किए गए हैं, उनसे पता चलता है कि गैर-शादीशुदा लोग ज्यादा आत्महत्या करते हैं, बजाए शादीशुदा लोगों के। यह तो जरा कुछ भरोसे योग्य नहीं मालूम होता। लेकिन फिर खोजबीन करने से मनोवैज्ञानिकों को पता चला कि कारण यह है कि गैर-शादीशुदा आदमी को उलझनें नहीं होतीं। पागल न हो तो करे क्या, फुर्सत ही फुर्सत! शादीशुदा आदमी को फुरसत कहां पागल होने की! इतनी व्यस्तता है!

एक मनोवैज्ञानिक खोज-बीन कर रहा था कि किस तरह के लोग सर्वाधिक सुखी होते हैं। और वह बड़े अजीब निष्कर्ष पर पहुंचा। वे ही लोग सर्वाधिक सुखी मालूम होते हैं जिनको इतनी भी फुरसत नहीं कि सोच सकें कि हम सुखी हैं कि दुखी। इतनी फुरसत मिली कि दुख शुरू हुआ।

तुम राजनीतिज्ञों को बड़ा सुखी पाओगे, बड़े प्रफुल्लता से भरे हुए, गजरे इत्यादि पहने हुए, भागे चले जा रहे हैं। और कारण कुल इतना ही है कि उनको इतना भी समय नहीं है कि वे बैठ कर एक दफा सोच लें, पुनर्विचार करें कि हम सुखी हैं कि दुखी? इतना समय कहां! बंधे कोल्हू के बैलों की तरह, भागे चले जाते हैं : दिल्ली चलो! फुरसत कहां है कि इधर-उधर देखें! और धक्कम-धुक्की इतनी है कि कोई टांग खींच रहा; कोई आगे खींच रहा, कोई पीछे खींच रहा, कोई एक हाथ पकड़े, कोई दूसरा; कुछ समझ में नहीं आता है कि हो क्या रहा है! लेकिन भागे चले जाते हैं। आपाधापी में फुरसत नहीं मिलती।

मनोवैज्ञानिक कहते हैं कि जो लोग व्यस्त रहते हैं सदा, वे कम पागल होते हैं, कम आत्महत्या करते हैं। उन्हें याद ही नहीं रह जाती कि वे हैं भी। उन्हें पता ही भूल जाता है अपना—सारा जीवन, सारी ऊर्जा व्यर्थ कामों में इतनी संलग्न हो जाती है।

इसीलिए कभी-कभी थोड़े-बहुत दिनों के लिए चुप होकर एकांत में बैठ जाना शुभ है। वहां तुम्हें पता चलेगा कि अव्यस्त होने में तुम कितने बेचैन होने लगते हो! खालीपन कैसा काटता है!

लोग मुझसे पूछते हैं कि लोग दुख को क्यों पसंद करते हैं, क्यों चुनते हैं? लोग दुख को पसंद कर लेते हैं खालीपन के चुनाव में। खालीपन से तो लोग सोचते हैं दुख ही बेहतर है। कम से कम सिरदर्द तो है, सिर में कुछ तो है। उलझनें हैं तो कुछ तो उपाय है, कुछ करने की सुविधा तो है। लेकिन कुछ भी नहीं है तो...।

और जो आदमी खाली होने को राजी नहीं, वह कभी स्वयं तक पहुंच नहीं पाता। क्योंकि स्वयं तक पहुंचने का रास्ता खाली होने से जाता है, रिक्त, शून्यता से जाता है। वही तो ध्यान है। या कोई और नाम दो। वही समाधि है।

जब तुम थोड़ी देर के लिए सब व्यस्तता छोड़ कर बैठ जाते हो, किनारे पर, नदी की धार से हट कर; नदी बहती, तुम देखते, तुम कुछ भी करते नहीं—उन्हीं क्षणों में धीरे-धीरे साक्षी जागेगा। लेकिन साक्षी के जागने से पहले शून्य के रेगिस्तान से गुजरना पड़ेगा। वह मूल्य है; जिसने चुकाने की हिम्मत न की, वह कभी साक्षी न हो पाएगा।

थोड़ा दूर होना जरूरी है। हम चीजों में इतने ज्यादा खड़े हैं कि हमें दिखाई ही नहीं पड़ता कि हम चीजों से अलग हैं। थोड़ा सा फासला, थोड़ा स्थान, थोड़ा अवकाश...कि हम देख सकें कि हम कौन हैं? जगत क्या है? क्या हो रहा है हमारे जीवन का? थोड़े-थोड़े खाली अंतराल तुम्हें आत्मबोध के लिए कारण बन सकते हैं। उन्हीं-उन्हीं अंतरालों में तुम्हें थोड़ी-थोड़ी झलक मिलेगी: 'अहो, मैं चैतन्य-मात्र हूं!' व्यस्तता में तो तुम्हें कभी पता न चलेगा। व्यस्तता का तो मतलब है: वस्तुओं से उलझे, और से उलझे, अन्य से उलझे। जब तुम अव्यस्त होते हो, अनआकुपाइड, जब तुम किसी से भी नहीं उलझे—तब तुम्हें अपनी याद आनी शुरू होती है, स्वयं का स्मरण होता है।

'अहो, मैं चैतन्य-मात्र हूं। संसार इंद्रजाल की भांति है।'

और तब तुम्हें पता चलता है कि तुम्हारी सारी व्यस्तता बचपना, खेल है। धन कमा रहे हो, धन के ढेर लगा रहे हो—क्या मिलेगा? बड़े से बड़े पद पर पहुंच जाओगे—क्या पाओगे? सफल आदमियों से असफल आदमी तुम कहीं और खोज सकते हो? जो सफल हुआ वह मुश्किल में पड़ा। सफल होकर पता चलता है: अरे, यह तो जीवन हाथ से गया, और हाथ तो कुछ भी न लगा।

कहते हैं सिकंदर जब भारत आया और पोरस पर उसने विजय पा ली, तो एक कमरे में चला गया, एक तंबू में चला गया, और रोने लगा। उसके सिपहसालार, उसके सैनानी बड़े चिंतित हो गए। उन्होंने कभी सिकंदर को रोते नहीं देखा था। उसे कैसे व्यवधान दें, कैसे बाधा डालें—यह भी समझ में नहीं आता था। फिर किसी एक को हिम्मत करके भेजा। उसने भीतर जाकर सिकंदर को पूछा: 'आप रो क्यों रहे हैं? और विजय के क्षण में! अगर हार गए होते तो समझ में आता था कि आप रो रहे हैं। विजय के क्षण में रो रहे हैं, मामला क्या है? पोरस रोए, समझ में आता है। सिकंदर रोए? यह तो घड़ी उत्सव की है।'

सिकंदर ने कहा, इसीलिए तो रो रहा हूं। अब दुनिया में मुझे जीतने को कुछ भी न बचा। अब दुनिया में मुझे जीतने को कुछ भी न बचा, अब मैं क्या करूंगा?

शायद पोरस न भी रोया हो, कोई कहानी नहीं पोरस के रोने की। क्योंकि पोरस को तो अभी बहुत कुछ बचा है; कम से कम सिकंदर को हराना तो बचा है; अभी इसके तो उसको दांत खट्टे करने हैं। मगर सिकंदर के लिए कुछ भी नहीं बचा है। वह थर्रा गया। सारी व्यस्तता एकदम समाप्त हो गई। आ गया शिखर पर! अब कहां? अब इस शिखर से ऊपर जाने की कोई भी सीढ़ी नहीं है। अब क्या होगा?

यह घबड़ाहट सभी सफल आदमियों को होती है। धन कमा लिया, पद पा लिया, प्रतिष्ठा मिल गई, लेकिन इतना करते-करते सारा जीवन हाथ से बह गया। एक दिन अचानक सफल तो हो गए, और एक साथ ही उसी क्षण में, पूरी तरह विफल भी हो गए। अब क्या हो? राख लगती है हाथ। व्यस्त आदमी आखिर में राख का ढेर रह जाता; अंगार तो बिलकुल ढक जाती या बुझ जाती है।

थोड़े-थोड़े अव्यस्त क्षण खोजते रहना। कभी-कभी थोड़ा समय निकाल लेना अपने में डूबने का। भूल जाना संसार को। भूल जाना संसार की तरंगों को। थोड़े गहरे में अपनी प्रशांति में, अपनी गहराई में थोड़ी डुबकी लेना। तो तुम्हें भी समझ में आएगा—तभी समझ में आएगा—किस बात को जनक कहते हैं: इति ज्ञानं! यही ज्ञान है।

'अहो, मैं चैतन्य-मात्र हूं! संसार इंद्रजाल की भांति है। इसलिए हेय और उपादेय की कल्पना किसमें हो?'

अब मुझे न तो कुछ हेय है, न कुछ उपादेय है। न तो कुछ हानि, न कुछ लाभ। न तो कुछ पाने-योग्य, न कुछ डर कि कुछ छूट जाएगा। मैं तो सिर्फ चैतन्यमात्र हूं। अहो!

यही तो मुक्ति है।

जब तक तुम कर्मों में उलझे हो तब तक तुममें भेद है। जैसे ही तुम साक्षी बने, सब भेद मिटे।

अपने-अपने कर्मों का फल
भोग रहा है हर कोई
सूरज तो इक-सा ही चमके
नाथों और अनाथों पर।
अपने-अपने कर्मों का फल
भोग रहा है हर कोई।
तुम अपने कर्मों से बंधे हो और फल भोग रहे हो।

सूरज तो इक-सा ही चमके
नाथों और अनाथों पर।

सूरज तो सब पर एक सा चमक रहा है। परमात्मा तो सब पर एक सा बरस रहा है। लेकिन तुमने अपने-अपने कर्मों के पात्र बना रखे हैं। कोई का छोटा पात्र, किसी का बड़ा पात्र। किसी का गंदा पात्र, किसी का सुंदर पात्र। परमात्मा एक सा बरस रहा है। किसी का पाप से भरा पात्र, किसी का पुण्य से भरा पात्र; लेकिन सभी पात्र सीमित होते हैं—पापी का भी, पुण्यात्मा का भी। तुम जरा पात्र को हटाओ, कर्म को भूलो, कर्ता को विस्मरण करो—साक्षी को देखो! साक्षी को देखते ही तुम पाओगेः तुम अनंत सागर हो, परमात्मा अनंत रूप से तुममें बरस रहा है।

अहो, अहम् चिन्मात्रम्!

तुम तब पाओगे, जैसा कि जनक ने बार-बार पीछे कहा कि ऐसा मन होता है कि अपने ही चरण छू लूं। ऐसा धन्यभाग, ऐसा प्रसाद कि अपने को ही नमस्कार करने का मन होता है!

दामने-दिल पे नहीं बारिशे-इल्हाम अभी
इश्क नापुख्ता अभी जज्बे दरूखाम अभी।

दिलरूपी दामन पर अगर दैवी वर्षा नहीं हो रही है तो इतना ही समझना कि प्रेम अभी कच्चा और भीतर की भावना अपरिपक्व।

दामने-दिल पे नहीं बारिशे-इल्हाम अभी!

अगर प्रभु का प्रसाद नहीं बरस रहा है तो यह मत समझना कि प्रभु का प्रसाद नहीं बरस रहा है; इतना ही समझना ः इश्क नापुख्ता अभी! अभी तुम्हारा प्रेम कच्चा। जज्बे-दरूखाम अभी। और अभी तुम्हारी भीतर की चैतन्य की दशा परिपक्व नहीं। अन्यथा परमात्मा तो बरस ही रहा है—पात्र पर, अपात्र पर; पुण्यात्मा पर, पापी पर।

सूरज तो इक-सा ही चमके
नाथों और अनाथों पर।

अब दो विधियां हैं इस परम अवस्था को खोजने की। एक तो है कि कर्मों को बदलो, बुरे कर्मों को अच्छा करो, अशुभ को शुभ से बदलो, पाप को हटाओ, पुण्य को लाओ—वह बड़ी लंबी विधि है, और शायद कभी सफल नहीं हो सकती। क्योंकि वे तो इतने अनंत जन्मों के कर्म हैं, उनको तुम बदल भी न पाओगे। वह तो धोखा है। वह तो पोस्टपोन करने की तरकीब है। वह तो मिथ्या है। फिर दूसरी विधि है—या कहना चाहिए वस्तुतः तो एक ही विधि है—यह दूसरी विधि कि तुम सारे कर्मों के पीछे खड़े होकर साक्षी हो जाओ। तो तुम अभी हो सकते हो। इसी क्षण हो सकते हो।

अष्टावक्र की महागीता का मौलिक सार इतना ही है कि तुम यदि चाहो तो अभी किनारे पर निकल जाओ और बैठ जाओ। अभी साक्षी हो जाओ! और जब तक तुमने कर्मों को बदलने की कोशिश की, तब तक तो तुम नई-नई उलझनें खड़ी करते रहोगे। क्योंकि हर पाप के साथ थोड़ा पुण्य है, हर पुण्य के साथ थोड़ा पाप है। तुम ऐसा कोई पुण्य कर ही नहीं सकते जिसमें पाप न जुड़ा हो। सोचो, कौन सा पुण्य करोगे जिसमें पाप न जुड़ा हो? अगर धन दान दोगे तो धन कमाओगे तो! दान दोगे कहां से? पहले कमाने में पाप कर लोगे, तो दान दोगे। यह तो बात बेमानी हो गई। मंदिर बनाओगे तो किन्हीं झोपड़ों को मिटाओगे तभी मंदिर बना पाओगे। किसी को चूसोगे, तभी मंदिर खड़ा हो सकेगा। यह तो बात व्यर्थ हो गई। यह तो पुण्य के साथ पाप चल जाएगा। तुम अच्छा कुछ भी करोगे तो थोड़ा न बहुत बुरा साथ में होता ही रहेगा। बुरा भी जब तुम करते हो, कुछ न कुछ अच्छा होता है। तभी तो बुरा आदमी करता है, नहीं तो वह भी क्यों करेगा?

एक चोर है, वह चोरी कर लाता है; क्योंकि वह कहता है कि उसका बच्चा बीमार है और दवा चाहिए। बच्चे को दवा तो मिलनी चाहिए। चोरी से मिलती है तो चोरी से, लेकिन बच्चे को दवा तो देनी ही पड़ेगी। जीवन मूल्यवान है। तुम्हारे धन-संपत्ति के नियम इतने मूल्यवान नहीं हैं।

परम रासायनिक नागार्जुन के जीवन में उल्लेख है। वह दार्शनिक भी था, विचारक भी था। अपूर्व दार्शनिक था! शायद भारत में वैसा कोई दूसरा दार्शनिक नहीं हुआ। शंकराचार्य भी नंबर दो मालूम पड़ते हैं नागार्जुन से। और ऐसा लगता है शंकर ने जो भी कहा, उसमें नागार्जुन की छाप है। नागार्जुन ने बड़ी अनूठी बातें कहीं हैं। और वह रसायनविद था। उसे दो सहयोगियों की जरूरत थी, जो रसायन की प्रक्रिया में उसका साथ दे सकें। तो उसने बड़ी खोज की। दो रसायनविद आए। वह उनकी परीक्षा लेना चाहता था। तो उसने कुछ रासायनिक द्रव्य दिए दोनों को और कहा कि कल तुम इसका मिश्रण बना कर ले आना। अगर तुम सफल हो गए मिश्रण बनाने में, तो जो भी सफल हो जाएगा वह चुन लिया जाएगा।

वे दोनों चले गए। दूसरे दिन एक तो मिश्रण बना कर आ गया और दूसरा रासायनिक द्रव्य वैसे के वैसे लेकर आ गया। नागार्जुन ने उस दूसरे से पूछा कि तुमने बनाया नहीं? उसने कहा कि मैं गया, रास्ते पर एक भिखारी मर रहा था, मैं उसकी सेवा में लग गया। चौबीस घंटे उसको बचाने में लग गए, मुझे समय ही नहीं मिला। और यह जो प्रक्रिया है इसमें कम से कम चौबीस घंटे चाहिए। इसलिए मुझे क्षमा करें। मैं जानता हूं कि मैं अस्वीकृत हो गया, लेकिन कुछ और उपाय न था। भिखारी मर रहा था, मुझे चौबीस घंटे उसकी सेवा करनी पड़ी। वह बच गया,

मैं खुश हूं। मुझे जो आपकी सेवा का मौका मिलता था, वह नहीं मिलेगा; लेकिन मैं प्रसन्न हूं। मेरी कोई शिकायत नहीं।

और नागार्जुन ने इसी आदमी को चुन लिया। और नागार्जुन के और दूसरे सहयोगी थे, वे कहने लगे कि यह आप क्या कर रहे हैं? जो आदमी रसायन बना कर ले आया है, उसको नहीं चुन रहे?

नागार्जुन ने कहा, जीवन का मूल्य रसायन से ज्यादा है। यह रसायन-वसायन तो ठीक है मगर जीवन का मूल्य...। इस आदमी के पास पकड़ है। यह जानता है कि कौन सी चीज ज्यादा मूल्यवान है—बस, यही तो रहस्य है। सार और असार में इसे भेद है।

अब एक आदमी का बच्चा मर रहा है, वह तुम्हारी फिकर करे कि चोरी नहीं करनी चाहिए? वह चिंता करे इस बात की? व्यक्तिगत संपत्ति को समादर दे? वह फिकर नहीं करता। वह कहता है, चोरी हो जाए, चाहे मैं जेल चला जाऊं, बच्चे को बचाना है।

तो पाप में भी कहीं तो थोड़ा पुण्य है। दो आदमी अगर साथ-साथ चोरी भी करते हैं तो कम से कम एक-दूसरे को तो दगा नहीं देते। उतनी तो ईमानदारी है। वे भी मानते हैं, आनेस्टी इज़ द बेस्ट पालिसी। आपस में तो कम से कम। किसी और के साथ न मानते हों, लेकिन ईमानदारी एक-दूसरे के साथ बरतते हैं। उतना तो पुण्य है।

तुम ऐसा कोई पाप का कृत्य नहीं खोज सकते जिसमें पुण्य न हो।

एक चोर पकड़ा गया, तो मैजिस्ट्रेट बड़ा हैरान था। उसने कहा कि हमने सुना कि तुम नौ दफे रात में इस दुकान में घुसे!

उसने कहा, और क्या करूं हुजूर? अकेला आदमी, पूरी दुकान ढोनी थी!

तो मैजिस्ट्रेट ने कहा कि तो कोई संगी-साथी नहीं? उसने कहा कि जमाना बड़ा खराब है। संगी-साथी किसको बनाओ? जिसको बनाओ वही धोखा दे जाता है।

चोर भी कहता है कि जमाना खराब है और आप तो जानते ही हैं। संगी-साथी किसको बनाओ?

चोरी भी करनी हो तो भी जमाना अच्छा होना चाहिए। किसी को धोखा देना हो तो भी। उस आदमी में इतनी, जिसको तुम्हें धोखा देना है, इतनी भलमनसाहत तो होनी चाहिए कि भरोसा करे।

पाप और पुण्य गुंथे पड़े हैं। साथ-साथ जुड़े हैं। न तो तुम पुण्य कर सकते हो बिना पाप किए, न तुम पाप कर सकते हो बिना पुण्य किए।

सुख न सहचरी, लुटेरा भी हुआ करता है,
खुशी में गम का बसेरा भी हुआ करता है।
अपनी किस्मत की स्याही को कोसने वालो,
चांद के साथ अंधेरा भी हुआ करता है।

वे सब जुड़े हैं। इसलिए अगर तुम एक से बचना चाहोगे तो तुम ज्यादा से ज्यादा दूसरे को छिपा सकते हो, लेकिन दूसरे से भाग नहीं सकते।

पाप-पुण्य एक ही सिक्के के दो पहलू हैं। सिक्का जाएगा तो पूरा जाएगा, आधा नहीं बचाया जा सकता। एक पहलू नहीं बचाया जा सकता।

इसलिए अष्टावक्र और जनक के संवाद के बीच जो क्रांतिकारी सूत्र घटित हो रहा है, वह साक्षी का है। तुम्हें न तो पाप छोड़ना है, न पुण्य छोड़ना है। न तुम्हें पाप पकड़ना है, न पुण्य पकड़ना है। तुम्हें पकड़ना-छोड़ना छोड़ना है। न पकड़ो न छोड़ो। तुम दोनों से दूर हट कर खड़े हो जाओ, देखने वाले बनो, द्रष्टा बनो, साक्षी बनो!

अहो अहम् चिन्मात्रम् जगत इंद्रजालोपमम्।
अतः मम हेयोपादेय कल्पना कथम् च कुत्र।।

इसलिए जनक ने कहा, मुझे तो कल्पना भी नहीं उठती कि कौन ठीक, कौन गलत। अब तो सब ठीक या सब गलत। मैं जाल के बाहर खड़ा, चिन्मात्र! चिन्मयरूप! केवल चैतन्य! केवल साक्षी! आप किससे कह रहे हैं त्याग की बात? वे कहने लगे। आप किससे कह रहे हैं कि मैं ज्ञान को उपलब्ध होऊं?

इति ज्ञानं!

हरि ॐ तत्सत्!

❋ ❋ ❋

प्रवचन : 24

कितनी लघु अंजुलि हमारी

पहला प्रश्न: आपने कहा कि सब आदर्श गलत हैं। लेकिन क्या अपने गंतव्य को, अपनी नियति को पाने का आदर्श भी उतना ही गलत है?

आदर्श गलत है; किस बात को पाने का आदर्श है, इससे कोई भेद नहीं पड़ता। आदर्श का अर्थ है: भविष्य में होगा। आदर्श का अर्थ है: कल होगा। आदर्श का अर्थ है: आज उपलब्ध नहीं है। आदर्श स्थगन है—भविष्य के लिए।

जो तुम्हारी नियति है उसे तो आदर्श बनाने की कोई भी जरूरत नहीं; वह तो होकर ही रहेगा; वह तो हुआ ही हुआ है।

नियति का अर्थ है, जो तुम्हारा स्वभाव है। इस क्षण जो पूरा का पूरा तुम्हें उपलब्ध है, वही तुम्हारी नियति है। सब आदर्श नियति-विरोधी हैं।

आदर्श का अर्थ ही यह होता है कि तुम वह होना चाहते हो जो तुम पाते हो कि हो न सकोगे। गुलाब तो गुलाब हो जाता है, कमल कमल हो जाता है। कमल के हृदय में कहीं कोई आदर्श नहीं है कि मैं कमल बनूं। अगर कमल कमल बनना चाहे तो पागल होगा, कमल नहीं हो पाएगा।

जो तुम हो वह तो तुम हो ही—बीज से ही हो। उससे तो अन्यथा होने का उपाय नहीं है।

इसलिए नियति के साथ, स्वभाव के साथ आदर्श को जोड़ना तो विरोधाभास है। पर हमारे मन पर आदर्श की बड़ी पकड़ है। सदियों से हमें यही सिखाया गया है कि कुछ होना है, कुछ बनना है, कुछ पाना है। दौड़ सिखाई गई, स्पर्धा सिखाई गई, वासना सिखाई गई—अनंत-अनंत रूपों में।

अष्टावक्र का उदघोष यही है कि जो तुम्हें होना है वह तुम हो ही। कुछ होना

नहीं है, जीना है। इस क्षण तुम्हें सब उपलब्ध है। एक क्षण भी टालने की कोई जरूरत नहीं है। एक क्षण भी टाला तो भ्रांति में पड़े। तुम जीना शुरू करो—तुम परिपूर्ण हो।

समस्त अध्यात्म की मौलिक उदघोषणा यही है कि तुम परिपूर्ण हो, जैसे तुम हो। होने को कुछ परमात्मा ने बाकी नहीं छोड़ा है। और जो परमात्मा ने बाकी छोड़ा है, उसे तुम पूरा न कर पाओगे। जो परमात्मा नहीं कर सका, उसे तुम कर सकोगे—यह अहंकार छोड़ो। जो हो सकता था, हो गया है। जो परमात्मा के लिए संभव था, वह घट गया है। तुम जीना शुरू करो, टालो मत।

परम अध्यात्म की घोषणा यही है कि उत्सव की घड़ी मौजूद है, तुम तैयारी मत करो। एक तैयारी करने वाला चित्त है जो उत्सव में कभी सम्मिलित नहीं होता, सदा तैयारी करता हैः यह तैयार कर लूं, वह तैयार कर लूं, वह हमेशा टाइम-टेबल देखता रहता है; कभी ट्रेन पर सवार नहीं होता। ट्रेन सामने भी खड़ी हो तो वह टाइम-टेबल में उलझा होता है। वह सदा बिस्तर बांधता है, लेकिन कभी यात्रा पर जाता नहीं। वह सदा मकान बनाता है, लेकिन कभी उसमें रहता नहीं। वह धन कमाता है, लेकिन धन को कभी भोगता नहीं। बस वह तैयारी करता है।

तुम ऐसे तैयारी करने वाले करोड़ों लोगों को चारों तरफ देखोगे—वही हैं, उन्हीं की भीड़ है। वे सब तैयारी कर रहे हैं। वे कह रहे हैं, कल भोगेंगे, परसों भोगेंगे। इनमें सांसारिक भी हैं, इनमें आध्यात्मिक जिनको तुम कहते हो वे भी सम्मिलित हैं—तुम्हारे तथाकथित साधु-संत और महात्मा। वे कहते हैंः यहां क्या रखा है, स्वर्ग में भोगेंगे! उनका कल और भी आगे हैः मरने के बाद भोगेंगे, यहां क्या रखा है! यहां तो सब क्षणभंगुर! यहां तो सिर्फ पीड़ित होना है, परेशान होना है और कल की तैयारी करनी है।

लेकिन तुमने देखा, कल कभी आता नहीं! कल कभी आया ही नहीं। इसलिए मैं तुमसे कहता हूंः स्वर्ग कभी आता नहीं, कभी आया ही नहीं। स्वर्ग तो कल का विस्तार है। कल ही नहीं आता, स्वर्ग कैसे आएगा?

जिस आदमी ने कल में अपने स्वर्ग को देखा है, उसका आज नर्क होगा—बस इतना पक्का है। कल तो आएगा नहीं। और जब भी कल आएगा आज होकर आएगा। और अगर तुमने यह गलत आदत सीख ली कि तुम कल में ही नजर लगाए रहे तो तुम आज को सदा चूकते जाओगे। और जब भी आएगा आज आएगा; जो भी आएगा आज की तरह आएगा। और तुम्हारी आंखें कल पर लगी रहेंगी। कल कभी आता नहीं। ऐसे तुम वंचित हो जाओगे। ऐसे तुम, जो मिला था

उसे न भोग पाओगे। जो हाथ में रखा था उसे न देख पाओगे। जो मौजूद था, जो नृत्य-गीत चल ही रहा था, उसमें तुम सम्मिलित न हो पाओगे।

अध्यात्म की आत्यंतिक घोषणा यही है कि समय के जाल में मत पड़ो। समय है मन का जाल।

अस्तित्व मौजूद है—उतरो, छलांग लो! तैयारी सदा से पूरी है, सिर्फ तुम्हारी प्रतीक्षा है। तुम नाचो! तुम यह मत कहो कि कल नाचेंगे, और तुम यह मत कहो कि आंगन टेढ़ा है, नाचें कैसे? जिसे नाचना आता है, वह टेढ़े आंगन में भी नाच लेता है। और जिसे नाचना नहीं आता, आंगन कितना ही सीधा, चौकोर हो जाए तो भी नाच न पाएगा।

मुल्ला नसरुद्दीन की आंखें खराब हो गई थीं, तो वह इलाज कराने गया। डाक्टर से पूछने लगा कि क्या मेरी आंखों के आपरेशन के बाद मैं पढ़ने में समर्थ हो जाऊंगा? डाक्टर ने कहा, निश्चित। यह जाली है, इसे हम काट देंगे आंख से, तुम पढ़ने में समर्थ हो जाओगे।

मुल्ला ने कहा, धन्यवाद भगवान का, क्योंकि मैं कभी पढ़ना-लिखना सीखा नहीं।

अगर पढ़ना-लिखना आता ही नहीं तो आंख की जाली कटने से पढ़ना नहीं आ जाएगा। अगर नाचना आता ही नहीं तो तुम स्वर्ग में भी रोओगे। तुम्हें रोना ही आता है। तुम स्वर्ग में भी बैठ कर पोथा-पुराण खोल कर सोचोगे कि अब आगे क्या है? तुम स्वर्ग में भी कहोगे, क्या रखा है यहां? क्योंकि तुमने एक ही गणित और एक ही तर्क सीखा है कि यहां तो कुछ भी नहीं रखा है; सदा वहां, कहीं और, कहीं और है जीवन बरस रहा, यहां तो बस मौत है!

तुम जैसा तर्क पकड़े हो, अगर किसी भूल-चूक से तुम स्वर्ग पहुंच जाओ तो तुम उसे नर्क में रूपांतरित कर लोगे। तुम्हें हर चीज को नर्क बनाने की कला आती है। और उस कला का सबसे महत्वपूर्ण सूत्र यही है कि आज को मत देखना; कल की आशा रखना, कल होगा सब! आज तो सह लो, आज तो रो लो; कल हंसेंगे! आज तो रुदन है, आंसू हैं; कल होंगी मुस्कुराहटें।

लेकिन कल जब तक आएगा तब तक रोने का अभ्यास भी सघन हो रहा है, इसे याद रखना। प्रतिपल तुम रो रहे हो, आज तुम रो रहे हो। रोज रोते-रोते रोने की कला आती जा रही है, आंखें सूजती जा रही हैं, आंसुओं के सिवाए तुम्हारी और कोई कुशलता नहीं है। कल आएगा तुम्हारे द्वार पर, लेकिन इस अभ्यास को तुम अचानक छोड़ थोड़े ही पाओगे! कल फिर आज की तरह आएगा। फिर तुम्हारा पुरातन तर्क काम करेगाः कल; और रो लो! ऐसे ही तुम रोते रहे हो जन्मों-जन्मों,

ऐसे ही तुम रो रहे हो। अगर ऐसे ही तुम्हें रोना है, रोते रहना है, तो बनाओ आदर्श!

मैं तुमसे कहता हूं: आदर्श-मुक्त हो जाओ। तुम्हें घबड़ाहट होती है, क्योंकि तुम्हारा चित्त कहता है, आदर्श-मुक्त? तुम्हारा अहंकार कहता है, आदर्श-मुक्त? तो उसका तो मतलब हुआ कि फिर तुम कभी परिपूर्ण न हो पाओगे। मैं तुमसे कहता हूं: तुम परिपूर्ण हो। पूर्णता तुम्हें मिली है—वरदान है, भेंट है परमात्मा की! अगर परमात्मा पूर्ण है तो उससे अपूर्ण पैदा हो ही नहीं सकता। और अगर परमात्मा से अपूर्ण पैदा हो रहा है तो तुम एक बात पक्की मानो कि तुम अपूर्ण से पूर्ण की कोई संभावना नहीं।

थोड़ा सोचो तो हिसाब क्या हुआ? पूर्ण से अपूर्ण पैदा हो रहा है, पहले तो यह बात गलत। पूर्ण से पूर्ण ही पैदा होता है। उपनिषद कहते हैं: पूर्ण से पूर्ण निकाल लो, तो भी पीछे पूर्ण शेष रह जाता है। पूर्ण से तुम अपूर्ण तो निकाल ही न सकोगे, पाओगे कहां अपूर्ण? और फिर अब एक तो तुमने यह भ्रांति पाल रखी है कि पूर्ण से अपूर्ण हो सकता है। अब दूसरी भ्रांति इस भ्रांति से पैदा हो रही है कि अब इस अपूर्ण को पूर्ण होना है। अब अपूर्ण चेष्टा करेगा पूर्ण होने की।

थोड़ा सोचो, अपूर्ण की सब चेष्टाएं अपूर्ण रहेंगी! और अपूर्ण से पूर्ण को निकालने का कोई उपाय नहीं है।

अगर तुम सही हो तो नर्क ही एकमात्र सत्य है। अगर मैं सही हूं तो स्वर्ग हो सकता है। चुनाव तुम्हारा है। और तुम्हारी जिंदगी है और तुम्हें चुनना है। मैं तुमसे कहता हूं: भोगो जीवन को इस क्षण! नाचो, गुनगुनाओ! आनंदित होओ! यह आनंद का अभ्यास सघन होगा तो इसी आनंद के अभ्यास की सघनता में कल भी आएगा। और तुम आज में ही रस लेना सीख लोगे, तो कल भी तुम रस लोगे, और रसधार बहेगी। परसों भी आएगा, तब तक तुम्हारा रस का अभ्यास और गहन हो जाएगा। तुम और रस से भर जाओगे। तुम और मुग्ध मतवाले, तुम्हारे रोएं-रोएं में मदिरा फैल गई होगी। परसों भी आएगा; तुम और नाचोगे, और गुनगुनाओगे। धीरे-धीरे तुम पाओगे, तुम्हें नाचना आ गया। अब आंगन टेढ़ा हो कि चौकोर, आंगन हो कि न हो, अब तुम नाच सकते हो। अब तो तुम बैठे भी रहो शांत तो भी भीतर नृत्य चलता है। अब तो तुम न भी बोलो तो भी गीत उठते हैं। अब तो तुम कुछ भी न करो तो भी कमल खिलते चले जाते हैं।

नियति, स्वभाव का इतना ही अर्थ है: जो अपने से हो रहा है, और जो अपने से होगा।

जिसे करने के लिए चेष्टा की जरूरत है, वह तुम्हारी नियति नहीं। चेष्टा का अर्थ ही यह होता है कि कुछ नियति के विपरीत करने चले हो; तुमने कुछ

अपनी योजना बनाई। जो परमात्मा ने तुम्हें ब्लूप्रिंट दिया, जो परमात्मा ने तुम्हें जीवन की दिशा दी, गंतव्य दिया, उससे अन्यथा तुमने कोई यौजना बनाई। और इसलिए तो तुम्हारी योजना कभी पूरी नहीं होती। सदा तुम्हारी योजना टूटती है, पराजित होती है।

तुम परमात्मा से लड़ कर जीत न सकोगे। उससे जीतने का एक ही रास्ता है, उससे हार जाना। प्रेम में हार ही विजय है। प्रार्थना में भी वही बात है। प्रार्थना में भी हार विजय है। तुम हारो!

तुमने कब से बांध रखे आदर्श, क्या करोगे? और इतना भी तुम नहीं देखते कि जीवन भर आदर्श की चेष्टा करके तुम उपलब्ध क्या कर पाते हो?

मैं देखता हूं, कोई ब्रह्मचर्य का आदर्श बनाए बैठा है। सब तरह से अपने को कसता है। दीवालें बनाता है, बाधाएं खड़ी करता है, छाती पर पत्थर अटकाता है, ताकि किसी तरह वासना न उठे। लेकिन जितनी चेष्टा करता है उतना ही वासना से भरता चला जाता है। वासना मालूम होती है परमात्मा की है, और ब्रह्मचर्य तुम्हारा है। वासना तो तुम्हें मिली है, ब्रह्मचर्य तुम ला रहे हो। वासना तो स्वाभाविक, प्राकृतिक है; ब्रह्मचर्य आदर्श है।

मैं यह नहीं कह रहा हूं कि ब्रह्मचर्य फलित नहीं होता; फलित होता है, लेकिन ऐसे ही फलित होता है जैसे वासना फलित हुई है। तुम छोड़ो परमात्मा पर, तुम सहज भाव से बहे चले जाओ। वह जहां ले चले—कभी अंधेरे, कभी उजाले; कभी आंसुओं में, कभी मुस्कुराहटों में—तुम चले चलो। तुम निष्ठा रखो। तुम वासना में भी यही खयाल रखो : प्रभु की मर्जी! उसने जो चाहा है, हो रहा है। तुमने तो वासना पैदा नहीं की।

एक महात्मा मेरे पास आए और कहने लगे : बस, वासना से छुटकारा करवा दें। मैंने कहा, तुमने पैदा की है? उन्होंने कहा कि नहीं, मैंने तो पैदा नहीं की है। मैंने कहा, जो तुमने पैदा नहीं की उसे तुम मिटा न सकोगे। जो तुमने पैदा की है उसे तुम मिटा सकते हो। तुम पत्नी को छोड़ कर भाग सकते हो, क्योंकि पत्नी तुमने चुनी है, बनाई है। लेकिन वासना छोड़ कर कहां भागोगे? जहां जाओगे वासना रहेगी। तुम स्त्रियों से आंख बंद कर ले सकते हो, तुम आंख फोड़ ले सकते हो। स्त्रियों को देखो न देखो, इससे कुछ फर्क न पड़ेगा। वासना को कैसे मिटाओगे? अंधा भी वासना को देखता रहता है।

तुमने सुनी है सूरदास की कथा? मुझे ठीक नहीं मालूम पड़ती, सच नहीं मालूम पड़ती। क्योंकि कथा ऐसी बेहूदी है कि सूरदास का सारा मूल्य खराब हो जाता है। सूरदास जैसे कीमती मनुष्य के जीवन में ऐसी घटना घट सकती है, यह

मैं मानने को राजी नहीं। घटी हो तो सूरदास दो कौड़ी के। न घटी हो, तो ही सूरदास में कुछ मूल्य है।

कथा कहती है कि सूरदास ने एक सुंदर युवती को देखा और वे चल पड़े उसके पीछे। उसके द्वार पर भिक्षा मांगी, फिर रोज-रोज भिक्षा मांगने जाने लगे। फकीर हैं। अपना लिए इकतारा, गीत गुनगुनाते रहते हैं; लेकिन सब गीत अब उस स्त्री की तरफ समर्पित होने लगे। घबड़ाहट पैदा हुई। तो कहते हैं, अपनी आंखें फोड़ डालीं। सूरदास उस दिन हुए। आंखें फोड़ लीं, अंधे हो गए। क्योंकि सोचा कि जो आंखें भटका रही हैं, इन आंखों से क्या संग-साथ!

यह कहानी जरूर नासमझों ने गढ़ी होगी। क्योंकि आंखें फोड़ लेने से वासना से कहीं मुक्ति होती है? आंखें फोड़ लेने से तो वासना बाहर दिखाई पड़ती थी, अब भीतर दिखाई पड़ने लगेगी।

तुम कभी सोचो, एक सुंदरी जाती हो रास्ते से, घबड़ाहट में आंखें बंद कर लो, साधु-महात्मा हो जाओ—तो आंखें बंद करके क्या स्त्री का रूप खो जाता है? और सुंदर हो कर प्रकट होता है। और सुगंधित हो कर प्रकट होता है। वह साधारण सी स्त्री, जो खुली आंख से देखते तो शायद उससे छुटकारा भी हो जाता। कौन स्त्री, कौन पुरुष इतना सुंदर है कि अगर ठीक से देखो तो छुटकारा न हो जाए! अगर गौर से देखते तो मुक्त भी हो जाते। अब आंख बंद करके तो बड़ी मुश्किल हो गई। अब तो स्त्री अप्सरा हो गई, सपना बन गई।

तुमने खयाल किया, तुम्हारे सपनों में जैसी सुंदर स्त्रियां होती हैं, ऐसी सुंदर स्त्रियां जगत में नहीं हैं! इसलिए तो कवि बड़े अतृप्त रहते हैं, क्योंकि वे जैसी कल्पना कर लेते हैं स्त्रियों की, वैसी स्त्रियां कहीं मिलती नहीं। चित्रकार बड़े अतृप्त रहते हैं, मूर्तिकार बड़े अतृप्त रहते हैं। किसी से मन नहीं भरता।

अब जो मूर्ति गढ़ता है, उसकी रूप की कल्पना बड़ी प्रगाढ़ है। नाक-नक्श का उसका अनुपात बड़ा गहरा है। वह तो अति सुंदर हो तो ही सुंदर हो सकता है, वैसा तो कोई चेहरा कहीं मिलता नहीं। सपने इतने सुंदर हैं कि यथार्थ उनसे फीका पड़ता है।

तो जिसकी भी कल्पना प्रगाढ़ है, वह कभी जीवन में तृप्त नहीं होता। उसकी कल्पना ही कहे चली जाती हैः इसमें क्या रखा है? इसमें क्या रखा है? उसकी कल्पना तुलना का आधार रहती है।

आंख बंद करने से कल्पना तो न मिटेगी, सपने तो न मिटेंगे। आंख बंद करने से तो जो ऊर्जा थोड़ी-बहुत बाहर चली जाती थी, सपने नहीं बनती थी, वह भी सपने बनने लगेगी। सारी ऊर्जा सपना बनने लगेगी।

तो जिस व्यक्ति ने वासना के खिलाफ ब्रह्मचर्य का आदर्श बनाया, वह ब्रह्मचर्य को तो उपलब्ध नहीं होता, एक मानसिक व्यभिचार को उपलब्ध होता है। उसके भीतर-भीतर वासना दौड़ने लगती है।

मैं यह नहीं कह रहा हूं कि ब्रह्मचर्य घटित नहीं होता, लेकिन आदर्श की तरह कभी घटित नहीं होता। वासना को समझ कर वासना को जी कर, वासना के अनुभव से, वासना के रस में डूब कर, प्रतीति से, साक्षात से, धीरे-धीरे तुम्हें दिखाई पड़ता है कि वासना से कुछ भी मिलने को नहीं है। और धीरे-धीरे वासना में ही तुम्हें दिखाई पड़ना शुरू होता है—निर्वासना की पहली —पहली झलकें।

ब्रह्मचर्य की पहली झलकें वासना की गहराई में ही मिलती हैं। संभोग की आत्यंतिक गहराई में ही पहली दफे समाधि की किरण उतरती है। वैसी किरण जब उतर आती है, बस फिर घटना घट गई। फिर तुम उस किरण के सहारे चल पड़ो, सूरज तक पहुंच जाओगे। फिर तुम्हें कोई रोक सकता नहीं। लेकिन वह घटना उतनी ही स्वाभाविक है, जैसे वासना स्वाभाविक है, कामना स्वाभाविक है, ब्रह्मचर्य भी स्वाभाविक है। थोपा, आरोपित, आयोजित ब्रह्मचर्य दो कौड़ी का है।

तुम हिंसक हो, अहिंसा का आदर्श बना लेते हो। सच तो यह है कि तुम आदमी का आदर्श देख कर बता सकते हो कि आदमी कैसा होगा, उल्टा कर लेना। अगर आदमी का आदर्श ब्रह्मचर्य हो तो समझ लेना कामी आदमी है। कामी के अतिरिक्त कौन ब्रह्मचर्य का आदर्श बनाएगा! अगर आदमी दान को आदर्श मानता हो, तो समझना लोभी है। अगर आदमी करुणा को आदर्श मानता हो, समझना क्रोधी है। अगर आदमी कहता हो, जीवन में शांति आदर्श है तो समझ लेना, अशांत आदमी है, विक्षिप्त आदमी है।

तुम मुझे बता दो किसी आदमी का आदर्श और मैं बता दूंगा उसका यथार्थ क्या है। यथार्थ बिलकुल विपरीत होगा। इस गणित में तुम्हें कभी चूक न होगी। तुम पूछ लो आदमी से, आपका आदर्श क्या है महानुभाव? और आप उनके यथार्थ से परिचित हो जाओगे। अगर आदमी कहे कि अचौर्य मेरा आदर्श है, तो अपनी जेब सम्हाल लेना; यह आदमी चोर है। क्योंकि चोर के लिए ही केवल अचौर्य का आदर्श हो सकता है। जो आदमी चोर नहीं है उसे तो खयाल भी नहीं आएगा कि अचौर्य भी आदर्श है। अगर वह कहे कि ईमानदारी मेरा आदर्श है, तो वह बेईमान है।

तुम आदर्शों को मत देखना। तुम तत्क्षण विपरीत खोजना—और तुम्हें अचानक उस आदमी के जीवन की कुंजी मिल जाएगी।

जिस आदमी के जीवन में ईमानदारी है उसे ईमानदारी का खयाल ही नहीं रह जाता; जो है, उसका खयाल ही भूल जाता है। स्वस्थ आदमी के जीवन में कभी भी स्वास्थ्य का आदर्श नहीं होता; बीमार आदमी के जीवन में होता है। तुम बीमारों को देखोगे प्राकृतिक चिकित्सा की किताबें पढ़ रहे हैं, ऐलोपैथी, होम्योपैथी, बायोकेमिस्ट्री और न मालूम कहां-कहां से खोज कर ले आते हैं। बीमार आदमी को तुम हमेशा स्वास्थ्य के शास्त्र पढ़ते देखोगे। स्वस्थ आदमी को हैरानी होती है कि कुछ और पढ़ने को नहीं है? यह क्या पढ़ रहे हो तुम? प्राकृतिक चिकित्सा, कि पेट पर मिट्टी बांधो, कि सिर पर गीला कपड़ा रखो, कि टब में लेटे रहो, कि उपवास कर लो, कि ऐसा करो, कि एनीमा ले लो, यह तुम कर क्या रहे हो? यह कोई...?

वह आदमी कहेगा, स्वास्थ्य मेरा आदर्श है। लेकिन यह आदमी बीमार है। यह बुरी तरह से बीमार है। इसका रोग भयानक है। यह रोग से ग्रस्त है।

और आदर्श बनाना कहीं और से नहीं आता—तुम्हारे रोग से आता है। स्वस्थ आदमी को स्वास्थ्य का पता नहीं चलता। वस्तुतः स्वास्थ्य की परिभाषा यही है कि जब तुम्हें शरीर का बिलकुल पता न चले तो तुम स्वस्थ। अगर शरीर का कहीं भी पता चले तो बीमार। बीमारी का मतलब क्या होता है? सिर में जब दर्द होता है तो सिर का पता चलता है। सिर में दर्द न हो तो सिर का पता चलता ही नहीं। तुम सोचो, देखो। सिर की तुम्हें याद कब आती है? जब सिर में दर्द होता है। अगर कोई आदमी चौबीस घंटे सिर के संबंध में सोचने लगे तो समझना कि सिर उसका रुग्ण है। पैर में कांटा गड़ता है तो पैर का पता चलता है। जूता काटता है तो जूते का पता चलता है। अगर जूता काटता न हो तो जूते का पता चलता है?

जिस चीज से पीड़ा होती है उसका हमें पता चलता है। जब पता चलता है तो उससे विपरीत को हम आदर्श बनाते हैं।

आदर्श रुग्ण चित्त के लक्षण हैं। स्वस्थ व्यक्ति आदर्श नहीं बनाता; जो स्थिति है, उसको समझने की कोशिश करता है, उसको जीने की कोशिश करता है—ध्यान-पूर्वक, होशपूर्वक। और उसी होश से स्वास्थ्य फलित होता है। उसी होश से ब्रह्मचर्य फलित होता है, करुणा फलित होती है।

तुम अपने क्रोध को समझो, क्रोध को जीयो—करुणा अपने आप आ जाएगी। आदर्श मत बनाओ। तुम अपनी कामवासना को पहचानो, दीया जलाओ होश का। तुम कामवासना में होशपूर्वक जाओ। ऐसे डरे-डरे, सकुचाते, परेशान, घबड़ाए हुए, तने हुए, नहीं जाना और जाना पड़ रहा है—ऐसे अपराध में डूबे हुए

मत जाओ। इसमें कुछ सार न होगा। सहज भाव से जाओ। प्रभु ने जो दिया है, अर्थ होगा। जो समग्र में उठ रहा है, उसमें अर्थ होगा।

तुम यहां होते नहीं अगर वासना न होती; न तुम्हारे महात्मा होते, न ब्रह्मचर्य का उपदेश देने वाले होते। वे सब वासना के ही फल हैं।

तो जिस वासना से बुद्ध जैसे लोग पैदा होते, उस वासना को गाली दोगे? जिस वासना से महावीर जैसे फल लगते, उसको गाली दोगे? जिस वासना से अष्टावक्र जन्मते, तुम उसे गाली देते थोड़ा संकोच नहीं करते?

अगर ब्रह्मचर्य इस जगत में फला है तो वासना से ही फला है। फल को तो तुम आदर देते हो, वृक्ष को इंकार करते हो? तो तुम भूल कर रहे हो। तो तुम्हारे जीवन के गणित में साफ-सुथरापन नहीं, बड़ी उलझन है, बड़ा विभ्रम है।

बुद्ध हों कि महावीर, कृष्ण हों कि मुहम्मद कि क्राइस्ट—सब आते हैं। वासना के सागर में ही ये लहरें उठती हैं और ब्रह्मचर्य की ऊंचाई पर पहुंच जाती हैं। सागर को धन्यवाद दो, विरोध मत करो।

जब मैं कहता हूं, सभी आदर्श खतरनाक हैं, तो मेरा मतलब इतना ही है कि जीवन पर्याप्त है, इसके ऊपर तुम और आदर्श मत थोपो, जीवन में गहरे उतरो। जीवन की गहराई में ही तुम उन मणियों को पाओगे, जिनको तुम चाहते हो।

वासना में उतर कर मिलता है ब्रह्मचर्य। मैं यह नहीं कह रहा हूं कि सभी वासना से भरे लोगों को ब्रह्मचर्य मिल जाएगा या मिल गया है। मेरी शर्त खयाल में रखना। वासना में उतर कर मिलता है; लेकिन जो जागरूकता से उतरता है, बस उसी को मिलता है; जो साक्षी-भाव से उतरता है, उसी को मिलता है।

तो दुनिया में दो तरह के लोग हैं साधारणतः—वासना में उतरते मूर्च्छा से, उनको कुछ नहीं मिलता; फिर वासना से भयभीत होकर भागते ब्रह्मचर्य की तरफ मूर्च्छा में, उनको भी कुछ नहीं मिलता। मिलता उसे है जो सजग होकर, जाग कर, जीवन जो दिखाए उसे देखने को राजी होता है; जो कहता है, मेरी निजी कोई मर्जी नहीं, प्रभु जो दिखाएगा उसे देखेंगे, लेकिन साक्षी को जगा कर देखेंगे, पूरा-पूरा देखेंगे, रत्ती-रत्ती देखेंगे, कुछ छोड़ न देंगे, छोड़ने की जल्दी न करेंगे।

ऐसे सजग जागरण में सभी आदर्श अपने आप फलने लगते हैं।

जब मैं तुमसे कहता हूं, आदर्श छोड़ो तो मैं आदर्शों के विरोध में नहीं हूं। अगर तुम मेरी बात समझो तो मैं ही आदर्शों के पक्ष में हूं। क्योंकि जो मैं कह रहा हूं, उसी से आदर्श फलेंगे। और जो तुम सुनते रहे हो, उससे आदर्श कभी नहीं फलते।

आदर्श के पीछे दौड़ो और आदर्श कभी न मिलेगा। और मैं तुमसे कहता हूंः

रुको, जो है उसमें उतरो। आदर्श अपने आप फल जाएंगे।

स्वभाव का अर्थ ही यही है, नियति का अर्थ ही यही है: कुछ करने को नहीं है। जाग कर जीना है। और जागना कोई करना थोड़े ही है! वह तो तुम्हारी क्षमता ही है। उसमें कुछ कृत्य जैसा नहीं है।

लेकिन अहंकार आदर्शों से पलता है। तुम चकित होओगे। अहंकार बहुत घबड़ाता है इस बात से जो मैं कह रहा हूं। क्योंकि अगर मेरी बात तुमने मानी तो अहंकार इसी क्षण मर जाएगा। फिर अहंकार को सजाने के लिए कोई उपाय न रहेगा। अहंकार सजता है आदर्शों से। न तो कभी आदर्श मिलते, लेकिन अहंकार की दौड़ हो जाती। दौड़ में अहंकार है। और आदर्श दौड़ की सुविधा देते हैं। किसी को धन कमाना है, तो अहंकार को सुविधा है। किसी को पद पर पहुंचना है, तो अहंकार को सुविधा है। किसी को मोक्ष पाना है, तो अहंकार को सुविधा है। किसी को त्यागी बनना है, तो अहंकार को सुविधा है। मैं कहता हूं: कुछ बनना नहीं, तुम हो! तो दौड़ खत्म। दौड़ गिरी, अहंकार गिरा।

अहंकार बड़ी सूक्ष्म प्रक्रिया है। अगर तुमने निरहंकारिता का आदर्श बना लिया तो भी अहंकार बना रहेगा। अहंकार कहता है, निरहंकार होना है। फिर चली यात्रा, फिर चल पड़े तुम। फिर मन का व्यापार शुरू हो गया।

तुम कोई आदर्श मत बनाओ। फिर देखो क्या घटता है! तुम इतना ही कह दो कि जो हूं हूं, ऐसा हूं! खोल कर रख दो अपनी किताब, ढांको मत। उदघोषणा कर दो कि बुरा हूं, पापी हूं, क्रोधी हूं, कामी हूं—ऐसा हूं। और अपने बनाए हूं ऐसा नहीं, क्योंकि मैंने कभी ऐसा बनना नहीं चाहा। ऐसा मैंने अपने को पाया है तो मैं कर क्या सकता हूं? देखूंगा जो है। बैठ कर देखेंगे इस खेल को, जो प्रभु ने दिखाना चाहा, जरूर कोई राज होगा।

और राज है। राज यही है कि इस लीला को तुम देखने वाले बन जाओ, तुम द्रष्टा बन जाओ।

आदर्श तुम्हें कर्ता बना देते हैं; कुछ करने का मौका हो जाता है।

मैं तुमसे आदर्श छीन रहा हूं। अष्टावक्र तुमसे आदर्श छीन रहे हैं, सिर्फ इसलिए ताकि कर्ता को कोई जगह न बचे। आदर्श गए तो करने के सब उपाय गए। फिर करोगे क्या? फिर तो होना ही बचा। शुद्ध होना!

आदर्श से सावधान रहना! आदर्श के कारण ही तुम्हारा जीवन रिक्त रह गया है। आदर्श के कारण ही आदर्श नहीं फल पाए, नहीं फूल पाए। अगर सच में ही तुम चाहते हो कि आदर्श तुम्हारे जीवन को भर दें तो आदर्शों को बिलकुल भूल जाओ और जीवन के साक्षी हो जाओ। जैसा है, है। जो है, है। इस तथाता में ठहरो।

इसमें रत्ती भर हेर-फेर करने की आकांक्षा मत करो। तुम हो कौन? तुम हेर-फेर कर कैसे सकोगे?

जरा धार्मिक लोगों की विडंबना तो देखो! एक तरफ कहते हैं, उसके बिना हिलाए पत्ता नहीं हिलता, और ये महात्मा बन रहे हैं—उसके बिना हिलाए! इनसे थोड़ा पूछो कि जब उसके बिना हिलाए पत्ता नहीं हिलता तो यह पापी कैसे हिलेगा? जब वह हिलाएगा, हिलेंगे। जब तक नहीं हिलाता तो जरूर कोई राज होगा, स्वीकार करेंगे। अगर दुख दे रहा है तो जरूर मांजने के लिए दे रहा होगा। अगर कामना दी है तो जरूर जलने के लिए दी होगी। इसी आग से गुजर कर निखरेगा रूप। तो स्वीकार करेंगे।

पत्ता नहीं हिलता उसकी बिना आज्ञा के, और तुम सारे जीवन को बदल देने की चेष्टा कर रहे हो? तुम हो कौन? और तुम्हारे किए कब क्या हुआ है?

और फिर इस जाल को और भी थोड़ा गौर से देखो। तुम जो भी करोगे, तुम्हीं करोगे न? कामी कोशिश करेगा ब्रह्मचर्य लाने की, लेकिन कामी कोशिश करेगा न? कामी की कोशिश कामना की ही होगी। क्रोधी कोशिश करेगा करुणा की, क्रोधी करेगा न? तो क्रोधी की सारी चेष्टा में क्रोध होगा। करुणा भी क्रोध से विषाक्त हो जाएगी।

अहंकारी विनम्र बनने की चेष्टा करता है, पर अहंकारी करता है। तो तुम विनम्र आदमियों को देखो! उन जैसे सजे-सजाए अहंकारी तुम्हें कहीं भी न मिलेंगे। कोई आदमी आता है, तुमसे कहता है: आपके पैरों की धूल हूं मैं! वह यह नहीं कह रहा है कि मैं पैरों की धूल हूं। वह यह कह रहा है, मैं बड़ा विनम्र आदमी हूं। वह यह कह रहा है कि अब तुम मुझसे कहो कि नहीं-नहीं, आप और पैरों की धूल? आप तो सरताज हैं! वह यह सुनने को खड़ा है कि बोलो अब! वह यह कह रहा है कि छुओ मेरे चरण! देखो मैंने इतनी विनम्रता दिखाई कि कहा कि मैं तुम्हारे पैरों की धूल हूं!

और अगर तुमने मान लिया कि नहीं, आप बिलकुल ठीक कहते हैं, पहले तो मैं तो ऐसा मानता ही हूं सदा से कि आप बिलकुल पैरों की धूल हैं। तो वह आदमी तुम्हें जिंदगी भर माफ न कर सकेगा। हालांकि कहा उसी ने था। तुमने कुछ और कुछ जोड़ा न था। तुमने इतना ही कहा कि आप बिलकुल ठीक कह रहे हैं। सभी को पता है। एक-एक आदमी जानता है इस गांव में कि आप बिलकुल पैरों की धूल, पैरों की धूल से भी गए-बीते हैं।

फिर देखना उस आदमी की आंख में कैसी आग जलती है! तब तुम्हें पक्का पता चलेगा कि विनम्रता की ओट में भी अहंकार पलता है। लेकिन स्वाभाविक है। अहंकार ही विनम्र होने की कोशिश कर रहा है, अन्यथा होगा भी कैसे?

तो मैं तुम्हारे विपरीत किन्हीं आदर्शों को तुम्हारे ऊपर नहीं थोपना चाहता। क्योंकि तुम्हीं थोपोगे उन्हें, अड़चन खड़ी होगी। मैं तो चाहता हूं कि तुम जीवन, जैसा तुम्हारा है, जो तुम्हारे जीवन का यथार्थ है, उस यथार्थ को समझो। उसी यथार्थ की समझ में से खिलेंगे फूल, उठेंगे गीत। उसी यथार्थ के बोध में से तुम्हारे जीवन में क्रांति घटेगी। क्रांति घटती है—तुम्हारे घटाए नहीं घटती। तुम जाग कर देखने लगो जो है—और घटती है!

क्रांति प्रभु-प्रसाद है।

दूसरा प्रश्नः एक ही सपना बार-बार पुनरुक्त होता है, इसलिए पूछता हूं। सपना ऐसा हैः मैं कार चला रहा हूं, पहाड़ी रास्ता है और यात्रा ऊपर की ओर है। अचानक कार पीछे की तरफ जाने लगती है—रिवर्स। और मैं रोकने की कोशिश करता हूं, लेकिन न मैं गियर सम्हाल पाता हूं और न ब्रेक और न स्टीयरिंग। असहाय होकर दुर्घटना के किनारे पहुंच जाता हूं और तभी चौंक कर जाग जाता हूं। कभी-कभी कार जब उतार पर होती है, तब भी मेरा सब नियंत्रण जाता रहता है। लेकिन एक बात सदा महसूस होती है कि यद्यपि मैं ड्राइवर हूं तो भी मेरा पैर एक्सीलरेटर पर नहीं है। गाड़ी अपने आप चलती है। मैं रोकने की कोशिश करता हूं और नियंत्रण नहीं रख पाता हूं।

सपना महत्वपूर्ण है और सभी के काम का है। और अभी-अभी जो मैं पहले प्रश्न के उत्तर में कह रहा था, उससे जुड़ा हुआ है। उसी संदर्भ में समझने की कोशिश करना।

'मैं कार चला रहा हूं, पहाड़ी रास्ता है, यात्रा ऊपर की ओर है।'

सभी लोग जीवन को ऊपर की ओर खींच रहे हैं—पहाड़ी पर! आदर्श यानी पहाड़, ऊपर! सभी कोशिश कर रहे हैंः गंगोत्री में पहुंच जाएं गंगा में तैर कर। गंगा के साथ जाने को कोई तैयार नहीं, विपरीत जा रहे हैं। धार के विपरीत बह रहे हैं।

अहंकर को मजा ही धार के विपरीत बहने में है। धार के साथ बहने में क्या मजा! धार के साथ बहने में तो तुम बचते ही नहीं, धार ही बचती है। तुम्हारा क्या है? छोड़ दिए हाथ-पैर, चल पड़े, तो गंगा तुम्हें ले जाएगी सागर तक, गिरा देगी वहां बंगाल की खाड़ी में। लेकिन तुम्हारा क्या? तुम इतना भी तो न कह पाओगे

कि मैंने इतनी यात्रा की। लोग हंसेंगे। वे कहेंगे, 'तुमने यात्रा की? यह तो गंगा की यात्रा है। तुम तो बचे कहां? तुम तो उसी दिन मिट गए जिस दिन तुमने. धार में अपने को छोड़ा। तुम तो बच सकते थे एक ही तरकीब से कि लड़ते धार से, जाते ऊपर की तरफ। उलटे बहते। विपरीत करते कुछ।

तो देखना तुम, तुम्हारा त्यागी, तुम्हारा महात्मा महत रूप से अहंकारी हो जाता है। वह धारे के विपरीत बह रहा है। वह तुमसे कहता है : 'तुम क्या हो, क्षुद्र मनुष्य! पापी! कामवासना में पड़े हो। देखो मुझे, ब्रह्मचर्य साध रहा हूं! तुम हो क्या? जमीन के कीड़े, लोभ में पड़े हो, क्रोध में पड़े हो! क्षुद्र क्षणभंगुर में पड़े हो! मुझे देखो, विराट की तलाश कर रहा हूं!'

तुम जरा अपने महात्माओं को जाकर गौर से तो देखना। उनकी आंख में ही तुम्हारी निंदा है। उनके व्यवहार में तुम्हारी निंदा है। उनके उठने-बैठने में तुम्हारी निंदा है। वे धारे के विपरीत जा रहे हैं। उन्होंने अहंकार छोड़ने की कोशिश की है, वासना छोड़ी, क्रोध छोड़ा, धन छोड़ा, परिवार छोड़ा, सब छोड़ा। तुम क्या कर रहे हो? तुम साधारण भोगी! तुम गंगा में बह रहे हो। तुम्हें भी लगता है कि बात तो ठीक है, हम कर क्या रहे हैं? इसलिए तुम भी महात्माओं के चरण छूते हो। महात्माओं के चरण छूने में तुम इतना ही कहते हो कि करना तो हमको भी यही है; कर नहीं पा रहे, मजबूरियां हैं, हजार झंझटें हैं, घर-द्वार, बाल-बच्चे, पाल ली उलझन! कर नहीं पा रहे, लेकिन आपको देख कर प्रसन्नता होती है कि चलो कोई तो कर रहा है।

तुम कोई आदमी शीर्षासन लगाए खड़ा हो तो रुक कर देखने लगते हो। पैर के बल खड़े आदमी को कौन देखता है! वह कुछ उलटा कर रहा है। कांटों पर कोई आदमी सोया हो तो लोग फूल चढ़ाने लगते हैं। लेकिन तुम अच्छी शैया लगा कर और लेट जाओ, कोई फूल न चढ़ाएगा। उलटे लोग पत्थर मारने लगेंगे कि 'यह क्या लगा है? बीच में, बाजार में उपद्रव किया हुआ है! बिस्तर अपने घर में लगाओ!' लेकिन कांटों की शैया पर कोई सो जाए तो लोग फूल चढ़ाते हैं। अच्छे बिस्तर पर, शानदार बिस्तर को लगा कर कोई लेट जाए तो लोग पत्थर मारते हैं।

क्या, मामला क्या है? आदमी उलटे में रस लेता मालूम होता है, क्योंकि उलटे में पता चलता है कि कोई कुछ कर रहा है।

'मैं कार चला रहा हूं, पहाड़ी रास्ता है और यात्रा ऊपर की ओर है।'

सभी यही कर रहे हैं, यही सबका सपना है, और यही सबकी जिंदगी है। और तुम्हारी जिंदगी इस सपने से भिन्न नहीं है।

'अचानक कार पीछे की तरफ जाने लगती है—रिवर्स। और मैं रोकने की कोशिश करता हूं।'

ऐसे मौके जीवन में बहुत बार आएंगे कि तुम तो ले जाना चाहते हो पहाड़ की चोटी पर, लेकिन जीवन की घटनाएं तुम्हें पीछे की तरफ ले जाने लगती हैं। तब घबड़ाहट पैदा होती है। तुम तो जाना चाहते हो गंगोत्री की तरफ और गंगा जा रही है सागर की तरफ, वह तुम्हें सागर की तरफ ले जाने लगती है। कई दफा तुम थक जाते। कई दफा तुम हार जाते। स्वाभाविक के विपरीत कब तक लड़ोगे? अगर कार को ऊपर ले जाना हो तो पेट्रोल चाहिए। नीचे लाना हो तो पेट्रोल की कोई जरूरत नहीं है, तो पेट्रोल बंद कर दो, कार अपने से चली आएगी, क्योंकि नीचे आना स्वाभाविक है; ग्रेवीटेशन, जमीन की कशिश खींच लेती है। ऊपर जाना अस्वाभाविक है, इसलिए बड़ी शक्ति की जरूरत पड़ती है।

तो हजार मौके आएंगे जीवन में, जब तुम अचानक पाओगे कार पीछे की तरफ सरकने लगी। और जब भी ऐसे मौके आएंगे, तुम रोकने की कोशिश करोगे; क्योंकि यह तो तुम्हारे अहंकार के बिलकुल विपरीत हो रहा है। यह तो तुम्हारे संकल्प के विपरीत हो रहा है। यह तो तुम्हारी हार हुई जाती, यह तो तुम पराजित होने लगे, यह तो विफलता आ गई।

'और मैं रोकने की कोशिश करता हूं, लेकिन न मैं गियर सम्हाल पाता हूं, न ब्रेक और न स्टीयरिंग।'

यह मेरे पास रहने का परिणाम है अजित सरस्वती! अब यह सम्हलेगा नहीं। अब न तो तुम गियर सम्हाल पाओगे, न ब्रेक सम्हाल पाओगे, न स्टीयरिंग। क्योंकि मेरा सारा प्रयोजन तुम्हें समझाने का इतना ही है कि जीवन के साथ एकरस हो जाओ। जहां जीवन ले जाए वहीं चलो, वहीं मंजिल है।

तो अब तुम सपने में भी न रोक पाओगे, यह शुभ है। रोक लेते तो दुर्घटना थी। यह शुभ है कि अब सपने में भी तुम रोक नहीं पाते। तुम्हारा नियंत्रण खो रहा है। तुम्हारा नियंत्रण खो रहा है, अर्थात तुम्हारा अहंकार खो रहा है, क्योंकि अहंकार नियंता है। जैसे ही तुमने अहंकार छोड़ा, परमात्मा नियंता है, फिर तुम नियंता नहीं हो। जब तक तुम्हारा अहंकार है, तुम नियंता हो; तब तक परमात्मा इत्यादि की तुम कितनी ही बातें करो, लेकिन परमात्मा से तुम्हारा कोई संबंध नहीं बन सकता। तुम हो, तो परमात्मा नहीं है।

अच्छा हो रहा है कि अब न गियर सम्हलता, न ब्रेक लगता, न स्टीयरिंग पर पकड़ रह गई है।

'असहाय होकर दुर्घटना के किनारे पहुंच जाता हूं।'

वह दुर्घटना जैसी लगती है, क्योंकि तुम ऊपर जाना चाहते थे। खयाल रखना, कौन सी बात दुर्घटना है? घटना पर निर्भर नहीं होता, तुम्हारी व्याख्या पर निर्भर होता है। तुम जो करना चाहते थे उसके विपरीत हो जाए तो दुर्घटना है। तुम जो करना चाहते थे उसके अनुकूल हो जाए तो सौभाग्य, फिर दुर्घटना नहीं है। तुम्हारे ऊपर निर्भर है। तो वह जो अहंकार की छोटी सी बची हुई कहीं छिपी कोने में पड़ी हुई आशा है, वह तत्क्षण कहती है, यह तो दुर्घटना हुई जा रही है! नियंत्रण खोए दे रहे हो! यह तो कार तुम्हारी तुम्हारे हाथ के बाहर हुई जा रही है।

'असहाय होकर दुर्घटना के किनारे पहुंच जाता हूं।'

तुम नहीं चाहते और पहुंच जाते हो, इसलिए असहाय अवस्था मालूम होती है। अगर तुम चाहने लगो तो जिसे तुम असहाय कह रहे हो, वह असहाय न रह जाएगी। उसी अवस्था में तुम पाओगे, जहां तुमने अपना सब आधार छोड़ा, वहीं, जहां तुम निराधार हुए, वहीं परमात्मा का आधार मिला। तब तुम अचानक पाओगे, पहली दफा आसरा मिला। अब तक असहाय थे, क्योंकि अपने सिवाय अपना कोई सहारा नहीं था। वह भी कोई सहारा था? तिनकों को पकड़े थे और सागर में तैरने की सोचते थे। कागज की नाव में बैठे थे। अब पहली दफा तुम पाओगे कि बेसहारा होकर सहारा मिला। हारे को हरिनाम!

जैसे ही आदमी पूर्ण रूप से हार जाता है, हरिनाम का उदघोष होता है। निर्बल के बल राम! जब तुम बिलकुल निर्बल सिद्ध हो जाते हो, सब तरह से असहाय, उसी क्षण तुम्हें प्रभु का सहारा मिलना शुरू हो जाता है। तुम्हारे कारण ही बाधा पड़ रही थी, अब कोई बाधा न रही।

'असहाय होकर दुर्घटना के किनारे पहुंच जाता हूं और तभी चौंक कर जाग जाता हूं।'

वहीं जागने की घटना घटेगी जहां अहंकार बिलकुल असहाय होकर गिर जाता है। यह सपना सुंदर है। यह सपना बड़ा सार्थक है। इसका एक-एक प्रतीक मूल्यवान है। इसलिए यह बार-बार दोहर रहा होगा। क्योंकि यह सपना ही नहीं है, यह अजित की जिंदगी में भी घट रही बात है। सपना तो उसका प्रतिफलन है। सपना तो केवल छाया है अचेतन में—उस घटना की जो उनके जीवन में चारों तरफ घट रही है।

'और तभी चौंक कर जाग जाता हूं।'

अगर जागना हो तो बेसहारा हो जाओ, असहाय हो जाओ। जब तक तुम्हें अकड़ रहेगी कि मैं कुछ कर लूंगा, तब तक तुम सोए रहोगे। जब तक तुम्हें अकड़ रहेगी कि मैं कर्ता हूं, तब तक तुम सोए रहोगे। जैसे ही तुम्हारी अकड़ टूटने लगेगी,

न गियर सम्हलेगा, न ब्रेक, न स्टीयरिंग, अचानक गाड़ी चलने लगेगी तुम्हारे नियंत्रण के बाहर, उसी क्षण तुम जाग जाओगे।

अहंकार मूर्च्छा है, निद्रा है। निरहंकार होना जाग जाना है, अमूर्च्छा है।

'कभी-कभी कार जब उतार पर होती है, तब भी मेरा सब नियंत्रण जाता रहता है।'

उतार से ही हम डरते हैं। उतार शब्द से ही घबड़ाहट है। चढ़ाव तो अहंकार को रस देता है; उतार, तो बेचैनी शुरू हो जाती है।

इसलिए तो जवानी में रस होता है, बुढ़ापे में बेचैनी शुरू हो जाती है। कोई बूढ़ा नहीं होना चाहता। होना पड़ता है, यह दूसरी बात है। कोई होना नहीं चाहता। और लोग बूढ़े भी हो जाते हैं, तब तक दावा भी करते रहते हैं कि वे जवान हैं। और लोग बड़े प्रसन्न होते हैं उनकी बात को सुन कर।

पंडित जवाहरलाल नेहरू बुढ़ापे तक कहते रहे हैं कि मैं जवान हूं! और सारा मुल्क प्रसन्न होता था कि बिलकुल ठीक बात है।

यह क्या बात हुई? चढ़ाव पर ही रहने में रस है, उतार को स्वीकार करने की भी हिम्मत नहीं? लेकिन मुल्क को बड़ा अच्छा लगता था कि मुल्क का प्रधानमंत्री कहता है कि मैं जवान हूं बुढ़ापे में, कि मैं साठ साल का जवान हूं, कि मैं पैंसठ साल का जवान हूं! हम बड़े प्रसन्न होते थे। वह प्रसन्नता हमारे भीतर की आकांक्षा को बताती है। हममें से भी कोई बूढ़ा नहीं होना चाहता है। हम सब जवान रहना चाहते हैं। हम सब चढ़ाव पर रहना चाहते हैं, सदा चढ़ाव पर रहना चाहते हैं।

मगर सोचो भी तो, चढ़ाव बिना उतार के हो कैसे सकते हैं? चढ़ते ही रहोगे और उतार न होगा तो पागल हो जाओगे। हर पहाड़ के पास खाई होगी, खड्ड होगा। हर बड़ी लहर के पीछे गड्ढा होगा। जवानी के साथ बुढ़ापा जुड़ा है। और अगर जवान ही कोई रह जाए, अटक जाए तो सड़ांध पैदा होगी, बहाव मिट जाएगा। बूढ़ा होना बिलकुल स्वाभाविक है। जैसे जवानी को स्वीकार किया, वैसे बुढ़ापे को स्वीकार करना। जो अटक गया जवानी में, उसका प्रवाह रुक गया।

बुढ़ापे से हम सभी घबड़ाते हैं। जब आदमी देखता है पहले बाल सफेद होने लगे, तो बड़ा घबड़ा जाता है। जब पहली दफा देखता है पैर कंपता है चलने में, हाथ थर्राता है—बड़ा घबड़ा जाता है! उतार आ गया! और हम तो सोचते थे, सदा जवान रहेंगे। और हम तो सोचते थे, सदा जीएंगे। यह तो उतार आ गया! अब मौत भी ज्यादा दूर न होगी। यह तो मौत का संदेशवाहक आ गया।

बुढ़ापे को हम इंकार करते हैं, क्योंकि हम मौत को इंकार करना चाहते हैं।

बुढ़ापा तो सीढ़ी है मौत की तरफ। लेकिन ध्यान रखना, जो बुढ़ापे को इंकार करता है, मृत्यु को इंकार करता है, वह जीवन को भी स्वीकार नहीं कर पाता। क्योंकि जीवन में ही तो ये घटनाएं घटती हैं—बुढ़ापा और मृत्यु। ये जीवन के ही तो अंतिम चरण हैं। यह जीवन का ही तो आखिरी चरण, आखिरी अभिव्यक्ति है। यह आखिरी स्थिति है। यह जीवन का ही तो अंतिम उदघोष है—मृत्यु। यह जीवन का तार जो अंतिम स्वर बजाता है, वह मृत्यु का है। तो फिर जीवन को भी तुम प्रेम नहीं कर पाते।

'नीचे आते कार को देखता हूं, तब भी नियंत्रण जाता रहता है।'

असल में जब भी कोई चीज नीचे आती है, तभी तुम्हें पता चलता है कि अपने नियंत्रण में सब कुछ नहीं है। जब तक चीजें ठीक चलती हैं, पत्नी झगड़ती नहीं, बच्चे ठीक से स्कूल में पढ़ते हैं, धंधा, दुकान कमाई में चलती है—तब तक सब ठीक है। तब तक तुम्हें पता नहीं चलता कि तुम असहाय हो। फिर अचानक देखा कि दुकान टूटी, दिवाला निकल गया। जब तक दीवाली, तब तक ठीक; जब दिवाला, तब घबड़ाए कि यह अपने बस के बाहर हुई जा रही है बात। मैं तो सोचता था, सब अपने बस में है; और दीवाली ही दीवाली रहेगी।

यह 'दिवाला' शब्द बड़ा बढ़िया है। अब दीवाली बिना दिवाले के हो कैसे सकती है? दीवाली तो स्त्री है, दिवाला तो पति है। यह तो पूरा जोड़ा ही है। तुम सोचते थे, सिर्फ दीवाली से गुजार लें; मगर जब पत्नी आ गई तो पति भी आ रहा है पीछे से। देर-अबेर आ ही जाएगा।

पत्नी ठीक है, कोई झगड़ा-झांसा नहीं, सब ठीक चल रहा है—तो तुम सोचते हो बिलकुल तरंग उठ रही है, जीवन बड़ी प्रसन्नता से भरा है, अहंकार मजबूत है। जरा सा पत्नी कलह कर देती है, जरा सा उपद्रव खड़ा हो जाता है कि बस क्षण भर में तुम्हारा सब संगीत खो जाता है, सब लय विच्छिन्न हो जाती है। तत्क्षण तुम्हें पता चलता है : अरे, यह नाव डूबने वाली है!

तुमने कभी खयाल किया, जरा सा झगड़ा हो जाए पत्नी से, तुम सोच लेते हो : कहां पड़ गए इसकी झंझट में, क्यों विवाह किया, यह मर ही जाए तो बेहतर, या कहीं छूट निकलें तो अच्छा! अभी क्षण भर पहले सब ठीक चल रहा था, तब अहंकार तरंगें ले रहा था।

अहंकार बड़ा घबड़ाता है पराजय से, उतार से। लेकिन उतार ही मनुष्य को परमात्मा की तरफ लाती है। दीवाला ही परमात्मा की तरफ लाता है। अगर तुम जीतते ही चले जाओ तो तुम कभी धार्मिक बनोगे ही नहीं। तुम्हारी जीत में वस्तुतः तुम्हारी नियति की हार है। और जब तुम हारते हो तब पहली दफे तुम्हें अपनी

असली स्थिति का पता चलता है: हम इस विराट में एक छोटी सी तरंग हैं, एक बूंद हैं सागर में। हमारी जीत क्या, हमारी हार क्या! जीत है तो उसकी, हार है तो उसकी।

'लेकिन एक बात सदा महसूस होती है कि यद्यपि मैं ड्राइवर होता हूं तो भी मेरा पैर ऐक्सीलरेटर पर कभी नहीं होता।'

यह बात ठीक है। है भी नहीं किसी का पैर ऐक्सीलरेटर पर। ऐक्सीलरेटर पर पैर तो परमात्मा का है।

तुम्हारी हालत तो वैसी है जैसे कोई छोटा बच्चा बाप से कहता है, कार में बैठा कर मुझे चलाने दो। और बाप ऐक्सीलरेटर पर पैर रखता है, ब्रेक पर पैर रखता है, स्टीयरिंग भी पकड़े रहता है और लड़के को सम्हलवा देता है स्टीयरिंग और लड़का बड़ा अकड़ से, बड़ा मजे से...हालांकि वह जो घुमा रहा है वह भी बाप ही घुमा रहा है...और बड़ा प्रसन्न होता है कि गाड़ी चला रहा है! उस वक्त उसका चेहरा देखो, उसकी प्रफुल्लता देखो! वह चारों तरफ देखता है कि लोग देख लें कि गाड़ी कौन चला रहा है।

यह जीवन की जो गाड़ी है, इस पर ऐक्सीलरेटर पर पैर तुम्हारा नहीं है, कभी नहीं है; न स्टीयरिंग तुम्हारे हाथ में है। तुम छोटे बच्चे की भांति हो, जो भ्रांति में पड़ गया है। गाड़ी अपने आप चलती है, गाड़ी अपने आप ही चल रही है। तुम्हारे चलाने की जरा भी जरूरत नहीं। तुम नाहक परेशान हो रहे हो, पसीने-पसीने हुए जा रहे हो। यह बच्चा नाहक परेशान हो रहा है। यह सोच रहा है, गाड़ी यह चला रहा है, अगर न चलाए तो मुश्किल हो जाएगी। बड़ा हॉर्न बजा रहा है। यह सोच रहा है इसके बिना तो सब अस्तव्यस्त हो जाएगा यह सारा, अभी दुर्घटना हो जाएगी, कहीं कोई टक्कर हो जाएगी। यह पसीने-पसीने हुए जा रहा है। इसे पता नहीं कि तेरे न हॉर्न बजाने से कुछ होना है, न तू गाड़ी को सम्हाल रहा है। गाड़ी कोई और सम्हाले हुए है। किन्हीं विराट हाथों में सब है। हम सिर्फ साक्षी हो जाएं। कर्ता हम नहीं हैं। हम सिर्फ साक्षी हो जाएं, तो बड़ी हंसी आएगी। जीवन की इस विडंबना पर बड़ी हंसी आएगी कि खूब मजाक रही।

'गाड़ी अपने आप चलती है। मैं रोकने की कोशिश करता हूं और नियंत्रण नहीं रख पाता हूं।'

नियंत्रण छोड़ देना ही मेरी देशना है। मैं तुमसे कहता हूं: छोड़ो सब नियंत्रण! तुम्हारे हाथ बड़े छोटे हैं, इनसे नियंत्रण हो भी न सकेगा। तुम छोड़ो प्रभु पर। करने दो उसे नियंत्रण। तुम नहीं थे, तब भी यह जगत चल रहा था। फूल खिलते थे, चांद निकलते थे, वर्षा आती, धूप आती! तुम नहीं थे, तब भी सब चल रहा था।

चांद-तारे घूमते, सूरज निकलता! तुम नहीं रहोगे, तब भी सब चलता रहेगा। इतना विराट चल रहा है। तुम नाहक इसमें परेशान हो रहे हो।

मैंने सुना है, एक छिपकली राजा के महल में रहती थी। स्वभावतः राजा के महल में रहती थी तो वह अपने को सम्राट से कम नहीं मानती थी। कोई साधारण छिपकली न थी। गांव की और छिपकलियों में उसका बड़ा समादर था। उसको बड़े निमंत्रण भी मिलते थे कि आज इस जगह उदघाटन कर दो, कि नई छिपकली ने घर बसाया, कि किसी छिपकली का विवाह हो रहा है, कि किसी छिपकली को बच्चा पैदा हुआ; लेकिन वह कभी जाती नहीं, वह मुस्कुरा कर टाल देती। वह कहती, किसी और को ले जाओ, क्योंकि मैं अगर चली गई तो इस महल के छप्पर को कौन सम्हालेगा? यह महल गिर जाएगा।

छिपकली सोचती है सम्हाले है छप्पर को! कोई सम्हाले नहीं। हमारे सम्हाले कुछ सम्हला नहीं। लेकिन हमारे अहंकार के कारण हम यह बात मानने को राजी नहीं हो पाते कि हमारे बिना भी महल रह जाएगा। असंभव!

वर्नर इरहार्ड एक छोटी सी कहानी कहते हैं, कि अमरीका के पहाड़ों में बसे एक कबीले में एक गुरु था। वह रोज सांझ को—उसके पास एक जादुई कंबल था—वह जोर से कंबल को उठा कर घुमाता और तत्क्षण आकाश में तारे निकलने शुरू हो जाते। ऐसा सदियों से होता रहा था। और वह कबीला मानता था कि गुरु के कंबल में कुछ जादू है। क्योंकि जब भी गुरु घुमाता है कंबल को, फिर तुम जाओ बाहर और देखना शुरू करो, शीघ्र ही आकाश में तारे दिखाई पड़ने लगते हैं। उस गुरु से लोग बहुत डरते थे, क्योंकि खतरनाक मामला है, किसी दिन कंबल न घुमाए, फेंक दे कंबल, कह दे कि नहीं निकालते तारे—तो क्या होगा?

फिर ऐसा हुआ कि कोई दूसरे कबीले का चोर, गुरु का कंबल एक दफे चुरा कर ले गया। अब गुरु बड़ी मुश्किल में पड़े। सबसे बड़ी मुश्किल यह थी...ऐसे तो गुरु को भी यही भरोसा था, उनके कंबल घुमाने से तारे निकलते हैं...सारा कबीला उदास है कि अब क्या करें? आज क्या होगा? सब अस्त-व्यस्त हो गया। लेकिन कुछ अस्त-व्यस्त न हुआ। तारे निकल आए ठीक समय पर। कहते हैं गुरु ने आत्महत्या कर ली। फिर कोई रहने का कोई उपाय नहीं रहा। लोग हंसने लगे। उन्होंने कहा, हम भी बड़ी नासमझी में पड़े थे। तारे निकलते ही थे। कंबल से तारों के निकलने का कोई संबंध न था। यह तो कंबल ठीक वक्त पर घुमाते थे। सूरज ढल गया, ठीक समय तय था, तब यह कंबल घुमा देते थे। कंबल के घुमाने और तारों के निकलने में कोई कार्य-कारण का संबंध न था।। कंबल घुमाओ न घुमाओ, तारे निकलते ही हैं।

तुम करो न करो, जो होता है होता है। तुम्हारे किए कुछ भी नहीं है। जिस दिन यह बात तुम्हें समझ में आ जाएगी, जिस दिन तुम्हारा कंबल चोरी चला जाएगा...और वही हुआ, अजित सरस्वती का कंबल चोरी जा रहा है, खींच रहा हूं धीरे-धीरे, काफी तो निकल गया है, थोड़ा सा पकड़े रह गए हैं वे हाथ में, वह भी जिस दिन छूट जाएगा, उसी दिन यह सपना बंद हो जाएगा। उस दिन तुम अचानक पाओगे ः हम व्यर्थ ही परेशान हो रहे थे; जीवन चल ही रहा है, सुंदरतम ढंग से चल रहा है। इससे और ज्यादा गौरवशाली ढंग हो नहीं सकता। बड़ी गरिमा और प्रसाद से चल रहा है। हम व्यर्थ ही इसमें शोरगुल मचा रहे थे। हम व्यर्थ ही चिल्ला रहे थे, चीख रहे थे।

हम चीखते-चिल्लाते हैं, क्योंकि हमारा अहंकार यह मानने को राजी नहीं हो पाता कि हमारे बिना भी दुनिया चलती रहेगी। हमारे बिना, और दुनिया चलती रहेगी? असंभव! हम गए कि महल का छप्पर गिरा।

नहीं, महल का छप्पर तुमसे सम्हला नहीं है। न तुम्हारे कंबल के घुमाने से जीवन चल रहा है। इस भ्रांति को छोड़ देने का नाम ही धर्म है। तुम ईश्वर को मानो या न मानो, धार्मिक होने से ईश्वर को मानने न मानने का कुछ प्रयोजन नहीं। तुम इसकी भ्रांति छोड़ दो कि मेरे चलाए सब चल रहा है—तुम धार्मिक हो गए; तुमने जान ही लिया प्रभु को; परमात्मा अवतरित हो ही गया; तुम उसके आमने-सामने खड़े हो गए। फिर साक्षात में क्षण भर देर नहीं होती।

तीसरा प्रश्न ः मैंने देश के अनेक आश्रमों में देखा है कि वहां के अंतेवासियों के लिए कुछ न कुछ अनिवार्य साधना निश्चित है, जिसका अभ्यास उन्हें नियमित करना पड़ता है। परंतु आश्चर्य है कि यहां ऐसा कोई साधन, अनुशासन नहीं दिखता। कृपया इस विशिष्टता पर कुछ प्रकाश डालने की अनुकंपा करें!

मैं यहां मौजूद हूं, मैं तुम्हारा अनुशासन हूं। जब मैं न रहूं, तब तुम्हें नियम, व्यवस्था, अनुशासन की जरूरत पड़ेगी। शास्ता हो, तो शासन की कोई जरूरत नहीं। जब शास्ता न हो तो शासन परिपूरक है। मुर्दा आश्रमों में तुमने जरूर यह देखा होगा।

यह एक जिंदा आश्रम है। अभी यह जिंदा है। मरेगा कभी—और तब तुम निश्चित मानो ः नियम भी होंगे, अनुशासन भी होगा। मेरे जाते ही नियम होंगे, अनुशासन होंगे; क्योंकि तुम बिना नियम-अनुशासन के रह नहीं सकते—तुम ऐसे

गुलाम हो! मैं भी लाख उपाय करता हूं तब भी तुम बार-बार पूछने लगते हो: कुछ नियम, कुछ अनुशासन! मेरी सारी चेष्टा तुम्हें समझाने की यह है कि तुम्हारे हाथ में कुछ भी नहीं है। क्या अनुशासन? क्या नियम?

तुम पांच बजे सुबह उठ आओगे तो ज्ञान को उपलब्ध हो जाओगे? किस मूढ़ता में पड़े हो? पांच बजे उठो कि चार बजे उठो कि तीन बजे उठो, तुम मूढ़ के मूढ़ ही रहोगे। मूढ़ पांच बजे उठे कि तीन बजे, कोई फर्क नहीं पड़ता। घड़ी से तुम्हारे आत्मज्ञान का कोई संबंध नहीं है। मगर मूढ़ों को रस मिलता है। उनको कम से कम कुछ सहारा मिल जाता है। मैं उनको कोई सहारा नहीं देता। उनको अगर मैं कह दूं ब्रह्ममुहूर्त में उठो तो ब्रह्मज्ञान होगा...। हालांकि उन्हें तकलीफ होगी उठने में पांच बजे, अड़चन पाएंगे, लेकिन अड़चन में मजा आएगा; क्योंकि अड़चन में लगेगा कार ऊपर की तरफ चढ़ रही है। उनको मैं कह दूं, रोज सुबह शीर्षासन लगा कर खड़े हो जाओ...। बुद्धू मालूम पड़ेंगे शीर्षासन करते हुए। कौन आदमी सुंदर मालूम पड़ता है सिर के बल खड़ा! लेकिन तकलीफ भी होगी, गर्दन भी दुखेगी; लेकिन फिर भी उनको रस आएगा। वे कहेंगे, चलो कुछ कर तो रहे, मोक्ष की तरफ बढ़ तो रहे!

मैं तुमसे कह रहा हूं, तुम मुक्त हो। हां, तुम्हें अगर आनंद आता हो पांच बजे उठने में, बराबर उठो; लेकिन पांच बजे उठने से मोक्ष मिलेगा, इस भ्रांति में मत पड़ना। तुम्हें अगर सिर के बल खड़े होने से रस मिलता हो, बराबर खड़े हो जाओ, मैं तुम्हें रोकता नहीं। लेकिन मैं तुमसे यह नहीं कह सकता हूं कि सिर के बल तुम खड़े हो गए तो संबोधि की घटना घट जाएगी। तुम सस्ती तरकीबें चाहते हो, मैं तुम्हें कोई तरकीब नहीं देता।

मेरे रहते इस आश्रम में कोई नियम, अनुशासन होने वाला नहीं है। मेरे रहते यह आश्रम अराजक रहेगा, क्योंकि अराजकता जीवन का लक्षण है। मैं तुम्हें परिपूर्ण स्वतंत्रता देता हूं कि तुम जो भी होना चाहो और जैसे भी होना चाहो, जागरूकता-पूर्वक वही होने में रस लो।

पूछा है 'स्वामी योग चिन्मय' ने। बार-बार, चिन्मय घूम-फिर कर यही पूछते हैं। जिन मुर्दा आश्रमों में उनको जाने का दुर्भाग्य से अवसर मिला, उनसे पीछा नहीं छूटता। क्योंकि कहीं कोई एक दफे भोजन करते हैं, कहीं कोई तीन बजे रात उठते हैं, कहीं कोई सिर के बल खड़े होते हैं, नौली-धोती करते हैं, कहीं कोई योगासन साधते हैं, कहीं क्रियायोग, कहीं कुछ, कहीं कुछ। और सब एक जबर्दस्त अनुशासन की तरह, कि न किया तो पाप, अपराध; किया तो पुण्य! ये मूढ़ता के लक्षण हैं।

मैं तुम्हें स्वतंत्रता देता हूं। मैं तुम्हें अपराधी नहीं सिद्ध करना चाहता किसी भी कारण से। क्योंकि नियम दूंगा तो उसके पीछे अपराध का भाव आता है। किसी दिन पांच बजे सुबह तुम न उठ पाए तो पीछे से अपराध का भाव आता है कि आज आज्ञा का उल्लंघन हो गया; तुम्हें मैंने अपराधी कर दिया। पांच बजे उठने से तो कुछ मिलने वाला था नहीं। इतनी सस्ती बात नहीं है। स्वास्थ्यपूर्ण है पांच बजे उठो, लेकिन मोक्ष से कुछ लेना-देना नहीं है। ताजी हवा होती है, सुंदर सुबह होती है, एस्थेटिक है। सौंदर्य का जिन्हें बोध है, वे सुबह पांच बजे उठेंगे; लेकिन धर्म से इसका कुछ लेना-देना नहीं। जिन्हें थोड़ा काव्य का रस है वे चूकेंगे नहीं, क्योंकि सुबह पांच बजे जैसी दुनिया होती है, जैसी सुंदर, आदमी से अछूती! अभी सब बुद्धू और बुद्धिमान, सब सो रहे हैं, अभी दुनिया अछूती है; जैसी भगवान ने बनाई होगी, कुछ-कुछ वैसी है! तो पांच बजे जिनको थोड़ा भी जीवन में रस है, वे जरूर उठेंगे।

मेरी बात को तुम समझ लेना। मैं यह नहीं कह रहा हूं, तुम पांच बजे मत उठो। मैं तो कह रहा हूंः जिनमें थोड़ी भी समझ है वे जरूर उठेंगे। लेकिन यह अनुशासन नहीं है। उठे, तो तुम्हारी मौज। उठे, तो तुमने लाभ लिया, फल मिल गया। तुम्हें मैं कोई प्रमाण-पत्र न दूंगा कि तुम महाज्ञानी हो, क्योंकि पांच बजे उठते हो; क्योंकि तुम उठे तो तुमने लाभ ले लिया, अब और कुछ प्रशंसा की जरूरत नहीं है। अगर न उठे तो तुम चूक गए। एक सुंदर सुबह थी मौजूद, तुम्हारे द्वार खटखटाई थी, तुम पड़े सोए रहे, घुर्राते रहे। बाहर संगीत फैल रहा था, सुबह का सूरज ऊगा था, तुम आंखें बंद किए अपनी तंद्रा में पड़े रहे, तुम चूक गए! दंड तुम्हें काफी मिल गया। अब और मैं तुम्हें इसके ऊपर से अपराधी सिद्ध करूं कि तुमने आज्ञा का उल्लंघन किया—यह तो गलत हो जाएगा।

मुल्ला नसरुद्दीन एक दिन जा रहा था अपनी कार से। तेज चला रहा था। पुलिस वाले ने रोका। पुलिस वाले के रोकते ही...पीछे पत्नी बैठी थी मुल्ला की गाड़ी में। वह एकदम मुल्ला पर नाराज होने लगी कि हजार दफे कहा कि तुम आंख के अंधे हो? तुम्हें दिखाई नहीं पड़ता? कि इतनी तेजी से कार मत चलाओ? तुम्हें मीटर नहीं दिखाई पड़ता? और तुम्हें मैं पूरे वक्त चिल्लाती रहती हूं कि बाएं घूमो, दाएं घूमो, फिर भी तुम चले जा रहे हो। न तुम्हें लाइट दिखाई पड़ती है कि अब यह गाड़ी जाने की है कि नहीं है। तुम होश में हो?

वह पुलिसवाला यह सब सुनता रहा। आखिर उसने मुल्ला से कहा कि अब आप जाइए, आपको सजा पहले ही काफी मिल चुकी, अब और क्या सजा? यह पत्नी काफी है।

जो आदमी सुबह नहीं उठा, उसे सजा काफी मिल चुकी। अब और क्या उस बेचारे को, गरीब को और दंड दे रहे हैं कि पापी है, कि अपराधी है, कि आज्ञा का उल्लंघन हो गया!

नहीं, मैं तुम्हें कोई अनुशासन नहीं देता। मैं तो तुम्हें सिर्फ केवल एक बोध-मात्र देता हूं कि तुम जो भी करो जाग कर करो।

अब रह गई बात...पूछा है, अनिवार्य साधना? कुछ अनिवार्य नहीं है यहां। क्योंकि जो भी अनिवार्य हो, वह बंधन बन जाता है। जो करना ही पड़े, वह बंधन बन जाता है। इसी तरह तो हमने बहुत सुंदर चीजें खराब कर दीं। जो करना ही पड़े, उसका रस ही खो जाता है। तुम गए, और मां है, तो उसके पैर छूना ही चाहिए, वह अनिवार्य है, तो मां के पैर छूते हो—मजा खो गया, अनिवार्य हो गया! उससे मौज चली गई, उसमें से मुक्ति चली गई। अब तुम छूते हो, क्योंकि मां है और सदा छूना चाहिए, इसलिए छूते हो—एक नियम, औपचारिकता।

मुल्ला एक दिन अपने घर आया। और उसने देखा उसका मित्र उसकी पत्नी को चूम रहा है। तो वह बड़ा हैरान हो गया, सकते में खड़ा हो गया। मित्र भी घबड़ा गया, पत्नी भी घबड़ा गई और वह कुछ बोले ही नहीं। मित्र ने पूछा, कुछ बोलो तो! उसने कहा, बोलें क्या! मुझे तो करना पड़ता है यह, लेकिन तुम क्यों कर रहे हो? मुझे तुम्हारी बुद्धि पर तरस आता है। खैर, मेरी वह पत्नी है तो मुझे वह करना पड़ता है। इसमें कोई...मगर तुम्हें क्या हुआ?

जो करना पड़ता है, उसमें से सब रस चला जाता है—वह चाहे पत्नी का चुंबन ही क्यों न हो। दुलार और प्रेम और आलिंगन भी कष्टपूर्ण मालूम होने लगते हैं, अगर करने पड़ें। अनिवार्य...!

मैं एक संस्कृत विद्यालय में शिक्षक था। जब मैं पहले-पहले वहां गया तो संस्कृत महाविद्यालय था, तो पंडितों का राज्य था वहां तो। मैं तो बिलकुल एक उपद्रव की तरह वहां पहुंच गया। कुछ भूल-चूक हो गई सरकार की, वह मुझे वहां ट्रांसफर कर दिया। जल्दी उन्होंने फिर सुधार ली, छह महीनों में मुझे वहां से हटाया, क्योंकि वहां बड़ा उपद्रव शुरू हो गया। वे तो सब पंडित थे और वहां तो उन्होंने बड़ी अजीब हालत कर रखी थी।

तो मैं, कोई मेरे पास रहने की जगह न थी तो छात्रावास में मैं रुका। कोई सत्तर अस्सी विद्यार्थी छात्रावास में थे। उनको तीन बजे रात उठना पड़ता था, अनिवार्य। संस्कृत महाविद्यालय! कोई इस आधुनिक सदी का तो नहीं, गुरुकुल पुराना! तीन बजे रात उठना! सर्दी हो कि गर्मी, वर्षा हो कि कुछ, तीन बजे तो उठना ही पड़ता। और फिर सबको कुएं पर जाकर स्नान करना है। मैं भी गया। जब तीन बजे पूरा

होस्टल उठ आया तो मैं भी उठा, मैं भी गया कुएं पर। मुझे लोग तब जानते भी नहीं थे। पहले ही दिन आया था, तो किसी ने मेरी फिकर भी नहीं की। वे अपने नहा रहे थे और वे गाली दे रहे थे प्रिंसिपल से लेकर परमात्मा तक को—मां-बहन की गाली! मैंने सुना, यह भी खूब हो रहा है! इस गाली-गलौज के बाद फिर उनको प्रार्थना करने खड़ा होना पड़ता था, तो वे किसी तरह प्रार्थना करते।

मैंने प्रिंसिपल को कहा कि देखो, तुम नर्क में सड़ोगे। उसने कहा, क्या मतलब? मैंने कहा कि ये लड़के, सत्तर लड़के, रोज सुबह अनिवार्य रूप से प्रिंसिपल से लेकर परमात्मा तक को गाली देते हैं। तुम्हें गाली ठीक, मगर परमात्मा को गाली पड़ रही हैं, तुम इसके कारण हो।

यह अनिवार्यता खतरनाक है, मैंने कहा।

उसने कहा, नहीं, यह अनिवार्य नहीं है; जैसा कि लोग हमेशा कहते हैं। यह तो लोग अपनी स्वेच्छा से, अपने मजे से करते हैं। तो मैंने कहा, फिर मेरे हाथ में आप दे दो। मैं नोटिस लगा देता हूं और कल तीन बजे सुबह आप भी कुएं पर मौजूद हो जाना और मैं भी हो जाऊंगा।

नोटिस मैंने लगा दिया कि 'जिनको करना हो स्नान तीन बजे केवल वे ही उठें; जिनको प्रार्थना में सम्मिलित होना हो केवल वे ही उठें। कोई अनिवार्यता आज से नहीं है।'

मेरे और प्रिंसिपल के सिवाय कुएं पर कोई नहीं था। मैंने पूछा, कहो जनाब! अब अगर हिम्मत हो तो डूब जाओ कुएं में!

उन्होंने मुझे छह महीने के भीतर वहां से कहा कि नहीं, आप यहां से जाओ, यह सब गड़बड़ कर दिया! सब ठीक चल रहा था।

इसको ठीक चलना कहते हो? अनिवार्यता? प्रार्थना और अनिवार्य हो सकती है? प्रेम और अनिवार्य हो सकता है? पूजा और अनिवार्य हो सकती है? अनिवार्य तो केवल चीजें कारागृह में होती हैं। जीवन में कुछ भी अनिवार्य नहीं। भूल कर भी किसी चीज को अनिवार्य मत करना, अन्यथा उसी क्षण उस चीज का मूल्य नष्ट हो जाएगा।

जीवन बड़ा नाजुक है, फूल जैसा नाजुक है! इस पर अनिवार्यता के पत्थर मत रख देना, नहीं तो फूल मर जाएगा। मुझसे कोई आकर भी पूछता है, आश्रमवासी हैं, मुझसे पूछते हैं आकर कि हम अनिवार्य रूप से आपको सुबह सुनने आएं? मैं कहता हूं, भूल कर मत आना। अनिवार्य, और मुझे सुनने? तुम मुझे गालियां देने लगोगे। तुम्हें आना हो तो आना, तुम्हें न आना हो तो न आना। और भूल कर भी अपराध अनुभव मत करना कि हम आश्रम में रहते हैं और हम सुनने न गए और लोग इतने दूर से आते हैं! इसकी फिकर छोड़ो। तुम्हारी जब मौज

हो, तब तुम आ जाना। तो अगर महीने में तुम एक बार भी आए तो इतना पा लोगे जितना कि अनिवार्य आकर महीने भर में भी नहीं पा सकते थे; क्योंकि पाने की घटना तो प्रेम से घटती है।

तो यहां अनिवार्य कुछ भी नहीं है। और अनुशासन जो बाहर से थोपा जाए वे तो बेड़ियां हैं। मैं तुमसे कहूं कि ध्यान करो, यह भी कोई बात हुई? मैं रोज सुबह समझा रहा हूं ध्यान का रस, बहाता रसधार सुबह रोज ध्यान की, गंगा तुम्हारे सामने कर देता हूं—अब यह भी तुमसे कहूं कि रोज गंगा में स्नान करो, कि रोज पीयो जलधार? अब यह तुम्हारी मर्जी है। इतना क्या कम है कि मैंने गंगा तुम्हारे सामने ला दी। अब यह भी मुझे करना पड़ेगा? गंगा का इतना गुणगान कर दिया, अब ठीक है, अब तुम्हारी मौज। तुम्हें ध्यान करना हो करो, न करना हो न करो। लेकिन मैं तुमसे यह नहीं कहूंगा कि अनिवार्य रूप से तुम्हें ध्यान करना है। क्योंकि जैसे ही अनिवार्य हुई कोई बात वैसे ही गड़ने लगती है, कांटे की तरह गड़ने लगती है। ध्यान जैसी महिमापूर्ण चीज को खराब तो मत करो।

तो तुम पूछे हो कि अनिवार्य साधना निश्चित होती आश्रमों में, जिसका अभ्यास उन्हें नियमित करना होता है।

नहीं, यहां मेरे पास कुछ भी नियम नहीं है और न कोई अभ्यास है तुम्हें देने को। सब अभ्यास अहंकार के हैं। अध्यात्म का कोई अभ्यास नहीं। मैं तो कहता हूंः जागो! इति ज्ञानं! यही ज्ञान है! इति ध्यानं! यही ध्यान है! इति मोक्षः! यही मोक्ष है!

तुम जाग कर जीने लगो, ध्यान तुम्हारे चौबीस घंटे पर फैल जाएगा। ध्यान कोई ऐसी चीज थोड़े ही है कि कर लिया सुबह उठ कर और भूल गए फिर। ध्यान तो ऐसी धारा है जो तुम्हारे भीतर बहनी चाहिए। ध्यान तो ऐसा सूत्र है जो तुम्हारे भीतर बना रहना चाहिए; जो तुम्हारे सारे कृत्यों को पिरो दे एक माला में। जैसे हम माला बनाते हैं तो फूलों को धागे में पिरो देते हैं, फूल दिखाई पड़ते, धागा तो दिखाई भी नहीं पड़ता—ऐसा ही ध्यान होना चाहिए, दिखाई ही न पड़े। जीवन के सब काम—उठना-बैठना, खाना-पीना, चलना, बोलना, सुनना, सब—फूल की तरह ध्यान में अनस्यूत हो जाएं, ध्यान का धागा सब में फैल जाए।

तो ध्यान तो मेरे लिए जागरण और साक्षी-भाव का नाम है।

और जब मैं न रहूंगा, तब निश्चित यह उपद्रव होने वाला है। क्योंकि कोई न कोई 'योग चिन्मय' इस कुर्सी पर बैठ जाएंगे। ऐसी मुश्किल है...यह कुर्सी खाली थोड़े ही रहेगी। कोई न कोई चलाने लगेगा अनुशासन। जिस दिन अनुशासन चलने लगे, उस दिन समझना मेरा संबंध टूट गया इस जगह से।

जिस दिन यहां नियम हो जाए, अनिवार्यता हो जाए, अभ्यास हो जाए, उस दिन जानना यह मेरा आश्रम न रहा; यह एक मुर्दा आश्रम हो गया, जो जुड़ गया दूसरे मुर्दा आश्रमों से।

मेरे जीते-जी ऐसा न हो सकेगा। मैं स्वयं जी रहा हूं और तुम्हें भी जिंदा देखना चाहता हूं, मुर्दा नहीं। मैं तुम्हें साधक नहीं मानता। मैं तुम्हें सिद्ध मानता हूं। और मैं चाहता हूं कि तुम भी अपनी सिद्धावस्था को स्वीकार कर लो। मैं चाहता हूं कि तुम भी कह सको ः अहो, मेरा मुझको नमन!

चौथा प्रश्न ः आबू में जो अनुभव हुआ था, वह अब प्रगाढ़ हो गया है। सतत आनंद का भाव बना रहता है। जीवन धन्य हो गया प्रभु! जो अनुभव में आया है, उसे कह नहीं पाती। अहोभाव के सागर में तैर रही हूं। मेरे अनंत प्रणाम स्वीकार करें।

पूछा है 'हेमा' ने।

हेमा को जो आबू में हुआ था, वह निश्चित अनूठा था। जिसको झेन फकीर सतोरी कहते हैं, समाधि की पहली झलक, हेमा को आबू में घटी। इतनी आकस्मिक थी कि वह खुद भी भरोसा न कर पाई। तीन दिन तक वह हंसती ही रही, उसकी हंसी देखने योग्य थी। वैसी हंसी तुम्हें फिर कहीं और सुनाई नहीं पड़ सकती। वैसी हंसी केवल सतोरी के बाद ही आती है।

यह मैंने उससे तब कहा भी नहीं था कि यह सतोरी है, आज कहता हूं। क्योंकि उस वक्त कहने से उसका अहंकार मजबूत हो सकता था। अब डर नहीं है।

वह तीन दिन तक हंसती ही रही। उसकी हंसी बड़ी अलौकिक थी। वह रुक ही न पाती थी; अकारण, सतत हंसी जारी रही।

ऐसा बोधिधर्म के जीवन में उल्लेख है, जब उसे पहली दफे समाधि उपलब्ध हुई तो वह हंसता ही रहा तीन दिन तक। हंसता रहा इस बात पर, कि भरोसा ही न आए कि क्या हो गया—और ऐसा रस, और ऐसी गुदगुदी कि भीतर से कोई गुदगुदाए जा रहा है। अपनी सीमा में न रहा।

उसके परिवार के लोग चिंतित भी हुए कि यह पागल हो गई। स्वभावतः, मिनट दो मिनट की हंसी भी कठिन मालूम होने लगती है। हम रोने के ऐसे आदी हैं कि अगर आदमी तीन दिन रोता रहे तो कोई पागल न कहेगा। देखो मजा, उसको हम स्वीकार करते हैं। लेकिन अगर कोई आदमी तीन दिन तक सतत हंसता रहे तो पागल निश्चित हो गया। यहां आनंदित होने में बड़ा खतरा है। यहां लोग ऐसे दुख

में रहे हैं कि दुख को तो स्वीकार करते हैं; आनंद तो संभव ही नहीं है, ऐसा मान लिया है; सिर्फ पागलों को हो सकता है।

सिगमंड फ्रॉयड ने अपने जीवन भर के अनुभवों के बाद लिखा है कि आदमी सुखी हो ही नहीं सकता। चालीस साल का सतत मनोविश्लेषण, हजारों-हजारों रोगियों का इलाज और उसके बाद उसका यह अनुभव है कि आदमी सुखी हो ही नहीं सकता। यह असंभव है। दुख आदमी की नियति है।

तो जब सिगमंड फ्रॉयड जैसा विचारशील व्यक्ति यह कहे तो सोचना पड़ता है कि जरूर दुख आदमी की नियति बन गया है। कृष्ण अपवाद मालूम होते हैं, नियम नहीं। बांसुरी लगता नहीं कि बज सकती है जीवन में। और कभी-कभी जब हम बांसुरी में डूबते भी हैं तो सिर्फ इसीलिए कि जीवन का दुख भूल जाए, और कुछ नहीं। बांसुरी में हमें रस नहीं है; जीवन का दुख भुलाने का एक उपाय है, विस्मरण की एक व्यवस्था है।

हेमा जब हंसी थी तो वह हंसी वही थी जो बोधिधर्म की हंसी थी। वह तीन दिन तक हंसती रही। उसके परिवार, प्रियजनों में तो बड़ी घबड़ाहट फैल गई। उसके परिवार और प्रियजनों में से जो मुझे सुनने आते थे, उन सबने आना बंद कर दिया...हेमा तो पागल हो गई! लेकिन बड़ी अनूठी घटना घटी थी।

पूछा है उसने : 'आबू में जो अनुभव हुआ था वह अब प्रगाढ़ हो गया है। सतत आनंद का भाव बना रहता है, जीवन धन्य हो गया है प्रभु। जो अनुभव में आया उसे कह नहीं पाती। अहोभाव के सागर में तैर रही हूं।'

अब हंसी खो गई है। वह उद्वेग चला गया। क्योंकि वह उद्वेग तो प्राथमिक क्षण में ही होता है। फिर तो हंसी धीरे-धीरे रोएं-रोएं में समा गई है। अब वह प्रफुल्लित है, आनंदित है। एक स्मित है व्यक्तित्व में। अब रस सिर्फ ओंठों में नहीं है।

जब पहली दफे घटता है तो हंसी बड़ी प्रगाढ़ होती है, फिर धीरे-धीरे हंसी संतुलित हो जाती है, धीरे-धीरे व्यक्तित्व में समा जाती है। एक सहज अहोभाव और एक आनंद का भाव निर्मित हो जाता है।

निश्चित ही जो अनुभव में आया है, वह कहती है, उसे कहा नहीं जा सकता। कोई उसे कभी नहीं कह पाया है। जितना ज्यादा अनुभव में आता है उतना ही कहना मुश्किल हो जाता है।

बाहर वह खोया पाया मैला उजला
दिन-दिन होता जाता वयस्क
दिन-दिन धुंधलाती आंखों से

सुस्पष्ट देखता जाता था
पहचान रहा था रूप
पा रहा वाणी और बूझता शब्द
पर दिन-दिन अधिकाधिक हकलाता था
दिन-पर-दिन उसकी घिग्घी बंधती जाती थी
धुंध से ढंकी हुई, कितनी गहरी वापिका तुम्हारी
कितनी लघु अंजुलि हमारी!
हाथ हमारे छोटे हैं। प्रभु का आनंद-लोक बहुत बड़ा है।
धुंध से ढंकी हुई, कितनी गहरी वापिका तुम्हारी
कितनी लघु अंजुलि हमारी!

जितना ही कोई जानता है, उतना ही हकलाता है। जितना ही कोई जानता है, उतनी ही घिग्घी बंधती जाती है। कहने को मुश्किल होने लगता है।

जो कहना है वह तो कहा नहीं जा सकता। उसके आसपास ही प्रयास चलता है।

तो ठीक, 'जो अनुभव में आया उसे कह नहीं पाती। अहोभाव के सागर में तैर रही हूं।'

उसे कहने की फिकर भी मत करना। अन्यथा उस चेष्टा से भी तनाव पैदा होगा।

समाधि बहुत लोगों को घटती है, बहुत थोड़े से लोग उसे कहने में थोड़े-बहुत समर्थ हो पाते हैं। हेमा से वह नहीं होगा। उस चेष्टा में पड़ेगी तो उसके भीतर जो घट रहा है उसमें अवरोध आ जाएगा, बाधा आ जाएगी। कहने की फिकर ही मत करो। अगर बहुत कहने का मन होने लगे—और होगा मन—क्योंकि जब भीतर कुछ घटता है तो हम बांटना चाहते, साझीदार बनाना चाहते औरों को। जब रस भीतर बहता है तो हम चाहते हैं किसी और को भी मिल जाए। लोग इतने प्यासे हैं, लोग इतने भूखे हैं, लोग इतने जल रहे हैं, तो बांटने की इच्छा पैदा होती है। लेकिन जब भी कहने का सवाल उठे तो कहने की जगह हंसना, हेमा! नाचना, गुनगुनाना! उससे आसान होगा। शब्द तुम न बना सकोगी। शब्द तुम्हारा संभव नहीं होगा। कुछ और ढंग से तुम्हें कहना होगा—जैसे मीरा ने कहा, गुनगुना कर कहा; बुद्ध ने कह कर कहा; जैसे चैतन्य ने कहा, ले गए, लेकर मंजीरा और मृदंग, नाचते हुए कहने लगे।

अपना ढंग खोजना होगा। शब्द निश्चित तुम्हारा ढंग नहीं है। हंसो, नाचो, गुनगुनाओ—हजार ढंग हो सकते हैं।

लेकिन अपना ढंग खोजना ही पड़ता है, जब घटना घट जाती है। नहीं तो भीतर कुछ उबलने लगता है। और भीतर कुछ तैयार होता है, पकता है—और हम उसे बांट न पाएं तो बोझिल होने लगते हैं; जैसे वर्षा के मेघ जब भर जाते जल से तो वर्षा होती है। वर्षा स्वाभाविक है।

(इतने में किसी को जोर से रुलाई आई और लोग उसे रोकने को दौड़े। भगवान श्री ने एक संन्यासी को संबोधित करते हुए कहा : 'संत, छोड़ दो। छोड़ दो उन्हें। छोड़ दो। छोड़ दो उन्हें। वह शांत हो जाएंगे, छोड़ दो। बिलकुल छोड़ दो, अलग हट जाओ। दूर हट जाओ उनसे।')

प्रत्येक को अपनी विधि, अपनी व्यवस्था खोजना पड़ती है। अभिव्यक्ति सभी के लिए एक जैसी नहीं हो सकती। फिर स्त्री-पुरुषों में भी बड़ा फर्क है। इसलिए तो तुम्हें स्त्री सदगुरु बहुत कम दिखाई पड़ते हैं—उसका कारण यह नहीं है कि स्त्रियां मोक्ष को उपलब्ध नहीं हुईं। मेरे देखे तो स्त्रियां मोक्ष को ज्यादा आसानी से उपलब्ध हो सकती हैं, बजाय पुरुषों के। क्योंकि पुरुषों के अहंकार को गिरने में बड़ी देर लगती है। स्त्रियों का अहंकार बड़ी सरलता से गिर जाता है। लेकिन फिर भी तुम्हें बुद्ध, महावीर, पार्श्व, कृष्ण, क्राइस्ट, शंकर, नागार्जुन ऐसे पुरुषों की श्रृंखलाबद्ध कतार दिखाई पड़ती है—ऐसे स्त्रियों के नाम लेने जाओ तो उंगलियों पर भी नहीं गिने जा सकते। कभी कोई सहजो, कोई मीरा, राबिया, थैरेसा—बस ऐसे तीन चार नाम हैं। इसका यह अर्थ नहीं है, इस गलत तर्क में मत पड़ जाना कि इसलिए स्त्रियां मोक्ष को उपलब्ध नहीं हुईं, या स्त्रियों ने पाया नहीं, या स्त्रियां पा नहीं सकतीं।

स्त्रियों ने पाया—उतना ही जितना पुरुषों ने, शायद थोड़ा ज्यादा। लेकिन स्त्रियां शब्द में नहीं कह पातीं। यह अड़चन है। और बिना शब्द में कहे, तुम्हें बुद्ध का पता न चलता अगर बुद्ध ने शब्द में न कहा होता। अगर बुद्ध चुप बैठे रहते बोधि-वृक्ष के नीचे, किसी को कानों-कान खबर न होती। अगर मैं न बोलूं तो तुम यहां न आ सकोगे। मैं तो न बोल कर भी मैं ही रहूंगा। क्या फर्क पड़ेगा मेरे न बोलने से? मेरे लिए कोई फर्क न पड़ेगा, लेकिन तुम न आ सकोगे।

तुम मुझे सुनने आए हो—सुनते-सुनते शायद तुम फंस भी जाओ, सुनते-सुनते शायद तुम मेरे साथ उलझ भी जाओ, सुनते-सुनते शायद तुम मुझमें धीरे-धीरे पग जाओ। लेकिन आए थे तुम सुनने। सुनते-सुनते शायद तुम गुनने भी लगो। गुनते-गुनते शायद तुम गुनगुनाने भी लगो। मेरे पास बैठते-बैठते हो सकता है यह पागलपन तुम्हें भी छू जाए। तुम मदमस्त हो जाओ। लेकिन तुम आए थे मुझे सुनने।

शब्द की गति है जगत में। शब्द के अतिरिक्त और कोई संवाद का उपाय नहीं दिखाई पड़ता। इसलिए स्त्रियां सदगुरु तो हुईं, लेकिन उनका पता भी नहीं चल सका। ज्ञान को तो उपलब्ध हुईं, लेकिन वे गुरु न बन पाईं। शिष्य तो शब्द सुनने आते हैं। मीरा ने ऐसे अदभुत भजन गाए, फिर भी कोई शिष्य थोड़े ही पैदा कर पाई मीरा। कोई मीरा की स्थिति सदगुरु की तरह थोड़े ही है। अदभुत गाया, जिन्होंने सुना उन्होंने भी रस पाया; लेकिन गुरु की स्थिति तो नहीं बन पाई। क्योंकि गुरु का तो अर्थ ही यह हैः जो मीरा को मिला था वही वह दूसरों को भी मिलाने में सहयोगी हो जाती। वह नहीं हो पाया।

स्त्री के चित्त की अपनी व्यवस्था है।

तो मैं हेमा से यही कहूंगाः अगर तुझे भर जाए भाव, बांटने का मन होने लगे और शब्द कहने को न मिलें, किसी के पैर दबाने लगना; वह तेरा रास्ता होगा। किसी का सिर दबाने लगना, किसी को प्रेम देना, नाचना, गाना, गुनगुनाना! खोजना कोई उपाय। शब्द तो तेरा उपाय नहीं हो सकता। लेकिन बांटना तो पड़ता है, बिना बांटे रहा नहीं जा सकता। जब सुगंध आ गई फूल में तो पंखुरी को खिलना ही होगा, सुगंध को विसर्जित होना ही होगा, गंध चढ़ेगी पंखों पर हवा के, जाएगी दूर-दूर लोकों तक, तो नियति पूरी होती है।

ऐ कल्पना के दर्पण!
तन-मन तुझ पर अर्पण
जब होंगे तेरे दर्शन
धड़कन हरसूं होगी।
कोयल की तरह मेरा
चंचल मन मचलेगा
जब आम के पेड़ों पर
हरसूं कू-कू होगी।
जब समाधि की पहली झलक आती है तो ऐसा ही होता है।
ऐ कल्पना के दर्पण!
तन-मन तुझ पर अर्पण
जब होंगे तेरे दर्शन
धड़कन हरसूं होगी।

तब तुम्हारा हृदय ही नहीं धड़कता है जब समाधि फलित होती है—तब तुम पहली दफे पाते हो तुम्हारे हृदय के साथ सारा जगत धड़क रहा है। पत्थर भी धड़क रहे हैं; वहां भी हृदय है। वृक्ष भी धड़क रहे हैं, चांद-तारे भी धड़क रहे हैं। तब

तुम्हारी धड़कन के साथ सारा जगत एक लयबद्ध, एक छंदोबद्ध गति में आ जाता है—एक गीत, एक संगीत—जिसमें तुम अलग नहीं हो; एक विराट आर्केस्ट्रा के हिस्से हो गए हो!

कोयल की तरह मेरा
चंचल मन मचलेगा
जब आम के पेड़ों पर
हरसूं कू-कू होगी।

यह किसी बाहर की कोयल की बात नहीं है और यह किसी बाहर के आमों की बात नहीं है। भीतर भी वसंत आता है। भीतर की कोयल भी कू-कू करती है।

उस घटना के करीब है हेमा। अगर चलती रही और इस बात को सुन कर कि मुझे समाधि की पहली प्रतीति हुई है, अकड़ न गई...। क्योंकि उस अकड़ में ही मर जाता सब। इसलिए पहली दफा वर्षों पहले जब उसे आबू में हुआ था, मैंने कुछ कहा नहीं, मैं चुप ही रहा। अब कहता हूं, लेकिन फिर भी खतरा तो सदा है। अब इस बात को बहुत अहंकार का हिस्सा मत बना लेना। नहीं तो जो हुआ है वह वहीं अटक जाएगा। जहां अहंकार आया वहीं गति अवरुद्ध हो जाती है।

ऐसा हुआ है तो यह मत सोचना कि मेरे किए हुआ है। ऐसा सोचना, प्रभु का प्रसाद है! ऐसा सोचना कि कृतज्ञ उसकी, उसका आशीष है! ऐसा सोचना कि मैं अपात्र, कैसे यह हो पाया! आश्चर्य! अहो!

अहोभाव का इतना ही अर्थ है कि भीतर अहो का भाव उठता रहे, कि अहो, मुझे होना नहीं था और हुआ! मैं पात्र नहीं थी, और हुआ! अपात्र थी, और हुआ!

उसकी अनुकंपा अपार है!

आखिरी प्रश्न: गर जाम नहीं है हाथों में,
आंखों से पिला दे, काफी है।
अब जीने की है फिक्र किसे,
तू मुझे मिटा दे, काफी है।
अब डोर तेरे ही हाथों में,
जी भर के नचा दे, काफी है।
ना होश रहे बाकी, ऐसा—
पागल ही बना दे, काफी है।
अब अमृत की है चाह किसे,
तू जहर पिला दे, काफी है।

पूछा है 'हंस' ने।

हंस के पास कवि का हृदय है: और ठीक जो उसके हृदय में हो रहा है, वही इन शब्दों में बांध दिया है।

जो अभी हृदय में हो रहा है, जिसकी अभी थोड़ी-थोड़ी झलक है, वह कभी समय पाकर, ठीक अवसर पर, ठीक मौसम में पका हुआ फल भी बनेगा। तुम नाचोगे! तुम मस्त हो कर नाचोगे!

और जो व्यक्ति जहर पीने को राजी हो गया है मस्ती में, उसके लिए जहर भी अमृत हो जाता है। जो प्रभु के साथ चलने को राजी हो गया है—सब स्थितियों में, चाहे जहर पिलाए तो भी, चाहे नरक में फेंक दे तो भी—उसका नरक समाप्त हुआ; अब उसके लिए स्वर्ग ही स्वर्ग है।

'गर जाम नहीं है हाथों में,
आंखों से पिला दे, काफी है।
अब जीने की है फिक्र किसे,
तू मुझे मिटा दे, काफी है।
अब डोर तेरे ही हाथों में,
जी भर के नचा दे, काफी है।
ना होश रहे बाकी, ऐसा—
पागल ही बना दे, काफी है।
अब अमृत की है चाह किसे,
तू जहर पिला दे, काफी है।'

यह होगा। पिलाऊंगा। यह घटना घटेगी। भरे आशा से, प्रतीक्षा से, स्वीकार से तुम तैयार रहो—यह घटना घटेगी। यह घटना घटनी शुरू ही हो गई है। यह तुम्हारे गीत में तुमने जो भाव बांधा है, उसी सुबह की पहली किरण है। प्राची लाल होने लगी, प्राची पर लाली होने लगी—सूरज ऊगेगा!

सूरज ऊगता ही है, हम जरा राजी भर हो जाएं। हमारे न राजी होने पर भी सूरज तो ऊगता ही है, लेकिन हम आंख खोल कर नहीं देखते। तो हम अंधेरे में ही रहे आते हैं। आंख बंद, तो हमारी रात जारी रहती है। जब हम राजी हो जाते हैं तो हम आंख खोल कर देखने की तत्परता दिखाते हैं! सूरज तो ऊगता ही रहा है। हर रात के बाद सुबह है। हर भटकन के बाद पड़ाव है। हर संसार के बाद मोक्ष है। बस हम आंख खोल कर देखने को तैयार हों!

हरि ॐ तत्सत्!

❋ ❋ ❋

प्रवचन : 25

दृश्य स्वप्न है, द्रष्टा सत्य है

अष्टावक्र उवाच।

तदा बंधो यदा चित्तं किंचिद्वाग्छति शोचति।
किंचिन्मुग्चति गृहणाति किंचिद्धृष्यति कुप्यति।।79।।
तदा मुक्तिर्यदा चित्तं न वांछति न शोचति।
न मुग्चति न गृहणाति न ह्रष्यति न कुप्यति।।80।।
तदा बंधो यदा चित्तं सक्तं कास्वपि दृष्टिषु।
तदा मोक्षो यदा चितंसक्तं सर्व दृष्टिषु।।81।।
यदा नाहं तदा मोक्षो यदाहं बंधनं तदा।
मत्वेति हेलया किंचित् मा गृहाण विमुग्च मा।।82।।

सजा का हाल सुनाएं, जजा की बात करें,
खुदा मिला हो जिन्हें, वो खुदा की बात करें।

आदमी अपने दुख की बात करता, अपनी चिंताओं की, बेचैनियों की, अपने संताप की। आदमी वही बात करता है, जो उसे मिला है। जब आनंद की किरण फूटती है, तो एक नई ही बात शुरू होती है। जब प्रभु से मिलन होता, तो सब भूल जाते जन्मों-जन्मों के जाल; जैसे कभी हुए ही न हों; जैसे रात में जो देखा था वह सच ही न रहा हो। सुबह का सूरज सारी रातों को झूठ कर जाता। और सूरज के ऊगने पर फिर कौन अंधेरे की बात करे!

जनक के जीवन में ऐसा ही सूरज ऊगा है। और जनक के जीवन में जो घटा है, वह इतना आकस्मिक है कि जनक भी सम्हाल नहीं पा रहे हैं; वह बहा जा रहा है; जैसे कोई झरना अचानक फूट पड़ा हो, जिसके लिए अभी मार्ग भी नहीं है,

मार्ग बन रहा है। उसी मार्ग बनाने में सहारा दे रहे हैं अष्टावक्र। पहले परीक्षा की, फिर प्रलोभन दिया। आज के सूत्रों में प्रोत्साहन है। परीक्षा ठीक उतरी, जनक उत्तीर्ण हुए। प्रलोभन भी व्यर्थ गया; जनक उसमें भी न उलझे। जो हुआ है, सच में ही हुआ है; कसौटी पर खरा आया। अब प्रोत्साहन देते हैं। अब पीठ थपथपाते हैं। अब वे उसे कहते हैं कि ठीक हुआ। अब जो जनक ने कहा है, उसको अष्टावक्र दोहरा कर साक्षी बनते हैं।

ये सूत्र बड़े अनूठे हैं।

सजा का हाल सुनाएं, जजा की बात करें,

खुदा मिला हो जिन्हें, वो खुदा की बात करें।

यहां खुदा के मिलने की घटना घटी है। अष्टावक्र और जनक के बीच खुदा घटा है। इसलिए कोई और बात नहीं चल सकती अब। तुम्हें तो कभी-कभी ऐसा भी लगने लगेगा : 'अब यह इतनी पुनरुक्ति हुई जा रही है! अब यह बार-बार वही बात क्यों कही जा रही है?' लेकिन जिन्हें खुदा मिला हो, वे कुछ और कर ही नहीं सकते; वे बार-बार वही कहेंगे।

तुमने कभी देखा, जब छोटा बच्चा पहली दफे बोलना शुरू करता है, टूटे-फूटे शब्द होते हैं, बड़े सार्थक भी नहीं होते; पापा, मामा, ऐसे कुछ शब्द बोलना शुरू करता है—लेकिन जब बच्चा बोलना शुरू करता है तो फिर दिन भर दोहराता है। प्रयोजन हो न प्रयोजन हो, संगति हो न संगति हो, उसे इतना रस आता है; एक बड़ी अदभुत क्षमता हाथ में आ गई है! वह पापा या मामा कहना सीख गया है। उसका जगत में एक नया अनुभव घटित हुआ है। वह समाज का हिस्सा बन गया है। अब तक समाज के बाहर था, अब तक जंगल में था, पापा कह कर प्रवेश-द्वार से भीतर आ गया है। अब वह भाषा, समाज, समूह का अंग है। अब बोल सकता है।

तो जब पहली दफे बच्चा बोलता है, तो वह दिन भर गुनगुनाता है : पापा, पापा, मामा...। कुछ प्रयोजन न हो तो भी कहता है। कहने में ही रस लेता है। बार-बार दोहराता है, दोहराने में ही मजा पाता है।

ठीक वैसी ही घटना घटी है। एक नया जन्म हुआ है जनक का। प्रभु की पहली झलक मिली है। झलक प्राणों तक कौंध गई है, रोएं-रोएं को कंपा गई है। अब तो वे जो भी बोलेंगे, जो भी देखेंगे, जो भी सुनेंगे—उस सबमें ही परमात्मा ही परमात्मा की बात होगी। यद्यपि यह बात ऐसी है कि कही नहीं जा सकती, फिर भी जब घटती है तो हजार-हजार उपाय इसे कहने के किए जाते हैं।

आज के सूत्रों में अष्टावक्र जनक की पीठ पर हाथ रख कर थपथपाते हैं। वे

कहते हैं, तू जीता। वे कहते हैं, तू घर लौट आया। तू जो कह रहा है ठीक कह रहा है। तेरी परीक्षा पूरी हुई है। तू उत्तीर्ण हुआ है।

पहला सूत्रः

'जब मन कुछ चाहता है'—अष्टावक्र ने कहा—'कुछ सोचता है, कुछ त्यागता है, कुछ ग्रहण करता है, जब वह दुखी और सुखी होता है—तब बंध है।'

बंध की ठीक-ठीक परिभाषा हो जाए तो मोक्ष की भी परिभाषा हो जाती है। क्योंकि जो बंध नहीं है, वही मोक्ष है। और आसान है पहले बंधन की परिभाषा कर लेना, क्योंकि बंधन से हम परिचित हैं।

आनंद की परिभाषा करनी हो तो बुद्ध कहते हैंः दुख का निरोध। दुख से हम परिचित हैं। जहां दुख न रह जाएगा, वहां आनंद। अंधेरी रात से हम परिचित हैं। सुबह की परिभाषा करनी हो तो कहना होगाः जहां अंधेरा न रह जाए।

लेकिन इस परिभाषा से बड़ी भूलें भी हो गई हैं। कुछ लोग सोचने लगते हैं कि शायद अंधेरे को मिटाना पड़ेगा, तब सुबह होगी। परिभाषा तो बिलकुल ठीक है कि जहां अंधेरा न रह जाए, वहां सुबह। लेकिन इस परिभाषा को तुम अनुष्ठान मत बना लेना। तुम यह मत सोचना कि हम अंधेरे को मिटाएंगे तो सुबह हो जाएगी। तब सब उलटा हो जाएगा। सुबह आती है, तब अंधेरा मिटता है। अंधेरे को मिटाने की कोई संभावना नहीं है। तुम तो सुबह को पुकारना। तुम तो सुबह को खोजना। तुम तो दीये को जलाना। यद्यपि यह परिभाषा बिलकुल ठीक है कि जब अंधेरा नहीं रह जाता, तब सुबह। परिभाषा की तरह ठीक है, साधन की तरह खतरनाक है।

जहां कोई दुख नहीं रह जाता, वहां आनंद है। तो तुम दुख को मिटाने में मत लग जाना, नहीं तो तुम आनंद तक कभी न पहुंचोगे। परिभाषा की तरह बिलकुल सुंदर है। तुम तो आनंद को पुकारना। तुम तो आनंद को जगाना।

मेरे पास लोग आते हैं। वे कहते हैं कि हम कैसे दुख से छूटें? मैं कहता हूं, तुम दुख से ध्यान हटाओ। तुम जब तक दुख से छूटना चाहोगे, तब तक न छूट सकोगे। क्योंकि दुख से छूटने में तुम दुख ही पर तो नजर रखे हो। दुख से छूटने के लिए तुमने अपनी आंखें दुख में ही गड़ा दी हैं। दुख से छूटने के लिए तुम दुख का ही चिंतन करते हो। जिसका तुम चिंतन करते हो, वह बढ़ता है। दुख से छूटने के लिए तुम क्षण भर को दुख को भूलते नहीं हो। जिसको तुम भूलते नहीं वह गहरा उतरता जाता है। जिसका स्मरण करोगे, वही हो जाओगे। जिससे छूटना चाहोगे, उसकी याद बार-बार करनी पड़ेगी।

देखा तुमने, कभी किसी को विस्मरण करना हो तो विस्मरण करना मुश्किल

हो जाता है! ऐसे हजारों लोग आते हैं जीवन में और भूल जाते हैं। लेकिन किसी को विस्मरण करना हो, फिर कठिनाई हो जाती है। क्योंकि विस्मरण करने में तो स्मरण करना पड़ता है। स्मरण से तो उल्टी प्रक्रिया शुरू हो जाती है।

जिसे भूलना हो, उसे भूलने की कभी कोशिश मत करना। अगर कोशिश की तो कभी भूल न पाओगे। क्योंकि कोशिश का तो मतलब होगा फिर-फिर याद जगा लोगे। फिर-फिर कोशिश करोगे, फिर-फिर याद आ जाएगी। भूलना हो तो उपेक्षा...। भूलना हो तो ध्यान को कहीं और ले जाना। भुलाने के लिए अगर चेष्टा की तो ध्यान वहीं अटका रहेगा।

यह तो ऐसा होगा जैसे कोई अपने घाव में अंगुली डाल कर खेले और सोचे कि इससे घाव भर जाएगा। इससे तो घाव कभी भी न भरेगा, घाव तो हरा रहेगा। तुम तो रोज घाव को बनाते चले जाओगे। तुम तो जितनी अंगुली से खेलोगे, घाव के भरने की कोई संभावना न छूटेगी। तुम भूलो।

तुमने देखा, अगर कोई आदमी बहुत बीमार हो तो चिकित्सक कहते हैं, पहली जरूरत है नींद! अगर नींद आ जाए तो आधी बीमारी ठीक हो जाए। क्यों? नींद का इतना मूल्य क्या है? क्योंकि नींद न आए तो बीमार बीमारी को भूल नहीं पाता। वह घाव में अंगुली डाल कर खेलता है। वह बार-बार वही सोचता है कि सिर में दर्द है, सिर में दर्द है, सिर में दर्द है! वह जितनी बार सोचता है, दर्द को उतना बल देता है।

कामी व्यक्ति काम से छूटना चाहता है, तो काम ही काम की चिंता करता है कि 'कैसे छूटूं? यह पाप है, यह बुरा है, यह अपराध है।' क्रोधी क्रोध से छूटना चाहता है, तो क्रोध के साथ ही उलझा रह जाता है।

तुम जिससे छूटना चाहोगे, उसी में अटक जाओगे।

ध्यान को बदलना। ध्यान रात से हटे, सुबह पर लगे। ध्यान अंधेरे से हटे, दीये पर लगे। दुख की बात ही मत उठाओ। दुख है, उसकी उपेक्षा करो। सुख को जगाओ। इधर सुख जगने लगेगा, उधर दुख तिरोधान होने लगेगा।

तो परिभाषाओं को तुम साधना मत समझना। अनेक लोग परिभाषाओं को साधना मान लेते हैं। परिभाषाएं तो केवल इंगित हैं, इशारे हैं, किसी बात को कहने के ढंग हैं। और कहना पड़ता है उल्टी तरफ से, क्योंकि उल्टे से तुम परिचित हो। आनंद को हम बुद्धों की तरफ से तो कह नहीं सकते, क्योंकि उसके लिए फिर कोई भाषा नहीं है। बुद्धों की कोई भाषा नहीं है; वहां तो मौन भाषा है। आनंद को कहना हो तो अबुद्धों की तरफ से कहना पड़ेगा। अबुद्धों को आनंद का कोई पता नहीं है। अड़चन समझो। बुद्धों के पास कोई भाषा नहीं है, आनंद का अनुभव है। अबुद्धों

के पास भाषा है, आनंद का कोई अनुभव नहीं है। अब इन दोनों के बीच कैसे संवाद हो? तो हम बुद्धों के अनुभव को अबुद्धों की भाषा में अनुवादित करते हैं। जब हम कहते हैं, आनंद दुख का निरोध है, तो अनुवाद है यह। जब हम कहते हैं, सूरज का ऊगना रात का मिट जाना है, तो अनुवाद है यह। तुम्हारी भाषा में अनुवाद है, तुम्हें अनुभव नहीं है। और उनका अनुवाद है जिन्हें अनुभव है, लेकिन जिनके पास भाषा नहीं है।

'जब मन कुछ चाहता है...।'

तदा बंधो यदा चित्तं किंचिद्वाग्छति शोचति।

किंचिन्मुग्चति गृहणाति किंचिद्धृष्यति कुप्यति।।

'जब मन कुछ सोचता है, कुछ चाहता है, कुछ त्यागता है, कुछ ग्रहण करता है, जब वह सुखी और दुखी होता है—तब बंध है।'

जब मन सक्रिय होता है तब बंध है। मन की क्रिया बंधन है। तुमसे लोगों ने कहा, क्रोध बंध है। तुमसे लोगों ने कहा, काम बंध है, लोभ बंध है—वह बात पूरी नहीं है: क्योंकि अगर दान तुम करोगे सोच कर, तो वह भी बंध है। अगर तुम करुणा करोगे सोच कर, तो वह भी बंध है। अष्टावक्र बड़ी मौलिक परिभाषा दे रहे हैं। वे कह रहे हैं, मन की क्रिया-मात्र बंध है। जहां मन सक्रिय हुआ, तरंगें उठीं, वहां तुम बंध गए। जहां मन पूरा निष्क्रिय हुआ, वहीं तुम मुक्त हो गए। उन क्षणों को खोज़ो जहां मन की कोई क्रिया न हो।

तदा बंधः!

—यहां है बंध।

यदा चित्तं वांछति!

—जब तुमने कुछ चाहा। चाहा कि निकले यात्रा पर। जरा सोचा तुमने कि बने शेखचिल्ली।

सुनी तुमने शेखचिल्ली की कहानी? जाता था दूध बेचने, सिर पर रखा था घड़ा दूध का। सोचने लगा राह में, कि आज बेच लूंगा तो चार आने मिलेंगे। बचाता रहूंगा चार आने, चार आने, चार आने, तो जल्दी ही एक और भैंस खरीद लूंगा! फिर तो बड़ा प्रफुल्लित हो गया, जब भैंस सामने आई, आंख में उतरी, मन में गूंजी। भैंस देखी तो सोचा: 'अरे, इतना-इतना दूध होगा, इतना-इतना घी निकलेगा, इस-इस तरह बेचूंगा, जल्दी ही भैंसें ही भैंसें हो जाएंगी! खरीदता जाऊंगा, बेचता जाऊंगा, खरीदता जाऊंगा! जल्दी ऐसी घड़ी आ जाएगी कि इतना धन मेरे पास होगा कि गांव की जो सुंदरतम लड़की है, वह निश्चित विवाह का निवेदन करेगी!'

तब तो वह हवाओं में उड़ने लगा। जा तो रहा था उसी सड़क पर, दूध बेचने जा रहा था—अभी बिका भी नहीं था, अभी चार आने हाथ में आए भी नहीं थे—शादी भी कर ली, बहू को घर भी ले आया। इतना ही नहीं, जल्दी ही बेटा भी हो गया। अभी बाजार पहुंचा नहीं था, अभी जा ही रहा था। बेटा भी हो गया। बेटे को बिठाए, सर्दी के दिन हैं, गोदी में खिला रहा है। बेटे ने उसकी दाढ़ी खींचनी शुरू कर दी। तो उसने कहा, 'अरे नासमझ!' यह बात जरा जोर से निकल गई। पहले धीरे-धीरे मन में चल रहा था सब खेल। अब तो खेल इतना पक्का हो गया था कि यह बात जरा जोर से निकल गई। और दोनों हाथ से उसने बेटे को दाढ़ी से अलग करने की कोशिश की—घड़ा छूट गया। घड़ा जमीन पर गिरा।

तुम्हें दिखा कि घड़ा गिरा; उसका तो सारा संसार गिर गया। तुम्हें उसके संसार का पता नहीं! बेटा मरा, पत्नी मरी, हजारों भैंसें खरीदनी थीं, सब खो गईं। संपत्ति खड़ी हो गई थी, सब मिट गई। कोई भी न था। वे चार आने भी जो संभव थे, वे भी गए। खड़ा है अकेला। तुम समझ भी नहीं सकते कि राह पर टूट गई उस मटकी में कितना क्या टूट गया!

इसको अष्टावक्र तुम्हारे मन का संसार कहते हैं।...नाम कल्पना! कुछ है नहीं—खेल है। लेकिन मन उस खेल में रसलीन हो जाता, डूब जाता।

जहां मन की क्रिया है, वहीं बंधन है।

यदा चित्तं वांछति!

—जहां मन ने चाहा, कुछ भी चाहा।

यहां विषय का कोई भेद नहीं है। ऐसा नहीं कहा जा रहा कि जो लोग धन चाहते हैं वे संसारी हैं और बंधन में हैं। तुमने अगर परमात्मा चाहा तो भी तुम बंधन में हो। तुमने अगर सत्य चाहा तो भी तुम बंधन में हो। देखना सूत्र कोः

यदा चित्तं वांछति

—जिसके चित्त में वांछा उठी।

वांछा किसकी? इसकी कोई जरूरत कहने की नहीं। क्योंकि किसी की भी वांछा उठे, वांछा के पीछे लहरें उठती हैं, झील डांवांडोल हो जाती है। जैसे शांत झील है, तुम बैठे किनारे, उठा कर एक पत्थर फेंक दिया, छपाक अवाज हुई और झील लहरों से भर गई—ऐसे ही वांछा का पत्थर, चाह का पत्थर, जैसे ही मन में पड़ता है कि सारा डांवांडोल हो जाता है।

तुम करके देखो। करके देखने की बात नहीं है; रोज तुम कर ही रहे हो। तुम इस शेखचिल्ली को कहीं किसी दूसरे में मत देखना। कई बार तुम अगर जरा पकड़ने की कोशिश करोगे तो अपने में ही पकड़ लोगे। कितनी बार नहीं यह

शेखचिल्ली तुम्हारे भीतर तुम्हारे कितने रूप लेता! मन शेखचिल्ली है। और जब तुम शेखचिल्ली को पकड़ लो, तो जरा हंसना अपने पर और अपनी मूढ़ता पर। क्योंकि जो व्यक्ति अपनी मूढ़ता पर हंसने लगे वह बुद्धिमान होना शुरू हो गया। क्योंकि जो मूढ़ता पर हंसता है वह साक्षी हो गया।

यदा चित्तं वांछति किंचित शोचति...।

सोचा कि उलझे। सोच-विचार में जाल है। जब भी तुमने कोई विचार उठाया कि तुम उसमें डूबे। जैसे ही विचार उठता है, तुम गौण हो जाते हो, विचार प्रमुख हो जाता है। भीतर सब मूल्य परिवर्तन हो जाते हैं। तुम विचार में इतने संलग्न हो जाते हो कि तुम्हें स्मरण भूल जाता है कि तुम द्रष्टा हो; तुम विचारक हो जाते हो।

तीन स्थितियां हैं तुम्हारी। एक तो साक्षी की—तब मन बिलकुल नहीं है, क्योंकि कोई तरंग ही नहीं है। मन तो तरंगों का जोड़ है, विचार के प्रवाह का नाम है। साक्षी की दशा—तब झील बिलकुल मौन है, कोई हवा कंपाती नहीं।

फिर दूसरी अवस्था है—विचारक की। झील कंप गई। विचार के बीज पड़ गए हैं। विचार का पत्थर गिरा, वांछा उठी, सब कंपित हो गया, दर्पण खो गया—वह दर्पण जैसी शांत झील जो अभी तक चांद को झलकाती थी, अब नहीं झलकाती। अब चांद भी टुकड़े-टुकड़े हो गया। चांदी फैल गई पूरी झील पर, लेकिन चांद का प्रतिबिंब अब कहीं भी ठीक से नहीं बनता, सब विकृत हो गया। यह दूसरी अवस्था।

फिर तीसरी अवस्था—कर्ता की। वह जो विचार में तुमने पकड़ लिया, जल्दी ही कर्म बनेगा। साक्षी, विचार और कर्म। कर्म में आ गए तो घने जंगल में आ गए संसार के। विचार में थे, तो आ रहे थे संसार की तरफ। साक्षी से चूक गए थे, कर्म में आए न थे, मध्य में अटके थे—त्रिशंकु थे।

साक्षी को जो उपलब्ध हो ले वह व्यक्ति है धार्मिक। जो विचार में उलझा रहे, वह व्यक्ति है दार्शनिक। और जो कर्म में उतर आए, वही है राजनीतिज्ञ।

धर्म, दर्शनशास्त्र और राजनीति—ये तुम्हारे चित्त की तीन अवस्थाएं हैं। धर्म का कोई संबंध न तो कृत्य से है और न विचार से है। धर्म का संबंध तो शुद्ध साक्षीभाव से है। फिर दर्शनशास्त्र है, उसका संबंध सिर्फ विचार से है। वह तरंगों का हिसाब लगाता; तरंगों के हिसाब में झील को भूल जाता; तरंगों की गिनती में भूल ही जाता किसकी तरंगें हैं। और फिर सबसे ज्यादा भटकी हुई अवस्था राजनीतिक चित्त ही है; वह तरंगों तक से चूक जाता है। वह तो तरंगों के जो परिणाम होते हैं—अगर झील में तरंगें हैं तो तरंगों से जो आवाज उठती, वह पास की वादियों में गूंजने लगती है—उसका हिसाब रखता है। जब तक कर्म न बन जाए

कोई चीज, तब तक राजनीति नहीं बनती।

जिन लोगों ने कृष्ण की गीता पर टीका लिखी है, उनमें तीन तरह के लोग हैं। एक तो राजनीतिज्ञ हैं; जैसे तिलक, अरविंद, गांधी—इन्होंने कृष्ण की गीता पर टीकाएं लिखीं। इन सबकी कोशिश यह है कि गीता में कर्मयोग सिद्ध करें कि कर्म ही सब कुछ है। फिर दूसरे विचारकों ने टीकाएं लिखी हैं। उनका आग्रह है कि वे विचार की किसी परंपरा को सिद्ध करें—अगर विचार की कोई परंपरा भक्ति को मानती है तो भक्ति को सिद्ध करें; अगर विचार की कोई परंपरा ज्ञान को मानती है तो ज्ञान को सिद्ध करें; विचार की कोई परंपरा अद्वैत को मानती है तो अद्वैत सिद्ध करें, द्वैत को मानती है तो द्वैत सिद्ध करें, या द्वैताद्वैत सिद्ध करें। हजारों विचार की परंपराएं हैं। वे विचारकों की व्याख्याएं हैं।

तीसरी व्याख्या कभी की नहीं गई। क्योंकि तीसरी व्याख्या तो की नहीं जा सकती। तीसरी व्याख्या है साक्षी-भाव की। वह तो अनुभव की बात है। उस व्याख्या में तो कोई उतरता है—कर नहीं सका, करने का कोई उपाय नहीं है। क्योंकि अगर वह तीसरी भी व्याख्या की जाए तो वह दूसरी व्याख्या बन जाएगी। अगर कोई यह भी सिद्ध करने की चेष्टा करे कि साक्षी-भाव है गीता का मूल उद्देश्य, ध्यान है, समाधि है—तो भी वह विचार का हिस्सा हो जाएगा।

तीसरी व्याख्या की नहीं जा सकती। लेकिन जिन्होंने तीसरी व्याख्या समझी अनुभव से, वे ही समझ पाए; बाकी सबने अपनी समझ के कारण कृष्ण की समझ को अस्तव्यस्त कर दिया।

'जब मन कुछ चाहता, कुछ सोचता, कुछ त्यागता, कुछ ग्रहण करता, जब सुखी-दुखी होता—तब बंध है।'

तदा बंधः!

फिर मजा है कि कुछ लोग पकड़ते, कुछ लोग छोड़ते। कुछ लोग संसार को पकड़े हुए हैं। इन पकड़े हुए लोगों को कुछ समझाते हैं कि छोड़ो, संसार में दुख है, छोड़ो, भागो! लेकिन जो भाग रहे हैं वे सुखी नहीं दिखाई पड़ते। उनके जीवन में कोई प्रसाद नहीं मालूम होता। जो भाग कर बैठ गए हैं जंगलों-पहाड़ों में, मठों में, उनके जीवन में कोई किरण नहीं दिखाई पड़ती, कोई विभा नहीं दिखाई पड़ती।...बात क्या हो गई? न पकड़ने से कुछ मिलता न छोड़ने से कुछ मिलता। क्योंकि पकड़ते भी तुम वही हो, छोड़ते भी तुम वही हो। कभी-कभी तो ऐसा होता है कि पकड़ने वाले शायद तुम्हें थोड़े-बहुत सुखी भी दिखाई पड़ें, भगोड़े बिलकुल सुखी नहीं दिखाई पड़ते। क्योंकि पकड़ने वाले को कम से कम जीवन के साधारण क्षणभंगुर सुख तो मिलते हैं। क्षणभंगुर सही! कभी किसी स्त्री के प्रेम में कोई पड़

जाता है, तो क्षणभंगुर ही सही, एक सपना तो देखता है सुखी होने का। टूट जाएगा यह सपना, यह भी सच है। लेकिन था—यह भी सच है। लेकिन जो भाग गया है, उसको तो क्षणभंगुर भी खो जाता है; शाश्वत तो मिलता नहीं, क्षणभंगुर भी खो जाता है।

मैं एक कहानी पढ़ता था। एक कथा-गुरु ने अपने शिष्यों को कहा कि एक कहानी सुनो और इस पर ध्यान करना और इसका अर्थ कल सुबह ला कर मुझे दे देना—इसकी निष्पत्ति। कहानी सीधी-सादी थी। कहानी थी कि एक सम्राट था और उसके हरम में, उसके रनिवास में पांच सौ सुंदर स्त्रियां थीं। लेकिन रनिवास उसने अपने महल से पांच मील दूर जंगल में बना रखा था। उसका जो विश्वस्त, सबसे ज्यादा विश्वस्त दास था, सेवक था, उसे सांझ जाना पड़ता था; एक रानी को ले आता था—राजा के रात के भोग के लिए। कहते हैं, राजा तो नब्बे साल तक जीया, लेकिन जो आदमी उसकी स्त्रियों को लाता, ले जाता था, वह चालीस साल में मर गया। फिर उसने दूसरा आदमी रखा, वह भी राजा के मरने के पहले मर गया।

तो कथा-गुरु ने अपने शिष्यों को कहा कि कल तुम सुबह इस पर ध्यान करके इसकी निष्पत्ति मेरे पास ले आना, इसका अर्थ क्या है?

शिष्यों ने बहुत सोचा, कुछ अर्थ समझ में न आया कि इसमें अर्थ क्या है? वे वापस आए। कथा-गुरु हंसा और उसने कहा, अर्थ सीधा-साफ है। आदमी स्त्रियों के भोग से इतनी जल्दी नहीं मरता, जितना स्त्रियों के पीछे भागने से मरता है। वह जो भागता था, रोज जाता, रोज आता—वह चालीस साल में खत्म हो गया। जो भोगता था, वह नब्बे साल तक जीया।

आदमी धन के पीछे भागने से उतना नहीं टूटता, धन को भोगने से उतना नहीं टूटता, जितना धन से भागने से टूटता है। आदमी संसार से उतना नहीं टूटता, जितना संसार से भागने लगे तो टूट जाता है। सांसारिक व्यक्तियों के चेहरे पर तो तुम्हें कभी-कभी रौनक भी दिखाई पड़ जाए; लेकिन जिनको तुम तपस्वी कहते हो, उनके चेहरे पर तुम्हें कोई रौनक नहीं दिखाई पड़ेगी। वे मुर्दा हैं। हां, यह हो सकता है तुम उनके मरेपन को ही तपश्चर्या समझते हो तो तुम्हें दिखाई पड़े कुछ। पीला पड़ जाए आदमी उपवास से तो भक्त कहते हैं : 'कैसा कुंदन जैसा रूप निखर आया! देखो, कैसा स्वर्ण जैसा!' जो उनके भक्त नहीं, उनसे पूछो तो वे कहेंगे : इनको हम पीतल भी नहीं कह सकते, सोना तो दूसरी बात है। यह सोना तुमको दिखाई पड़ता है; दिखाई भी पड़ता है, यह भी पक्का नहीं—तुम देखना चाहते हो, इसलिए दिखाई पड़ता है।

तुमने कभी तुम्हारे त्यागियों को आनंदित देखा? कभी किसी जैन मुनि को

तुमने आनंदित देखा? और तुमने कभी यह भी सोचा कि इतने जैन मुनि हैं, इनमें कोई आनंदित नहीं दिखाई पड़ता, कोई नाचता, गीत गुनगुनाता नहीं दिखाई पड़ता? इनमें तो आनंद होना चाहिए। ये तो सब संसार छोड़ कर चले गए हैं। इन्होंने तो दुख के सब रास्ते तोड़ दिए। इन्होंने तो सब सेतु गिरा दिए। इनके हाथ में तो इकतारा होना चाहिए। इनके हृदय में तो वीणा बजनी चाहिए। इनके पैरों में तो घूंघर होना चाहिए। ये तो गाएं...पद घुंघरू बांध मीरा नाची रे! मगर नहीं, न कोई नाच है, न पद में घुंघरू हैं, न प्राणों में घुंघरू हैं। सब उदास, सब खाली, सब रिक्त, सब मुर्दा, मरघट की तरह हैं ये लोग।

तुम्हारे महात्मा यानी जीते-जी मरघट। फिर भी तुम सोचते नहीं कि हुआ क्या है? कहीं ऐसा तो नहीं कि भोग तो गलत है ही, त्याग और भी गलत है? भोगी तो नासमझ है ही, त्यागी भी नासमझ है—भोगी से भी ज्यादा नासमझ है।

अष्टावक्र का यह सूत्र सुनो: 'जो कुछ त्यागता है, कुछ ग्रहण करता है...।'

किंचित् मुग्चति किंचित् गृहणाति...।

कुछ पकड़ा, कुछ छोड़ा—दोनों बंधन है।

यदा बंधः।

जो सुखी होता, दुखी होता। सुख और दुख दोनों में कोई भी आनंद नहीं है। आनंद बड़ी ही पारलौकिक बात है। सुखी आदमी आनंदित आदमी नहीं है; सुखी आदमी दुख को दबाए बैठा है। सुखी आदमी क्षण भर को दुख को भुला बैठा है।

तुम कब अपने को सुखी कहते हो, तुमने खयाल किया? फिल्म देखने चले गए, दो घंटे फिल्म में डूब गए—तुम कहते हो, बड़ा सुख मिला! बाहर निकले, फिर तुम्हारा दुख मौजूद है। कभी शराब पी ली—तुम कहते हो, बड़ा सुख मिला! सुबह उठे, फिर तुम्हारा दुख मौजूद है; वहीं का वहीं खड़ा है; शायद बढ़ भी गया हो रात में। तुम जब बेहोश पड़े थे, तब दुख बढ़ रहा था। क्योंकि इस जगत में कोई भी चीज ठहरी हुई नहीं है, सब चीजें बढ़ रही हैं। तुम रात सोए थे, वृक्ष बढ़ रहे थे। तुम रात सोए थे, तुम्हारा बच्चा बड़ा हो रहा था। तुम रात सोए थे, तुम्हारा दुख भी बढ़ रहा था। तुम शराब पी कर पड़े थे तो विस्मरण हो गया था; लेकिन विस्मरण से तो कुछ मिटता नहीं। यह तो शुतुरमुर्ग की दृष्टि है।

सुनी है न तुमने बात कि शुतुरमुर्ग अपने दुश्मन को देख कर सिर को रेत में खपा कर खड़ा हो जाता है? न दिखाई पड़ता दुश्मन...शुतुरमुर्ग मानता है: जो दिखाई नहीं पड़ता है, वह हो कैसे सकता है? उसका तर्क तो ठीक है। नास्तिक भी तो यही कहते हैं कि परमात्मा दिखाई नहीं पड़ता तो हो नहीं सकता। शुतुरमुर्ग अरस्तू के न्याय-शास्त्र को मानता है। उसने सिर गपा लिया रेत में—वह कहता

है, मुझे तो कोई दिखाई नहीं पड़ रहा दुश्मन, तो हो कैसे सकता है? जो मुझे दिखाई न पड़े, तो हो नहीं सकता, क्योंकि प्रत्यक्ष प्रमाण कहां?

लेकिन शुतुरमुर्ग कितना ही सिर रेत में गड़ा ले, दुश्मन सामने है तो है। सच तो यह है, अगर आंखें खुली होतीं और शुतुरमुर्ग दुश्मन को देखता तो बचने का कोई उपाय भी था। अब बचने का कोई उपाय भी न रहा। अब तो यह बिलकुल दुश्मन के हाथ में है। इसने अपने हाथ से अपने को दुश्मन को दे दिया। यह तो आत्महत्या है। अगर दुश्मन इसको मार डालेगा, तो दुश्मन की कला कम, शुतुरमुर्ग की आत्महत्या की वृत्ति ज्यादा कारगर है। उसका ही हाथ होगा—आत्महत्या की वृत्ति का।

शुतुरमुर्ग मत बनना, आंख बंद मत करना।

लेकिन तुम जिसे सुख कहते हो वह सब शुतुरमुर्गी बातें हैं। कभी इसमें कभी उसमें, थोड़ा अपने को उलझा लेते हो। कोई ताश के पत्ते लिए बैठा है, खेल रहा है। किसी ने शतरंज बिछा रखी है, झूठे-नकली घोड़े, वजीर-बादशाह बना रखे हैं—खेल रहा है। कैसे लोग डूब जाते हैं, तुम जरा सोचो! शतरंज के खेलने वाले ऐसे डूब जाते हैं कि सारी दुनिया भूल जाती है। कैसी एकाग्रता! और किस पर ये एकाग्रता कर रहे हैं—जहां कुछ भी नहीं है! अपने ही बनाए हाथी-घोड़े हैं!

और मैं तुमसे कहना चाहता हूं कि शतरंज के हाथी-घोड़े ही झूठे हों, ऐसा नहीं है; जो तुम्हारे राजा-महाराजाओं के हाथी-घोड़े हैं, राजनीतिज्ञों के, राष्ट्रपतियों, प्रधानमंत्रियों के हाथी-घोड़े हैं, वे भी इतने ही झूठे हैं।

अंतिम विश्लेषण में, इस जगत में जो भी चल रहा है—खेल है। उस खेल को अति गंभीरता से ले लेना भ्रांति है। लेकिन हम लेते हैं। हम लेते हैं एक कारण से कि वही एकमात्र उपाय है दुख को भूलने का।

तुम देखते हो, क्रिकेट का मैच हो कि हाकी हो कि वालीबॉल हो, चले लाखों लोग देखने! इनसे थोड़ा पूछो भी कि क्या देखने जाते हो? तो इनके पास कोई उत्तर न होगा। लेकिन ये भूलने जा रहे हैं।

तुम राह से जा रहे हो, हजार जरूरी काम हों, अगर दो आदमी लड़ते हों राह के किनारे, तुम रुक जाते हो। टिका दी साइकिल, खड़े हो गए, देखने लगे। क्या देखते हो? दो आदमी लड़ते हैं, इसको देखना भी अशोभन है, अभद्र है। यह तो लड़ने जैसा ही है। यह तो तुम्हारे देखने से भी उनको लड़ने में गति मिलेगी। तुम पाप के भागीदार हो रहे हो। तुम प्रोत्साहन दे रहे हो। अगर कोई खड़ा न हो तो शायद वे भी अपने-अपने रास्ते चले जाएं कि क्या सार है! लेकिन जब भीड़ खड़ी हो जाए तो उनका भी जाना मुश्किल हो जाता, अहंकार पर चोट पड़ती, दांव लग

जाताः इतने लोग देख रहे हैं! अब अगर हटे तो कायर! इतने लोगों की मौजूदगी लड़ा देगी। तुम अगर खड़े हो गए, तो तुम उनके लड़ने का कारण बन रहे हो।

और तुमने कभी यह भी खयाल किया कि अगर झगड़ा न हो और वे दोनों आदमी सुलह पर आ जाएं और नमस्कार करके विदा हो जाएं, तो तुम भीतर थोड़ा सा अनुभव करते हो, जैसे कुछ चूका, कुछ नुकसान हुआ, मजा न आया! तुम्हारे भीतर ऐसा लगता है कि होना जो चाहिए था, हो जाती टक्कर, हो जाता खून-खराबा, तो थोड़ी तुम्हें उत्तेजना मिलती; तुम्हारी मुर्दा सी पड़ी जिंदगी में थोड़ा बल आता, थोड़े प्राण सरकते; तुम्हारी मरी आत्मा थोड़ी सांस लेती। नहीं हुआ कुछ भी? तुम ऐसे जाते हो खाली हाथ, जैसे तुम्हें धोखा दिया गया। तुम एक शिकायत लिए जाते हो। तुम कह भी नहीं सकते किसी से। क्या कहने का! लेकिन भीतर एक शिकायत, एक कड़वा स्वाद तुम्हारे मुंह में रह जाएगा। कुछ की तुम प्रतीक्षा करते थे, वह नहीं हुआ। और दोनों बड़ा शोरगुल मचा रहे थे और कुछ भी नहीं हुआ।

सुबह जब तुम अखबार उठा कर पढ़ते हो, तो तुम जल्दी से देखते होः 'कहां डाका पड़ा? कहां हत्या हुई? कौन प्रधानमंत्री मारा गया? कौन गिराया गया? कौन क्या हुआ?' अगर अखबार में कुछ भी न हो तो तुम ऐसे उदासी से पटक देते हो कि आज कोई समाचार ही नहीं। तुम किन समाचारों की प्रतीक्षा कर रहे हो? तुम चाहते क्या हो? तुम अपनी चाहत तो देखो। तुम बस अपनी उत्तेजना के लिए कुछ भी, कुछ भी हो जाए...।

स्पेन में लोग सांडों से आदमियों को लड़ाते हैं और देखने जाते हैं। अब किसी आदमी से सांड को लड़ाना सांड के साथ भी ज्यादती है और आदमी के साथ भी ज्यादती है। लेकिन लाखों लोग देखते हैं—तत्पर हो कर! इन सांडों की लड़ाई में लोग जितने ध्यान-मग्न दिखाई पड़ते हैं और कहीं दिखाई नहीं देते।

पुराने दिनों में, रोमन दिनों में आदमियों को छोड़ दिया जाता था जंगली जानवरों, शेरों, सिंहों के सामने और उनसे लड़ाई...। और लाखों लोग देखने आते थे।

मुर्गे लड़ाते हैं लोग, कबूतर लड़ाते हैं लोग। अगर तुम्हारे पड़ोस में पति-पत्नी लड़ने लगें, तो तुम दीवाल से कान लगा कर बैठ जाते हो। रस है तुम्हारा ऐसी बातों में, जिनके द्वारा तुम किसी भांति अपने पर से अपना ध्यान हटा लो।

सारा धर्म कहता हैः अपने पर ध्यान लगाओ, तो आनंद फलित होगा। तुम अपने पर से ध्यान हटा रहे हो। और जब तुम्हारा ध्यान थोड़ी देर को हट जाता है, तुम सफल हो जाते—तुम कहते, जरा सुख मिला! जरा सा सुख मिला। संगीत में

डूब गए, कि संभोग में डूब गए, कि शराब में डूब गए—जरा सा सुख मिला। क्षण भर को अपने को भूल गए, किया विस्मरण—सुखी थे? विस्मरण सुख है? तो फिर सब बुद्ध नासमझ हैं। क्योंकि वे कहते हैं, आत्म-स्मरण आनंद है।

तो आनंद और सुख की परिभाषा समझ लो। आत्म-स्मरण आनंद है। स्वेच्छा से आत्म-स्मरण की तरफ जाना साधना है। आत्म-विस्मरण सुख है। जबरदस्ती स्वयं की याद दिला दे कोई चीज तो दुख है। तुम जिसे दुख कहते हो, उससे आनंद करीब है, बजाय तुम्हारे सुख के।

फिर से मैं समझा दूं: आत्म-स्मरण आनंद है; आत्म-विस्मरण सुख है। और दुख है दोनों के बीच में। दुख में मजबूरी से आदमी को स्वयं का थोड़ा बहुत स्मरण करना पड़ता है—मजबूरी से, जबरदस्ती; करना नहीं चाहता! सिर में दर्द है और अपनी याद आती है। हृदय में एक कांटा चुभा है और पीड़ा के कारण याद आती। करना पड़ता है! भागता है कि कोई उपाय खोज ले, कहीं शराब की बोतल खोल ले और अपने को भूल जाए।

जहां भी तुम अपने को भुलाने जाते हो—भला वह मंदिर हो या मस्जिद, प्रार्थना हो या नमाज—वह सब शराब है। जहां भूलने का तुम उपाय खोजते हो, वह सब शराब है। भूलना-मात्र आदमी को अपने से दूर ले जाता है।

अगर तुम्हें मेरी यह बात समझ में आई हो, तो तुम तपश्चर्या का अर्थ भी समझ लोगे।

तपश्चर्या का अर्थ है: जब दुख हो तो उससे भागना नहीं। तपश्चर्या का अर्थ है: जब जीवन में दुख हो, तो उससे जरा भी भागने की कोशिश न करनी, बल्कि ठीक उस दुख के बीच ध्यानस्थ होकर बैठ जाना; उस दुख को देखना; उस दुख के प्रति जागना और साक्षी-भाव पैदा करना।

इसलिए मैंने कहा कि दुख से आनंद करीब है, बजाय सुख के। मैं तुमसे यह नहीं कह रहा हूं कि तुम दुख पैदा करो, क्योंकि वह तो दुखवाद होगा, वह एक तरह का मैसोचिज्म होगा। मैं तुमको यह नहीं कह रहा कि तुम अपने को सताओ; जैसा कि कई मूढ़ सता रहे हैं। जिंदगी में दुख अपने आप काफी है, अब तुम्हें कुछ और करने की जरूरत नहीं है। जीवन काफी दुखदायी है, दुख ही दुख से भरा है। जन्म दुख है, जरा दुख है, मृत्यु दुख है—यहां दुख ही दुख हैं। बुद्ध ने कहा, यहां दुखों की कोई कमी है? सब तरफ दुख ही दुख हैं।

तुम्हें दुख बनाने की जरूरत नहीं, दुख तो हैं; तुम सिर्फ दुखों से भागो मत, दुखों के प्रति जागो! तुम दुखों को सुख में भुलाने की चेष्टा मत करो। तुम दुखों

को ध्यान बना लो, और उसी ध्यान से तुम पाओगे, तुम आत्म-स्मरण में सरकने लगे। धीरे-धीरे दुख को देखते-देखते, तुम्हें वह भी दिखाई पड़ने लगेगा जो दुख को देख रहा है। सुख में तो देखने वाला सो जाता है। इसलिए तो सुख में कभी परमात्मा याद नहीं आता। इसलिए तो सुखी आदमी एक तरह के अभिशाप में है और दुखी आदमी को एक तरह का वरदान है। सुखी तो भूल जाता अपने को, परमात्मा की सुध कौन रखे? परमात्मा तो हमारा आत्यंतिक केंद्र है। हम अपने को ही भूल गए, तो अपने केंद्र की कहां सुध रही? परमात्मा तो हमारे भीतर छिपा है; हम अपने को ही भूल गए तो परमात्मा को ही भूल गए। इसलिए कभी-कभी दुख में परमात्मा की भला याद आए, सुख में जरा भी याद नहीं आती; सुख में तो आदमी बिलकुल भूल जाता है।

सुख आएं तो सौभाग्य मत समझना। सुख आएं तो उनके भी साक्षी बनना। और दुख आएं तो दुर्भाग्य मत समझना; दुख आएं तो उनके भी साक्षी बनना। और दोनों के साक्षी बन कर तुम पाओगे कि दोनों के पार हो गए हो।

जो न सुखी होता न दुखी, जहां न सुख है न दुख, वहीं बंधन के पार हो जाता है आदमी। जब तक सुखी होता, दुखी होता, छोड़ता, पकड़ता, तभी तक बंधन है। तदा बंधः!

'जब मन न चाह करता है, न सोचता है, न त्यागता है, न ग्रहण करता है, वह जब न सुखी होता, न दुखी होता—तब मुक्ति।'

तदा मुक्तिर्यदा चित्तं न वांछति न शोचति।
न मुग्चति न गृहणाति न हृष्यति न कुप्यति।।

कहां है मुक्ति? मोक्ष कहां है? लोग सोचते हैं, शायद मोक्ष कहीं किसी पारलौकिक भूगोल का हिस्सा है, कोई ज्योग्राफी है। मोक्ष ज्योग्राफी नहीं है, भूगोल नहीं है। मोक्ष तो तुम्हारे ही चित्त की आत्यंतिक रूप से शांत हो गई दशा है।

लोग सोचते हैं, संसार बाहर है। संसार भी बाहर नहीं है—तुम्हारी ही विक्षुब्ध चेतना है। मोक्ष भी कहीं दूर ऊपर आकाश में है? नहीं, जरा भी नहीं। मोक्ष भी तुम्हारी फिर से शांत हो गई आत्मा है।

तो ऐसा समझो कि संसार है ज्वर-ग्रस्त चेतना; मोक्ष है ज्वर-मुक्त चेतना। संसार है उद्विग्न लहरें तुम्हारे चैतन्य की; मोक्ष है लहरों का फिर सो जाना, विश्राम में खो जाना। झील जब शांत हो जाए और चांद का प्रतिबिंब बनने लगे पूरा-पूरा तो मोक्ष; और झील जब उद्विग्न हो जाए, और लहरें ही लहरें फैल जाएं और चांद का प्रतिबिंब टूट जाए—तब संसार।

तदा मुक्तिः यदा न वांछति...

—न तो चाह हो;

न शोचति...

—न सोच हो, विचार हो;

न मुग्चति...

—न त्याग हो;

न गृह्णाति...

—न पकड़ हो;

तदा मुक्तिः...

—वहीं है मोक्ष।

यह शुद्धतम मोक्ष की परिभाषा है। इसका यह अर्थ हुआ कि ऐसा भी नहीं है कि तुम्हें किसी दिन मोक्ष मिलेगा, तुम चाहो तो अभी भी, कभी-कभी, भरे संसार में भी क्षण भर को तुम मोक्ष का रस ले सकते हो। क्योंकि अगर क्षण भर को भी विचार बंद हो जाएं, और क्षण भर को भी कोई वांछा न हो, क्षण भर को भी चित्त में क्रिया रुक जाए, कोई गति-आवागमन न हो, न कुछ पकड़ने का भाव उठे न छोड़ने का—तो उस क्षण में तुम मोक्ष में हो। और वही स्वाद तुम्हें फिर और-और मोक्ष में ले जाएगा। ध्यान का अर्थ है: थोड़ी-थोड़ी झलकें। समाधि का अर्थ है: झलकों का ठहर जाना, थिर हो जाना।

'जब मन न चाह करता है...।'

लेकिन तुम देखो! जिनको तुम त्यागी कहते हो, वे भी चाह कर रहे हैं—मोक्ष की चाह कर रहे हैं! अष्टावक्र की परिभाषा में तुम्हारे त्यागी, त्यागी नहीं हैं।

तुम पूछो अपने त्यागी से कि तुमने संसार क्यों छोड़ा? वह कहता है, मोक्ष की तलाश में। तुम पूछो अपने त्यागी से, तुमने धन-द्वार, घर-द्वार क्यों छोड़ा? तो वह कहता है, मोक्ष की तलाश में; आत्मा के आनंद को खोजना, सत्य को खोजना। मगर यह तो फिर त्याग न हुआ।

मैंने सुना है, दो छोटे-छोटे गांव एक पहाड़ी पर बसे थे। एक था क्षत्रियों का गांव और एक था जुलाहों का गांव। जुलाहे सदा से क्षत्रियों से पीड़ित थे, सदा डरते रहे। क्षत्रिय, क्षत्रिय; जुलाहे, जुलाहे! उनके सामने अकड़ कर भी न निकल पाते। क्षत्रियों ने नियम बना रखा था कि उनके गांव में से कोई जुलाहा मूंछ पर ताव दे कर नहीं निकल सकता, तो मूंछ नीची कर लेनी पड़ती। बड़ी पीड़ा थी जुलाहों को। आखिर उन्होंने कहा, इसका कुछ उपाय करना पड़े, आखिर एक सीमा होती है सहने की। उन्होंने कहा, एक रात जब क्षत्रिय सोए हों—क्योंकि जागे में तो उन पर

हमला करने में झंझट है—जब सब क्षत्रिय सोए हों—और उनको कभी कल्पना भी नहीं हो सकती, किसी क्षत्रिय ने सपना भी न देखा होगा कि जुलाहे हमला करेंगे—तो रात में हम चले जाएं और अच्छी मार-कुटाई कर दें और लूटपाट कर लें।

बड़ी हिम्मत बांध कर जुलाहों ने क्षत्रियों के गांव पर हमला किया, लेकिन जुलाहे तो जुलाहे थे। सोए हुए क्षत्रिय भी जागे हुए जुलाहों के लिए काफी थे। वे पहले ही से घबड़ा रहे थे, एक-दूसरे के पीछे हो रहे थे, बामुश्किल तो पहुंचे क्षत्रियों के गांव में! उनके पहुंचने के शोरगुल में इसके पहले कि वे हमला करें या कुछ करें, क्षत्रिय जग गए। वे सोच-विचार ही काफी करते रहे कि कहां से करें, किस पर करें; सोचते रहे कि सबसे कमजोर क्षत्रिय कौन है, पहले उसी को देखें।

अब ये भी कोई ढंग होते हैं? उतनी देर में क्षत्रिय जाग गए, वे तलवारें निकाल लाए। जुलाहों ने तलवारें देखीं तो भागे, बेतहाशा भागे। जब जुलाहे भाग रहे थे, तो उनमें से उनका एक साथी कहने लगा कि भाइयो! भागे तो जाते ही हो, भला मारो-मारो तो कहते चलो। तो जुलाहे भागते जाते और चिल्लाते जाते: 'मारो-मारो!'

किसको धोखा देते हो? लेकिन उनको मजा आया 'मारो-मारो' चिल्लाने में। मारना-करना उनके बस के बाहर था, पिटाई हो रही थी, भागे जा रहे थे; लेकिन जिसने कहा, उसने भी खूब तरकीब निकाली। उसने कहा कि कम से कम मारो-मारो तो चिल्लाओ। मार नहीं सकते, कोई हर्जा नहीं; लेकिन मारो-मारो की आवाज तो हम कर ही सकते हैं। इससे कम से कम भरोसा तो रहेगा कि हमने भी कुछ किया।

तुम अपने त्यागियों को देखते हो? तुम्हारे ही जैसे, ठीक तुम्हारे जैसे ही वांछा से भरे, कामना से भरे, तुम्हारे ही जैसे वासना से भरे। माना कि उनके वासना के विषय दूसरे, तुम्हारे विषय दूसरे; पर विषय-भेद से थोड़े कोई भेद पड़ता है! वासना का अर्थ है: कुछ भी चाहा, तो चूके, तो अपने से चूके। चाह-मात्र अपने से वंचित कर जाती है। लेकिन भागते जाते हैं अपनी चाह के पीछे और चिल्लाते भी जाते हैं कि भाइयो! त्यागो, त्यागो! वासना में कुछ सार नहीं है!

तुम जरा सुनो अपने जुलाहों को—तुम्हारे महात्मा! वे कहते हैं: 'भाइयो! त्यागो, त्यागो! वासना में कुछ भी रखा नहीं; दुख ही दुख है।' और तुम उनसे ही पूछो कि महाराज, आप उपवास करते, घर छोड़ दिया, मंदिर में बैठे हैं, बड़ा ध्यान लगाते हैं—किसलिए? अगर तुम्हारा महात्मा उत्तर दे दे कि इसलिए, तो चूक गया। कोई भी उत्तर वह दे, कहे कि इसलिए, तो वासना मौजूद है।

तुम्हारा महात्मा अगर हंसे और कहे कि 'किसलिए भी नहीं, सिर्फ जीवन की व्यर्थता दिखाई पड़ गई...! मैंने जीवन छोड़ा नहीं है—जीवन छूट गया है। मैं कुछ चाहने में नहीं लगा हूं, मैं कुछ खोजने में भी नहीं लगा हूं—मैंने तो यह जान लिया कि जिसको खोजना है, वह मेरे भीतर है, उसको खोजने की कोई जरूरत नहीं है। मैं कहीं जा भी नहीं रहा हूं, अपने घर में बैठा हूं। मेरी सब यात्रा समाप्त हो गई है। मैं मोक्ष भी नहीं खोज रहा हूं, परमात्मा भी नहीं खोज रहा हूं। मेरी प्रार्थना कुछ मांगने के लिए नहीं है। उपवास मेरा आनंद है, कुछ चाह नहीं। ध्यान मेरा आनंद है, कुछ चाह नहीं। ये मेरे साधन नहीं हैं, ये मेरे साध्य हैं।'

अगर तुमसे कोई महात्मा ऐसा कहे, और ऐसा तुम पाओ कि किसी महात्मा के जीवन में ऐसा है भी; क्योंकि कहने से कुछ नहीं होता; हो सकता है 'मारो-मारो' चिल्ला रहा हो, फिर भी तुम्हें उसकी आंखों में ऐसी झलक मिले, उसके सान्निध्य में भी ऐसा लगे कि न उसकी कोई पकड़ है न कोई छोड़ है, न त्याग है न भोग है, जो होता है होता है, वह चुपचाप किनारे पर बैठा देख रहा है—अगर तुम ऐसी विश्राम की चेतना को पा लो, वहां झुकाना अपना सिर। वह झुकने की जगह है। वह मंदिर की चौखट आ गई। वैसा आदमी मंदिर है।

लेकिन अगर कहीं भी पाने की, कोई आकांक्षा अभी भी सरक रही हो मन के किसी कोने में, फिर वह पाना कुछ भी क्यों न हो, तो संसारी संसारी है। सिर के बल खड़ा हो जाए, इससे कुछ भेद नहीं पड़ता। भूखा मरे, इससे कुछ भेद नहीं पड़ता। नंगा खड़ा हो जाए, इससे कुछ भेद नहीं पड़ता।

संसार और मोक्ष अष्टावक्र की परिभाषा में तुम्हारे चित्त की दशाएं हैं—चाह और अचाह की।

'जब मन न चाह करता है, न सोचता है, न त्यागता है, न ग्रहण करता है, न सुखी होता, न दुखी होता—तब मुक्ति है।'

तदा मुक्तिः।

जब मन एकरस होता, बस होता, कोई क्रिया नहीं होती, कोई हलन-चलन नहीं होता, कोई कंपन नहीं होता, स्तब्ध ज्योति ठहरी होती है अकंप, न कहीं जाना, न होने की कोई वांछा, जैसा है—ऐसा सर्वस्वीकार, ऐसी तथाता; जैसे दर्पण कोरा; जैसे कोरा कागज, जिस पर कुछ लिखा नहीं है, ऐसा जब मन कोरा होता—उस कोरे मन का नाम ही ध्यान है। और उस कोरे मन में जब कोई संभावना नहीं रह जाती...। क्योंकि कुछ कोरे कागज होते हैं जिनमें अदृश्य लिखावट होती है। कोरा कागज हो सकता है, लेकिन ऐसी रासायनिक प्रक्रियाएं होती हैं कि तुम रासायनिक द्रव्यों से लिख सकते हो, दिखाई न पड़े, थोड़ी आंच बताओ तो दिखाई पड़ने लगे।

जब कोरा कागज ऐसा होता है कि उसमें अदृश्य लिखाई भी नहीं होती, कितनी ही आंच दिखाओ कुछ भी दिखाई नहीं पड़ेगा, कुछ भी पैदा नहीं होगा—तब जानना आ गए अपने घर, मंजिल मिली। तदा मुक्तिः।

'जब मन किसी दृष्टि अथवा विषय में लगा हुआ है तब बंध है और मन जब सब दृष्टियों से अनासक्त है तब मोक्ष है।'

सीधी-सीधी बातें हैं, बड़े सीधे सूत्र हैं और सत्य के अत्यंत निकट हैं।

तदा बंधो यदा चित्तं सक्तं कास्वपि दृष्टिषु।

तदा मोक्षो यदा चितंसक्तं सर्वदृष्टिषु।।

'जब मन किसी दृष्टि अथवा विषय में लगा है...।'

किसी दृष्टि में लगा है—आंख से जो दिखाई पड़ता है उसमें लगा है; कान से जो सुनाई पड़ता है उसमें लगा है; हाथ से जो स्पर्श में आता है उसमें लगा है—तो दृष्टि में लगा है।

समझो इस बात को। तुम राह से गुजरे, देखा एक सुंदर स्त्री को जाते हुए—मन उसके पीछे चलने लगा। तुम न भी जाओ उसके पीछे, तुम मुंह मोड़ लो, तुम आंख बंद कर लो, तुम उस तरफ देखो ही नहीं—लेकिन मन चलने लगा। तुम्हारे चलने से कुछ मन के चलने का संबंध नहीं। तुम्हारा शरीर चले न चले, मन चलने लगा। फिर वहीं से एक त्यागी निकल रहा है। तुम उस स्त्री के सौंदर्य के भोग के लिए आतुर होने लगे, मन में कल्पना उठने लगी। फिर एक त्यागी निकलता है वहीं से, उसने भी सुंदर स्त्री देखी। सुंदर स्त्री देख कर ही वह शास्त्रों के वचन अपने भीतर दोहराने लगा कि 'स्त्री में है क्या? हड्डी, मांस, मज्जा, मल-मूत्र—है क्या स्त्री में? कुछ भी तो नहीं है।' वह समझाने लगा अपने को। यह त्यागी है, लेकिन इस त्याग के पीछे भी कहीं गहरे में राग छिपा है; नहीं तो यह बात भी क्या उठानी? और स्त्री में मल-मूत्र छिपा है तो तुममें क्या कोई सोना-चांदी छिपा है।

तुमने कभी सोचा? जिन महात्माओं ने तुम्हारे शास्त्र लिखे, उसमें वे लिख गए 'स्त्री में मल-मूत्र, मांस-मज्जा, बस यही थूक-खखार—यही सब छिपा पड़ा है।' खुद इन महात्मा में क्या छिपा था? इस संबंध में भी तो कुछ सूचना दे जाते। उस संबंध में बिलकुल चुप हैं। क्योंकि पुरुषों ने शास्त्र लिखे हैं, इसलिए स्त्रियों में तो हड्डी-मांस-मज्जा है और पुरुषों में सोना-चांदी है! स्त्रियों ने शास्त्र लिखे होते तो शायद बात कुछ और होती, तो वे पुरुषों के बाबत लिखतीं। लेकिन यह लिखने की जरूरत भी क्या है? क्या इस बात में साफ प्रमाण नहीं है कि कहीं न कहीं अभी भी स्त्री में रस रहा होगा। उसी रस को झुठलाने को यह कह रहा है कि रखा क्या

है! यह अपने मन को समझा रहा है। मन तो कहता है कि चलो...। यह मन को कह रहा हैः अरे पागल, कुछ भी नहीं रखा है! वासना तो उठी है, यह वासना की लगाम खींचने की कोशिश कर रहा है।

लाख तुम ऐसी कोशिशें करो, तुम जीतोगे नहीं। यह सब सोच-विचार ही है।

मुझे अपनी पस्ती की शरम है,
तेरी रिफअतों का खयाल है,
मगर अपने दिल को मैं क्या करूं?
इसे फिर भी शौक-ए-विसाल है।

तुम लाख समझो, शघमदा होओ, अपराधी अनुभव करोः गलती हो रही है, पाप हो रहा है—फिर भी कुछ फर्क नहीं पड़ता।

मगर अपने दिल को मैं क्या करूं?
इसे फिर भी शौक-ए-विसाल है।

वह दिल तो भोग मांगता ही जाता है। उस दिल को तुम रोको, बंधन डालो, जंजीरें पहनाओ—इससे भी कोई फर्क नहीं पड़ता। तुम निकल रहे राह से—तुम भोगी हो तो भोग की आकांक्षा उठती है; त्यागी निकलता, उसको भी भोग की आकांक्षा निकलती है, वह त्याग की बातों से उस आकांक्षा को दबाता। मगर दोनों दृष्टि में उलझ गए; जो दिखाई पड़ा उसमें उलझ गए।

तुम उस आदमी की कल्पना करो जो वहीं रास्ते से निकलता है और जो दिखाई पड़ता है, वह न तो इस तरफ न उस तरफ, किसी तरह की उलझन पैदा नहीं करता। स्त्री निकली, निकली—स्त्री स्त्री है! न तो शोरगुल मचाने की जरूरत है कि स्वर्ग निकल गया पास से, न शोरगुल मचाने की जरूरत है कि यह कार्पोरेशन की मैला-गाड़ी निकल गई पास से। स्त्री, स्त्री है—निकल गई, निकल गई! तुम ऐसे ही चले गए, जैसे कुछ भी न निकला। इस अवस्था का नाम हैः दृष्टि के पार हो जाना।

तुमने कान से कुछ सुना और उसमें रस पड़ गया। एक गीत सुन लिया, फिर-फिर गीत को सुनने की आकांक्षा होने लगी—तो दृष्टि में उलझ गए। तुमने कुछ छुआ, प्रीतिकर लगा, फिर-फिर छूना चाहा—तो फिर दृष्टि में उलझ गए।

खयाल रखना, तुमने जाकर किसी साधु की वाणी सुनी, किसी संत के वचन सुने, सुनने के कारण अच्छे लगे और उलझ गए—तो वह भी दृष्टि है। समझ के कारण ठीक लगना एक बात है, सुनने के कारण ठीक लगना बिलकुल दूसरी बात है। तुम, सिर्फ कानों को प्रीतिकर लगे, इसलिए उलझ गए; कर्णमधुर लगे, इसलिए उलझ गए—तो फिर तुम दृष्टि में उलझ गए। तुम्हारी समझ को ठीक लगे...।

'जब मन किसी दृष्टि अथवा विषय में लगा हुआ है, तब बंध है।'

यदा चित्तम् कासु दृष्टिषु सक्तम् तदा बंधः।

'और मन सब दृष्टियों से जब अनासक्त है, तब मोक्ष है।'

यदा चित्तम् सर्वदृष्टिषु असक्तम् तदा मोक्षः।

जब तुम देखते हुए—और नहीं देखते; चलते हुए—और नहीं चलते; छूते हुए—और नहीं छूते; सुनते हुए—नहीं सुनते; सब होता रहता है, लेकिन तुम अपने द्रष्टा-भाव में थिर होते हो, वहां से तुम विचलित नहीं होते, वहां अविचलित तुम्हारी अंतरज्योति कंपती नहीं, कोई हवा का झोंका तुम्हें हिलाता नहीं; सब आता है जाता है, तुम वही के वही बने रहते हो, एकरस, ज्यों के त्यों—यही मोक्ष है। मोक्ष कहीं सात स्वर्गों के पार नहीं। और संसार बाजार में, दुकान में, व्यवसाय में नहीं। संसार तुम्हारे चित्त की एक दशा; मोक्ष भी तुम्हारे चित्त की एक दशा। मोक्ष वैसी दशा जैसा स्वाभाविक होना चाहिए; और संसार वैसी दशा जैसा रोग-ग्रस्त अवस्था में हो जाता है। संसार यानी बीमार आत्मा की अवस्था। मोक्ष यानी स्वस्थ आत्मा की अवस्था।

'स्वस्थ' शब्द बड़ा अच्छा है। इसका अर्थ ही होता है: स्वयं में स्थित। स्वास्थ्य का अर्थ ही होता है, जो स्वयं में स्थित हो गया। आत्मस्थ जो हुआ, वही स्वस्थ; बाकी सब बीमार।

शरीर की बीमारी थोड़े ही कोई बीमारी है; असली बीमारी तो आत्मा का अस्वस्थ होना है। अपने से च्युत हो जाना, अपने से हट जाना, अपने केंद्र से डांवाडोल हो जाना: अस्वास्थ्य। अपने केंद्र पर बैठ जाना, अडिग: स्वास्थ्य। इसी स्वास्थ्य को अष्टावक्र मोक्ष कह रहे हैं।

'जब मैं हूं तब बंध है। जब मैं नहीं हूं तब मोक्ष है।'

कैसे प्यारे वचन हैं! इनसे श्रेष्ठ वचन तुम कहां खोज सकोगे!

'जब मैं हूं तब बंध है। जब मैं नहीं हूं तब मोक्ष है। इस प्रकार विचार कर न इच्छा कर, न ग्रहण कर और न त्याग कर।'

सरल, अनूठे, पर अति कठिन! जितने सरल उतने कठिन। सरल ही तो हमें करना कठिन हो गया है। कठिन तो हम कर लेते हैं, सरल अटका देता है।

इसे थोड़ा समझना।

कठिन को तो करने में अहंकार को रस आता है, इसलिए कर लेते हैं। कठिन में तो अहंकार को चुनौती है, कुछ करके दिखला देने का मजा है। कठिन में तो कर्ता होने की सुविधा है। तो आदमी कठिन को करने में बड़ा उत्सुक होता है।

तुम ध्यान रखना, तुम जीवन में जो भी कर रहे हो, कहीं वह इसलिए तो नहीं

कर रहे हो कि वह कठिन है? बड़ा मकान बनाना कठिन है। बड़ी कार खरीद लाना कठिन है। बड़ा धन-अंबार लगा लेना कठिन है। कहीं तुम इसलिए तो पीछे नहीं लगे हो? खाओगे, पीयोगे, ओढ़ोगे—क्या करोगे उस धन के अंबार का? लेकिन आदमी धन का ढेर लगाता जाता है। क्यों? पूछो उससे। शायद बहुत कठिन था, इसलिए चुनौती थी। कुछ दिखला कर—मैं भी कुछ हूं—दुनिया को बतला देने का मजा था। जो बिलकुल सरल है, उसमें तो किसी को रस नहीं आता।

सिकंदर सारी दुनिया जीतना चाहता था। डायोजनीज ने उससे कहा, क्या करोगे सारी दुनिया को जीतने के बाद? सिकंदर ने कहा, क्या करेंगे? फिर विश्राम करेंगे!

डायोजनीज खूब हंसने लगा। उसने कहा, अगर विश्राम ही करना है तो हम अभी विश्राम कर रहे हैं, तो तुम भी करो। सारी दुनिया जीत कर विश्राम करोगे, यह बात कुछ समझ में नहीं आई। इसमें तर्क क्या है? क्योंकि सारी दुनिया के जीतने का विश्राम से कोई भी तो संबंध नहीं है। विश्राम मैं बिना कुछ जीते कर रहा हूं। जरा मेरी तरफ देखो!

और वह कर ही रहा था विश्राम। वह नदी-तट पर नग्न लेटा था। सुबह की सूरज की किरणें उसे नहला रही थीं। मस्त बैठा था। मस्त लेटा था। कहीं कुछ करने को न था, विश्राम में था। तो वह खूब हंसने लगा। उसने कहा, सिकंदर तुम पागल हो! तुम जरा मुझे कहो तो, कि अगर विश्राम दुनिया को जीतने के बाद हो सकता है, तो डायोजनीज कैसे विश्राम कर रहा है? मैं कैसे विश्राम कर रहा हूं? मैंने तो कुछ जीता नहीं। मेरे पास तो कुछ भी नहीं है। मेरे हाथ में एक भिक्षा-पात्र हुआ करता था, वह भी मैंने छोड़ दिया। वह इस कुत्ते की दोस्ती के कारण छोड़ दिया।

कुत्ता उसके पास बैठा था। डायोजनीज का नाम ही हो गया था यूनान में: 'डायोजनीज कुत्ते वाला'। वह कुत्ता सदा उसके साथ रहता था। उसने आदमियों से दोस्ती छोड़ दी। उसने कहा, आदमी कुत्तों से गए-बीते हैं। उसने एक कुत्ते से दोस्ती कर ली। और उसने कहा, इस कुत्ते से मुझे एक शिक्षा मिली, इसलिए मैंने पात्र भी छोड़ दिया; पहले एक भिक्षा-पात्र रखता था। एक दिन मैंने इस कुत्ते को नदी में पानी पीते देखा। मैंने कहा, 'अरे, यह बिना पात्र के पानी पी रहा है! मुझे पात्र की जरूरत पड़ती है!' वहीं मैंने छोड़ दिया। इस कुत्ते ने मुझे हरा दिया। मैंने कहा, यह हमसे आगे पहुंचा हुआ है? मुझे पात्र की जरूरत पड़ती है? क्या जरूरत? जब कुत्ता पी लेता है पानी और कुत्ता भोजन कर लेता...। तो मेरे पास कुछ भी नहीं है, फिर भी मैं विश्राम कर रहा हूं। और क्या तुम संदेह कर सकते हो मेरे विश्राम पर?

नहीं, सिकंदर भी संदेह न कर सका। वह आदमी सच कह रहा था। वह निश्चित ही विश्राम में था। उसकी आंखें, उसका सारा भाव, उसके चेहरे की विभा...वह ऐसा था जैसे दुनिया में कुछ पाने को बचा नहीं, सब पा लिया है। कुछ खोने को नहीं, कोई भय नहीं, कोई प्रलोभन नहीं।

सिकंदर ने कहा, तुमसे मुझे ईर्ष्या होती है। चाहता मैं भी हूं ऐसा ही विश्राम, लेकिन अभी न कर सकूंगा। दुनिया तो जीतनी ही पड़ेगी। मैं यह तो बात मान ही नहीं सकता कि सिकंदर बिना दुनिया को जीते मर गया।

डायोजनीज ने कहा, जाते हो, एक बात कहे देता हूं, कहनी तो नहीं चाहिए, शिष्टाचार में आती भी नहीं, लेकिन मैं कहे देता हूंः तुम मरोगे बिना विश्राम किए।

और सिकंदर बिना विश्राम किए ही मरा! भारत से लौटता था, रास्ते में ही मर गया, घर तक भी नहीं पहुंच पाया। और जब बीच में मरने लगा और चिकित्सकों ने कहा कि अब बचने की कोई उम्मीद नहीं, तो उसने कहा, सिर्फ मुझे चौबीस घंटे बचा दो, क्योंकि मैं अपनी मां को मिलना चाहता हूं। मैं अपना सारा राज्य देने को तैयार हूं। मैंने यह राज्य अपने पूरे जीवन को गंवा कर कमाया है, मैं वह सब लुटा देने को तैयार हूं...चौबीस घंटे! मैंने अपनी मां को वचन दिया है कि मरने के पहले जरूर उसके चरणों में आ जाऊंगा।

चिकित्सकों ने कहा कि तुम सारा राज्य दो या कुछ भी करो, एक श्वास भी बढ़ नहीं सकती।

सिकंदर ने कहा, किसी ने अगर मुझे पहले यह कहा होता, तो मैं अपना जीवन न गंवाता। जिस राज्य को पाने में मैंने सारा जीवन गंवा दिया, उस राज्य को देने से एक श्वास भी नहीं मिलती! डायोजनीज ठीक कहता था कि मैं कभी विश्राम न कर सकूंगा।

खयाल रखना, कठिन में एक आकर्षण है अहंकार को। सरल में अहंकार को कोई आकर्षण नहीं है। इसलिए सरल से हम चूक जाते हैं। सरल...परमात्मा बिलकुल सरल है। सत्य बिलकुल सरल है, सीधा-साफ, जरा भी जटिलता नहीं।

यदा नाहं तदा मोक्षो यदाहं बंधनं तदा।

मत्वेति हेलया किंचित् मा गृहाण विमुग्च मा।।

'जब मैं हूं, तब बंध है।'

यदा अहम् तदा बंधनम्!

मैं ही बंध हूं। मेरा भाव मुझे दूर किए है परमात्मा से। यह सोचना कि मैं हूं, मेरे और उसके बीच फासला है। यही सीमा अटका रही। जिस क्षण मैं जानता हूं—वही है, मैं नहीं।

यदा अहम् न तदा मोक्षः।

यदा अहम् न तदा मोक्षः—जहां मैं नहीं, बस वहां मुक्ति, वहां मोक्ष।

एक ही चीज गिरा देनी है : मैं-भाव, अस्मिता, अहंकार। और जब तक चित्त में लहरें हैं, तब तक अहंकार नहीं गिरता, क्योंकि अहंकार सभी लहरों के जोड़ का नाम है। अहंकार तुम्हारी सारी अशांति का संघट है। अहंकार कोई वस्तु नहीं है कि तुम उठा कर फेंक दो। अहंकार तुम्हारे पूरे पागलपन का संगृहीत नाम है। जैसे-जैसे तुम शांत होते जाओगे, वैसे-वैसे अहंकार विसर्जित होता जाएगा।

जैसे तुम गए और देखा दरिया में तूफान है, फिर तूफान शांत हो गया—फिर तुम क्या पूछते हो तूफान कहां गया? जब दरिया शांत है तो तूफान कहां है? क्या तुम कहोगे कि तूफान अब शांत अवस्था में है? तूफान है ही नहीं। और जब तूफान था तब क्या था? तब भी दरिया ही था, सिर्फ अस्तव्यस्त दरिया था। बड़ी लहरें उठती थीं, आकाश को छू लेने का पागलपन था, बड़ा महत्वाकांक्षी दरिया था, बड़ी आकांक्षा, बड़ी चाहत, बड़ा विचार, कुछ कर दिखाने का भाव दरिया में था। थक गया, हार गया, समझ लिया कि कुछ सार नहीं, सो गया, विश्राम में लौट गया—तूफान गया।

तूफान कोई वस्तु नहीं है, तूफान एक उद्विग्न अवस्था है। अहंकार भी तूफान जैसा है। तुम्हारे चित्त की उद्विग्न अवस्था का नाम अहंकार है। जैसे-जैसे तुम शांत होने लगे, अहंकार विदा होने लगा। परम शांति में तुम्हारी सीमा खो जाती है, तुम अचानक असीम के साथ एक हो जाते हो।

'जब मैं हूं तब बंध है।'

यदा नाहं तदा मोक्षो यदाहं बंधनं तदा।

'और जब मैं नहीं, तब मोक्ष।'

'इस प्रकार विचार कर न इच्छा कर, न ग्रहण कर, न त्याग कर।'

बड़ा सीधा सूत्र है, लेकिन तुम कहोगे, बड़ा जटिल है! यह तो उलझा दिया। सीधी बात कहो, या तो कहो कि ग्रहण करो, भोगो—समझ में आता है। यह भी समझ में आता है कि मत भोगो, छोड़ो, त्यागो। यह भी समझ में आता है। यह क्या बात है? यह तो बड़ी उलझन है।

अष्टावक्र कहते हैं : 'ऐसा विचार कर न इच्छा कर, न ग्रहण कर और न त्याग कर।'

हमें तो बड़ी जटिलता मालूम होती है ऊपर से देखने पर कि यह तो बड़ी उलझन की बात हो गई।

मेरे पास लोग आते हैं, वे कहते हैं, हम कामवासना के साथ क्या करें?

भोगें? दबाएं? क्या करें? आप हमें उलझन में डाले हुए हैं।

जो कहते हैं, भोगो...चार्वाक कहते हैं, भोगो! बृहस्पति ने कहा, 'कोई फिकर न करो। ऋणं कृत्वा घृतं पिवेत! अगर ऋण लेकर घी पीना पड़े तो पीयो मजे से, लौट कर आता कौन? किसका ऋण चुकाना है? किसको चुकाना है? मरे कि मरे। भोग लो, लूट कर भी भोगना हो तो भोग लो। अपनी है कि पराई है स्त्री, इसकी फिकर मत करो। कौन किसका है? मर गए कि सब राख है। कोई मर कर आता नहीं। कोई आत्मा इत्यादि नहीं, इसलिए अपराध इत्यादि की व्यर्थ बातों में मत पड़ो। न कोई पाप है, न कोई पुण्य।'

यह भी बात समझ में आती है। सौ में निन्यानबे लोग यही मानते हैं, चाहे कहते कुछ भी हों। उनके कहने पर मत जाना—देखना, क्या करते हैं? उनकी किताबों में मत खोजना, उनके चेहरों में खोजना।

हरेक चेहरा खुद एक खुली किताब है यहां,
दिलों का हाल किताबों में ढूंढ़ता क्यों है?

मुसलमान को देखना हो तो कुरान में मत देखना, अन्यथा गलती में पड़ोगे। क्योंकि मुसलमान का कुरान से क्या लेना-देना है, जितना हिंदू का लेना-देना है कुरान से उतना ही मुसलमान का लेना-देना है, उससे ज्यादा नहीं। हिंदू को देखना हो तो वेद और उपनिषदों में मत देखना। उससे हिंदू को क्या लेना-देना है? हिंदू को देखना हो तो उसकी आंखों में देखना, उसके चेहरे में देखना। सिद्धांतों में मत झांकना, सिद्धांत बड़े धोखे से भरे हैं। हमने सिद्धांत पकड़ लिए हैं अपनी असलियत छिपाने को। कुरान में ढंके बैठे हैं। कोई वेद को ओढ़े बैठा है, कोई राम-नाम चदरिया डाले है—उनके भीतर छिपे बैठे हैं। तुम राम-नाम चदरियों के धोखे में मत आना, तुम तो आदमी की सीधी आंख में देखना।

हरेक चेहरा खुद एक खुली किताब है यहां,
दिलों का हाल किताबों में ढूंढ़ता क्यों है?

सौ में निन्यानबे आदमी चार्वाकवादी हैं। चार्वाक का पुराना नाम है लोकायत। वह नाम बड़ा प्यारा है। लोकायत का अर्थ होता है: लोग को जो प्रिय है। सबको जो प्रिय है। कहें लोग कुछ भी, ऊपर से कुछ भी गुनगुनाएं, राम-राम जपें; ऊपर से मोक्ष, परमात्मा, धर्म की बातें करें—लेकिन भीतर से अगर पूछो तो हर आदमी का दिल चार्वाक है।

'चार्वाक' शब्द भी बहुत अच्छा है। वह आया है चारु वाक से—जिसके वचन मधुर लगें। सभी को मधुर लगते हैं—कहे कोई नहीं; हिम्मतवर कहेंगे सिर्फ। बृहस्पति हिम्मतवर रहे होंगे, इसलिए भारत में उनको आचार्य का पद दिया गया,

'आचार्य बृहस्पति' कहा है। चार्वाक-दर्शन के जन्मदाता को भी आचार्य कहा है—उसी तरह जिस तरह शंकर को आचार्य कहा है, रामानुज को आचार्य कहा है।

इस देश में हिम्मत तो है। यह तो कहता है कि बात तो कही ही है बृहस्पति ने, बड़े मूल्य की कही है। और अधिक लोग तो बृहस्पति के ही अनुयायी हैं। हालांकि बृहस्पति के लिए कोई समर्पित मंदिर नहीं है कहीं। और न तुम किसी के घर में चार्वाक की किताब पाओगे, किताब बची नहीं है; किसी ने बचाई भी नहीं। कौन बचाएगा? किताबें तुम पाओगेः गीता, कुरान, बाइबिल, वेद, धम्मपद। मगर इनसे किसी को कुछ लेना-देना नहीं है। किताबों के कवर धम्मपद के हैं, भीतर तो बृहस्पति के वचन लिखे हैं।

हृदय खोजो आदमी का, तो सौ में निन्यानबे आदमी नास्तिक हैं और सौ में निन्यानबे आदमी भोगवादी हैं। वह भी समझ में आता है, स्वाभाविक लगता है।

फिर थोड़े से लोग हैं जो त्यागी हैं। वे भी समझ में आते हैं। भोग के तर्क से उनके तर्क में कुछ विरोध नहीं। वे कहते हैं, जीवन में कुछ नहीं है, इसलिए हम छोड़ते हैं। वह भी बात समझ में आती हैः 'जहां कुछ नहीं है, उससे भागो! किसी और की तलाश करो, जहां कुछ हो!'

लेकिन अष्टावक्र को कैसे समझोगे? मुझे कैसे समझोगे?

'न इच्छा कर, न ग्रहण कर और न त्याग कर।'

तो जब मुझसे कोई पूछता है, 'हम अपनी कामवासना का क्या करें? आप कहते हैं दबाओ मत। आप कहते हैं भोगो मत। करें क्या फिर?' ये दो बातें साफ समझ में आती हैं। द्वैत सदा समझ में आता, अद्वैत समझ में नहीं आता।

मैं उनसे कहता हूं, जागो! न भोगो न भागो-जागो। न दबाओ न दमन करो, न भोग में अपने को नष्ट करो—साक्षी बनो। देखो। जो होता हो उसे देखो। वासना पकड़े तो पकड़ने दो, तुम क्या करोगे? तुम दूर भीतर बैठे देखते रहो कि वासना पकड़ती है। तुमने उठाई भी नहीं। जिसने उठाई वह जाने। तुम अपने को क्यों बेचैन किए लेते हो? क्रोध उठता है, क्रोध को भी देखो। लोभ उठता है, लोभ को भी देखो। तुम सिर्फ देखने पर ध्यान रखो कि देखूंगा। जो भी उठेगा, देखूंगा।

सुबह होती है तो क्या करते हो—सुबह को देखते। रात हो जाती तो क्या करते, रात को देखते। जवान होते तो जवानी देखते, बूढ़े हो जाते तो बुढ़ापे को देखते। मौसम बदलते, ऋतुएं बदलतीं—ऐसा ही तुम्हारा चित्त भी डांवांडोल होता रहता है, तुम देखते रहो। अगर तुमने देखने के सूत्र को पकड़ लिया, तो तुम धीरे-धीरे पाओगे सब ऋतुएं दूर हो गईं; न काम बचा, न ब्रह्मचर्य बचा; न भोग बचा न त्याग बचा। दोनों गए। एक दिन अंततः आदमी पाता हैः अकेला बैठा हूं घर में,

कोई भी नहीं बचा। एकांत, बिलकुल अकेला, शुद्ध चैतन्य, चिन्मात्र! अहो चिन्मात्रं! आश्चर्य कि मैं सिर्फ चैतन्य-मात्र हूं, और सब व्यर्थ की बकवास थी—पकड़ो, छोड़ो, यह करो, वह करो। कर्ता भी भूल थी, भोक्ता भी भूल थी। संस्कृत में जो शब्द है वह बड़ा बहुमूल्य है।

मत्वेति हेलया किंचित् मा गृहाण विमुग्च मा।

हिंदी में अनुवाद सदा किया जाता रहा है: 'इस प्रकार विचार कर, न इच्छा कर, न ग्रहण कर, और न त्याग कर।' लेकिन यह 'विचार करना' नहीं है। क्योंकि विचार करने को तो मना किया है अष्टावक्र ने शुरू में ही।

तो जिन्होंने भी अनुवाद किए हैं अष्टावक्र के, वे ठीक नहीं मालूम पड़ते हैं। क्योंकि तीन सूत्रों के पहले ही वे कहते हैं: 'जब मन कुछ चाहता है, कुछ सोचता है, कुछ त्यागता, कुछ ग्रहण करता, जब वह सुखी-दुखी होता, तब बंध है।'

किंचित शोचति तदा बंधः!

तो विचार तो नहीं हो सकता 'मत्वेति' का अर्थ। मत्वेति बनता है मति से। मति एक बड़ी पारिभाषिक धारणा है। तुमने सुनी कहावत कि जब परमात्मा किसी को मिटाना चाहता तो उसकी मति भ्रष्ट कर देता। मति क्या है? तुम्हारे सोचने पर निर्भर नहीं है मति। तुम तो सोच-सोच कर जो भी करोगे वह मन का ही खेल होगा। मति है मन के पार जो समझ है, उसका नाम मति है। मन के पार जो समझ है, सोच-विचार से ऊपर जो समझ है, शुद्ध समझ, जिसको अंग्रेजी में अंडरस्टेंडिंग कहें, थिंकिंग नहीं, विचारणा नहीं, अंडरस्टेंडिंग, प्रज्ञा जिसको बुद्ध ने कहा है—मति।

मत्वेति हेलया किंचित् मा गृहाण विमुग्च मा।

जो ऐसी मति में थिर हो गया है—मैं अगर अनुवाद करूं तो ऐसा करूंगा—जो ऐसी मति को उपलब्ध हो गया है, मत्वेति, कि अब न तो इच्छा उठती, न ग्रहण उठता, न त्याग का भाव उठता। जो ऐसी मति को उपलब्ध हो गया है, जहां मन नहीं उठता। जिसको झेन फकीर नो-माइंड कहते हैं, वही मति। यह तुम्हारे सोच-विचार का सवाल नहीं है। जब तुम्हारा सब सोच-विचार खो जाएगा, तब तुम उस घड़ी में आओगे, जिसको मति कहें।

मति तुम्हारी और मेरी नहीं होती। मति तो एक ही है। मेरे विचार मेरे, तुम्हारे विचार तुम्हारे हैं। जब तुम्हारे विचार खो गए, मेरे विचार खो गए, मैं निर्विचार हुआ, तुम निर्विचार हुए—तो मुझमें तुममें कोई भेद न रहा। और जो उस घड़ी में घटेगा—वह मति। वह मति न तो तुम्हारी न मेरी। विचार तो सदा मेरे-तेरे होते हैं। और अष्टावक्र तो कहते हैं, जब मैं हूं तब बंध है। और विचार के साथ तो मैं जुड़ा

ही रहता है। इसलिए तो लोग बड़े लड़ते हैं। कहते हैं, मेरा विचार। इसकी भी फिकर नहीं करते कि सत्य क्या है? मेरा विचार सत्य होना ही चाहिए, क्योंकि मेरा है। दुनिया में जो विवाद चलते हैं, वह कोई सत्य के अनुसंधान के लिए थोड़े ही हैं। सत्य के अनुसंधान के लिए विवाद की जरूरत ही नहीं है। विवाद चलते हैं कि जो मैं कहता हूं वही सत्य; जो तुम कहते हो वही गलत। तुम कहते हो, इसलिए वह गलत। और मैं कहता हूं, इसलिए यह सही। और कोई आधार नहीं है। मैंने कहा है, तो गलत हो कैसे सकता है!

तो विचार में तो मैं-तू है। मति में मैं-तू नहीं है। या ऐसा होगा कहना ज्यादा ठीक कि विचार हमारे-तुम्हारे होते, विचार मनुष्यों के होते; मति परमात्मा की। मति वहां है जहां हम खो गए होते हैं।

इति मति मत्वा हेलया मा गृहाण मा विमुग्च।

—ऐसी मति में हों हम, कि न तो इच्छा करके ग्रहण करें, न इच्छा करके त्याग करें।

इसको भी समझ लेना। जरा भी इच्छा न हो। जो हो, उसे होने दें। अगर किसी क्षण दुख हो, तो उसे होने दें; इच्छा करके हम दुख को न हटाएं। और किसी क्षण सुख हो, तो उसे होने दें; इच्छा करके हम सुख को न हटाएं। हम इच्छा करके हटाने का काम ही बंद कर दें। हम तो यही कह दें : जो हो तेरी मर्जी। जैसी तेरी मर्जी वैसे रहेंगे। जो अनंत की मर्जी, वही मेरी मर्जी। मैं अपने को अलग-थलग न रखूंगा। मेरा अपना कोई निजी लक्ष्य नहीं अब। जो सर्व का लक्ष्य है, वही मेरा लक्ष्य है।

ऐसी घड़ी में, ऐसी मति में, ऐसी प्रज्ञा में, ऐसे बोधोदय में, कहां दुख? कहां सुख? कहां बंधन? कहां मुक्ति? सब द्वंद्व खो जाते हैं। सब द्वैत सो जाते हैं। एक ही बचता है अहर्निश। एक ही गूंजता है, एक ही गाता, एक ही जीता, एक ही नाचता है। ऐसी घड़ी में तुम सर्व के अंग हो जाते, सर्व के साथ प्रफुल्लित, सर्व के साथ खिले हुए। तुम्हारा सब संघर्ष समाप्त हो जाता है। तुम सर्व के साथ लयबद्ध हो जाते; छंदोबद्ध हो जाते।

सर्व के साथ जो छंदबद्ध हो गया है, उसी को मैं संन्यासी कहता हूं। जो हो—अच्छा हो, बुरा हो—अब कोई चिंता न रही। जैसा हो, हो; अब मेरी कोई अपेक्षा न रही। अब जो होगा वह मुझे स्वीकार है। नरक तो नरक और स्वर्ग तो स्वर्ग। ऐसी परम स्वीकृति का नाम संन्यास है।

ये संन्यास के महत सूत्र हैं। इन्हें तुम समझना, सोच-विचार कर नहीं, ध्यान कर-कर के, ताकि इनसे मति का जन्म हो जाए।

यदा नाहं तदा मोक्षो यदाहं बंधनं तदा।

मत्वेति हेलया किंचित् मा गृहाण विमुग्च मा।।

और इस जीवन के लिए, इस जीवन की परम क्रांति के लिए तुम्हीं प्रयोंग-स्थल हो, तुम ही परीक्षा हो। तुम्हीं को अपनी परीक्षा लेनी है। तुम्हीं को जनक बनना है और तुम्हीं को अष्टावक्र भी। यह संवाद तुम्हारे भीतर ही घटित होना है।

मैंने सुना है कि मुल्ला नसरुद्दीन अपनी लान में आरामकुर्सी पर अधलेटा अखबार पढ़ रहा था। और एक अल्सेशियन कुत्ता उसके पांव के पास बैठा पूंछ हिला रहा था। एक पड़ोसी मित्र मिलने आए थे, कुत्ते के डर से दरवाजे पर ही खड़े हो गए। मुल्ला का ध्यान आकृष्ट करने के लिए उन्होंने जोर से चिल्ला कर कहा कि भाई, यह कुत्ता काटता-आटता तो नहीं?

मुल्ला ने कहा, अरे आ जाइए, बिलकुल आ जाइए, कोई फिकर मत कीजिए! फिर भी मित्र डरे थे, क्योंकि कुत्ता कुछ खड़ा हो गया था और गुर्रा कर देख रहा था। तो मित्र ने कहा कि ठीक, आप ठीक कहते हैं कि काटता इत्यादि तो नहीं? क्योंकि मुझे पहले कुत्तों के बड़े बुरे अनुभव हो चुके।

मुल्ला ने कहा, भाई, यही तो देखना चाहता हूं कि काटता है कि नहीं, अभी ही खरीद कर लाया हूं।

जीवन में परीक्षाएं दूसरों की मत लेना। और दूसरों की परीक्षाओं से जो तुम्हें मिल भी जाएगा, वह कभी तुम्हारा नहीं होगा। दूसरे के अनुभव कभी तुम्हारे अनुभव नहीं हो सकते। जीवन की आत्यंतिक रहस्यमयता तो उसी के सामने प्रकट होती है, जो अपने को ही अपना परीक्षा-स्थल बना लेता, जो अपने को ही अपनी प्रयोग-भूमि बना लेता।

इसलिए कहता हूंः सोच-विचार से नहीं, प्रयोग से, ध्यान से मति उपलब्ध होगी। और तुमने सदा सुन रखा हैः स्वर्ग कहीं ऊपर, नरक कहीं नीचे। उस भ्रांत धारणा को छोड़ दो। स्वर्ग तुम्हारे भीतर, नरक तुम्हारे भीतर। स्वर्ग तुम्हारे होने का एक ढंग और नरक तुम्हारे होने का एक ढंग। मैं से भरे हुए तो नर्क, मैं से मुक्त तो स्वर्ग।

संसार बंधन, और मोक्ष कहीं दूर सिद्ध-शिलाएं हैं जहां मुक्त पुरुष बैठे हैं—ऐसी भ्रांतियां छोड़ दो। अगर मन में चाह है, चाहत है, तो संसार। अगर मन में कोई चाहत नहीं, छोड़ने तक की चाह नहीं, त्याग तक की चाह नहीं, कोई चाह नहीं—ऐसी अचाह की अवस्था मोक्ष।

बाहर मत खोजना स्वर्ग-नरक, संसार-मोक्ष को। ये तुम्हारे होने के ढंग हैं। स्वस्थ होना मोक्ष है, अस्वस्थ होना संसार है। इसलिए बाहर छोड़ने को भी कुछ नहीं है, भागने को भी कुछ नहीं है। हिमालय पर भी बैठो तो तुम तुम ही रहोगे और

बाजार में भी बैठो तो तुम तुम ही रहोगे। इसलिए मैंने तुमसे नहीं कहा है, मेरे संन्यासियों को मैंने नहीं कहा है, तुम कुछ भी छोड़ कर कहीं जाओ। मैंने उनको सिर्फ इतना ही कहा, तुम जाग कर देखते रहो, जो घटता है घटने दो। गृहस्थी है तो गृहस्थी सही। और किसी दिन अगर तुम अचानक अपने को हिमालय पर बैठा हुआ पाओ तो वह भी ठीक, जाते हुए पाओ तो वह भी ठीक है।

जो घटे, उसे घटने देना; इच्छापूर्वक अन्यथा मत चाहना। अन्यथा की चाह से मैं संगठित होता है। तुम अपनी कोई चाह न रखो, सर्व की चाह के साथ बहे चले जाओ। यह गंगा जहां जाती है, वहीं चल पड़ो। तुम पतवारें मत उठाना। तुम तो पाल खोल दो, चलने दो हवाओं को, ले चलने दो इस नदी की धार को।

इस समर्पण को मैंने संन्यास कहा है। इस समर्पण में तुम बचते ही नहीं, सिर्फ परमात्मा बचता है। किसी न किसी दिन वह घड़ी आएगी, वह मति आएगी कि हटेंगे बादल, खुला आकाश प्रकट होगा। तब तुम हंसोगे, तब तुम जानोगे कि अष्टावक्र क्या कह रहे हैं—न कुछ छोड़ने को, न कुछ पकड़ने को। जो भी दिखाई पड़ रहा है, स्वप्नवत है; जो देख रहा है, वहीं सत्य है।

हरि ॐ तत्सत्!

❋ ❋ ❋

प्रवचन : 26

स्वतंत्रता की झील : मर्यादा के कमल

पहला प्रश्न : भारतीय मनीषा ने आत्मज्ञानी को सर्वतंत्र स्वतंत्र कहा है। और आप उस कोटिहीन कोटि में हैं। लेकिन मुझे आश्चर्य होता है कि उस परम स्वतंत्रता से इतना सुंदर अनुशासन और गहन दायित्व कैसे फलित होता है!

ऐसा प्रश्न स्वाभाविक है। क्योंकि साधारणतः तो मनुष्य अथक चेष्टा करके भी जीवन में अनुशासन नहीं ला पाता। सतत अभ्यास के बावजूद भी दायित्व आनंदपूर्ण नहीं हो पाता। दायित्व में भीतर कहीं पीड़ा बनी रहती है। जो भी हमें कर्तव्य जैसा मालूम पड़ता है, उसमें ही बंधन दिखाई पड़ता है। और जहां बंधन है, वहां प्रतिरोध है। और जहां बंधन है, वहां से मुक्त होने की आकांक्षा है।

कर्तव्य या दायित्व, हमें लगते हैं, ऊपर से थोपे गए हैं। समाज ने, संस्कृति ने, परिवार ने, या स्वयं की सुरक्षा की कामना ने हमें कर्तव्यों से बंध जाने के लिए मजबूर किया है—पर मजबूरी है वहां, विवशता है, असहाय अवस्था है। और जहां भी मजबूरी है, वहां प्रसन्नता और प्रफुल्लता नहीं हो सकती। जब भी हमें स्वतंत्र होने का अवसर मिलता है, तो हम तत्क्षण स्वच्छंद हो जाते हैं। हम इतनी परतंत्रता में जीए हैं कि हमें अगर स्वतंत्र होने का मौका मिले तो हम सब दायित्व को छोड़ कर, सब कर्तव्य को फेंक कर अराजक स्थिति में पहुंच जाएंगे।

इससे स्वभावतः यह प्रश्न उठता है कि क्या यह संभव है कि सर्वतंत्र स्वतंत्र व्यक्ति, जिसके ऊपर न कोई शासन है, न कोई नियम हैं—यही संन्यासी की परिभाषा है, सर्वतंत्र स्वतंत्र, जिस पर समाज और संस्कृति का कोई आरोपण नहीं है, जो सब मर्यादाओं के बाहर है—लेकिन वैसा व्यक्ति मर्यादाओं में कैसे जीता होगा?

हम अपनी तरफ से सोचते हैं तो लगता है, यह तो असंभव है। हम तो मर्यादा छोड़ी कि स्वच्छंद हुए। तो संन्यासी सारी मर्यादाओं के पार जाकर भी अनुशासनबद्ध होता है, एक अपूर्व दायित्व—बंधन की भांति नहीं, सुगंध की भांति—उससे उठता रहता है। उसकी अंतर-ज्योति उसे कहीं भी भटकने नहीं देती। उसकी अंतर-ज्योति उसकी परम मर्यादा बन जाती है। वह सब मर्यादाओं से तो ऊपर उठ जाता है, लेकिन उसका आत्म-बोध उसका अनुशासन बन जाता है।

प्रश्न उठना हमें स्वाभाविक है।

मैंने सुना है, मुल्ला नसरुद्दीन ने अपने कुत्ते से एक दिन कहा कि अब ऐसे न चलेगा, तू कालेज में भरती हो जा। पढ़े-लिखे बिना अब कुछ भी नहीं होता। अगर पढ़ लिख गया तो कुछ बन जाएगा। पढ़ोगे-लिखोगे, तो होगे नवाब!

कुत्ते को भी जंचा। नवाब कौन न होना चाहे, कुत्ता भी होना चाहता है! जब पढ़-लिख कर कुत्ता वापस लौटा कालेज से, चार साल बाद, तो मुल्ला ने पूछा, क्या-क्या सीखा? उस कुत्ते ने कहा कि सुनो, इतिहास में मुझे कोई रुचि नहीं आई। क्योंकि आदमियों के इतिहास में कुत्ते की क्या रुचि हो सकती है! कुत्तों की कोई बात ही नहीं आती, कुत्ते ने कहा। बड़े-बड़े कुत्ते हो चुके हैं, जैसे तुम्हारे सिकंदर और हिटलर, ऐसे हमारे भी बड़े-बड़े कुत्ते हो चुके हैं लेकिन हमारे इतिहास का कोई उल्लेख नहीं। इतिहास में मुझे कुछ रस न आया। जिसमें मेरा और मेरी जाति का उल्लेख न हो, उसमें मुझे क्या रस? भूगोल में मेरी थोड़ी उत्सुकता थी—उतनी ही जितनी कि कुत्तों की होती है, हो सकती है।...पोस्ट आफिस का बंबा या बिजली का खंभा, क्योंकि वे हमारे शौचालय हैं; इससे ज्यादा भूगोल में मुझे कुछ रस नहीं आया।

मुल्ला थोड़ा हैरान होने लगा। उसने कहा, और गणित? कुत्ते ने कहा, गणित का हम क्या करेंगे? गणित का हमें कोई अर्थ नहीं है। क्योंकि हमें धन-संपत्ति इकट्ठी नहीं करनी है। हम तो क्षण में जीते हैं। हम तो अभी जीते हैं, कल की हमें कोई फिकर नहीं। जो बीता कल है, वह गया; जो आने वाला कल है, आया नहीं—हिसाब करना किसको है? लेना-देना क्या है? कोई खाता-बही रखना है?

तो मुल्ला ने कहा, चार साल सब फिजूल गए? नहीं, उस कुत्ते ने कहा, सब फिजूल नहीं गए। मैं एक विदेशी भाषा में पारंगत होकर लौटा हूं। मुल्ला खुश हुआ। उसने कहा, चलो कुछ तो किया! तो चलो विदेश विभाग में नौकरी लगवा देंगे। अगर भाग्य साथ दिया तो राजदूत हो जाओगे। और अगर प्रभु की कृपा रही तो विदेश मंत्री हो जाओगे। कुछ न कुछ हो जाएगा। चलो इतना ही बहुत। मेरे सुख के लिए थोड़ी सी वह विदेशी भाषा बोलो, उदाहरण स्वरूप, तो मैं समझूं।

कुत्ते ने आंखें बंद की, अपने को बिलकुल योगी की तरह साधा। बड़े अभ्यास से, बड़ी मुश्किल से एक शब्द उससे निकला। उसने कहा, म्याऊं!

'यह विदेशी भाषा सीख कर लौटे हो?'

लेकिन कुत्ते के लिए यही विदेशी भाषा है!

हर चेतना के तल की अपनी भाषा है और हर चेतना के तल की अपनी समझ है। जहां हम जीते हैं, वहां हम सोच भी नहीं सकते कि सर्वतंत्र स्वतंत्र होकर भी हम शांत होंगे, सुनियोजित होंगे, सृजनात्मक होंगे—हम सोच भी नहीं सकते, सोचने का उपाय भी नहीं है। हमें समझ में नहीं आ सकता, क्योंकि हम कर्तव्य को प्रेम-रहित जाने हैं। हमें पता नहीं कि जब प्रेम से प्राण भरते हैं तो कर्तव्य छाया की तरह चला आता है।

एक संन्यासी हिमालय की यात्रा पर गया था। वह अपना बिस्तर-बोरिया बांधे हुए चढ़ रहा है—पसीने से लथपथ, दोपहर है घनी, चढ़ाव है बड़ा। और तभी उसने पास में एक पहाड़ी लड़की को भी चढ़ते देखा, होगी उम्र कोई दस-बारह साल की, और अपने बड़े मोटे-तगड़े भाई को जो होगा कम से कम छह सात साल का, उसको वह कंधे पर बिठाए चढ़ रही है—पसीने से लथपथ। उस संन्यासी ने उससे कहा, बेटी, बड़ा बोझ लगता होगा? उस लड़की ने बड़े चौंक कर देखा और संन्यासी को कहा, स्वामी जी! बोझ आप लिए हैं, यह मेरा छोटा भाई है!

तराजू पर तो छोटे भाई को भी रखो या बिस्तर को रखो, कोई फर्क नहीं पड़ता—तराजू तो दोनों का बोझ बता देगा। लेकिन हृदय के तराजू पर बड़ा फर्क पड़ जाता है। छोटा भाई है, फिर बोझ कहां? फिर बोझ में भी एक रस है, फिर बोझ भी निर्बोझ है।

जिस व्यक्ति को आत्म-भाव जगा, जिसने स्वयं को जाना, उसके लिए सारा अस्तित्व परिवार हो गया, इससे एक नाता जुड़ा। जिस दिन तुम स्वयं को जानोगे, उस दिन तुम यह भी जानोगे कि तुम इस विराट से अलग और पृथक नहीं हो; यह तुम्हारा ही फैलाव है, या तुम इसके फैलाव हो, मगर दोनों एक हो। उस एकात्म बोध में तुम कैसे किसी की हानि कर सकोगे; तुम कैसे हिंसा कर सकोगे; तुम कैसे किसी को दुख पहुंचा सकोगे; तुम कैसे बलात्कार कर सकोगे—किसी भी आयाम में, किसी के भी साथ; तुम कैसे जबरदस्ती कर सकोगे? वह तो अपने ही पैर काटना होगा। वह तो अपनी ही आंखें फोड़ना होगा। वह तो अपने ही साथ बलात् होगा।

जिस व्यक्ति को आत्मज्ञान होता, उसे यह भी ज्ञान हो जाता कि मैं और तू दो नहीं हैं, एक ही हैं। उस ऐक्य बोध में दायित्व फलित होता है। लेकिन वह दायित्व तुम्हारे कर्तव्य जैसा नहीं है। तुम्हें तो करना पड़ता है।

उस सर्वतंत्र स्वतंत्र अवस्था में करने—पड़ने की तो कोई बात ही नहीं रह जाती—होता है।

संन्यासी खींच रहा था बोझ को, परेशान था, सोच रहा होगा हजार बार: 'कहीं सुविधा मिल जाए तो इस बोझ को उतार दूं, हटा दूं! किस दुर्भाग्य की घड़ी में इतना बोझ लेकर चल पड़ा! पहले ही सोचा होता कि पहाड़ पर चढ़ाई है, घनी धूप है...।' इन्हीं बातों को सोचता हुआ जाता होगा, इन्हीं बातों के पर्दे से उसने उस छोटी सी लड़की को भी देखा। लेकिन लड़की इस तरह का कुछ सोच ही नहीं रही थी। उनकी भाषाएं अलग थीं। उसने कहा, यह मेरा छोटा भाई है। आप कहते क्या हैं स्वामी जी? अपने शब्द वापस लें! बोझ! यह मेरा छोटा भाई है!

वहां एक संबंध है, एक अंतर्संबंध है। जहां अंतर्संबंध है वहां बोझ कहां! और जिस व्यक्ति का अंतर्संबंध सर्व से हो गया। वह सर्वतंत्र स्वतंत्र हो जाए लेकिन अब सर्व से जुड़ गया। तंत्र से मुक्त हुआ सर्व से जुड़ गया। तो तंत्र में तो एक ऊपरी आरोपण था। कानून कहता है, ऐसा करो। नीति-नियम कहते हैं, ऐसा करो। न करोगे तो अदालत है। अदालत से बच गए तो नर्क है। घबड़ाहट पैदा होती है! इस भय के कारण आदमी मर्यादा में जीता है।

लेकिन जिस व्यक्ति को पता चला कि मैं इस विराट के साथ एक हूं—ये वृक्ष भी मेरे ही फैलाव हैं, यह मैं ही इन वृक्षों में भी हरा हुआ हूं—तो वृक्ष की डाल को काटते वक्त भी तुम्हारी आंखें गीली हो आएंगी, तुम संकोच से भर जाओगे, तुम अपने को ही काट रहे हो, तुम सम्हल-सम्हल कर चलने लगोगे; जैसे महावीर चलने लगे सम्हल-सम्हल कर। कहते हैं, रात करवट न बदलते थे कि कहीं करवट बदलने में कोई कीड़ा-मकोड़ा पीछे आ गया हो, दब न जाए। तो एक ही करवट सोते थे। अब किसी ने भी ऐसा उनसे कहा नहीं था, किसी शास्त्र में लिखा नहीं कि एक ही करवट सोना। किसी नीति-शास्त्र में लिखा नहीं कि करवट बदलने में पाप है। महावीर के पहले भी जो तेईस तीर्थंकर हो गए थे जैनों के, उनमें से भी किसी ने कहा नहीं कि रात करवट मत बदलना; किसी ने सोचा ही नहीं होगा कि करवट बदलने में कोई पाप हो सकता है। तुम्हारी करवट है, मजे से बदलो, क्या अड़चन है? लेकिन महावीर का अंतरबोध कि करवट बदलने में भी उन्हें लगा कि कुछ दब जाए, कोई पीड़ा पा जाए! अंधेरे में चलते नहीं थे कि कोई पैर के नीचे दब न जाए। अंधेरे में भोजन न करते थे कि कोई पतंगा गिर न जाए।

जैन भी नहीं करता अंधेरे में भोजन—लेकिन इसलिए नहीं कि पतंगे से कुछ लेना-देना है। जैन का प्रयोजन इतना है कि पतंगा गिर गया और खा लिया, तो हिंसा हो जाएगी, नर्क जाओगे! यह फिकर अपनी है, यह तंत्र है। महावीर की

फिकर अपनी नहीं है पतंगे की फिकर है। यह सर्वतंत्र स्वतंत्रता! यह सर्व के साथ एकात्म भाव!

जैन मुनि भी चलता है पिच्छी लेकर, रास्ता अपना साफ कर लेता है जहां बैठता है। लेकिन उसका प्रयोजन भिन्न है, वह नियम का अनुसरण कर रहा है। अगर कोई देखने वाला नहीं होता तो वह बिना ही साफ किए बैठ जाता है। अगर दस आदमी देखने वाले बैठे हैं, श्रावक इकट्ठे हैं, तो वह बड़ी कुशलता से प्रदर्शन करता है। यह तो तंत्र है। ये तो एक अनुशासन मान कर चल रहे हैं। इन्होंने कुछ बातें पढ़ी हैं, सुनी हैं, समझी हैं, परंपरा से इन्होंने कुछ सूत्र लिए हैं—उन सूत्रों के पीछे चल रहे हैं।

इसलिए तो तुम जैन मुनि को प्रसन्न नहीं देखते। देखो महावीर की प्रसन्नता! प्रसन्नता तो सदा स्वतंत्रता में है। और जीवन का आत्यंतिक अनुशासन भी स्वतंत्रता में है।

पूछा है, 'भारतीय मनीषा ने आत्मज्ञानी को सर्वतंत्र स्वतंत्र कहा। लेकिन मुझे आश्चर्य होता है कि उस परम स्वतंत्रता में इतना सुंदर अनुशासन और गहन दायित्व कैसे फलित हो सकता है!'

उसके अतिरिक्त अगर फलित हो तो आश्चर्य करना। परतंत्रता में अगर सुंदर अनुशासन फलित हो जाए तो चमत्कार है। यह हो ही नहीं सकता। यह हुआ नहीं कभी। यह होगा भी नहीं कभी।

मां अपने बेटे से कहती है कि मुझे प्रेम कर, क्योंकि मैं तेरी मां हूं। प्रेम में भी 'क्योंकि', 'इसलिए'! जैसे कि प्रेम भी कोई तर्कसरणी है; जैसे यह भी कोई गणित का सवाल है! 'मैं तेरी मां हूं, इसलिए मुझे प्रेम कर!'

बेटा भी सोचता है कि मां है तो प्रेम करना चाहिए! प्रेम, और करना चाहिए? तुमने प्रेम को जड़ से ही काटना शुरू कर दिया। तुम उसकी संभावना ही नष्ट किए दे रहे हो। जहां 'करना चाहिए' आ गया, वहां से प्रेम विदा हो चुका। क्या करोगे तुम प्रेम में? तुम अभिनय करोगे? छोटा बच्चा क्या करेगा? मां आएगी पास तो मुस्कुराएगा, जबरदस्ती मुंह फैला देगा। भीतर हृदय से कोई मुस्कुराहट उठेगी नहीं। अब मां आ रही है—मां है तो मुस्कुराना चाहिए, प्रेम दिखाना चाहिए; लेकिन इसके हृदय में कहीं कोई मुस्कुराहट नहीं उठ रही, यह झूठ होना शुरू हुआ। यह पाखंड की यात्रा शुरू हुई। यह प्रेम की यात्रा नहीं है; यह बच्चा मरने लगा, यह पाखंडी होने लगा। फिर जिंदगी भर यह मुंह को फैला देगा।

मुंह को फैला लेना तो अभ्यास से आ जाता है। मुंह का फैला देना थोड़े ही मुस्कुराहट है! मुस्कुराहट तो वह है जो आए भीतर से, फैल जाए चेहरे पर, रोएं-

रोएं पर, उठे हृदय से—तो ही मुस्कुराहट है। ऐसे ओंठ को तान लिया, तो अभिनय हुआ, नाटक हुआ, राजनीति हुई!

देखते हो राजनीतिज्ञ को, बस हाथ जोड़े मुस्कुराता ही रहता है!

एक राजनीतिज्ञ को मैं जानता हूं। कहते हैं, वे रात में भी जब सोते हैं, तो हाथ जोड़े मुस्कुराते रहते हैं। नींद में भी वोटरों के समक्ष खड़े हैं; मुस्कुरा रहे हैं! जीवन सड़ा जा रहा है। प्राण में सिवाय अंधेरे के कुछ भी नहीं है; सिवाय चिंता और विक्षिप्तता के कुछ जाना नहीं, मगर मुस्कुराए जा रहे हैं! वह मुस्कुराहट थोथी है।

और तुमने अगर प्रेम इसलिए किया, क्योंकि मां है, क्योंकि छोटी बहन है, क्योंकि छोटा भाई है—अगर तुम्हारे प्रेम में 'क्योंकि' रहा, तो तुम समझ लेना कि तुम समझ नहीं पाए।

हम सबको तैयार किया गया है पाखंड के लिए। इसलिए तो दुनिया में प्रेम कम है और पाखंड बहुत है। इसलिए तो दुनिया में सत्य कम है और अभिनय बहुत है। इसलिए तो दुनिया में परमात्मा प्रकट नहीं हो पाता; क्योंकि माया बहुत है, मायाचारी बहुत हैं।

तुम वही जीना, जो तुम्हारे भीतर से उठता हो। शुरू-शुरू में अड़चन होगी, क्योंकि बहुत बार तुम पाओगेः जब हंसना था, तब तुम नहीं हंस पाए; जब रोना था, तब नहीं रो पाए। शुरू-शुरू में अड़चन होगी। उस अड़चन को ही मैं तपश्चर्या कहता हूं। लेकिन धीरे-धीरे तुम एक अपूर्व आनंद से भरने लगोगे। और तब तुम पाओगे कि जब तुम हंसते हो तो तभी हंसते हो, जब वस्तुतः हंसी खिल रही होती है। तुम धोखा नहीं देतेः धीरे-धीरे तुम्हारा जीवन तंत्र से मुक्त होने लगेगा और स्वभाव के अनुकूल आने लगेगा।

तंत्र है आदत। बचपन से किसी को सिखा दिया कि हिंदू मंदिर के सामने हाथ जोड़ना, तो वह जोड़ लेता है; वह आदत है। न तो कोई हृदय में श्रद्धा है, न प्राणों में कोई नैवेद्य चढ़ाने की आतुरता है, न भरोसा है। गणित जरूर है, भरोसा नहीं है।

मैं ब्लैस पैसकल का जीवन पढ़ता था। बहुत बड़ा गणितज्ञ और वैज्ञानिक हुआः पैसकल। उसका एक मित्र थाः दि मेयर। वह जुआरी था। कहते हैं, दुनिया के खास बड़े जुआरिओं में एक था। उसने अपना सब जीवन जुए पर लगा दिया था। जुए में जब कभी कोई बड़ी कठिनाई आ जाती, उसे कोई प्रश्न उठता, तो वह पैसकल से पूछा करता था कि तुम इतने बड़े गणितज्ञ हो, जरा मेरे जुए में साथ दो। तो पैसकल का मित्र था, इसलिए पैसकल उसकी बात सुनता था। उसकी बात सुनते-सुनते पैसकल को यह समझ में आया...उसने अपनी आत्मकथा में लिखा है, कि उसकी बातें सुन-सुन कर मैं ईसाई हो गया।

यह बड़े आश्चर्य की बात है, जुआरी की बातें सुन-सुन कर ईसाई...! तो पैसकल कहता है, इस तरह मैं ईसाई हुआ। उसके जुआरी के मनोविज्ञान को समझ कर मुझे समझ में आया कि धार्मिक आदमी का मनोविज्ञान भी जुआरी का है। जुआरी एक रुपया लगाता: अगर जीतेगा तो पच्चीस रुपये मिलने वाले हैं; अगर हारेगा सिर्फ एक ही रुपया जाएगा। यह उसका मनोविज्ञान है। हारने में कुछ खास खोता नहीं; अगर मिल गया तो पचीस गुना मिलता है या हजार गुना मिलता है। अगर खोया तो कुछ खास खोता नहीं। मिलता है तो बहुत मिलता है। इन दोनों के बीच जुआरी तौलता है।

तो पैसकल ने लिखा है कि मैंने भी सोचा कि यदि ईश्वर है...। आस्तिक मानता है कि ईश्वर है; अगर मरने के बाद आस्तिक ने पाया कि ईश्वर नहीं है, तो क्या खोया? थोड़ा सा समय खोया—प्रार्थना-पूजा में लगाया, जो सत्संग में गंवाया, बाइबिल, कुरान उलटने में जो नष्ट हुआ—थोड़ा सा समय खोया। अगर ईश्वर नहीं पाया तो आस्तिक इतना ही खोएगा कि थोड़ा सा समय खोया और जब पूरी ही जिंदगी खो गई तो उस थोड़े समय से भी क्या फर्क पड़ता है? लेकिन अगर ईश्वर हुआ, तो शाश्वत रूप से स्वर्ग में निवास करेगा, भोगेगा आनंद!

नास्तिक कहता है, ईश्वर नहीं है। अगर ईश्वर न हुआ तो ठीक; नास्तिक ने कुछ भी नहीं खोया। लेकिन अगर ईश्वर हुआ, तो अनंत काल तक नर्कों के दुख...।

इसलिए पैसकल ने लिखा कि मैं कहता हूं, यह सीधा गणित है कि ईश्वर को मानो। इसमें खोने को तो कुछ भी नहीं है, मिलने की संभावना है। न मानने में कुछ मिलेगा नहीं अगर ईश्वर न हुआ; लेकिन अगर हुआ तो बहुत कुछ खो जाएगा।

पैसकल कहता है, अगर तुम्हें थोड़ी भी सुरक्षा और जुए का थोड़ा भी अनुभव है, तो ईश्वर सौदा करने जैसा है।

अब यह एक सरणी है। इस सरणी में ईश्वर के प्रति कोई प्रेम नहीं है। यह सीधा तर्क है। और अगर पैसकल मुझे कहीं मिल जाए, तो उससे मैं कहूंगा: जो आदमी इस तरह सोच कर ईश्वर में भरोसा करता है, वह भरोसा करता ही नहीं। वह जुए में भरोसा करता है, गणित में भरोसा करता है, ईश्वर में भरोसा नहीं करता। यह कोई भरोसा हुआ? यह कोई प्रेम की और श्रद्धा की भाषा हुई? यह तो सीधी बाजार की बात हो गई, यह तो दूकान की बात हो गई।

या तो ईश्वर है या ईश्वर नहीं है—'यदि' का कोई सवाल नहीं। या तो तुम्हारे अनुभव में आ रहा है कि ईश्वर है, या तुम्हारे अनुभव में आ रहा है कि नहीं है। अगर तुम्हारे अनुभव में आ रहा है कि है, तो फिर चाहे लाभ हो कि हानि—ईश्वर

है। अगर तुम्हारे अनुभव में आ रहा है कि नहीं है, तो फिर चाहे हानि हो कि लाभ-नहीं है। 'यदि' का कहां सवाल है?

लेकिन हम अपने जीवन को 'यदियों' पर खड़ा करते हैं। हमारा सब जीवन जुआरियों जैसा है—गणित, हिसाब, सौदा!

सुनते हो, पैसकल क्या कह रहा है? कि थोड़ा सा समय प्रार्थना में गया, वही गंवाया! ऐसा आदमी प्रार्थना कर पाएगा? प्रार्थना पैदा कैसे होगी? गणित से, तर्क से कहीं प्रार्थना का कोई संबंध है? प्रार्थना तो ऐसा अहोभाव है कि ईश्वर ही है और कुछ भी नहीं है। और अगर ईश्वर के मानने में सब कुछ भी जाता हो तो भी भक्त ईश्वर को मानने को राजी है। और ईश्वर को छोड़ने में अगर सब कुछ भी बचता हो, तो भी भक्त कहेगा, क्षमा करो, यह सब कुछ मुझे नहीं चाहिए।

प्रार्थना एक सत्य मनोदशा होनी चाहिए, गणित नहीं। प्रेम भी एक सत्य मनोदशा होनी चाहिए, गणित नहीं। और तुम्हारे सभी भाव प्रामाणिक होने चाहिए। तो धीरे-धीरे तुम पाओगे, तुम स्वतंत्र भी होते जाते हो, सर्वतंत्र स्वतंत्र होते जाते हो और एक अपूर्व अनुशासन तुम्हारे जीवन में उतरता आता है! स्वच्छंदता नहीं आएगी तब स्वतंत्रता से। तब स्वतंत्रता से परिपूर्ण दायित्व का जन्म होगा—ऐसे दायित्व का, जिसमें कर्तव्य-भाव बिलकुल नहीं है; ऐसे दायित्व का, जिसमें प्रेम की बहती हुई धारा है! तब तुम उठोगे, बैठोगे, चलोगे, कुछ भी करोगे—सबके पीछे तुम्हारा बोध का दीया बना रहेगा।

भीतर का दीया जलता रहे तो फिर हम जो भी करते हैं, उसमें प्रकाश पड़ता है। भीतर का दीया बुझा रहे तो हम जो भी करते हैं, उसमें हमारे अंधेरे की छाया पड़ती है। सोया हुआ आदमी पुण्य भी करे तो पाप हो जाता है। जागा हुआ आदमी पाप भी करे तो भी पुण्य ही होगा। क्योंकि जागा हुआ आदमी पाप कर ही नहीं सकता। जागरण और पाप का कोई संबंध नहीं है।

तुमने देखा, अंधेरे में आदमी टटोलता है कि दरवाजा कहां है? उजाले में आदमी न टटोलता, न पूछता—उठता है और निकल जाता है। उजाले में आदमी सोचता भी नहीं कि दरवाजा कहां है, ऐसा प्रश्न भी नहीं उठता। तुम्हें यहां से उठ कर जाना होगा तो तुम सोचोगे थोड़े ही, तुम योजना थोड़े ही बनाओगे कि ऐसे चलें, ऐसे चलें, फिर यहां दरवाजा खोजें—बस, तुम उठोगे और चल पड़ोगे! तुम्हें दिखाई पड़ रहा है।

सर्वतंत्र स्वतंत्र व्यक्ति वही हो सकता है, जिसके भीतर प्रकाश जला है। संन्यासी को हमने सर्वतंत्र स्वतंत्र कहा है। उसे हमने कोटिहीन कोटि माना है। अष्टावक्र उसी की चर्चा कर रहे हैं—उसी परम संन्यास की, परम दशा की—जहां

न भोगी, न त्यागी, दोनों नियम काम नहीं करते हैं; न भोग न त्याग, जहां केवल साक्षी-भाव पर्याप्त है। अष्टावक्र कह रहे हैं कि साक्षी-भाव हो तो फिर तू कहीं भी रह, कैसे भी रह, जैसे हो वैसे रह। साक्षी-भाव है तो सब सध जाएगा, सब ठीक हो जाएगा। एक बात सम्हल जाए—ध्यान सम्हल जाए, साक्षी-भाव सम्हल जाए—सब अपने आप सम्हल जाता है; शेष सब अपने आप सम्हल जाता है। और निश्चित ही तब जो एक अनुशासन होता है, उसके सौंदर्य की महिमा अपूर्व है। तब जो अनुशासन होता है वह प्रसादरूप है। तब उसमें आरोपण जरा भी नहीं, चेष्टा जरा भी नहीं। तुम, कुछ करना चाहिए, इसलिए नहीं करते। जो होता है, होता है। जो होता है, सुंदर और शुभ है।

तुमने परिभाषा सुनी होगी। परिभाषाएं कहती हैं : अच्छे काम करने वाला पुरुष संत है। मैं तुमसे कहना चाहता हूं : 'अच्छे काम करने वाला पुरुष संत है'—इसमें तुमने बैलों को गाड़ी के पीछे रख दिया। 'संत से अच्छे काम होते हैं'—तब तुमने बैल को गाड़ी के आगे जोता। अच्छे कामों से कोई संत नहीं होता; संत होने से काम अच्छे होते हैं। ऊपर से आचरण ठीक कर लेने से कोई भीतर अंतस की क्रांति नहीं होती; लेकिन भीतर अंतस की क्रांति हो जाए, तो बाहर का आचरण देदीप्यमान हो जाता है, दीप्ति से भर जाता है, आभा से आलोकित हो जाता है।

और जमीन-आसमान का फर्क तुम देखोगे महावीर के चलने में और जैन मुनि के चलने में, बुद्ध के चलने में और बौद्ध भिक्षु के चलने में; जीसस के उठने-बैठने में और ईसाई के उठने-बैठने में। हो सकता है, दोनों बिलकुल एक सा कर रहे हों। कभी-कभी तो यह हो सकता है, अनुकरण करने वाला मूल को भी मात कर दे। क्योंकि मूल तो सहज होगा, स्वस्फूर्त होगा; अनुकरण करने वाला तो यंत्रवत होगा। जो अभिनय कर रहा है, वह तो रिहर्सल करके, खूब अभ्यास करके करता है। लेकिन जो स्वभाव से जी रहा है, वह तो कोई रिहर्सल नहीं करता, कोई अभ्यास नहीं करता। जो उसकी अंतश्चेतना में प्रतिफलित होता है, वैसा जीता है; जब जैसा प्रतिफलित होता है वैसा जीता है।

जब जैसा स्वभाव चलाए, चलना। जब जैसा स्वभाव कराए, करना! जब जैसा अंतस में उगे, उससे अन्यथा न होना। यही संन्यास है। यह घोषणा बड़ी कठिन है। क्योंकि इस घोषणा का परिणाम यह होगा कि तुम्हारे चारों तरफ, जिनसे तुम जुड़े हो, उनको अड़चन मालूम होगी। वे तुम्हारी स्वतंत्रता नहीं चाहते हैं; वे सिर्फ तुम्हारी कुशलता चाहते हैं। वे तुम्हारी आत्मा में उत्सुक नहीं हैं; तुम्हारी उपयोगिता में उत्सुक हैं। और उपयोगिता यंत्र की ज्यादा होती है, आदमी की कम होती है—यह खयाल रखना। यंत्र की उपयोगिता बहुत ज्यादा है, क्योंकि वह काम

ही काम करता है; मांग कुछ भी नहीं करता—न स्वतंत्रता मांगता, न हड़ताल करता, न झंझट-झगड़े खड़ा करता; न कहता है, यह ठीक है, यह ठीक नहीं है—जो आज्ञा, जो हुक्म! यंत्र कहता है, बस, हम तैयार हैं! दबाओ बटन, बिजली जल जाती है। समाज भी चाहता है कि आदमी भी ऐसे ही हों—दबाओ बटन, बिजली जल जाए।

स्वस्फूर्त व्यक्ति की बटनें नहीं होतीं; तुम उसकी बटन नहीं दबा सकते। कोई उपाय नहीं तुम्हें, तुम्हारे हाथ में उसकी बटन दबाने का; वह अपना मालिक है। तुम अगर उसे गाली दो तो वह खड़ा हुआ सुन लेगा। तुम गाली देकर भी उसकी क्रोध की बटन नहीं दबा सकते। तुम गाली देते रहोगे, वह खड़ा सुनता रहेगा; वह मुस्कुरा कर चल देगा। वह कहेगा कि हमारा दिल क्रोध करने का नहीं है। हम तुम्हारे गुलाम नहीं हैं कि तुमने जब चाहा गाली दे दी और हम तुम्हारे पंजे में आ गए। हम अपने मालिक हैं! तुम्हें देना है गाली देते रहो, यह तुम्हारा काम है—हम नहीं लेते। देना तुम्हारी स्वतंत्रता है; लें न लें, हमारी मालकियत है। तुमने दी—धन्यवाद! तुमने इतना समय खराब किया हम पर बड़ी कृपा! अब हम जाते अपने घर, तुम अपने घर।

जो अपना मालिक है, वही स्वतंत्र है। और मालिक कौन है? जिसने स्वयं को जाना, वही स्वयं का मालिक हो सकता है। जो स्वयं को ही नहीं जानता, वह मालिक तो कैसे होगा? उस जानने से, उस बोध से जीवन में सब बदल जाता है। एक...निश्चित एक मर्यादा आती है। और उस मर्यादा में जरा भी गंदगी नहीं है, कुरूपता नहीं है। उस मर्यादा से स्वतंत्रता का कोई विरोध नहीं है; वे मर्यादा के कमल स्वतंत्रता की झील में ही लगते हैं।

तुम जरा देखो! तुम जरा प्रेम से जी कर देखो, ध्यान से जी कर देखो! तुम्हारी पुरानी आदतें बाधा डालेंगी, क्योंकि तुमने कर्तव्य के खूब जाल बना रखे हैं। तुम अपनी पत्नी को प्रेम प्रकट किए चले जाते हो, क्योंकि कहते हो पत्नी है; शास्त्र कहते हैं, जन्म-जन्म का साथ है। लेकिन तुमने एक दिन भी इस पत्नी को प्रेम किया है? इन शास्त्रों ने तुम्हारा जीवन नष्ट किया, और यह पत्नी तुमसे तृप्त नहीं हो सकी। क्योंकि प्रेम तो तुमने कभी किया नहीं; पत्नी को प्रेम करना चाहिए, इसलिए एक नियम का अनुसरण किया; प्रेम कभी बहा नहीं; प्रेम कभी झरा नहीं; प्रेम कभी नाचा नहीं, गुनगुनाया नहीं; प्रेम में कोई गीत नहीं बने—सिर्फ एक नियम कि डाल लिए थे सात फेरे; पंडित-पुजारियों ने ज्योतिष से हिसाब बांध दिया था कि यह तुम्हारी पत्नी, तुम इसके पति; मां-बाप ने कुल-परिवार खोज लिया था, तो अब तो करना ही पड़ेगा! पत्नी है तो प्रेम तो करना ही पड़ेगा! तुमने इस पत्नी

का भी जीवन नष्ट कर दिया, तुमने अपना जीवन भी नष्ट कर लिया।

तुम्हारा प्रेम जब झूठा हो जाता है, तो तुम्हारे परमात्मा से जुड़ने के सब सेतु टूट जाते हैं। तुम पत्नी से न जुड़ सके, पति से न जुड़ सके, तुम परमात्मा से क्या खाक जुड़ोगे? तुम प्रेम ही न कर पाए, तुम प्रार्थना कैसे करोगे? प्रार्थना तो प्रेम का ही नवनीत है। वह तो प्रेम का ही सार भाग है।

जीवन को स्वाभाविक रूप से जीना विद्रोह है। इसलिए मैं कहता हूं: धार्मिक जीवन विद्रोही का जीवन है। धार्मिक जीवन तपस्वी का जीवन है। और ध्यान रखना, तपश्चर्या से मेरा मतलब नहीं कि तुम धूप में खड़े हो, शरीर को काला कर रहे हो या कांटे बिछा कर लेट गए हो—ये सब मूढ़ताएं हैं। इनका तपश्चर्या से कुछ लेना-देना नहीं है। तपश्चर्या का इससे कोई संबंध नहीं कि तुम उपवास कर रहे हो कि भूखे मर रहे हो—ये सब मूढ़ताएं हैं। होंगी विक्षिप्तताएं तुम्हारे मन की, लेकिन तपश्चर्या से इनका कोई संबंध नहीं।

तपश्चर्या तो एक ही है कि तुम भीतर से बाहर की तरफ जी रहे हो, फिर जो परिणाम हो; तुम बाहर से भीतर की तरफ नहीं जीयोगे, फिर जो परिणाम हो; तुम जो भीतर होगा, उसी को बाहर लाओगे; तुम अपने बाहर को अपने भीतर के अनुसार बनाओगे।

अब देखना फर्क। साधारणतः तुम्हें धर्मगुरु समझाते हैं कि जो तुम्हारे बाहर है, वही तुम्हारे भीतर होना चाहिए। मैं तुमसे कहता हूं: जो तुम्हारे भीतर है, वही तुम्हारे बाहर होना चाहिए। और तुम यह मत समझना कि हम एक ही बात कह रहे हैं।

धर्मगुरु कहता है: जो तुम्हारे बाहर है, वही भीतर होना चाहिए। वह कहता है: तुम मुस्कुराए तो तुम्हारे हृदय में भी मुस्कुराहट होनी चाहिए, अब यह बड़ी अड़चन की बात है। मैं तुमसे कहता हूं: जो तुम्हारे भीतर हो वही तुम्हारे ओंठों पर होना चाहिए। अगर भीतर मुस्कुराहट है तो फिकर छोड़ो, समय-असमय की चिंता छोड़ो। अगर भीतर मुस्कुराहट है तो हंसो।

मैं छोटा था। मेरे एक शिक्षक मर गए। उनसे मुझे बड़ा लगाव था। वे बड़े प्यारे आदमी थे। काफी मोटे थे। और जैसे मोटे आदमी आमतौर से भोले-भाले लगते हैं, वे भी भोले-भाले लगते थे। उन्हें हम चिढ़ाया भी करते थे—सारे विद्यार्थी उनकी खूब मजाक भी उड़ाते थे। वे बड़ा साफा-वाफा बांध कर आते; एक तो वैसे ही मोटे, और साफा इत्यादि और डंडा वगैरह—बड़े प्राचीन मालूम होते। और चेहरे पर उनके बच्चों जैसा भोलापन था; जैसा अक्सर मोटे आदमियों के चेहरे पर हो जाता है। उन्हें देख कर ही हंसी आती। उनका नाम ही लोग भूल गए थे; उनको

हम सब भोलेनाथ...। उससे वे चिढ़ते थे। ब्लैक-बोर्ड पर उनके आते ही बड़े-बड़े अक्षरों में लिख दिया जाता—भोलेनाथ। और बस, वे आते ही से गरमा जाते थे। और उनकी गर्मी देखने लायक थी! और उनकी परेशानी और उनका पीटना टेबल को...विद्यार्थी बड़े शांति से आनंद लेते उनका।

वे मर गए तो मैं छोटा ही था, गया वहां। वहां बड़ी भीड़ इकट्ठी हो गई थी; छोटा गांव, सभी लोग एक-दूसरे से जुड़े, सभी लोग इकट्ठे हो गए थे। और गांव भर उनको प्रेम करता था। उनको मरा हुआ पड़ा देख कर और उनके चेहरे को देख कर मुझे एकदम हंसी आने लगी। मैंने रोका, क्योंकि यह तो अशोभन होगा। लेकिन फिर एक ऐसी घटना घटी कि मैं नहीं रोक पाया। उनकी पत्नी भीतर से आई और एकदम उनकी छाती पर गिर पड़ी और बोली : 'हाय, मेरे भोलेनाथ!'

जिंदगी भर हम उनको 'भोलेनाथ' कह कर चिढ़ाते रहे थे। मरते वक्त, मरने के बाद और पत्नी के मुंह से! यह बिलकुल कठिन हो गया तो मैं तो खिलखिला कर हंसा। मुझे घर लाया गया, डांटा-डपटा गया और कहा, कभी अब किसी की मृत्यु इत्यादि हो, तुम जाना मत! क्योंकि वहां हंसना नहीं चाहिए था।

मैंने कहा, इससे और उचित, अनुकूल अवसर कहां मिलेगा? मेरी बात तो समझो। आदमी बेचारा मर गया और जिंदगी भर परेशान था कि लोग भोलेनाथ कह-कह कर सता रहे थे। बच्चे उनके पीछे चिल्लाते चलते थे कि भोलेनाथ। उनको स्कूल पहुंचने में घंटा भर लग जाता था; क्योंकि इस बच्चे के पीछे दौड़े, उस बच्चे के पीछे दौड़े, किसी से झगड़ा-झंझट खड़ा हो गया—और मरते वक्त यह खूब उपसंहार हुआ! यह इति काफी अदभुत हुई कि पत्नी उनकी छाती पर गिर कर कहती है : 'हाय, मेरे भोलेनाथ!'

जो भीतर हो उसे ही बाहर होने देना।

मुझे डांटा-डपटा गया, लेकिन मैं यह बात मानने को राजी नहीं हुआ कि मैंने गलत किया है। और फिर मैंने कहा, जीवन और मौत दोनों ही हंसने जैसे हैं। तो मेरे घर के लोगों ने कहा : यह फलसफा तुम अपने पास रखो कि मौत और जीवन हंसने जैसे हैं। मगर तुम दुबारा किसी की मौत में अब मत जाना, और गए तो ठीक नहीं होगा।

व्यक्ति को एक सुनिश्चित निर्णय कर लेना चाहिए कि जो मेरे भीतर हो, उसे मैं दबाऊं नहीं। और जो मेरे भीतर हो, वह मेरे बाहर प्रकट हो। जो मेरे भीतर है, उसे मैं प्रकट करूं या न करूं, वह है तो। न प्रकट करने से धीरे-धीरे मेरे अपने संबंध मेरी अंतरात्मा से टूट जाएंगे। जब रोने की घड़ी हो, और तुम्हें रोना आता हो तो लाख स्थिति कहे कि 'मत रोओ, कि मर्द बच्चा हो, रोते हो? यह तो स्त्रियों का

काम है! क्या जनानी बात कर रहे हो? मर्दाने हो! रोओ मत।' लेकिन जब रोने की घड़ी हो और तुम्हारा हृदय रुदन से भरा हो तो बहने देना आंसुओं को; मत सुनना, लाख दुनिया कहे। और जब हंसने की तुम्हारे भीतर फुलझड़ियां फूटती हों तो लाख दुनिया कहे, हंसना। इसको मैं तपश्चर्या कहता हूं।

तुम्हें बड़ी कठिनाइयां आएंगी। और इन कठिनाइयों के मुकाबले धूप में खड़ा होना या भूखे मरना या उपवास करना कुछ भी नहीं है—बच्चों के खेल हैं; सर्कसी खेल हैं। जीवन में इंच-इंच पर तुम्हें कठिनाई आएगी; क्योंकि इंच-इंच पर समाज ने मर्यादाएं बना कर रखी हैं, इंच-इंच पर समाज ने व्यवहार, लोकोपचार, शिष्टाचार बना कर रखा है। और सब लोकोपचार तुम्हें झूठ किए दे रहा है। तुम बिलकुल झूठे हो गए हो। तुम एक महाझूठ हो। तुम्हारे भीतर खोजने से सच का पता ही नहीं चलेगा। तुम खुद भी अगर खोजोगे तो चकित हो जाओगे।

मैं तुमसे यह कहना चहता हूं: एक महीने भर तक इस बात की खोज करो कि तुम कितने-कितने समय पर झूठ होते हो। रास्ते पर कोई मिलता, तुम कहते, 'नमस्कार, बड़े दिनों में दर्शन हुए, बड़ी आंखें तरस गईं।' और भीतर तुम कह रहे हो, 'ये दुष्ट सुबह से कहां मिल गया, यह सारा दिन खराब न हो जाए! हम किस दुर्भाग्य के क्षण में इस रास्ते से निकल आए!' तुम ऊपर से कह रहे हो कि मिल कर बड़ी खुशी हुई, और भीतर से तुम कह रहे हो, कैसे छुटकारा हो! तुम जरा जांचना। तुम सिर्फ एक महीना जांच करो। तुम मुस्कुरा रहे हो, जरा जांचना: ओंठ पर ही है या भीतर से जुड़ी है? तुम आंख में आंसू ले आए हो, जरा जांचना: आंख में आंसू झूठे तो नहीं हैं, प्राणों से निकलते हैं?

तुम एक महीना सिर्फ जांच करो और तुम पाओगे तुम्हारी जिंदगी करीब-करीब निन्यानबे प्रतिशत झूठ है—और फिर तुम कहते हो, परमात्मा को खोजना है! परमात्मा तो केवल उन्हीं को मिलता है जिनका जीवन सौ प्रतिशत सच है। और सच होना अत्यंत कठिन है, तपश्चर्यापूर्ण है; क्योंकि जगह-जगह अड़चन होगी।

समाज झूठ से जीता है। फ्रेडरिक नीत्शे ने लिखा है कि आदमी बना ही कुछ ऐसा है कि बिना झूठ के जी नहीं सकता। सारा व्यवहार झूठ से चलता है। आदमी को—नीत्शे ने लिखा है—कभी भूल कर भी झूठ से मुक्त मत करवा देना, अन्यथा उसका जीना मुश्किल हो जाएगा, वह जी ही न सकेगा। झूठ जीवन में वैसे ही काम करता है, जैसे इंजन में लुब्रीकेशन काम करता है। अगर तेल न डालो, लुब्रीकेशन न डालो, तो इंजन चल नहीं पाता। लुब्रीकेशन डाल दो, तो चीजें चल पड़ती हैं, खटर-पटर कम हो जाती है। तेल की चिकनाहट जैसे इंजन को चलाने में सहयोगी है, वैसे झूठ की चिकनाहट दो आदमियों के बीच खटर-पटर नहीं होने देती।

घर तुम आए, पत्नी के लिए आइसक्रीम ले आए, फूल खरीद लाए—तुम एक झूठ खरीद लाए। क्योंकि अगर तुम्हारे हृदय में प्रेम है तो आइसक्रीम की कोई भी जरूरत नहीं है, फूल की कोई भी जरूरत नहीं है; प्रेम काफी है। तुम अगर हृदयपूर्वक पत्नी को गले लगा लोगे तो बहुत है। वह तुमने कभी किया नहीं; उसका भीतर अपराध-भाव अनुभव होता है। जितना अपराध-भाव अनुभव होता है, उस गड्ढे को भरने की चेष्टा करते चलो, फूल खरीद लाओ, आइसक्रीम ले आओ, मिठाई लाओ। जब गड्ढा बहुत बड़ा हो जाता है, तो फिर गहना लाओ, साड़ी लाओ। जितना बड़ा गड्ढा हो, उतनी महंगी चीज से भरो। प्रेम जहां भर सकता था, वहां कोई और चीज न भरेगी, तुम कितना ही लाओ। तुम सोचते हो, मैं इतना कर रहा हूं; पत्नी सोचती है, प्रेम नहीं मिल रहा। और तुम सोचते हो, मैं कर कितना रहा हूं, रोज इतना लाता हूं, सब तुम्हारे लिए ही तो कर रहा हूं! लेकिन इससे कुछ हल नहीं होता। प्रेम तो सिर्फ प्रेम से भरता है—तुम्हारे झूठों से नहीं।

लेकिन नीत्से भी ठीक कहता है। अगर आदमियों की जिंदगी देखो तो झूठ से भरी है, बिलकुल झूठ से भरी है। वहां सच्चाई है ही नहीं। इस झूठी स्थिति में तुम कभी परमात्मा के दर्शन न पा सकोगे। झूठ, समाज में जीवन तो सरल बना देता है; लेकिन झूठ परमात्म-जीवन में बाधा बन जाता है।

तो अगर तुम मेरी बात समझो तो मैं तुम्हें समाज छोड़ने को नहीं कहता; लेकिन मैं तुमसे उन झूठों को छोड़ने को जरूर कह देता हूं, जिनके कारण तुम समाज के मुर्दा अंग बन गए हो और तुमने जीवन खो दिया है। समाज को छोड़ने से कुछ अर्थ नहीं है, लेकिन सामाजिकता को छोड़ो। रहो समाज में, लेकिन औपचारिकता को छोड़ो, प्रामाणिक बनो! और धीरे-धीरे तुम पाओगेः उतरने लगा प्रभु तुम्हारे भीतर। जैसे-जैसे तुम सत्यतर होते हो, वैसे-वैसे आंखें तुम्हारी विराट को देखने में सफल होने लगती हैं।

जो इस संसार में सहयोगी है, वही परमात्मा की खोज में बाधा है। और तुम चकित तो तब होओगे, जैसे जनक चकित हो गए हैं, कहते हैंः 'अहो, आश्चर्य', ऐसे तुम भी चकित होओगे एक दिन, जिस दिन तुम पाओगे कि प्रसाद उसका उतरा और तुम सर्वतंत्र स्वतंत्र हो गए हो, और उसका प्रसाद उतर आया और अब फिर तुम्हारे जीवन में एक दायित्व का बोध है, जो बिलकुल नया है। अचानक फिर तुम जीवन की मर्यादाओं को पूरा करने लगे हो, लेकिन अब किसी बाहरी दबाव के कारण नहीं; किसी बाहरी जबरदस्ती के कारण नहीं। अब तुम्हारे भीतर से ही रस बह रहा है। अब तुमने देखना शुरू किया कि यहां कोई दूसरा है ही नहीं। अब तुमने जाना कि बाहर है ही नहीं, बस भीतर ही भीतर है, मैं ही मैं हूं।

इसलिए तो जनक कहते हैं, मन होता है अपने को ही नमस्कार कर लूं! अब तो मैं ही मैं हूं। सब मुझमें है, मैं सबमें हूं! उस दिन होता है एक अनुशासन—अति गरिमापूर्ण, अति सुंदर, अपूर्व! होता है एक दायित्व—किसी का थोपा हुआ नहीं; तुम्हारी निज-बोध की क्षमता से जन्मा, स्वस्फूर्त!

स्वस्फूर्त को खोजो—और तुम परमात्मा के निकट पहुंचते चले जाओगे। जबरदस्ती थोपे हुए के लिए राजी हो जाओ—और तुम गुलाम की तरह जीयोगे और गुलाम की तरह मरोगे।

गुलाम की तरह मत मरना; यह बड़ा महंगा सौदा है मालिक की तरह जीयो और मालिक की तरह मरो। और मालकियत का इतना ही अर्थ है कि तुम अपने स्वयं के बोध के मालिक बनो, स्वबोध को उपलब्ध होओ!

दूसरा प्रश्नः कल आपने वानप्रस्थ की अदभुत परिभाषा कही—अनिर्णय की स्थिति का वह व्यक्ति जो दो कदम जंगल की तरफ चलता है और दो कदम वापस बाजार की तरफ लौट आता है, ऐसी चहलकदमी का नाम वानप्रस्थ है। इस संदर्भ में कृपया समझाएं कि यदि अचुनाव महागीता का संदेश है तो वह व्यक्ति क्या करे—बाजार चुने, या जंगल, या दोनों नहीं? कृपया यह भी समझाएं कि अनिर्णय की दशा में और अचुनाव की दशा में क्या फर्क है?

महागीता का मौलिक संदेश एक है कि चुनाव संसार है। अगर तुमने संन्यास भी चुना तो वह भी संसार हो गया। जो तुमने चुना, वह परमात्मा का नहीं है; जो अपने से घटे, वही परमात्मा का है। जो तुमने घटाना चाहा, वह तुम्हारी योजना है; वह तुम्हारे अहंकार का विस्तार है।

तो महागीता कहती हैः तुम चुनो मत—तुम सिर्फ साक्षी बनो। जो हो, होने दो। बाजार हो तो बाजार; अचानक तुम पाओ कि चल पड़े जंगल की तरफ, चल पड़े-नहीं चुनाव के कारण; सहज स्फुरणा से—तो चले जाओ।

फर्क समझने की कोशिश करो। सहज स्फुरणा से चले जाना जंगल एक बात है; चेष्टा करके, निर्णय करके, साधना करके, अभ्यास करके जंगल चला जाना बिलकुल दूसरी बात है।

मेरे एक मित्र जैन साधु हैं। उनके पास से निकलता था...जंगल में उनकी कुटी थी और मैं गुजरता था रास्ते से, किसी गांव जाता था, तो मैंने ड्राइवर को कहा कि घड़ी भर उनके पास रुकते चलें। तो हम मुड़े। जब मैं उतर कर उनकी कुटी के

पास पहुंचा तो मैंने खिड़की में से देखा : वे नंगे, कमरे में टहल रहे हैं। कोई आश्चर्य की बात न थी, जंगल में वहां कोई था भी नहीं—किसके लिए कपड़े पहनना? फिर मैं जानता हूं उन्हें कि जैन परंपरा में वे पले हैं और नग्नता का...दिगंबर जैन हैं तो नग्नता का बहुमूल्य आदर है उनके मन में, बड़ा मूल्य है। मैं जब दरवाजे पर दस्तक दिया, तो मैंने देखा : वे आए तो एक कपड़ा लपेट कर चले आए।

मैंने पूछा कि अभी मैंने खिड़की से देखा आप नग्न थे, यह कपड़ा क्यों लपेट लिया? वे हंसने लगे। वे कहने लगे, अभ्यास कर रहा हूं।

'काहे का अभ्यास?'

उन्होंने कहा, नग्न होने का अभ्यास कर रहा हूं।

दिगंबर जैनों में पांच सीढ़ियां हैं संन्यासी की, तो धीरे-धीरे पहले ब्रह्मचारी होता है आदमी, फिर छुल्लक होता, फिर एल्लक होता, फिर ऐसे बढ़ता जाता, फिर अंतिम घड़ी में मुनि होता; मुनि जब होता, तब नग्न हो जाता। तो धीरे-धीरे छोड़ता जाता है। पहले दो लंगोटी रखता, फिर एक लंगोटी रखता, फिर छोड़ देता।

मैंने उनसे पूछा कि महावीर के जीवन में कहीं उल्लेख है कि उन्होंने नग्नता का अभ्यास किया हो?

कहा, 'कोई उल्लेख नहीं।'

मैंने कहा, मुझे वह बताएं, जो उनकी नग्नता के संबंध में कहा है शास्त्रों में, आप शास्त्र के ज्ञाता हैं!

वे थोड़े हैरान हुए, क्योंकि शास्त्र में तो इतना ही कहा है कि महावीर जब घर से चले तो एक चादर उन्होंने लपेट ली। सब बांट दिया। राह में जब वे जा रहे थे, तो सब तो बांट चुके थे; पूरा गांव, जो भी आए थे सब लेकर गए थे। आखिर में एक भिखमंगा मिला जो अभी भी घिसटता हुआ चला आ रहा था, और बोला, 'अरे, क्या सब बंट गया? और मैं तो अभी आ ही रहा था।' तो महावीर ने कहा, यह तो बड़ा मुश्किल हुआ। उसको आधी चादर फाड़ कर दे दी। अब और तो कुछ बचा भी नहीं था; अब आधी ही से काम चला लेंगे। जब वे इस आधी चादर को लेकर जंगल में प्रवेश कर रहे थे, तो एक झाड़ी से, हो सकता है गुलाब की झाड़ी रही हो या कोई और झाड़ी रही हो—वह आधी चादर उलझ गई। वह इस बुरी तरह उलझ गई कि अगर उसे निकालें, तो झाड़ी को चोट पहुंचेगी। तो महावीर ने कहा, तू भी ले ले, अब आधी को भी क्या रखना! वह आधी उस झाड़ी को दे दी। ऐसे वे नग्न हुए। अभ्यास तो इसमें, मैंने कहा, कहीं भी नहीं है।

मैंने उनसे कहा कि तुम अभ्यास कर-कर के नग्न अगर हो गए, तो तुम संन्यासी न बनोगे, सर्कसी बन जाओगे। पहले तुम ऐसा कमरे में नंगे घूमोगे, फिर

धीरे-धीरे बगीचे में घूमने लगना, फिर धीरे-धीरे गांव में जाने लगना-ऐसे कर-कर के हिम्मत बढ़ा लोगे—कि लोग हंसते हैं, हंसने दो; लोग कुछ कहते हैं, कहने दो; धीरे-धीरे, धीरे-धीरे...। मगर धीरे-धीरे जो घटेगा वह तो झूठा हो गया। यह तो तुम चूक ही गए, नग्नता की निर्दोषता चूक गए।

अभ्यासजन्य तो सभी चालाकी से भर जाता है, निर्दोष तो सहज होता है। अगर तुम्हें नग्न होने का भाव आ गया है, चलो यह चादर मुझे भेंट कर दो—मैंने कहा—खत्म करो इस बात को।

वे कहने लगे, नहीं, अभी नहीं। मैं उनकी चादर खींचने लगा तो बोलेः अरे, यह मत करना! मैंने कहा, मैं तो सहयोगी हो रहा हूं। यह अभी घटवाए देता हूं और गांव के लोगों को बुलाए लेता हूं। कब तक अभ्यास करोगे? यह पांच मिनट का काम है। मैं गांव से लोगों को बुला लेता हूं, भीड़-भाड़ इकट्ठी कर देता हूं, चादर ले लूंगा सबके सामने। खत्म करो! कब तक अभ्यास करोगे?

उन्होंने कहा, नहीं-नहीं, अभी नहीं, किसी से कहना भी नहीं। अभी मेरी योग्यता नहीं है।

नग्न होने में भी योग्यता की जरूरत है? सारा जंगल, पशु-पक्षी नग्न घूम रहे हैं; तुम कहते हो, नग्नता में भी योग्यता की जरूरत है! आदमी भी हद चालाक है! इतने सरल में भी योग्यता की जरूरत है!

वे अभी तक नग्न नहीं हुए। यह घटना घटे कोई पंद्रह साल हो गए। वे अभी तक भी चादर ओढ़े हुए हैं। अभ्यास अब भी जारी होगा।

खयाल करना, महागीता कहती हैः चुनो मत! क्योंकि चुनोगे तो अहंकार से ही चुनोगे न? चुनोगे तो 'मैं' करने वाला हूं—कर्ता हो जाओगे न। महागीता कहती हैः न कर्ता, न भोक्ता-तुम साक्षी रहो। तुम अगर पाओ कि बाजार में बैठे हैं और सब ठीक है—तो ठीक है, बाजार ठीक है। तुम अगर पाओ कि नहीं, चल पड़े पैर, जंगल बुलाने लगा, आ गई पुकार—अब रुकते-रुकते भी रुकने का कोई उपाय नहीं, अब तुम चल पड़े, अब तुम दौड़ पड़े; जैसे बज गई कृष्ण की बांसुरी और भागने लगीं गोपियां! कोई ने आधा अभी दूध लगाया था, उसने पटकी मटकी वहीं, वह भागी; कोई अभी दीया जला रही थी, उसने दीया नहीं जलाया और भागी। बंसी उठी पुकार! अब कैसे कोई रुक सकता है!

जिस दिन ऐसा सहज घटता हो, जिस दिन तुम जवाब न दे सको कि क्यों किया, तुम्हारे पास कोई तर्क न हो कि क्यों ऐसा हुआ; तुम इतना ही कह सको कि बस हुआ, हम देखने वाले थे, हम करने वाले नहीं थे—तो महागीता कहती है, तो अष्टावक्र कहते हैं—तो असली संन्यास, सहजस्फूर्त!

तो पहली तो बात है, पूछा है, 'तो वह व्यक्ति क्या करे—बाजार चुने कि जंगल?'

चुना कि भटका। चुनाव में संसार है, अगर वह जंगल भी चुने तो संसार है, चुनाव में संसार है। और अगर वह बिना चुने बाजार में भी रहे तो संन्यास है। अचुनाव संन्यास है; चुनाव संसार है। इसलिए संन्यास को चुनने का कोई उपाय नहीं है—संन्यास घटता है।

मेरे पास इतने लोग आते हैं। मेरे पास भी दो तरह के संन्यासी हैं—एक जो घटाते; और एक, जिनको घटता है। जो घटाते हैं, वे कहते हैं, सोच रहे हैं; वे कहते हैं, सोच रहे हैं, बात तो कुछ जंचती है, सोच-विचार कर रहे हैं। लेंगे, कभी न कभी लेंगे; मगर अभी नहीं। अभी, वे कहते हैं, और बहुत काम हैं; बात तो जंचती है।

मैंने सुना है, मुल्ला नसरुद्दीन मस्जिद में बैठा था और धर्मगुरु ने प्रवचन दिया। और बीच प्रवचन में उसने बड़े नाटकीय ढंग से पूछा कि जो लोग स्वर्ग जाना चाहते हैं, उठ कर खड़े हो जाएं। सब लोग उठ कर खड़े हो गए, सिर्फ मुल्ला बैठा रहा। उस धर्मगुरु ने पूछा: क्या तुमने सुना नहीं नसरुद्दीन? मैं कह रहा हूं, जिनको स्वर्ग जाना हो, वे खड़े हो जाएं।

नसरुद्दीन ने कहा: बिलकुल सुन लिया, लेकिन अभी मैं जा नहीं सकता।

'बात क्या है?'

उसने कहा कि पत्नी ने कहा है कि मस्जिद से सीधे घर आना। मस्जिद से सीधे घर आना, इधर-उधर जाना ही मत! अब आप और एक लंबी..स्वर्ग जिनको जाना है, जो जा सकते हों जाएं। जाऊंगा मैं भी कभी। तो पहला तो कारण कि पत्नी ने कहा कि मस्जिद से सीधे घर आना। और दूसरा कारण कि इस कंपनी के साथ स्वर्ग मैं नहीं जाना चाहता। इन्हीं की वजह से तो यह संसार भी नरक हो गया है और अब स्वर्ग भी खराब करवाओगे? इनके बिना तो मैं नर्क भी जाना पसंद कर लूंगा। इनके साथ...।

मेरे पास लोग आते हैं, वे कहते हैं: सोच रहे, बात जंचती; लेकिन अभी मुश्किल है; पत्नी से पूछना है, बच्चों से पूछना है; अभी तो लड़की की शादी करनी है, अभी लड़कें की शादी करनी है; यह करना, वह करना; दुकान...।

मैं उनसे कहता हूं: मैं तुमसे लड़की न छोड़ने को कहता हूं न लड़का, न पत्नी न दुकान—मैं तुमसे कुछ छोड़ने को कहता ही नहीं। और मैं तुमसे यह भी नहीं कहता कि तुम संन्यास के संबंध में सोचो, तब लेना। सोच कर लिया, चूक गए। क्योंकि सोचने में तो तुम्हारा निर्णय हो जाएगा। मैं तो कहता हूं: अहोभाव से लेना।

उठ गया हो भाव तो ले लेना। सोचना मत। सोचने की प्रक्रिया मत चलाना। जब घटता हो तो घट जाने देना, न घटे तो कोई चिंता की बात नहीं—थोपना मत।

कुछ लोग आते हैं, जो इसी सहजता से लेते हैं। कुछ लोग आते हैं, उनसे मैं कहता हूं कि क्या इरादे हैं संन्यास के? वे कहते हैं: आपकी मर्जी! आप अगर मुझे योग्य समझें तो दे दें।

यह बात और हुई। यह बात ही और हो गई। इसका मूल्य बड़ा अलग हो गया। वे कहते हैं, आप अगर योग्य समझें तो मुझे दे दें। संन्यास मैं कैसे लूंगा? आप देते हों तो दे दें।

इस व्यक्ति ने ठीक से समझा संन्यास का अर्थ। जो होता हो, जो घटता हो, उसे घट जाने देना—बिना ना-नुच के, बिना अपनी बाधा डाले, बिना अपनी पसंद नापसंद डाले।

तो तुम पूछते हो: बाजार चुनें कि जंगल?

मैं कहता हूं: चुने कि फंसे! चुने कि बाजार में रहे। जंगल जाओ या कहीं भी जाओ, चुने कि बाजार में रहे। न चुना और बाजार में भी रहे तो आ गया जंगल।

जहां तुम बाजार देख रहे हो, वहां कभी जंगल थे और फिर जंगल हो जाएंगे। और जहां तुम जंगल देख रहे हो, वहां बाजार कई दफे बन चुके हैं और उजड़ चुके हैं। जंगल और बाजार में कोई बड़ा फर्क नहीं है।

इब्राहीम एक मुसलमान सम्राट, संन्यासी हो गया। अचानक निकल गया राजमहल से। द्वारपाल रोकने लगे। उसने कहा, हटो भी! तुम्हें मैंने यहां द्वारों पर खड़ा किया था कि किसी को भीतर मत आने देना, मुझे रोकने को नहीं। रास्ता दो।

वे उससे हाथ जोड़ने लगे कि आप यह क्या कर रहे हैं? हमें खबर मिली है कि आप संन्यासी हो रहे हैं। आप क्यों यह महल छोड़ रहे हैं?

इब्राहीम ने कहा: छोड़ रहा हूं? बात ही गलत है। यहां कुछ छोड़ने योग्य है ही नहीं, इसलिए जा रहा हूं। न पकड़ने योग्य है न छोड़ने योग्य है।

इब्राहीम चला गया और गांव के बाहर रहने लगा। वह बल्ख का राजा था। उसने मरघट के पास एक चौरस्ते पर अपना निवास बना लिया। लोग उस चौरस्ते से आते, राहगीर, और उससे पूछते कि बस्ती कहां है, तो वह मरघट का रास्ता बता देता। दोनों तरफ रास्ते जाते थे। और उसकी बात मान कर लोग चले जाते। बड़ा शांत फकीर था, शाही आदमी था! उसके चेहरे की शान और रौनक, उसके व्यक्तित्व की गरिमा और प्रसाद...बड़ा आभायुक्त व्यक्ति था! उसकी बात पर सहज भरोसा हो जाता। कोई यह भी नहीं सोचता कि यह आदमी गलत कहेगा। उससे पूछते, बाबा कहां है बस्ती का रास्ता, तो वह कह देता कि बिलकुल सीधे चले

जाओ; इस रास्ते पर मत जाना, नहीं तो भटक जाओगे। जब वे चार मील चल कर पहुंचते, तो मरघट! बड़े क्रोध में लौट कर आते। वे कहते कि तुम होश में तो हो? मरघट भेज दिया!

उसने कहा : तुमने बस्ती पूछी थी न? तो मैंने मरघट में जिनको बसते देखा, उनको कभी उजड़ते नहीं देखता—इसलिए उसको मैं बस्ती कहता हूं। और बस्ती तुम जिसको कहते हो, उसको मैं मरघट कहता हूं, क्योंकि वहां सब मरने वाले लोग हैं। आज मरा कोई, कल मरा कोई, परसों मरा कोई—वह मरघट है। वहां क्यू लगा है; जिसका नंबर आ गया, वह गया। जिसको तुम बस्ती कहते हो, उसको मैंने बसते कभी देखा नहीं; उजड़ते देखा। उसको बस्ती कहो कैसे? बस्ती तो वह, जो बसी रहे। मरघट है बस्ती। तुमने बात गलत पूछी, मेरी कोई गल्ती नहीं है। तुमने पूछा बस्ती कहां है, मैंने तुम्हें बस्ती बता दी। तुम पूछते मरघट, मैं तुम्हें गांव भेज देता। अब तुम मरघट जाना चाहते हो, तो तुम इस रास्ते से चले जाओ। लेकिन मैं तुमसे कहे देता हूं, मरघट पर कभी तुम बस न पाओगे। जाना तो पड़ेगा—जिसको तुम मरघट कहते हो—वहीं। क्योंकि वहीं अंतिम बसाव है, वहीं आदमी अंततः पहुंच जाता है।

जिसको बस्ती कहो, वहां कई दफे मरघट बन चुका; जिसको मरघट कहो, वहां कई दफे बस्ती बस चुकी। यहां क्या जंगल है, क्या बाजार है! यहां दोनों ही माया हैं, दोनों ही सपने हैं। चुने कि फंसे।

महागीता कहती है : चुनना मत। जो हो होने देना। तुम सिर्फ देखते रहना।

यह सबसे कठिन बात है और सबसे सरल भी। क्योंकि करने को कुछ नहीं, इसलिए बिलकुल सरल; और चूंकि करने को कुछ भी नहीं है, इसलिए तुम्हें बहुत कठिन है। कुछ करने को हो तो कर लो। इसमें कुछ करने को ही नहीं है; सिर्फ देखते रहने का है।

'कृपया यह भी समझाएं कि अनिर्णय की दशा में और अचुनाव की दशा में क्या फर्क है!'

बहुत फर्क है। दोनों एक-दूसरे के विपरीत हैं। अनिर्णय का अर्थ है : तुम्हारे मन में दो निर्णय एक साथ हैं। जब भी कोई आदमी कहता है कि मैं अनिर्णीत हूं, तुम भूल में मत पड़ जाना। वह यह कह रहा है कि दो निर्णय हैं और तय नहीं कर पा रहा हूं कि कौन सा करूं—जंगल जाऊं कि दुकान पर रहूं? एक मन कहता है, दुकान पर रहो; एक कहता है, जंगल चले जाओ। एक मन कहता है, शादी कर लो; एक कहता है, कुंआरे बने रहो। एक मन कहता है, ऐसा करो; एक मन कहता है, वैसा करो। दो निर्णय हैं या कई निर्णय हैं। और कई निर्णयों में चुन नहीं पा रहे

हो, क्योंकि सभी करीब-करीब बराबर वजन के मालूम होते हैं—इसलिए अनिर्णय।

अनिर्णय बड़ी भ्रांत, मूर्च्छित दशा है; और अचुनाव बड़ी जाग्रत दशा है। अचुनाव का मतलब है कि न यह चुनते हैं न यह चुनते हैं; चुनते ही नहीं। अनिर्णय में तो चुनने की आकांक्षा बनी है, मगर तय नहीं हो पा रहा ः क्या करें, किसको चुनें?

एक स्त्री है जिसको तुम चाहते हो कि शादी कर लें, लेकिन उसके पास सुंदर शरीर नहीं है और धन बहुत है। और एक स्त्री है, जिसके पास सुंदर शरीर है और धन बिलकुल नहीं है। अब तुम्हारे मन में डांवांडोल चल रहा है ः किसको चुन लें? धन वाली कुरूप स्त्री को चुन लें कि निर्धन सुंदर स्त्री को चुन लें? एक मन कहता है, 'धन का क्या करोगे? धन को खाओगे कि पीयोगे? अरे, सौंदर्य के आगे धन क्या है?' एक मन कहता है, 'सौंदर्य का क्या करोगे? दो दिन में सब फीका हो जाएगा, दो दिन में परिचित हो जाओगे। फिर क्या करोगे, खाओगे कि पीयोगे? धन आखिर में काम आता। धन जिंदगी भर काम आएगा। और आज यह स्त्री सुंदर है; कल चेचक निकल आए, फिर क्या करोगे? और आज यह सुंदर दिखाई पड़ रही है दूर से—दूर के ढोल सुहावने होते हैं—पास आकर कौन सा जहर निकलेगा, क्या पता! फिर आज जवान है, कल बूढ़ी हो जाएगी—फिर क्या करोगे? और अभी तो अकेले निर्धन हो, और एक गले से बांध ली फांसी—दो हो जाओगे, भूखों मरोगे!'

आदमी की भूख पेट में हो तो कहां का प्रेम और कहां का सौंदर्य—भूखे भजन न होय! तो एक मन कहता है, सुंदर को चुन लो; एक मन कहता है, धन को चुन लो। और दुविधा है कि तुम दोनों चाहते। तुम चाहते यह थे, दोनों हाथ लड्डू होते। तुम चाहते सुंदर स्त्री होती और धन भी होता। वैसे दोनों हाथ लड्डू इस संसार में किसी को नहीं मिलते। अगर किसी को भी मिल जाते इस संसार में दोनों हाथ लड्डू, तो उसके लिए धर्म व्यर्थ हो जाता; लेकिन धर्म किसी को कभी व्यर्थ नहीं हुआ, क्योंकि दोनों हाथ लड्डू कभी किसी को नहीं मिलते। कुछ न कुछ कमी रह जाती है। किसी की आंख सुंदर है, किसी के कान सुंदर हैं, किसी की नाक सुंदर है...बड़ी मुश्किल है...किसी के बाल सुंदर हैं, किसी की वाणी मधुर है, किसी का व्यवहार सुंदर है, किसी का देह का अनुपात सुंदर है। हजार चीजें हैं, सभी पूरी नहीं होतीं। मन की आकांक्षा बड़ी है और चीजें बड़ी छोटी हैं। मन के सपने बड़े सुंदर हैं और सब चीजें फीकी पड़ जाती हैं। दोनों हाथ लड्डू किसी को भी नहीं मिलते। वे तो परमात्मा हुए बिना नहीं मिलते।

तुमने देखा न, हिंदुओं की परमात्मा की मूर्तियां हैं—कहीं सहस्रबाहु...और सब हाथों में, किसी में शंख, किसी में लड्डू, किसी में कुछ। आदमी के दो हाथ हैं, संसार बड़ा है—जब तक तुम सहस्रबाहु न हो जाओ, तब तक कुछ होने वाला नहीं। परमात्मा हुए बिना कोई तृप्त नहीं होता; हाथ भर ही नहीं पाते। और दो हाथ भर भी जाएं तो भी क्या होने वाला है? आकांक्षाएं बहुत हैं, उनके लिए हजारों हाथ चाहिए; वे भी शायद छोटे पड़ जाते होंगे।

कभी तुम देखना हिंदुओं की पुरानी मूर्तियां, तो कई नई चीजें पैदा हो गई हैं, जो उन हाथों में नहीं हैं। अब भगवान को नये हाथ उगाने पड़ें; नहीं तो वे भी तड़प रहे होंगे। अगर अब हम फिर से बनाएं तो एक हाथ में कार लटकी है, एक हाथ में कुर्सी लटकी है, एक हाथ में फ्रिज रखा है। तुम हंसते हो! क्योंकि तुमने उन दिनों जो चीजें श्रेष्ठतम थीं वे लटका दी थीं। अब तो चीजें बहुत बढ़ गई हैं, उतने हाथों से काम न चलेगा। चीजें तो रोज बढ़ती जाती हैं, हाथ सदा छोटे पड़ जाते हैं।

तो अनिर्णय की अवस्था तो तब है, जब तुम्हारे मन में बहुत सी चीजें हैं, प्रतियोगी चीजें हैं और तुम तय नहीं कर पाते। तय तुम करना चाहते हो और नहीं कर पाते—तो अनिर्णय। अनिर्णय बड़ी दुविधा की दशा है। अचुनाव—तुम तय करना ही नहीं चाहते; तुमने तय करना ही छोड़ दिया। तुम कहते हो, हम तो देखेंगे। हम यह भी देखेंगे, हम वह भी देखेंगे; हमारा कोई झुकाव नहीं है। हम सिर्फ साक्षी बन कर बैठे हैं।

अचुनाव तो चैतन्य की सबसे ऊंची स्थिति है। अनिर्णय, चैतन्य की सबसे नीची स्थिति है। अनिर्णय को अचुनाव मत समझ लेना, नहीं तो तुम भ्रांति को सत्य समझ लोगे। तुम यह मत समझ लेना : चूंकि हम निर्णय नहीं कर पाते, इसलिए हम अचुनाव की अवस्था को उपलब्ध हो गए हैं। निर्णय न कर पाना एक बात है और निर्णय करना छोड़ देना बिलकुल दूसरी बात है। निर्णय न कर पाना तो एक तरह की असहाय अवस्था है; निर्णय करना छोड़ देना एक मुक्ति है। इति ज्ञानं! जनक कहते हैं, यही ज्ञान है!

तीसरा प्रश्नः जनक अष्टावक्र के समक्ष निस्संकोच भाव से ज्ञान को अभिव्यक्त किए जा रहे हैं। क्या ज्ञान उपलब्धि के बाद गुरु के समक्ष सकुचाहट भी खो जाती है? कृपा करके समझाइए।

सकुचाहट या संकोच भी अहंकार का ही अनुषंग है। जिसको तुम संकोच कहते हो, लज्जा कहते हो, वह भी अहंकार की ही छाया है।

तुम सकुचाते क्यों हो कहने में? तुम सोचते हो, कहीं ऐसा न समझा जाए कि कोई समझे कि अभद्र है, मर्यादा-रहित है। तुम सकुचाते क्यों हो कहने में? कहीं ऐसा न हो कि भद्द हो जाए, जो मैं कहूं वह ठीक न हो। तुम सकुचाते क्यों हो कहने में? क्योंकि तुम डरे हुए होः दूसरा क्या सोचेगा!

लेकिन गुरु और शिष्य का संबंध तो बड़ा अंतरंग संबंध है। वहां दूसरा क्या सोचेगा, यह विचार भी आ जाए तो भेद आ गया। गुरु के सामने कैसा संकोच? जो हुआ है, उसे खोल कर रख देना। बुरा हुआ तो बुरा खोल कर रख देना, भला हुआ तो भला खोल कर रख देना। दुख-स्वप्न देखा तो उसे खोल कर रख देना। अंधेरा है तो कह देना अंधेरा है; रोशनी हो गई, तब संकोच क्या?

क्या तुम सोचते हो कि जनक को कहना चाहिए कि नहीं-नहीं, कुछ भी नहीं हुआ, अरे साहब, मुझे कैसे हो सकता है! हो गया, और वे कहें संकोचवश, शिष्टाचारवश, कि नहीं-नहीं! तुमने जनक को क्या कोई लखनवी समझा है?

मैंने सुना है कि एक स्त्री के पेट में दो बच्चे थे। नौ महीने निकल गए, दस महीने निकलने लगे, ग्यारह महीना, बारह महीना...। स्त्री भी घबड़ा गई, डाक्टर भी घबड़ा गए। कई साल निकल गए, बामुश्किल आपरेशन करके बच्चे निकाले गए। जब निकाले गए तब तो वे बोलने की उम्र के आ चुके थे। डाक्टर ने पूछा कि करते क्या रहे इतनी देर तक? उन्होंने कहा, 'साहब क्या करते! मैं इनसे कहता, पहले आप; ये कहते, पहले आप!' लखनवी थे दोनों। अब पहले कौन निकले, यही अड़चन थी।

पुराने दिनों में ऐसा हो जाता था। लखनऊ के स्टेशन पर गाड़ी सीटी बजा रही है। और कोई खड़े हैं अभी, चढ़ ही नहीं रहे—वे कहते हैं, 'पहले आप! पहले आप! अरे नहीं आपके सामने मैं कैसे चढ़ सकता हूं!'

संकोच, सकुचाहट, शिष्टाचार गुरु और शिष्य के बीच अर्थ नहीं रखते। जहां प्रेम प्रगाढ़ है, वहां इन क्षुद्र बातों की कोई भी जरूरत नहीं। ये तो सब प्रेम को छिपाने के उपाय हैं। ये तो जो नहीं है उसको बतलाने के ढंग हैं। जब तुम्हारा प्रेम पूरा होता है, तो तुम कुछ भी नहीं छिपाते; तब तो तुम सब खोल कर रख देते हो।

तुमने देखा, दो आदमी दोस्त होते हैं तो सब शिष्टाचार खो जाता है। लोग तो कहते हैं, जब तक दो आदमी एक-दूसरे को गाली-गलौज न देने लगें, तब तक दोस्ती ही नहीं। ठीक ही कहते हैं एक अर्थ में, क्योंकि जब तक गाली-गलौज की नौबत न आ जाए, तब तक कैसी दोस्ती? तब तक शिष्टाचार कायम है; आइए, बैठिए, पधारिए कायम है। जब दो मित्र दोस्त हो जाते हैं, जब मित्रता घनी हो जाती है। तो आइए, बैठिए, पधारिए, सब विदा हो जाता है। तब बातें सीधी होने लगती हैं। तब दिल की दिल से बात होती है। ये ऊपर-ऊपर के खेल, समाज के नियम, उपचार—इनका कोई मूल्य नहीं रह जाता।

गुरु और शिष्य के बीच तो कोई भी औपचारिकता नहीं है।

लेकिन तुम हैरान होओगे कि अगर तुम गुरु-शिष्य को देखोगे तो तुम चकित होओगे। जनक कह तो रहा है ये सारी बातें, लेकिन इसका यह अर्थ नहीं है कि जनक के मन में गुरु के प्रति कृतज्ञता नहीं है, कि अहोभाव नहीं है।

एक झेन फकीर मंदिर में रात रुका। रात सर्द थी और उसने मंदिर में से बुद्ध की प्रतिमा को उठा लिया; लकड़ी की प्रतिमा थी, जला कर आंच ताप ली। जब मंदिर के पुजारी की नींद खुली आधी रात को; लकड़ी की आवाज, जलने की आवाज सुन कर, तो वह भागा आया। उसने कहा कि यह तू आदमी पागल है क्या? हमने तो तुझे साधु समझ कर मंदिर में ठहरा लिया, यह तूने क्या पाप किया? तूने बुद्ध को जला डाला!

तो वह साधु एक लकड़ी को उठा कर बुद्ध की जली हुई मूर्ति में, राख में टटोलने लगा। उस मंदिर के पुजारी ने पूछा, क्या करते हो अब? उसने कहा, मैं बुद्ध की अस्थियां खोज रहा हूं। वह पुजारी हंसा। उसने कहा, तुम निश्चित पागल हो। अरे, लकड़ी की मूर्ति में कैसी अस्थियां?

उसने कहा, जब अस्थियां ही नहीं हैं तो कैसे बुद्ध? तुम, दो मूर्तियां और रखी हैं, उठा लाओ, रात अभी बहुत बाकी है। और तुम भी आ जाओ; हम तो ताप ही रहे हैं, तुम क्यों ठंड में ठिठुर रहे हो, ताप ही लो!

उसने तो उसे उसी वक्त मंदिर के बाहर निकाला, क्योंकि कहीं वह दूसरी मूर्तियां और न जला डाले।

सुबह जब पुजारी उठा तो उसने देखा कि वह साधु राह के किनारे लगे मील के पत्थर पर दो फूल चढ़ा कर हाथ जोड़े बैठा है। उसने कहा, हद हो गई! रात बुद्ध को जला बैठा, अब मील के पत्थर पर फूल चढ़ा कर बैठा है! उसने जाकर फिर उसे हिलाया और कहा, तू आदमी कैसा है? अब यह क्या कर रहा है यहां?

उसने कहा, भगवान को धन्यवाद दे रहा हूं। यह उनकी ही कृपा है कि उनकी

मूर्ति को जलाने की क्षमता आ सकी। और मूर्ति तो मानने की बात है। जहां मान लिया, वहां बुद्ध। वे तो सभी जगह मौजूद हैं, मगर हम सभी जगह देखने में समर्थ नहीं; हम तो एक ही दिशा में ध्यान लगाने में समर्थ हैं। तो अभी जो सामने मिल गया, यह पत्थर मिल गया, फूल भी लगे थे किनारे, सब साधन-सामग्री उन्हीं ने जुटा दी, सोचा कि अब पूजा कर लें। अब धूप भी निकल आई, दिन भी ताजा हो गया। फिर रात इन्होंने साथ दिया था। देखा नहीं, जब सर्दी पड़ी तो इन्हीं को लेकर आंच ली थी। शरीर को भी ये बचा लेते हैं, आत्मा को भी बचा लेते हैं। अब धन्यवाद दे रहे हैं।

शिष्य और गुरु के बीच बड़ा अनूठा संबंध है। वह अपने सत्य को पूरा खोल कर भी रख देता है, लेकिन इसका अर्थ नहीं है कि अवज्ञा कर रहा है, या अभद्रता कर रहा है। यही भद्र संबंध है। और धन्यवाद भी उसका पूरा है।

जनक पैर भी छुएंगे अष्टावक्र के, उनको बिठाया है सिंहासन पर, खुद नीचे बैठे हैं। खुद सम्राट हैं, अष्टावक्र तो कुछ भी नहीं हैं। उनको बिठा कर सिंहासन पर कहा, प्रभु! मुझे उपदेश दें। मुझे बताएं: क्या है ज्ञान, क्या है वैराग्य, क्या है मुक्ति?

और तुम यह मत सोचना कि अष्टावक्र नाराज हैं यह ज्ञान की अभिव्यक्ति सुन कर। अगर सकुचाते जनक तो कुछ कमी रह गई। क्योंकि संकोच का मतलब है: अभी भी तुम सोच रहे हो, मैं हूं। अब कोई संकोच नहीं, ‘मैं’ बिलकुल गया। और अष्टावक्र स्वयं ही कहते हैं: जहां ‘मैं’ नहीं, वहां मुक्ति है; जहां ‘मैं’ है, वहां बंधन है। तो सब बंधन गिर गया। ‘मैं’ ही गिर गया तो कैसा संकोच, कैसी सकुचाहट?

लेकिन तुम इससे यह मत समझ लेना कि जनक की कृतज्ञता का भाव गिर गया। वह तो और घना हो गया। इसी गुरु के माध्यम से तो, इसी गुरु के इशारे पर तो, इसी गुरु की चिनगारी से तो जली यह आग और सब भस्मीभूत हुआ। यह जो घटना घटी है महामुक्ति की, यह जो समाधिस्थ हो गए हैं जनक—यह जिस गुरु की कृपा से हुए हैं, जिसके प्रसाद से हुए हैं, उसके सामने कैसा संकोच?

सच तो यह है, जब गुरु और शिष्य के बीच परम संबंध जुड़ता है तो न शिष्य शिष्य रह जाता, न गुरु गुरु रह जाता; तब दोनों एक हो जाते, महामिलन हो जाता!

चौथा प्रश्नः   मैं चाहता हूं, तुम कुछ बोलो,
              तुम चाहते हो, मैं कुछ बोलूं;
              अधर कांप के रह जाते हैं,
              विस्मित हूं कैसे मुंह खोलूं!

खोल तो दिया! तो तुम्हारे लिए एक कहानीः

चार आदमियों ने तय किया कि मौन की साधना करेंगे। वे चारों गए, एक
मंदिर में बैठ गए...चौबीस घंटे मौन से रहेंगे। कोई घड़ी भी नहीं गुजरी थी कि
पहला आदमी बोलाः अरे अरे, पता नहीं मैं ताला लगा आया कि नहीं घर का!
दूसरा मुस्कुराया, उसने कहा कि तुमने मौन खंडित कर दिया नासमझ, मूढ़! तूने
बोल कर सब मौन खराब कर दिया! तीसरा बोला कि खराब तो तुम्हारा भी हो गया
है! तुम क्या खाक उसको समझा रहे हो? चौथा बोलाः हे प्रभु! एक हम ही बचे,
जिसका मौन अभी तक खराब नहीं हुआ।

बोले बिना रहा नहीं जाता। अगर बिना बोले रह जाओ तो बहुत कुछ हो।
अगर मौन रह जाओ तो महान घट सकता है।

शब्द से सत्य के घटने में कोई सहारा नहीं मिलता—शून्य से ही सहारा
मिलता है। अगर ऐसा भाव मन में उठ रहा है मौन रह जाने का, तो रह ही जाओ,
इतना भी मत कहो; इतना कहने से भी खराब हो जाएगा।

मेरी मजबूरी है कि मुझे तुमसे बोलना पड़ रहा है, क्योंकि तुम मेरे शून्य को
न सुन सकोगे। काश, तुम मेरे शून्य को सुन सकते तो बोलने की कोई जरूरत न
रह जाती! तो मैं यहां बैठता, तुम यहां बैठते—मंतक-मंतक, हृदय से हृदय की हो
लेती चर्चा, शब्द बीच में न आते।

तुम्हें उसी तरफ तैयार कर रहा हूं। बोल भी इसलिए रहा हूं कि तुम्हें न बोलने
की तरफ धीरे-धीरे सरकाया जा सके। तुमसे कह भी रहा हूं कि सुनो—सिर्फ
इसीलिए कि अभी तुम सुनने के माध्यम से ही शांत बैठ सकते हो, अन्यथा तुम
शांत न बैठ सकोगे। फिर धीरे-धीरे, जब तुम सुनने में परम कुशल हो जाओगे, तो
तुमसे कहूंगाः अब सुनो, और अब मैं बोलूंगा नहीं, तुम सिर्फ सुनो। फिर मैं बिना
बोले तुम्हारे पास बैठूंगा। फिर भी तुम सुन पाओगे। और जो अभी झलक-झलक
आता है, वह बिलकुल साक्षात आएगा। जो अभी शब्द में थोड़ा-थोड़ा आता है,
बूंद-बूंद आता है, वह फिर सागर की तरह आएगा। और अभी जो हवा के झोंके
की तरह आता है—कभी पता चलता आया, कभी पता चलता नहीं आया—वह
एक अंधड़-आंधी की तरह आएगा और तुम्हें डुबा देगा; और तुम्हें मिटा देगा; और

तुम्हें बहा ले जाएगा। वह एक सागर की तूफानी लहर होगा, जिसमें तुम विलीन हो जाओगे।

मैं बोल रहा हूं—सिर्फ इसलिए कि तुम्हें शून्य के लिए तैयार कर लूं। अभी मजबूरी है।

तुमने देखा, छोटे बच्चों की किताबें होती हैं, तो उनमें अक्षर कम होते हैं, चित्र खूब होते हैं। अक्षर बड़े-बड़े होते हैं, बहुत थोड़े होते हैं—आम...और बड़ा एक आम लटका होता है। क्योंकि अभी अक्षर तो रसपूर्ण नहीं है बच्चे को। अभी तुम आम कितने ही लिखो, उसे कुछ मजा न आएगा। अभी वह देखता है रंगीन आम को। उसे देख कर उसके मुंह में स्वाद आ जाता है; वह कहता है, अरे आम! आम को वह जानता है चित्र से। आम के सहारे वह किनारे पर लिखा हुआ शब्द 'आम', वह भी उसे समझ में आ जाता है कि अच्छा तो यह आम है। जैसे-जैसे बच्चा बड़ा होने लगता है, किताबों में से चित्र खोने लगते हैं। विश्वविद्यालय तक पहुंचते-पहुंचते किताबों में कोई चित्र नहीं रह जाते, सब चित्र खो जाते हैं, और अक्षर छोटे होने लगते हैं। फिर विश्वविद्यालय के बाद जो असली शिक्षा है वहां तो अक्षर और भी छोटे होते-होते अक्षर भी खो जाते हैं। कोरा कागज! वही मेरी मेहनत चल रही है कि अब अक्षर को छोटा-छोटा करते-करते, करते-करते एक दिन तुम्हें कोरा कागज दे दूं और तुमसे कहूं, पढ़ो! और तुम पढ़ो भी, और तुम गुनो भी, और तुम गुनगुनाओ और नाचो भी, और तुम मुझे धन्यवाद दे सको कि कोरा कागज आपने दिया!

ये शब्द तो केवल सेतु हैं, शून्य की तरफ इशारे हैं। तुम्हारे मन में अगर चुप होने की बात आती हो तो बिलकुल ही चुप हो जाना; इतना भी मत कहना कि चुप होने की बात आ गई; उतने में भी मौन टूट जाता है।

आखिरी प्रश्नः महागीता पर हुए आपके प्रवचनों से मेरे सारे संशय दूर हो गए और मेरे सारे स्वनिर्मित बंधन क्षण में ढह गए और आज मैं आपकी करुणा से झूठे पाशों से मुक्त हुआ!

कहा है 'स्वामी सदाशिव भारती' ने।

कुछ घटा है, निश्चित घटा है। मगर इससे बहुत सावधान रहने की जरूरत भी आ गई है। अब अगर अकड़ गए कि कुछ घटा है, तो खो दोगे। अभी बड़ी नाजुक किरण उतरी है; मुट्ठी में अगर जोर से बांध लिया, मर जाएगी। अभी कली उमगी है, अभी खिलने देना, फूल बनने देना। नहीं तो कभी-कभी ऐसा होता है, हम किनारे-किनारे पहुंच कर भी गंगा में बिना डूबे वापस लौट आते हैं। बिलकुल

पहुंच गए थे, छलांग लगाने के करीब थे—और लौट आते हैं।

कुछ निश्चित हुआ है सदाशिव को। यह कहता हूं—इसलिए कि तुम्हें भरोसा आए, मजबूती आए। मगर यह भी सावधानी दे देनी जरूरी है कि इसमें अकड़ मत जाना। इससे अहंकार को घना मत कर लेना कि हो गया। अभी बहुत कुछ होने को है। कुछ हुआ है, बहुत कुछ होने को है।

कुछ हुआ—सौभाग्य! प्रभु-कृपा! अनुकंपा मानना उसे, क्योंकि तुम्हारे किए कुछ भी नहीं हुआ है। तुमने किया ही क्या है? सुनते-सुनते, यहां बैठे-बैठे हो गया है। इसे अनुकंपा मानना, इससे अहंकार को मत भर लेना। इससे और भी अनुगृहीत हो जाना कि प्रभु का प्रसाद मिला, और मैं तो पात्र भी न था। इससे अहंकार को और विसर्जित होने देना, तो और घटेगा, और घटेगा। तुम्हारा पात्र जितना शून्य होने लगेगा अहंकार से, उतना ही परमात्मा भरने लगेगा। एक घड़ी ऐसी आती है कि तुम सिर्फ शून्य-मात्र रह जाते हो—महाशून्य! उस महाशून्य में महापूर्ण उतरता है।

पहली किरण आई है अभी ताजी-ताजी सुबह की, अभी सूरज उगने को है, प्राची लाल हुई, लाली आ गई है प्राची पर, प्राची लाल हो गई है—तुम कहीं अहंकार में आंख बंद मत कर बैठना।

पहले तो यह पहली किरण पानी बहुत मुश्किल है, फिर पाकर खो देनी बहुत आसान है। जिन्हें नहीं मिली, उनका उतना खतरा नहीं है—उनके पास कुछ है ही नहीं। जिन्हें यह किरण मिलती है, उनके पास संपदा है, उन्हें खतरा है। उस खतरे से सावधान रहना। अहंकार निर्मित न हो बस! अनुग्रह का भाव और भी गहन होता जाए, तो और भी होगा, बहुत कुछ होगा! यह तो अभी शुरुआत है। यह तो अभी श्रीगणेशाय नमः! अभी तो शास्त्र प्रारंभ हुआ।

हरि ॐ तत्सत्!

❋ ❋ ❋

प्रवचन : 27

वासना संसार है, बोध मुक्ति है

अष्टावक्र उवाच।

कृताकृते च द्वंद्वानि कदा शांतानि कस्य वा।
एवं ज्ञात्वेह निर्वेदाद्भव त्यागपरोऽव्रती।।83।।
कस्यापि तात धन्यस्य लोकचेष्टावलोकनात्।
जीवितेच्छा बुभुक्षा च बुभुत्सोपशमं गताः।।84।।
अनित्यं सर्वमेवेदं तापत्रितय दूषितम्।
असारं निंदितं हेयमिति निश्चित्य शाम्यति।।85।।
काऽसौ कालो वयः किं वा यत्र द्वंद्वानि नो नृणाम्।
तान्युपेक्ष्य यथाप्राप्तवर्ती सिद्धिमवाप्नुयात।।86।।
नाना मतं महर्षीणां साधुनां योगिनां तथा।
दृष्टव निर्वेदमापन्नः को न शाम्यति मानवः।।87।।
कृत्वा मूर्तिपरिज्ञानं चैतन्यस्य न किं गुरुः।
निर्वेदसमतायुक्तया यस्तारयति संसृतेः।।88।।
पश्य भूतविकारास्त्वं भूतमात्रान् यथार्थतः।
तत्क्षणाद् बंधनिर्मुक्तः स्वरूपस्थो भविष्यसि।।89।।
वासना एव संसार इति सर्वा विमुग्च ताः।
तत्त्यागो वासनात्यागात् स्थितिरद्य यथा तथा।।90।।

अष्टावक्र ने कहा:

'किया और अनकिया कर्म, और द्वंद्व किसके कब शांत हुए हैं! इस प्रकार निश्चित जान कर इस संसार में उदासीन (निर्वेद) होकर अव्रती और त्यागपरायण हो।'

कृताकृते च द्वंद्वानि कदा शांतानि कस्य वा।
एवं ज्ञात्वेह निर्वेदाद्भ्रव त्यागपरोऽव्रती।।

बहुत बहुमूल्य सूत्र है। एक-एक शब्द को ठीक से समझने की कोशिश करें।

'किया और अनकिया कर्म...।'

मनुष्य उससे ही नहीं बंधता जो करता है; उससे भी बंध जाता है जो करना चाहता है। किया या नहीं, इससे बहुत भेद नहीं पड़ता; करना चाहा था तो बंधन निर्मित हो जाता है। चोरी की या नहीं—अगर की तो अपराध हो जाता है; लेकिन न की हो तो भी पाप तो हो ही जाता है।

पाप और अपराध का यही भेद है। सोचा, तो पाप तो हो गया। कोई पकड़ नहीं सकेगा। कोई अदालत, कोई कानून तुम्हें अपराधी नहीं ठहरा सकेगा, अपने घर में बैठ कर तुम सोचते रहो—डाके डालना, चोरी करनी, हत्या करनी—कौन नहीं सोचता है!

विचार पर समाज का कोई अधिकार नहीं, जब तक कि विचार कृत्य न बन जाए। इस कारण तुम इस भ्रांति में मत पड़ना कि विचार करने में कोई पाप नहीं; क्योंकि तुमने विचार किया, तो परमात्मा के समक्ष तो तुम पापी हो ही गए। तुमने सोचा—इतना काफी है; तुम तो पतित हो ही गए। विचार की तरंग उठी, न बनी कृत्य, इससे भेद नहीं पड़ता; लेकिन तुम्हारे भीतर तो मलिनता प्रविष्ट हो गई।

किया, तो अपराध बन जाता है; न किया, सोचा, तो भी पाप बन जाता है। और अपराध से तो बचने के उपाय हैं; क्योंकि कानून, अदालत, पुलिस, इनसे बचने की व्यवस्थाएं खोजी जा सकती हैं, खोज ली गई हैं। जितने कानून बनते हैं, उतना कानून से बचने का उपाय भी निकल आता है। आखिर वकीलों का सारा काम ही वही है।

'वकील' शब्द सूफियों का है—बड़ी बुरी तरह विकृत हुआ। वकील के जो मौलिक अर्थ हैं, वे हैं: जो परमात्मा के सामने तुम्हारा गवाह होगा कि तुम सच हो। मुहम्मद वकील हैं। वे परमात्मा के सामने गवाही देंगे कि हां, यह आदमी सच है। लेकिन फिर वकील शब्द का तो बड़ा अजीब पतन हुआ। अब तो तुम झूठ हो या सच, तुम्हारे लिए जो गवाही दे सकता है और प्रमाण जुटा सकता है कि तुम सच हो; वस्तुतः तुम जितने झूठे हो, उतना ही जो प्रमाण जुटा सके कि तुम सच हो—वह उतना ही बड़ा वकील। अगर तुम सच हो और वकील तुम्हें सच सिद्ध करे, तो उसकी वकालत का क्या मूल्य? कौन उसको वकील कहेगा? वकील तो हम उसी को कहते हैं इस दुनिया में, जो झूठ को सच करे, सच को झूठ करे।

सूफियों का शब्द था वकील—और वकील का अर्थ था: गुरु तुम्हारा वकील

होगा। वह तुम्हें परमात्मा के सामने प्रमाण देगा कि मेरी गवाही सुनो, यह आदमी सच है। जीसस ने कहा है अपने अनुयायियों से कि 'तुम घबड़ाना मत, आखिरी क्षण में मैं तुम्हारा गवाह रहूंगा। मेरी गवाही का भरोसा रखना।' वह वकालत है।

लेकिन साधारणतः तो वकील का अर्थ है, जो तुमसे कहेः घबड़ाओ मत; पाप किया, झूठ बोले, चोरी की—कोई फिकर मत करो, कानून से बचने का उपाय है। आदमी ऐसा कोई कानून तो खोज ही नहीं सकता, जिससे बचने का कोई उपाय न हो। आदमी ही कानून खोजता है, आदमी ही कानून से बचने का उपाय भी खोज लेगा।

अपराध से तो तुम बच सकते हो—और अक्सर बड़े अपराधी बच जाते हैं, छोटे अपराधी पकड़े जाते हैं। जिसको बचाने वाला कोई नहीं, वे फंस जाते हैं। जिनको बचाने के लिए धन है, सुविधा है, संपत्ति है, वे बच जाते हैं। बड़े अपराधी नहीं पकड़े जाते। बड़े अपराधी तो सेनापति हो जाते हैं, राजनेता हो जाते हैं। बड़े अपराधी तो इतिहास—पुरुष हो जाते हैं। छोटे अपराधी कारागृहों में सड़ते हैं।

लेकिन जहां विचार का संबंध है, वहां कोई तुम्हें बचा न सकेगा। यहां तुमने विचार किया कि तुम पतित हो ही गए। ऐसा अगर होता कि अभी तुम विचार करते और कई जन्मों के बाद पतित होते, तो बीच में हम कोई उपाय खोज लेते, रिश्वत खिला देते। ऐसा कोई उपाय नहीं है। विचार किया कि तुम पतित हुए।

तुमने देखा, जब तुम भीतर विचार करते हो क्रोध का, तो तुम्हारे लिए तो क्रोध घट ही गया! तुम तो उसी में उबल जाते हो। तुम तो जल जाते हो, तुम तो दग्ध हो जाते हो। फिर तुमने क्रोध किया है या नहीं किया, यह दूसरी बात है। भीतर-भीतर तो छाले पड़ गए, भीतर-भीतर तो घाव हो गए। वह तो क्रोध के भाव में ही हो गए। क्रोध में ही क्रोध का परिणाम है।

इसलिए परमात्मा को धोखा देने का उपाय नहीं है। उसने परिणाम को कारण से दूर नहीं रखा है। आग में हाथ डालो तो ऐसा नहीं कि इस जन्म में हाथ डालोगे और अगले जन्म में जलोगे; हाथ डाला कि जल गए।

यहां भी आदमी ने तरकीबें निकाली हैं। लोग कहते हैंः अभी करोगे, अगले जन्म में भरोगे। क्या मजे की बात कह रहे हैं! वे कह रहे हैंः अभी पाप करोगे, अगले जन्म में मिलेगा फल; इतनी तो अभी सुविधा है! कौन देख आया अगले जन्म की! और तब तक बीच में कुछ पुण्य कर लेंगे, बचने का कुछ उपाय कर लेंगे; पूजा, प्रार्थना, अर्चना कर लेंगे; पंडित, पुरोहित को नौकरी पर लगा देंगे; मंदिर बना देंगे, दान करेंगे, धर्मशाला बना देंगे—कुछ कर लेंगे! अभी तो होता नहीं!

पंडितों ने तुम्हें समझाया है कि धर्म उधार है। यह हो नहीं सकता, क्योंकि धर्म तो उतना ही वैज्ञानिक है जितना विज्ञान। अगर विज्ञान नगद है तो धर्म उधार नहीं हो सकता। आग में हाथ डालते हो तो अभी जलते हो। क्रोध करोगे तो भी अभी जलोगे। बुरा सोचोगे तो बुरा हो गया।

विचार से मनुष्य पाप करता है और जब पाप को कृत्य तक ले आता है तो अपराध हो जाते हैं। अपराधों से तो बचने का उपाय है; लेकिन अगर तुमने सोच लिया बुरा विचार, तो बस घटना घट गई; अब बचने की कोई सुविधा न रही; जो होना था हो गया।

अष्टावक्र कहते हैं: 'किया और अनकिया कर्म और द्वंद्व, सुख और दुख का संघर्षण, किसके कब शांत हुए हैं!'

बड़ी अनूठी बात कह रहे हैं। वे कह रहे हैं: तुम इनको शांत करने में मत लग जाना, अन्यथा और अशांत हो जाओगे। ये कब किसके शांत हुए हैं!

तुमने कभी कोई ऐसा आदमी देखा, जिसके सुख-दुख शांत हो गए हों? महावीर की भी मृत्यु होती तो पेचिस की बीमारी से होती। बुद्ध की मृत्यु होती है तो विषाक्त भोजन शरीर में फैल जाता है—विष के कारण होती है। जीसस सूली पर लटक कर मरते हैं। सुकरात जहर पी कर मरता है। रमण को कैंसर था, रामकृष्ण को कैंसर था। सुख-दुख कब किसके शांत हुए! सुख-दुख तो चलते ही रहेंगे—और विचार भी!

किए-अनकिए कर्मों से भी बिलकुल छुटकारा नहीं हो सकता। तुम कैसे छुटकारा करोगे? तुम कहो कि हम बिलकुल बैठ जाएंगे, हम कुछ करेंगे ही नहीं-यही तो पुराने ढब का संन्यासी कहता है: हम बैठ जाएंगे, कुछ करेंगे ही नहीं—लेकिन बैठना कर्म है। बैठे-बैठे हजारों चीजें हो जाएंगी। तुम बैठोगे, सांस तो लोगे? सांस लोगे तो पूछो वैज्ञानिक से, वह कहता है: एक श्वास में लाखों जीवाणु मर जाते हैं। हो गई हत्या, हो गई हिंसा। बांध लो कितनी ही मुंहपट्टी मुंह पर, बन जाओ जैन तेरापंथी मुनि, बांध लो मुंहपट्टी—कुछ फर्क नहीं पड़ता। तुम्हारी पट्टी से टकरा कर मर जाएंगे। मुंह तो खोलोगे, बोलोगे तो, श्रावकों को समझाओगे तो? वह जो मुंह से गर्म हवा निकलती है, उसमें मर जाएंगे। भोजन तो करोगे, पानी तो पीयोगे, कुछ तो करोगे ही—जब तक जीवन है कृत्य तो रहेगा। और प्रत्येक कृत्य के साथ कुछ न कुछ हो रहा है। प्रत्येक कृत्य में कुछ न कुछ हिंसा हो ही रही है। जीवन हिंसाशून्य हो ही नहीं सकता। भाग जाओगे, छोड़ दोगे सब—जहां जाओगे वहां कुछ न कुछ करना पड़ेगा। भीख तो मांगोगे?

कृत्य तो जारी रहेगा; जीवन का अनिवार्य अंग है। जीवन जब शून्य हो जाता,

तभी कृत्य शून्य होता है। और जब कुछ करोगे तो कुछ विचार भी चलते रहेंगे। अब संन्यासी बैठा है, उसे भूख लगी है तो विचार न उठेगा कि भूख लगी? महावीर को भी उठता होगा कि भूख लगी, नहीं तो भिक्षा मांगने क्यों जाते? विचार तो स्वाभाविक है, उठेगा कि अब भूख लगी। रास्ते पर अंगारा पड़ा हो तो महावीर भी हों तो बच कर निकलेंगे; उनको भी तो विचार उठेगा कि अंगारा पड़ा है, इस पर पैर न रखूं, पैर जल जाएगा। तुम पत्थर महावीर की तरफ फेंकोगे तो उनकी आंख भी झप जाएगी। इतना तो विचार होगा न, इतनी तो तरंग होगी न, कि पत्थर आ रहा है, आंख फूटी जाती है, आंख झपा लो!

विचार तो उठता रहेगा, क्योंकि विचार भी जीवन का अनुषंग है। जब तक श्वास चलती है, तब तक विचार भी उठता रहेगा। इसका क्या अर्थ हुआ? क्या इसका अर्थ हुआ कि आदमी के शांत होने का कोई उपाय नहीं? नहीं, उपाय है। उसी उपाय की तरफ इंगित करने के लिए अष्टावक्र कहते हैं कि पहले यह समझ लो कि कौन-कौन से उपाय काम नहीं आएंगे। छोड़ कर भागना काम नहीं आएगा। कर्म से बचना काम नहीं आएगा। विचार से लड़ना काम नहीं आएगा।

कृताकृते च द्वंद्वानि कदा शांतानि कस्य वा।

तू मुझे बता जनक, किसके कब विचार शांत हुए हैं? किसके कब द्वंद्व, दुख शांत हुए?

जीवन है तो द्वंद्व है। दिन को जागोगे, तो रात सोओगे न? द्वंद्व शुरू हो गया, दोहरी प्रक्रियाएं हो गईं। श्रम करोगे तो विश्राम करोगे। सुख होगा तो उसके पीछे दुख आएगा, जैसे दिन के पीछे रात आती है। रात के पीछे फिर दिन चला आ रहा है। हर सुख के पीछे दुख है, हर दुख के पीछे सुख है—श्रृंखला बंधी है। श्वास भीतर लोगे तो फिर बाहर भी तो छोड़ोगे न? नहीं तो फिर भीतर न ले सकोगे। बाहर लोगे श्वास तो भीतर जाएगी, भीतर लोगे तो बाहर जाएगी—द्वंद्व जारी रहेगा।

इस जीवन की सारी गति द्वंद्वात्मक है। दो पैर से आदमी चलता है। सब चलने में दो की जरूरत है। दो पंख से पक्षी उड़ता है। उड़ने में दो की जरूरत है। एक पंख काट दो, पक्षी गिर जाएगा। एक पैर काट दो, आदमी गिर जाएगा।

जीवन द्वंद्व से चलता है। जो निर्द्वंद्व हुआ वह तत्क्षण गिर जाएगा। इसलिए तो परमात्मा तुम्हें कहीं दिखाई नहीं पड़ता। जो भी दिखाई पड़ता है, वह द्वंद्व से घिरा होगा। जहां द्वंद्व गया, वहां दृश्य भी गया; वहां व्यक्ति अदृश्य हो जाता है। जीवन तो उसी अदृश्य का दृश्य होना है।

इसलिए अष्टावक्र कहते हैं: किया-अनकिया कर्म, द्वंद्व किसके कब शांत हुए! तो तू इस उलझन में मत पड़ जाना कि इनको शांत करना है।

मेरे पास लोग आते हैं। वे कहते हैं, मन में बड़ा क्रोध है, इसे कैसे शांत करें? मैं उनसे कहता हूं, झंझट में मत पड़ो। क्रोध को कौन कब शांत कर पाया है? तुम तो साक्षी-भाव से देखो—जो है, सो है—और देखते से ही शांत होना शुरू हो जाता है। लेकिन यह शांति बड़ी और है।

इसका यह अर्थ नहीं है कि तरंगें नहीं उठेंगी; तरंगें उठती रहेंगी, लेकिन तुम तरंगों से दूर हो जाओगे। तरंगें उठती रहेंगी, लेकिन इन तरंगों से तुम्हारा तादात्म्य टूट जाएगा। तुम ऐसा न समझोगे: ये तरंगें मेरी हैं। भूख लगेगी तो तुम ऐसा न समझोगे: मुझे भूख लगी; तुम समझोगे: शरीर को भूख लगी। पैर में कांटा चुभेगा तो तुम समझोगे: शरीर को पीड़ा हुई। विचार तो उठेगा—तुम में भी उठता है, महावीर में भी उठता है। तुममें उठता है: अरे, मुझे पीड़ा हुई! महावीर को उठता है: अरे, शरीर को कांटा गड़ा! जब तुम मरोगे तो तुम्हें विचार उठता है: मैं मरा! जब रमण मरते हैं, तो उन्हें विचार उठता है: यह शरीर के दिन पूरे हुए। मृत्यु तो होगी ही। वह तो जन्म के साथ ही बंधा है द्वंद्व।

'इस प्रकार निश्चित जान कर इस संसार में उदासीन होकर अव्रती और त्यागपरायण हो।'

एक-एक शब्द कोहिनूर जैसा है!

'इस प्रकार निश्चित जान कर...।'

एवं ज्ञात्वेह...

—ऐसा जान कर!

'निश्चित जान कर' का क्या अर्थ है? सुन कर नहीं; किसी और के जानने से उधार लेकर नहीं—ऐसा जीवन का अवलोकन करके। ऐसा जीवन को देख कर कि द्वंद्व यहां रुक कैसे सकता है? यहां विचार समाप्त कैसे हो सकते हैं? सागर की सतह पर तो चलती ही रहेंगी तरंगें। हवा के इतने झकोरे हैं, सूरज निकलेगा, बादल आएंगे, हवा चलेंगी, तूफान उठेंगे—सतह पर तो सब चलता ही रहेगा। इतना ही हो सकता है कि तू सतह पर मत रह, तू सरक जरा, सरक कर अपने केंद्र पर आ जा।

प्रत्येक के भीतर एक ऐसी जगह है जहां कोई तरंग नहीं पहुंचती। तुम तरंग को रोकने की चेष्टा मत करो; तुम तो वहां सरक जाओ जहां तरंग नहीं पहुंचती। बाहर तुम बैठे हो, सुबह है, सर्दी के दिन हैं, धूप सुहावनी लगती, मीठी लगती; फिर थोड़ी देर में सूरज ज्यादा गर्म हो आया, ऊपर आ गया, ऊपर उठने लगा, पसीना-पसीना होने लगे—अब तुम क्या करते हो? क्या तुम सूरज के ऊपर पानी छिड़कते हो कि चलो ठंडा कर दो सूरज को थोड़ा? तुम चुपचाप सरक जाते अपने

घर की छाया में, तुम हट आते छप्पर के नीचे।

अब कोई आदमी लेकर हौज और सूरज को ठंडा करने की कोशिश करने लगे, तो उसको तुम पागल कहोगे। तुम कहोगेः 'अरे पागल! सूरज को कौन कब शांत कर पाया!' यही अष्टावक्र कह रहे हैंः जब सूरज बहुत गर्म हो जाए तो चले जाना भूमिगत कमरों में, जहां कोई सूरज की किरण न पहुंचती हो। सरकते जाना भीतर!

प्रत्येक के भीतर एक ऐसी जगह है जहां कोई तरंग नहीं पहुंचती; वही तुम्हारा केंद्र है; वही तुम्हारा स्वरूप है। उस गहराई में ही तुम्हारा वास्तविक 'होना' है।

'इस प्रकार निश्चित जान कर—एवं ज्ञात्वेह—ऐसा जान कर…।'

मगर यह मैं कहूं, इससे न होगा। अष्टावक्र कहें, इससे भी न होगा। वेद-कुरान कहते रहे हैं, कुछ भी नहीं होता। जब तक तुम न जानोगे; जब तक यह तुम्हारी प्रतीति न बनेगी…।

ज्ञान मुफ्त नहीं मिलता और उधार भी नहीं मिलता—जीवन के कड़वे-मीठे अनुभव से मिलता है; जीवन जी कर मिलता है; जीवन को जीने में जो पीड़ा है, तप है, उस सबको झेल कर मिलता है।

'ऐसा निश्चित जान कर आदमी इस संसार में उदासीन हो जाता है।'

'उदासीन' शब्द बड़ा प्यारा है। आसीन का मतलब तो तुम समझते ही होः बैठ जाना; आसन। उदासीन का अर्थ है अपने में बैठ जाना, अपनी गहराई में बैठ जाना; ऐसे सरक जाना अपने भीतर कि जहां बाहर की कोई तरंग न पहुंचती हो।

हैरिगेल ने बड़ी मीठी घटना लिखी है अपने झेन गुरु के बाबत। हैरिगेल जापान में था और तीन वर्षों तक धनुर्विद्या सीखता था एक झेन गुरु से। धनुर्विद्या भी ध्यान को सिखाने के लिए एक माध्यम है। तीन वर्ष पूरे हो गए थे और हैरिगेल उत्तीर्ण भी हो गया था—बामुश्किल उत्तीर्ण हो पाया। क्योंकि पाश्चात्य बुद्धि तकनीक को तो समझ लेती है, टेक्नोलॉजिकल है; लेकिन उससे गहरी किसी बात को समझने में उसे बड़ी अड़चन होती है।

वह झेन गुरु कहता थाः तुम चलाओ तो तीर, लेकिन ऐसे चलाओ जैसे तुमने नहीं चलाया। अब यह बड़ी मुश्किल बात है। हैरिगेल निष्णात धनुर्विद था। सौ प्रतिशत उसके निशाने ठीक बैठते थे। लेकिन वह गुरु कहताः नहीं, अभी इसमें झेन नहीं है; अभी इसमें ध्यान नहीं है।

हैरिगेल कहताः मेरे निशाने बिलकुल ठीक पड़ते हैं, अब और क्या चाहिए?

यह पाश्चात्य तर्क है कि जब निशाने सब ठीक लग रहे हैं, सौ प्रतिशत ठीक लग रहे हैं, तो अब और क्या इसमें भूल-चूक है? लेकिन झेन गुरु कहताः हमें

तुम्हारा निशाना ठीक लगता है कि नहीं, इससे सवाल नहीं; तुम ठीक हो या नहीं, इससे सवाल है। निशाना चूके तो भी चलेगा। निशाने की फिकर किसको है? तुम न चूको।

बात बड़ी कठिन थी। वह कहता : तुम ऐसे तीर चलाओ कि चलाने वाले तुम न रहो; कर्ता तुम न रहो, तुम सिर्फ साक्षी...। चलाने दो परमात्मा को, चलाने दो विश्व की ऊर्जा को; मगर तुम न चलाओ।

अब यह बड़ी कठिन बात है। हैरिगेल कहेगा कि मैं न चलाऊं तो मैं फिर तीर को प्रत्यंचा पर रखूं ही क्यों? अब जो रखूंगा तो मैं ही रखूंगा। जब खींचूंगा प्रत्यंचा को तो मैं ही खींचूंगा, कौन बैठा है खींचने वाला? और जब तीर का निशाना लगाऊंगा तो मैं ही लगाऊंगा, कौन बैठा है देखने वाला और?

तीन वर्ष बीत गए और गुरु ने उससे कहा कि अब बहुत हो गया, अब तुम्हारी समझ में न आएगा। यह बात नहीं होने वाली, तुम वापिस लौट जाओ।

तो आखिरी दिन वह छोड़ दिया...उसने खयाल किया, अपने से होने वाला नहीं है या यह कुछ पागलपन का मामला है। वह गुरु से विदा लेने गया है। गुरु दूसरे शिष्यों को सिखा रहा है। तीन वर्ष उसने कई बार गुरु को तीर चलाते देखा, लेकिन यह बात दिखाई न पड़ी थी। नहीं दिखाई पड़ी थी, क्योंकि खुद की चाह से भरा था कि कैसे सीख लूं? कैसे सीख लूं? बड़ा भीतर तनाव था। आज सीखने की बात तो खत्म हो गई थी। वह विदा होने को आया है—आखिरी नमस्कार करने। कुछ भी हो इस गुरु ने तीन वर्ष उसके साथ मेहनत तो की है। तो वह बैठा है एक बेंच पर, गुरु दूसरे शिष्यों को सिखा रहा है। वह खाली हो जाए, तो हैरिगेल उससे क्षमा मांग ले और विदा ले ले। खाली बैठे-बैठे उसको पहली दफा दिखाई पड़ा कि अरे, गुरु उठाता है प्रत्यंचा, लेकिन जैसे उसने नहीं उठाई। कोई तनाव नहीं है उठाने में। रखता है तीर, लेकिन जैसे उदासीन। चढ़ाता है हाथ, खींचता है हाथ, लेकिन जैसे प्रयोजन-शून्य; सूना-सूना; भीतर कोई चाहत नहीं है कि ऐसा हो; जैसे कोई करवा ले रहा है!

तुमने फर्क देखा? तुम अपनी प्रेयसी से मिलने जा रहे हो तो तुम्हारी गति और होती है; और किसी के संदेशवाहक होकर जा रहे हो, किसी ने चिट्ठी दे दी कि जरा मेरी प्रेयसी को पहुंचा देना, तो तुम रख लेते हो उदासीन मन से खीसे में, तुम्हें क्या लेना-देना! चले जाते हो, दे भी देते हो; मगर वह गति, त्वरा, ज्वर, जो तुम्हारी प्रेयसी की तरफ जाने में होता है, वह तो नहीं होता; तुम सिर्फ संदेशवाहक हो।

तुमने देखा, पोस्टमैन आता है, डाकिया! तुम्हें लाख रुपये की लाटरी मिल गई हो, वह ऐसे ही चला आता है कि जैसे दो कौड़ी का लिफाफा पकड़ा रहा है।

तुम्हें हैरानी होती है कि अरे, तू कैसा पागल है? लाख रुपये मुझे मिल गए और तू बिलकुल ऐसे ही चला आ रहा है जैसे रोज आता है—वही रोनी सूरत, वही साइकिल पर सवार चला आ रहा है! मगर उसे क्या लेना-देना है? संदेशवाहक, संदेशवाहक है।

देखा हैरिगेल ने कि गुरु ठीक कहता था, मैं चूकता रहा हूं। वह उठा, और चकित हुआ थोड़ा, क्योंकि उसे लगा: मैं नहीं उठा हूं, कोई चीज उठी! वह उठ कर गुरु के पास गया, उसने गुरु के हाथ से तीर-कमान ले लिया, चढ़ाया, निशाना मारा और गुरु प्रफुल्लित हो गया, उसने गले से लगा लिया। उसने कहा, हो गया! आज 'उसने' चलाया। आज तू उदासीन था। तीन वर्ष में जो न हो पाया, वह आज आखिरी घड़ी में हो गया।

उसकी खुशी में उसने गुरु को निमंत्रण दिया कि आज मेरे साथ भोजन करें। गुरु आया, एक सात-मंजिल मकान में भोजन करने बैठे, अचानक भूकंप आ गया। जापान में आमतौर से भूकंप आ जाते हैं। सब भागे, पूरा भवन कंप गया। हैरिगेल खुद भी भागा। भागने में उसे यह भी याद न रही कि गुरु कहां है। सीढ़ी पर भीड़ हो गई, क्योंकि कोई पचीस-तीस आदमियों को उसने बुलाया था। तो उसने पीछे लौट कर देखा, गुरु तो शांत आंख बंद किए बैठा है; जहां बैठा था, वहीं बैठा है। हैरिगेल को यह इतना मनमोहक लगा—यह घटना, गुरु का यह निश्चिंत रहना, यह भूकंप का होना, यह मौत द्वार पर खड़ी, यह मकान अभी गिर सकता है, सात-मंजिल मकान है, कंपा जा रहा है जड़ों से, और गुरु ऐसा बैठा है निश्चिंत, जैसे कुछ भी नहीं हो रह. है! वह भूल ही गया भागना। ऐसा कुछ जादू गुरु की मौजूदगी में उसे लगा! कुछ ऐसी गहराई, जो उसने कभी नहीं जानी! वह आकर गुरु के पास बैठ गया; कंप रहा है, लेकिन उसने कहा कि मेहमान घर में बैठा हो और मेजबान भाग जाए, यह तो अशोभन है—तो मैं भी बैठूंगा; फिर जो इनका होगा, मेरा भी होगा। भूकंप आया और गया, क्षण भर टिका। गुरु ने आंख खोली, और जहां से बात टूट गई थी भूकंप के आने और लोगों के भागने के कारण, उसे फिर वहीं से शुरू कर दिया।

हैरिगेल ने कहा: छोड़िए भी, अब मुझे कुछ याद नहीं कि कौन सी हम बात कर रहे थे। वह बात आई-गई हो गई, इस संबंध में कुछ अब मुझे जानना नहीं। मुझे कुछ और जानने की उत्सुकता है। इस भूकंप का क्या हुआ? हम सब भागे, आप नहीं भागे?

गुरु ने कहा: तुमने देखा नहीं, भागा मैं भी। तुम बाहर की तरफ भागे, मैं भीतर की तरफ भागा। तुम्हारा भागना नासमझी से भरा है, क्योंकि तुम जहां जा

रहे हो वहां भी भूकंप है। पागलो, जा कहां रहे हो? इस मंजिल पर भूकंप है तो छठवीं पर नहीं है? तो पांचवीं पर नहीं है? तो चौथी पर नहीं है? क्या पहली मंजिल पर नहीं है? तुम अगर किसी तरह मकान के बाहर भी निकल गए, तो सड़क पर भी भूकंप है। तुम भूकंप में ही भागे जा रहे हो। तुम्हारे भागने में कुछ अर्थ नहीं है। मैं ऐसी जगह सरक गया, जहां कोई भूकंप कभी नहीं जाते। मैं अपने भीतर सरक गया। इस भीतर सरक जाने का नाम है 'उदासीन'—अपने भीतर बैठ गए!

भूकंप आएगा तो शरीर तक जा सकता है, ज्यादा से ज्यादा मन तक जा सकता है; इससे पार भूकंप की कोई गति नहीं है। तुम्हारी आत्मा में भूकंप के जाने का कोई उपाय नहीं है। क्योंकि उन दोनों के होने का ढंग इतना अलग है कि एक-दूसरे का कहीं मिलन नहीं हो सकता। भूकंप आएगा तो शरीर पर तो निश्चित परिणाम होगा; क्योंकि शरीर इसी मिट्टी का बना है, इसी भूमि का बना है, जिसमें भूकंप आया है। दोनों की तरंगें एक हैं। दोनों एक ही धातु से निर्मित हैं, एक ही द्रव्य से निर्मित हैं। तो पूरी भूमि कंप रही हो तो तुम्हारा शरीर न कंपे, यह नहीं हो सकता; शरीर तो कंपेगा।

यही तो कहते अष्टावक्र कि अरे पागल, कौन कब शांत हुआ? कौन कब सुख-दुख के पार हुआ? एक सीमा तक तो सब कंपता ही रहेगा। भूकंप आएगा तो महावीर को भी आएगा, कोई तुम्हारा शरीर ही थोड़े ही टूटेगा? अगर महावीर होंगे तो उनका शरीर भी टूटेगा। शरीर तो मिट्टी का है, तो मिट्टी के नियम काम करेंगे। और जब भूकंप आएगा और शरीर टूटेगा, तो मन भी विचलित होगा; क्योंकि मन तो शरीर का गुलाम है; क्योंकि मन तो शरीर का सेवक है; क्योंकि मन तो शरीर का ही अपने को बचाए रखने का एक उपाय है, अपनी सुरक्षा है।

जब भूख लगती है तो मन कहता भूख लगी, क्योंकि शरीर अबोल है, गूंगा है, तो उसने एक बोलने वाले का सहारा ले रखा है। प्यास लगती है तो मन कहता है प्यास लगी; शरीर कह न सकेगा।

तो जैसा तुमने सुना होगा कि एक अंधे आदमी ने और एक लंगड़े आदमी ने दोस्ती कर ली थी—दोनों भिखमंगे थे, एक-दूसरे को सहारा देते थे। अंधा देख नहीं सकता था, लंगड़ा चल नहीं सकता था। अंधा चल सकता था, लंगड़ा देख सकता था—दोनों की दोस्ती काम आई। अंधा बैठा लेता था लंगड़े को अपने कंधों पर, दोनों भिक्षा मांग आते थे। दोनों अकेले तो असमर्थ थे, दोनों साथ-साथ बड़े समर्थ हो जाते थे।

शरीर में घटना घटती है, मन में अंकन होता है। मन और शरीर का संयोग है। मनोवैज्ञानिक तो कहते हैं, मन और शरीर इस तरह दो चीजों की बात नहीं करनी

चाहिए—मनोशरीर। एक ही घटना है; उसका एक बाहर का हिस्सा है, एक भीतर का हिस्सा है। तो अब नवीन मनोविज्ञान में शरीर और मन ऐसे दो शब्दों का प्रयोग नहीं किया जाता, बल्कि 'मनोशरीर' का प्रयोग किया जाता है, साइकोसोमैटिक। दोनों संयुक्त हैं।

इसलिए जो शरीर में घटता है, उसी तरंगें मन तक पहुंच जाती हैं। सच तो यह है शरीर में घटा नहीं कि तरंगें पहुंच जाती हैं। कभी-कभी तो शरीर में घटने के पहले पहुंच जाती हैं। जैसे कोई आदमी छुरा लिए चला आ रहा है मारने तुम्हें, तो अभी शरीर में तो छुरा लगा नहीं, लेकिन मन में खबर पहले पहुंच जाएगी।

मन की जरूरत ही यही है कि कुछ घटे, उसके पहले खबर दे दे कि बचो, यह आदमी छुरा मारने आ रहा है। तुम जब सोए हो, तब कोई छुरा मारने आए, तो मन सोया रहता है। शरीर तो मौजूद रहता है; लेकिन शरीर तो अंधा है, शरीर को तो कुछ दिखाई पड़ता नहीं; कोई आ जाए, छुरा मार जाए, तो कुछ पता न चलेगा। तुम जागे हो तो मन सजग है। मन तो ऐसा है जैसे तुमने हवाई जहाज में राडार देखा हो। जैसे राडार का उपकरण दो सौ मील दूर तक देखता रहता है, क्योंकि हवाई जहाज की गति इतनी है अब तो, ध्वनि से भी ज्यादा गति है, कि अगर दो सौ मील दूर तक दिखाई न पड़े तो दुर्घटना हो जाएगी। क्योंकि एक क्षण लगेगा दो सौ मील पार करने में। अगर हवाई जहाज आठ सौ मील प्रति घंटे की रफ्तार से जा रहा है, तो कितनी देर लगने वाली है? तो अगर हवाई जहाज के सामने ही जब कोई चीज आ जाए, तब दिखाई पड़े, तब तो गए; तब तो तुम्हारे देखने और बचाने के बीच समय न होगा। तो राडार देखता है दो सौ मील, छह सौ मील, हजार मील दूर—बादल हैं, बिजली चमक रही है, पानी गिर रहा है, क्या हो रहा है?

मन राडार है। वह देखता है, कौन छुरा मारने आ रहा है? वह देखता है, अरे, यह वृक्ष गिर रहा है, हट जाओ! वह देखता है, राह पर कांटे पड़े हैं, बच जाओ। मगर है वह शरीर का सेवक, शरीर की सेवा में रत है। वह शरीर का ही विकसिततम रूप है। वह शरीर की ही शुद्ध ऊर्जा है।

इसलिए जब शरीर कंपेगा, तब तो मन कंपेगा ही। कभी-कभी तो शरीर नहीं भी कंपता और मन कंप जाता है। जैसे कि तुमसे कोई कह दे कि भूकंप आने वाला है, अभी आया नहीं, तब इस शरीर को तो कुछ पता नहीं चल रहा, लेकिन मन कंप जाएगा कि भूकंप आने वाला है।

देखा अभी, पेकिंग में कई दिनों तक लोग घर के बाहर तंबू डाले पड़े रहे! भूकंप आने वाला है, इसकी संभावना से मन तो कंप गया, मन तो घबड़ा गया।

अभी यहां कोई जोर से चिल्ला दे, 'आग, आग'—इनमें से कई भाग खड़े होंगे। आग न भी लगी हो, तो भी भाग खड़े होंगे; क्योंकि इसकी सुविधा कहां मिलेगी कि जांच-पड़ताल करें? मन ने सुना आग कि भागा मन।

देखा तुमने, कोई कह दे नीबू, और तत्क्षण लार मन में बहनी शुरू हो जाती है! अभी नीबू शरीर में डाला नहीं, लेकिन नीबू शब्द—और भीतर लार बहनी शुरू हो गई! मन तैयारी करने लगा कि नीबू करीब आ रहा है। शब्द आया है तो शायद यथार्थ भी आता होगा।

उस झेन गुरु ने हैरिगेल को कहा: भागे तुम, लेकिन तुम्हारा भागना व्यर्थ था, क्योंकि तुम भूकंप में ही भागे जाते थे। भागा मैं भी, यद्यपि तुम्हें दिखाई न पड़ा; मैं भीतर की तरफ भागा। मैंने तत्क्षण अपना तादात्म्य शरीर और मन से अलग कर लिया: इन पर भूकंप घट सकता है, इनसे दोस्ती अभी ठीक नहीं। मैं तत्क्षण अपने को अलग कर लिया। शरीर कंपता रहा, मन कंपता रहा—मैं भीतर बैठा देखता रहा। भूकंप आ जाता तो शरीर मरता, मन टूटता, बिखरता; मेरा कुछ होने वाला नहीं था। नैनं छिंदंति शस्त्राणि—नहीं शस्त्र उसे छेद पाते; नैनं दहति पावकः—नहीं आग उसे जला पाती है।

'किया और अनकिया कर्म और द्वंद्व किसके कब शांत हुए हैं! इस प्रकार निश्चित जान कर इस संसार में उदासीन, निर्वेद हो कर अव्रती और त्यागपरायण हो।'

तुमने 'उदासीन' शब्द सुना होगा। लेकिन इसका ठीक-ठीक अर्थ शायद कभी न समझा होगा। लोग तो समझते हैं: उदासीन का संबंध उदास से है। लोग सोचते हैं: जो जिंदगी से उदास हो गए वे उदासीन। उदास से उदासीन का कुछ लेना-देना नहीं। क्योंकि जिंदगी में जो उदास हो गए हैं, वे तो उदासीन हो ही नहीं सकते। जिंदगी में उदास होने का तो इतना ही मतलब है कि अभी उनकी बुद्धि जागी नहीं; नहीं तो उदास होने को भी यहां कुछ नहीं है। यहां प्रफुल्लित होने को भी कुछ नहीं है, उदास होने को भी कुछ नहीं है। न यहां पाना है न देना है। हानि-लाभ न कछु! अगर लाभ हो सकता हो तो तुम प्रफुल्लित हो जाते हो, अगर हानि होने लगे तो उदास हो जाते हो; लेकिन यहां तो न हानि है न लाभ।

इसलिए उदासीन का उदास शब्द से कोई अर्थ नहीं; भला भाषा-शास्त्र कुछ भी कहते हों, मुझे उसका प्रयोजन नहीं है। मैं तुम्हें कुछ आत्म-शास्त्र की बात कह रहा हूं, भाषा-शास्त्री मैं हूं भी नहीं। उदासीन का अर्थ है: अपने भीतर जो आसीन; उद-आसीन। जो अपने भीतर बैठ गया! जो अपने अंतरतम में बैठ गया! और वहां से देखने लगा लीला, वहां साक्षी हो गया। और सारा जगत बाहर का, भीतर का सब दृश्य-मात्र, नाटक हो गया।

जो ठीक से जान लेता है—अष्टावक्र कहते हैं—वह उदासीन हो जाता है। वह फिर यह भी नहीं कहता कि मुझे शांत होना है। वह कहता है: न मैं शांत हो सकता हूं न अशांत; मैं तो द्रष्टा हूं। यह शांत और अशांत होने की बात भी मन के साथ तादात्म्य के कारण है। वह यह भी नहीं कहता कि मुझे सुखी होना है; क्योंकि यह सुखी होना और दुखी होना, साथ-साथ चलने वाला है। जो सुखी होना चाहता है, वह दुखी भी होगा। दोनों पंख चाहिए उड़ने के लिए। तुम अकेले सुखी होना चाहते हो—तुम व्यर्थ की आकांक्षा कर रहे हो, जो कभी सफल नहीं हो सकती। जितने तुम सुखी होना चाहोगे, उतने दुखी हो जाओगे। जिसने जान लिया, वह तो कहता है: अब मुझे न सुखी होना, न दुखी; न शांत, न अशांत।

लोग आते हैं मेरे पास। वे कहते हैं, ध्यान हमें सीखना है, क्योंकि हम शांत होना चाहते हैं। उन्हें ध्यान का अर्थ भी पता नहीं है। ध्यान का अर्थ होता है: ऐसी भीतर की अवस्था, जहां न शांति है न अशांति। वहीं शांति है—जहां शांति भी नहीं। क्योंकि जहां तक शांति है, वहां तक अशांत होने का उपाय है।

तुम बैठे हो तो तुमने देखा होगा, कभी-कभी घर में कोई आदमी ध्यान में उत्सुक हो जाता है तो वह शांत होकर बैठा है। किसी बच्चे ने किलकारी मार दी, वह अशांत हो गया। यह भी कोई शांति हुई? कि आप बड़े ध्यान-मंदिर में बैठे हैं, ध्यान कर रहे हैं और पत्नी ने एक प्याली गिरा दी—और ऐसे मौके पर पत्नी जरूर गिरा देगी—और आप बौखला गए कि अशांति हो गई; कि पड़ोसी ने रेडियो चला दिया और आप अशांत हो गए; कि पड़ोसी के यहां बड़े अधार्मिक हैं, पापी हैं, नरक जाएंगे, ध्यान भ्रष्ट कर दिया!

जो भ्रष्ट हो जाए, वह ध्यान नहीं। जिससे तुम डांवांडोल हो जाओ वह ध्यान नहीं। प्यालियों के टूटने से, रेडियो के चल पड़ने से, बच्चे के हंसने से जो बिखर जाता हो, वह है ही नहीं। तुम किसी तरह अपने को सम्हाल-सम्हाल कर बैठे थे, मगर वह सम्हाल कर बैठा होना सिर्फ नियंत्रण था, कोई गहरा अनुभव नहीं था। थे तो तुम बिलकुल करीब सतह के, शायद सिर डुबा लिया था; लेकिन थे बिलकुल सतह के करीब। जरा सी चोट बाहर से आई कि तुम अस्तव्यस्त हो गए।

ध्यान न तो शांति है न अशांति। ध्यान तो वैसी चित्त की साक्षी-दशा है, जहां तुम शांति को उटते देखते और आसक्त नहीं होते; जहां तुम अशांति को उठते देखते और विक्षुब्ध नहीं होते। तुम कहते, यह तो मन का खेल है, चलता रहेगा, ये तो सागर की लहरें हैं, चलती रहेंगी, इनसे क्या लेना-देना है! तुम दूर बैठे उदासीन देखते रहते।

एवं ज्ञात्वेह निर्वेदाद्भव...!

'निर्वेद' शब्द का ठीक वही अर्थ है, जो उदासीन का। समझो।

निर्वेद का अर्थ होता है: ऐसी दशा, जहां कोई भाव-तरंग से तुम्हारा संबंध न रह जाए। वेद का अर्थ होता है: भाव-तरंग। वेद का अर्थ होता है: ज्ञान-तरंग। इसलिए तो हम हिंदुओं के शास्त्र को वेद कहते हैं। इसलिए तो हम दुख को वेदना कहते हैं; भाव-तरंग, पीड़ा घेर लेती। निर्वेद का अर्थ है: जहां न तो ज्ञान की तरंग रह जाए, न भाव की तरंग रह जाए। क्योंकि ज्ञान की तरंग उठती है मस्तिष्क में और भाव की तरंग उठती है हृदय में—और तुम दोनों के पार जब बैठ जाओ; न वहां भाव उठे न ज्ञान उठे; न तो तुम्हें लगे कि कुछ मैं जानने वाला हूं, न तुम्हें लगे कि मैं कुछ भावने वाला हूं; जहां ज्ञान और भाव दोनों से दूर खड़े तुम मात्र साक्षी रह जाओ; किसी तरंग से तुम्हारा कोई तादात्म्य न रह जाए। ये दो ही तरंगें हैं तुम्हारे भीतर, इनसे जब तुम तीसरे हो जाओ—तो निर्वेद। वही उदासीन का अर्थ है। जो निर्वेद हो गया, वही उदासीन हो गया।

'ऐसा निश्चित जान कर संसार में उदासीन होकर अव्रती और त्यागपरायण हो।'

बड़ी बहुमूल्य बात आगे आती है—अव्रती! तुम चौंकोगे, क्योंकि तुम तो कहते हो: व्रती! आदमी को व्रती होना चाहिए! हम कहते हैं: फलां आदमी बड़ा त्यागी-व्रती है! जब किसी का हमें बड़ा सम्मान करना होता है तो हम कहते हैं: महान त्यागी, व्रती! लेकिन अष्टावक्र कह रहे हैं, अव्रती।

अष्टावक्र निश्चित ही अदभुत क्रांतिकारी व्यक्ति हैं। वे कह रहे हैं: जिसने व्रत लिया, वह तो धोखे में पड़ जाएगा। क्योंकि व्रत तो जबरदस्ती है। व्रत का अर्थ तो है हठ। व्रत का अर्थ तो है आग्रह। अव्रती का अर्थ है: जिसका कोई आग्रह नहीं; जिसकी कोई मंसा नहीं; जो नहीं कहता कि ऐसा ही हो।

समझो, एक आदमी चोर है। वह व्रत ले लेता है मंदिर में जाकर कि अब मैं चोरी नहीं करूंगा। क्या घटेगा इसके भीतर? यह आदमी चोर है। व्रत लेने से ही तो चोरी नहीं रुक सकती है। नहीं तो दुनिया में सभी व्रत ले लेते और संत हो जाते। इसने मंदिर में जाकर व्रत लिया कि मैं चोरी नहीं करूंगा। किसी महात्मा के चरणों में सिर झुका कर कहा कि आशीर्वाद दें कि मेरा व्रत पूरा हो कि मैं चोरी नहीं करूंगा। समूह-समाज के समक्ष इसने घोषणा की कि अब मैं चोरी नहीं करूंगा। यह कर क्या रहा है? यह कर यह रहा है कि यह चोरी के खिलाफ अपने अहंकार को खड़ा कर रहा है, यह कहता है अब मंदिर में समूह के समक्ष, हजार आदमियों के सामने कह दिया, अब अगर चोरी की तो वह तो थूके को निगलना होगा। लोग क्या कहेंगे कि अरे, पतित हो गए!

और जब कोई व्रत का नियम लेता है, तो समाज उसमें फूल-मालाएं उसके गले में डालता, उसका जुलूस निकालता, अखबारों में फोटो छापता, महात्मा आशीर्वाद देते, महात्मा गवाह बनते, समाज चारों तरफ से प्रशंसा के फूल बरसाने लगता। व्रती को इतनी प्रशंसा मिलती है कि अहंकार मजबूत होता है। अब उसके सामने अड़चन आएगी। अगर वह चोरी करने जाए तो इतना अहंकार खोने की हिम्मत होनी चाहिए।

तो जितना व्रती को सम्मान दिया जाता है, उतना ही उसका अहंकार परिपुष्ट हो जाता है। और अब अहंकार को लड़ाता है वह अपनी पुरानी आदत के खिलाफ। इतना ही कुल अर्थ है व्रती का। व्रती में कुछ और मामला नहीं है।

अब तुम सोचो, चोरी से छूटे और अहंकार में फंसे—यह कुछ मुक्ति न हुई; इससे चोरी बेहतर थी। इससे चोरी बुरी नहीं थी। यह तो कुएं से बचे और खाई में गिरे! और इससे भी चोरी नष्ट नहीं हो जाएगी, चोरी भीतर-भीतर सुलगेगी; अहंकार ऊपर-ऊपर पताका फहराएगा, चोरी भीतर-भीतर सुलगेगी। और भीतर सतत एक संघर्ष होगा, चौबीस घंटे एक लड़ाई चलेगी।

अब समझ लो कि लाख रुपये इस आदमी को रास्ते के किनारे पड़े मिल जाएं, अब इसको बड़ी मुश्किल हो जाएगी कि क्या करूं! अब यह लाख बचाऊं कि अहंकार बचाऊं? एक हाथ बढ़ाएगा कि उठा लूं, एक हाथ रोकेगा कि अरे, यह क्या कर रहे हो? इसी को समाज अंतःकरण कहता है, कॉनशिएन्स कहता है। कॉनशिएन्स बड़ी समाज की गहरी तरकीब है। वह तुम्हें एक तरह का अहंकार दे देता है, जिसको तुम अंतःकरण कहते हो। तुमसे बचपन से कहा गया है कि तुम बड़े कुलीन हो, बड़े घर में पैदा हुए, हिंदू, मुसलमान, ईसाई! खयाल रखना—अपनी इज्जत का, अपने परिवार का, अपने वंश का, अपने कुल का, अपने धर्म का, अपने राष्ट्र का! स्मरण रखना, तुम कौन हो! तुम कोई साधारण पुरुष नहीं हो। तुम हिंदू हो, कि मुसलमान हो, कि ईसाई हो! बाकी सब साधारण हैं।

मुल्ला जब मरने लगा तो लोगों ने उसकी प्रार्थना सुनी—वह कह रहा था परमात्मा से कि हे प्रभु, मैंने चोरी की है बहुत बार, यह सच है; और मैं कई बार अचौर्य के व्रत से पतित हुआ हूं। मैंने दूसरों की स्त्रियों की तरफ बुरी नजर से देखा है, यह भी सच है; मैं व्यभिचारी हूं। और मैंने कोई बड़ी-बड़ी चोरियां ही की हों, यह भी नहीं है; मैंने मुर्गियां तक पड़ोसियों की चुरा ली हैं। और मैं सब तरफ से बेईमान हूं, झूठा हूं। झूठ मेरी आदत में शुमार हो गई है, सच मुझसे बोला नहीं गया। मैं दुष्ट भी हूं। छोटी-मोटी बात पर झगड़ा मुझे बिलकुल आसान है, मारपीट

आसान है। इतना ही नहीं, मैंने एक आदमी की हत्या भी कर दी है। और हत्या के विचार तो मेरे मन में सदा उठते रहे हैं। यह सब है; लेकिन एक बात तुमसे कहना चाहता हूं कि मैंने सब कुछ किया हो, लेकिन अपना धर्म कभी नहीं खोया!

अब यह बड़े मजे की बात है! अब यह धर्म क्या है? मैंने अपना 'दीन' कभी नहीं खोया, रहा सदा मुसलमान ही! उस संबंध में मैंने कभी ऐसा नहीं कि ईसाई हो गया, कि हिंदू हो गया—रहा सदा मुसलमान ही! धर्म मैंने कभी नहीं खोया! इतनी बात मैं जरूर तुझसे कहूंगा, यह तू याद रखना! लाख बुरे काम कर लिए हों, लेकिन धर्म कभी नहीं खोया!

अब लोग धर्म बचा रहे हैं। धर्म भी अहंकार का हिस्सा हो जाता है। कुल, प्रतिष्ठा, मान, मर्यादा...।

और तुम थोड़ा सोचो, तुमने कसम ले ली कि चोरी नहीं करेंगे—और चोर का तुम्हारा मन है, और यह अहंकार है; अब इन दोनों में संघर्ष चलेगा; एक युद्ध तुम्हारे भीतर पैदा होगा, महाभारत तुम्हारे भीतर चलेगा। तुम आ गए जोश-खरोश में, सुन रहे थे किसी साधु-संत की बात, उसने तुमको घबड़ा दिया कि अगर कामवासना रही तो नरक में सड़ोगे। और उसने खूब स्पष्ट चित्र खींचे, रंगीन, थ्री डायमेंशनल, कि वहां आग की लपटें हैं, और कड़ाहे जल रहे हैं तेल के, और उन कड़ाहों में डाले जाओगे, मरोगे भी नहीं और सेंके भी जाओगे और उबाले भी जाओगे, और मरोगे भी नहीं, और कीड़े तुम्हारे शरीर में छेद बना-बना कर दौड़ेंगे, और मरोगे भी नहीं और छिद्र-छिद्र हो जाओगे। उसने खूब तस्वीर खींची रंगीन और तुम्हें बिलकुल घबड़ा दिया। उस घबड़ाहट के भावावेश के क्षण में तुम खड़े हो गए, तुमने कहाः मैं ब्रह्मचर्य की प्रतिज्ञा लेता हूं।

अब मरे! घर तक लौटते-लौटते जब शांत हो जाओगे थोड़े, उद्विग्नता थोड़ा बैठेगी, मंदिर की हवा से थोड़े दूर जाओगे और तुम्हें याद आएगाः यह क्या कर बैठे? अब फांसी लगी! व्रती हो गए! और लोगों ने तालियां बजा दीं। और लोग तो कोई भी बुद्धू बन रहा हो तो ताली बजाते हैं। लोगों की तालियों से बड़े सावधान रहना।

एक अदभुत फकीर थेः महात्मा भगवानदीन। वे कभी-कभी मेरे पास रुकते थे। मेरी तो छोटी उम्र थी, लेकिन उनका मुझसे बड़ा लगाव था। वे कभी मेरे गांव से गुजरते तो मेरे पास जरूर रुकते। उनकी एक खूबी थीः जब वे बोलते, अगर कोई ताली बजा दे तो बड़े नाराज हो जाते। वे उठ कर ही खड़े हो जाते कि अब मैं बोलूंगा ही नहीं, क्यों ताली बजाई? मैंने उनसे कहा कि लोग ताली बजा रहे हैं, आप इतने नाराज होते हैं? वे कहतेः लोग ताली ही तब बजाते हैं, जब कोई आदमी बुद्धूपन करता है। मैंने जरूर कोई गलती की होगी। पहली तो बात, इन बुद्धुओं को

अगर मैं सच बात कहूं तो समझ में न आएगी, गलत कहूं तभी समझ में आती है—और तभी ये ताली बजाते हैं। ताली बजाई कि मैं तत्काल समझ जाता हूं कि हो गई कोई गलती।

वे ठीक कहते हैं। जैसा आदमी है उसको देख कर ऐसा ही लगता है। आदमी तो उसी बात पर ताली बजाता है जो उसको जंचती है। जब तुम किसी के ब्रह्मचर्य के व्रत लेने पर ताली बजाते हो, तो मतलब क्या है? तुम यह कह रहे हो कि लेना तो हम भी चाहते हैं, लेकिन अभी नहीं। तुमने हिम्मत की, बड़ा अच्छा; तुम आगे बढ़े, बड़ा अच्छा। तुम शहीद हो रहे हो, बड़ा अच्छा, जाओ। हमारी शुभकामनाएं तुम्हारे साथ हैं।

मगर यही लोग जिन्होंने ताली बजाई, अब नजर रखेंगे। अब वे देखेंगे कि कहीं सिनेमा में तो नहीं बैठे हो ब्रह्मचर्य का व्रत ले कर? यहां होटल में बैठे क्या कर रहे, क्लब में क्या कर रहे? यह किसकी स्त्री के साथ चले जा रहे?

मेरे एक संन्यासी ने संन्यास लिया—एक युवक ने। वह कुछ दिन बाद मेरे पास आया कि मेरी पत्नी को भी संन्यास दे दो। तो मैंने कहा, मामला क्या है? उसने कहा कि मैं गरीब आदमी हूं, अब मैं ये गेरुए वस्त्र पहन कर अपनी पत्नी के साथ कहीं जाता हूं तो लोग रोक लेते हैं कि किसकी पत्नी है? संन्यासी...! लोग भला धार्मिक न हों, लेकिन दूसरे को तो धार्मिक बनाने में उत्सुक रहते ही हैं! 'यह किसकी पत्नी को लेकर जा रहे हो?' झगड़ा-झांसा खड़ा करते हैं। इसको भी आप संन्यास दे दें।

मैंने उसको संन्यास दे दिया। वह आठ दिन बाद फिर आया कि मेरे बेटे को...। क्योंकि लोग कहते हैं कि बाबा जी, किसका बच्चा भगाए ले जा रहे हो? यह गेरुआ तो खतरनाक है! क्योंकि लोगों की अपेक्षाएं हैं।

लोग ताली बजा देंगे, फूल-माला पहना देंगे—उनकी फूल-माला में छिपी फांसी को मत भूल जाना। उन्होंने गर्दन पर हाथ रख लिया, अब वे कहेंगेः कहां जा रहे हो? क्या कर रहे हो? कैसे उठते? कैसे बैठते? किससे बात करते? कितनी देर सोते? ब्रह्ममुहूर्त में उठते कि नहीं? अब वे सब तरफ तुम्हारी जांच रखेंगे। उन्होंने जो ताली बजाई थी उसका बदला लेंगे। और तुम मरे, तुम मुश्किल में पड़े; क्योंकि कामवासना कसम खाने से मिटती होती, इतनी आसान बात होती, तो सारी दुनिया कामवासना के बाहर हो गई होती। अब यह ब्रह्मचर्य खींचेगा और यह कामवासना खींचेगी और इन दोनों के बीच तुम पिसोगे। दो पाटन के बीच अब तुम्हारी बुरी तरह मरम्मत होगी! बार-बार तुम वासना में गिरोगे और बार-बार तुम अपने को सम्हाल कर बाहर निकालोगे और बार-बार गिरोगे। तुम्हारा जो अब तक

थोड़ा-बहुत आॅत्म-गौरव था वह भी नष्ट हो जाएगा। तुम पाओगे: मुझ जैसा पापी कोई भी नहीं!

मंदिर में जाकर लोग सिर्फ यही समझ कर लौटते हैं कि हम जैसा पापी कोई भी नहीं।

अष्टावक्र कहते हैं: 'अव्रती! त्यागपरायण!'

यही मैं भी तुमसे कहता हूं। तुम्हारा बोध ही तुम्हारा व्रत हो; उससे ज्यादा व्रत की कोई जरूरत नहीं है। तुम्हें समझ में आ गई है बात, बस काफी है। इसके लिए समाज़ की स्वीकृति और समादर की कोई भी जरूरत नहीं है। तुम समझ गए, तुम्हें ब्रह्मचर्य में रस आने लगा बिलकुल ठीक है, अब व्रत की क्या जरूरत है? व्रत तो इतना ही बताता है कि रस अभी आया नहीं था, सिर्फ लोभ पैदा हुआ था। ब्रह्मचर्य का लोभ पैदा हुआ तो व्रत।

अगर समझ में ही आ गया, तो तुम ऐसी तो कभी कसम नहीं खाते कि मैं कसम खाता हूं कि सदा दो और दो चार ही जोड़ूंगा। तुम जानते हो कि दो और दो चार होते हैं, इसमें जोड़ना क्या है, कसम क्या खानी है? और अगर तुम जाकर किसी मंदिर-मस्जिद में कसम खाओ कि हे सदगुरु, मुझे आशीर्वाद दें, अब से मैं दो और दो चार ही जोडूंगा, तो साफ है कि तुम विक्षिप्त हो। और जो तुम्हें आशीर्वाद दे, वह तुमसे भी आगे है विक्षिप्तता में। तुम्हारा दिमाग खराब है। तुम्हें शक है कि तुम दो और दो पांच जोड़ोगे। उस शक से लड़ने के लिए तुम इंतजाम कर रहे हो पहले से। तुम्हें अपनी भीतरी अवस्था का पता है कि जब मैं जोडूंगा तो दो और दो पांच होंगे। 'नहीं-नहीं, कसम खा लो, पहले से इंतजाम कर लो!' वह भीतर तो तुम जानते ही हो कि दो और दो पांच होने वाले हैं, इसलिए कसम खाकर इंतजाम कर लो, रुकावट डाल दो कि दो और दो चार हों। लेकिन यह ज्ञान नहीं है, यह बोध नहीं है—यह लोभ है।

लोभी व्रती होता है; बोध को उपलब्ध व्यक्ति अव्रती होता है। इसका यह अर्थ नहीं कि उसके जीवन में क्रांति नहीं होती—उसी के जीवन में क्रांति होती है! व्रत के कारण कहीं क्रांतियां हुई हैं? अगर व्रत के कारण क्रांति हो सके तो इसका अर्थ हुआ कि ऊपर से थोपने से, जबरदस्ती आग्रह अपने ऊपर आरोपित कर लेने से आत्मा बदल जाएगी—यह तो नहीं हो सकता। तुम व्रत के कारण सैनिक तो हो सकते हो, संन्यासी नहीं हो सकते। तुम व्रत के कारण एक अभ्यास कर ले सकते हो, एक हठ कर ले सकते हो और एक खास ढंग में चलने की आदत बना ले सकते हो, लेकिन उससे तुम्हारे जीवन में सूर्योदय न होगा। सूर्योदय तो अव्रती का होता है।

अव्रती का अर्थ इतना ही है कि जो तुम्हें दिखाई पड़ता है, वह करना; लेकिन

इसकी घोषणा क्या करनी? इसके लिए किसी की स्वीकृति क्या लेनी? जो तुम्हें समझ में आ गया है, अगर ठीक से आ गया है, तो अपने आप तुम्हारे आचरण में आना शुरू हो जाएगा। समझ आचरण में रूपांतरित होती ही है; उससे अन्यथा न हुआ है न हो सकता है। इसलिए व्रत की कहां जरूरत है?

मेरे पास कोई आता है कि मुझे व्रत दे दें ब्रह्मचर्य का, मैं कहता हूं: पागलपन मत करना। मैं तुम्हारे किसी पागलपन में सम्मिलित नहीं हो सकता हूं। तुम्हें अगर ब्रह्मचर्य में रस आने लगा है—बहो उस तरफ, मगर व्रत नहीं! कोई मुझसे कहता है कि आप मुझे कसम दिलवा दें कि मैं सदा ध्यान करूं, कभी चूकूं न। मैं तुम्हें यह कसम नहीं दिलवाता, मैं किसी पाप में भागीदार नहीं होता। तुम्हें अगर समझ आ गई, तो तुम ध्यान करोगे। और अगर ध्यान में रस आएगा तो वही रस नियम बनेगा। आज करोगे और कल नहीं करोगे, तो कल तुम पाओगे: कुछ चूका, कुछ खोया, कुछ गंवाया, दिन ऐसे ही गया! एक तंद्रा छाई रही। तो परसों तुम फिर करोगे। कर-कर के तुम जानोगे कि जब तुम करते हो तो एक उज्ज्वलता, एक पवित्रता, एक शुचिता का जन्म होता है! करने से पता चलेगा कि तुम ताजे-ताजे रहते, एक स्वच्छता, जैसे सद्यःस्नात! चौबीस घंटे जीवन की सब उलझनों के बीच भी तुम गैर-उलझे बने रहते। उपद्रव हैं, चलते रहते हैं; काम-धाम है, व्यवसाय है, आपाधापी है—लेकिन भीतर कहीं कोई सूत्र जुड़ा रहता अंतरात्मा से। और वहां सब शांत है; न कोई आपाधापी है, न कोई व्यवसाय, न कोई उपद्रव। कर-कर के तुम्हें पता चलेगा कि अगर एक दिन भोजन न करो तो उतनी हानि नहीं है, जितनी ध्यान न करने से। एक दिन अगर स्नान न करो तो चल जाएगा। क्योंकि भोजन शरीर का कृत्य है; ध्यान आत्मा का। ध्यान आत्मा का भोजन है। अगर ऐसा किसी दिन हो कि आज समय ज्यादा नहीं है, या तो भोजन करना छोडूं या ध्यान कर लूं, तो तुम ध्यान करोगे। मगर व्रत के कारण नहीं। क्योंकि व्रत के कारण किया तो धोखा होगा।

मैं राजस्थान जाता था अक्सर, तो राह में एक जगह मुझे ट्रेन बदलनी पड़ती थी; वहां कोई दो-तीन घंटे रुकना पड़ता। सांझ का वक्त होता तो कुछ मुसलमान मित्रों को मैं देखता कि वे स्टेशन पर अपना कपड़ा बिछा कर नमाज पढ़ रहे हैं। मैं घूमता रहता, क्योंकि दो-तीन घंटे वहां ट्रेन खड़ी रहती तो प्लेटफार्म पर घूमता रहता। मगर जो नमाज पढ़ रहे हैं, वे बीच-बीच में लौट कर देखते जाते कि ट्रेन कहीं छूट तो नहीं गई!

एक सज्जन मेरे ही डिब्बे में एक बार यात्रा कर रहे थे, तो रास्ते में उनसे पहचान भी हो गई। वे मौलवी थे, धर्मगुरु थे। जब वे भी यही करने लगे—उस

स्टेशन पर मैंने देखा कि उन्होंने भी बिछा लिया कपड़ा और अपनी नमाज कर रहे हैं, लेकिन बीच-बीच में देखते जाते है। तो मैं उनके पीछे गया, मैंने उनका सिर पकड़ कर उस तरफ कर दिया। अब वे नमाज में थे तो कुछ बोल भी न सके; नाराज तो बहुत हुए, भनभना गए।

वे उठे तो एकदम नाराज हो गए कि यह क्या मामला है, आपने मेरा सिर क्यों मोड़ा? मैंने कहा कि या तो इस तरफ कर लो, क्योंकि ट्रेन और परमात्मा दोनों को साथ-साथ याद न कर सकोगे। अगर ट्रेन की याद करनी है तो छोड़ो यह बकवास, काहे के लिए नमाज, कौन कह रहा है? मैंने तो नहीं कहा! अगर परमात्मा को याद करना है तो भूलो इस ट्रेन को कम से कम आधा घड़ी के लिए; छूट जाएगी, बहुत से बहुत इतना ही होगा न? परमात्मा रह गया हाथ में और ट्रेन छूट गई तो क्या खाक छूटा? कुछ भी नहीं छूटा—दूसरी ट्रेन आती है।

अगर परमात्मा की याद में इतना भी नहीं भूल पाते...तो मैंने उनसे सूफियों की एक कहानी कही। एक सूफी नमाज पढ़ रहा था और एक औरत भागी हुई निकली, उसको धक्का देती हुई, उसके कपड़े पर पैर डालती हुई। वह बड़ा नाराज हुआ! बड़ा नाराज हुआ, लेकिन नमाज में था तो बोल नहीं सका। जल्दी उसने नमाज पूरी की कि इसका पीछा करें, कैसी बदतमीज औरत, इतना भी ध्यान नहीं! लेकिन जब वह नमाज करके उठा तो वह औरत वापिस आ रही थी, तो उसने उसे पकड़ा। उसने कहा कि सुन बदतमीज औरत! तुझे इतना भी पता नहीं कि कोई ध्यान कर रहा है, नमाज कर रहा है, प्रार्थना कर रहा है? तो इस तरह, इस तरह सलूक करना चाहिए कि तू मुझे धक्का देती, मेरे कपड़े पर पैर रखती निकल गई?

उसने कहा: क्षमा करें, मुझे याद भी नहीं। मैं अपने प्रेमी से मिलने जाती थी। मुझे याद भी नहीं कि आप कहां बैठे थे, कहां नमाज पढ़ रहे थे, कौन नमाज पढ़ रहा था, कौन नहीं पढ़ रहा था, मुझे याद नहीं। वर्षों बाद मेरा प्रेमी आता था, मैं उसे लेने गांव के बाहर द्वार पर जाती थी। क्षमा करें! लेकिन एक बात आपसे पूछती हूं: मैं अपने प्रेमी से मिलने जाती थी—क्षणभंगुर प्रेमी; आप अपने प्रेमी से मिलने गए थे, आपको, मेरे पैर कपड़े पर पड़ गए, मेरा धक्का लगा, इसका समझ में आ गया? आप परमात्मा से मिल रहे थे? तब तो मेरी प्रार्थना आपसे बेहतर है। माना कि मैं किसी के शरीर के मोह में पड़ी हूं, और यह मोह ठीक नहीं, लेकिन कम से कम है तो! और माना कि तुम परमात्मा के मोह में पड़े हो, मगर है कहां?

कहते हैं, उस सूफी के जीवन में क्रांति हो गई इस बात से। उसने कहा, अब नमाज तभी पढ़ेंगे जब प्रेम होगा, अन्यथा क्या सार है?

व्रत से नहीं—बोध से। व्रत से नहीं—प्रेम से। व्रत से नहीं, नियम से नहीं,

किसी बाहरी अनुशासन से नहीं—अंतरभाव से!

'अव्रती और त्यागपरायण हो!'

बड़ी उल्टी बात, बड़ा कंट्राडिक्शन, बड़ा विरोधाभास है। कहते हैं कि तू व्रत तो मत ले, लेकिन तेरा बोध ही तेरे जीवन में त्याग बन जाए, बस। त्याग को लाना न पड़े, बोध के पीछे छाया की तरह आए।

एवं ज्ञात्वेह निर्वेदाद्भ्रव त्यागपरोऽव्रती।

इसे याद रखना। यही मेरे संन्यास का सूत्र भी है।

अव्रती त्यागपरः भव।

त्यागी बनो—त्याग की कसम खाकर नहीं। त्यागी बनो—त्यागी बनना चाहिए, ऐसे निर्णय और आग्रह से नहीं। त्यागी बनो—इसलिए नहीं कि त्यागी को सम्मान, समादर, प्रतिष्ठा मिलती है। त्यागी बनो—अव्रत, बिना किसी लोभ के, बिना किसी नियम के, बिना किसी आग्रह के, अनाग्रह-भाव से। त्यागी बनो—बोध से। कचरा, कचरा दिखाई पड़े तो छूट जाएगा। कचरे को छोड़ने की कसम नहीं लेनी है। कचरा, कचरा दिखाई पड़े, इसकी चेष्टा करनी है। ज्ञान त्याग है। वे ही छोड़ पाते हैं जो जागते हैं और देखते हैं।

'हे प्रिय, लोकव्यवहार, उत्पत्ति और विनाश को देख कर किसी भाग्यशाली की ही जीने की कामना, भोगने की वासना और ज्ञान की इच्छा शांत हुई है।'

किसी भाग्यशाली की ही! लोकव्यवहार को देख कर—ठीक से देख कर!

जीवन में जो चल रहा है चारों तरफ, उसका ठीक से अवलोकन करो! शास्त्र में मत जाओ खोजने। शास्त्र में नियम मिलेंगे और शास्त्र से व्रत आएगा। खोजो जीवन में—वहां से बोध मिलेगा और बोध का कोई व्रत नहीं है। बोध पर्याप्त है। उसे व्रत के सहारे की जरूरत नहीं है। व्रत तो अंधे के हाथ की लकड़ी है; और बोध, आंख वाले आदमी की आंख है। आंख वाले आदमी को लकड़ी नहीं चाहिए। व्रत तो बैसाखी है लूले-लंगड़े की। जिसको बोध नहीं है, उसके लिए व्रत चाहिए; वह बैसाखी के सहारे चलता है। लेकिन जिसके अंग और देह स्वस्थ हैं, उसके लिए बैसाखी की कोई जरूरत नहीं होती। जिसके अंग स्वस्थ हैं, वह तो अपने पैर से चलता है। व्रत दूसरे से उधार मिलते हैं—बोध अपना है।

कस्यापि तात धन्यस्य लोकचेष्टावलोकनात्।

जीवितेच्छा बुभुक्षा च बुभुत्सोपशमं गताः।।

हे प्रिय, लोकव्यवहार को ठीक से अवलोकन करके—लोकचेष्टा अवलोकनात्—ठीक से जाग कर, जीवन में जो हो रहा है, उसे देखो।

कोई पैदा हो रहा, कोई मर रहा—जोड़ो! इस हिसाब को जोड़ो कि जो पैदा

होता, मरता। किसी के पास दीनता है, दरिद्रता है—वह दुखी है। धनी को देखो, धन है, सब कुछ है—और दुखी है। यहां ऐसा लगता है, सुखी होने का किसी को कोई उपाय नहीं। विफल रो रहा है, सफल रो रहा है। कुरूप रो रहा है, सुंदर रो रहा है। बीमार रो रहा है, स्वस्थ रो रहा है। यहां जैसे रुदन ही, हाहाकार मचा है।

'जीवन के ठीक से अवलोकन से किसी भाग्यशाली को ही जीने की कामना, भोगने की वासना और ज्ञान की इच्छा शांत हुई है।'

तीन बातें कह रहे हैं: जीने की कामना, जीवितेच्छा! जीवन को देखो तो, फिर कामना करो जीने की। यहां जीवन में रखा क्या है, धरा क्या है? जीवन को गौर से तो देखो! इसकी आकांक्षा करने योग्य है? तो लोग यह तो देखते ही नहीं, लोग इस जीवन को तो देखते ही नहीं गौर से, परलोक की आकांक्षा करने लगते हैं। तो व्रत पैदा होता है। इस लोक को ही गौर से देखो, तो जीवितेच्छा विलीन हो जाती है, जीवन की आकांक्षा नहीं रह जाती। और जिसकी जीवन की आकांक्षा न रही, उसका परलोक है। जिसके जीवन की आकांक्षा न रही, उसका परम जीवन है।

अब तुम फर्क समझना। फर्क बहुत बारीक है। जिस आदमी ने इस जीवन की व्यर्थता को देखा और पहचाना, वह किसी जीवन की भी आकांक्षा नहीं करता। उसकी आकांक्षा ही विलीन हो जाती है, देख कर ही विलीन हो जाती है।

मैंने सुना है, एक युवक संन्यासी गांव से गुजरता था। वह बचपन से ही संन्यासी हो गया था। पिता मर गए, मां मर गई, कोई और पालने वाला न था। गांव के एक बूढ़े संन्यासी ने उसे पाला। फिर बूढ़ा संन्यासी हिमालय चला गया, तो वह बच्चा भी उसके साथ हिमालय चला गया। वह हिमालय में ही बड़ा हुआ। अब बूढ़ा संन्यासी मर गया था, तो वह वापिस दुनिया में लौट रहा था। युवा था, स्वस्थ था। वह पहले ही गांव में आया, तो उसने देखा एक बारात जा रही है! उसने कभी बारात नहीं देखी थी। बैंड-बाजा बज रहा था। एक युवक घोड़े पर सवार है, बड़े लोग पीछे जा रहे हैं। उसने पूछा, यह क्या है? तो किसी ने समझाया कि बारात है। उसने पूछा, बारात यानी क्या?

तो किसी ने समझाया कि भई तुम्हें इतना भी बोध नहीं है। यह जो घोड़े पर बैठा है, यह दूल्हा है; इसका विवाह होने वाला है एक लड़की से।

उसने कहा, फिर क्या होगा? तो किसी ने उसको पकड़ कर पास ले गया कि तू यहां आ, तुझे कुछ भी पता नहीं। उसने उसे सब समझाया कि फिर क्या होगा—शादी होगी इनकी, भोग करेंगे एक-दूसरे का, फिर इनका बच्चा पैदा होगा।

बारात तो निकल गई। संन्यासी, रात हो गई थी, तो गांव के बाहर जाकर कुएं के पाट पर सो रहा, गर्मी के दिन थे। सपना उसने देखा कि घोड़े पर सवार है, बैंड-

बाजे बज रहे हैं, बारात चल रही, फिर उसकी शादी हो गई, फिर वह अपनी पत्नी के साथ सो रहा है। और पत्नी ने उससे कहा कि जरा सरको, मुझे भी तो जगह दो। वह जरा सरका कि कुएं में गिर गया। सारा गांव इकट्ठा हो गया। हैरानी तो गांव को और इसलिए हुई कि वह कुएं में पड़ा-पड़ा खूब खिलखिला कर हंस रहा है। लोगों ने पूछाः अरे भई हंसते क्यों हो? उसने कहा, हंसें नहीं तो क्या करें? मुझे निकालो तो मैं अपनी कथा कहूं।

उसे निकाला। लोगों ने पूछा, हंसते क्यों हो? कुएं में गिरना, तो मौत हो जाए—और तुम हंसते हो? उसने कहा, हंसने की बात हो गई। सपने की स्त्री ने कुएं में गिरा दिया, असली स्त्री क्या न करती होगी लोगों के साथ!

उसने कहाः बचे! सपने के अनुभव ने जगा दिया। अब कोई बारात नहीं, अब यह घोड़े-वोड़े पर चढ़ना अपने सें होने वाला नहीं। इतना काफी है अनुभव। सपने की झूठी स्त्री ने ऐसा धक्का दिया कि भले-चंगे सोए, मैं जिंदगी भर से सोता आ रहा हूं कुओं पर, कभी नहीं गिरा। इस स्त्री ने कहा, जरा सरको...। असली स्त्रियां क्या न करती होंगी?

अगर बोध हो तो सपना भी जगा देता है। अगर बोध न हो तो जीवन भी ऐसा ही बीत जाता है, तुम उसका हिसाब भी नहीं लगा पाते।

लोकचेष्टा अवलोकनात्...।

लोक की चेष्टाओं का अवलोकन!

कस्य धन्यस्य अपि...।

और कोई धन्यभागी ही जीवन की चेष्टाओं का अवलोकन करता है। अधिक लोग तो शास्त्रों में खोजते उसे, जो चारों तरफ बरस रहा है; जो चारों तरफ मौजूद है, उसे शब्दों में खोजते; जो हर घड़ी मौजूद है, जो कहीं से भी पकड़ा जा सकता है सूत्र, उसके लिए व्यर्थ के तर्क और सिद्धांत और विवाद में पड़ते हैं।

कस्य धन्यस्य अपि...।

इसलिए अष्टावक्र कहते हैंः कोई धन्यभागी कभी जीवन का ठीक अवलोकन करके...।

जीवितेच्छा बुभुक्षा च बुभुत्सोपशमं गताः।

तीन चीजों से मुक्त हो जाता है—जीने की इच्छा से, भोगने की इच्छा से और जानने की इच्छा से।

तुम चकित होओगेः जानने की इच्छा भी—कि मैं और ज्यादा जान लूं, और ज्यादा जान लूं, पंडित हो जाऊं, महापंडित हो जाऊं, सब कुछ जान लूं जो दुनिया में है—वह भी बंधन का कारण है। इच्छा-मात्र बंधन का कारण है। और तीन ही

इच्छाएं हैं। या तो आदमी जीवन की इच्छा से भरा रहता है तो धन कमाता है, पद की प्रतिष्ठा खोजता है। या भोगने की वासना से भरता है, तो शराब पीता है, वेश्यागमन करता है, भागता-फिरता भोगने। और तीसरे तरह के लोग हैं जो ज्ञान की आकांक्षा करते हैं। वे शास्त्राध्ययन, तर्क को निखारते हैं, सिद्धांतों पर धार धरते हैं, वाद-विवाद में पड़े रहते हैं। ये तीन तरह के साधारण लोग हैं।

चौथा व्यक्ति वह है—धन्यभागी, जिसकी कोई आकांक्षा नहीं; जो न भोगना चाहता, न जानना चाहता, न जीना चाहता; जो कहता है: देख लिया सब, इसमें कुछ भी नहीं है।

'यह सब अनित्य है, तीनों तापों से दूषित है, सारहीन है, निंदित है, त्याज्य है—ऐसा निश्चय कर वह शांति को प्राप्त होता है।'

ये तीनों दौड़ें सिर्फ तीन ताप ले आती हैं।

अनित्यं सर्वमेवेदं तापत्रितय दूषितम्।

असारं निंदितं हेयमिति निश्चित्य शाम्यति।।

इदम् सर्वम् अनित्यम्...।

यह सब अनित्य है, असार है—ऐसा बोध! अवलोकन से—याद रखना! शास्त्र से नहीं, उधार नहीं—अवलोकन से। अपनी ही आंख के अनुभव से। आधि-दैविक, आधि-भौतिक, आध्यात्मिक—तीन तरह के दुख। शरीर का दुख, मन का दुख, आत्मा का दुख। बस, इतना ही मिलता है इस जगत में; और कुछ मिलता नहीं। दुख ही दुख मिलता है; और कुछ मिलता नहीं। राख ही राख हाथ आती है अंततः; कुछ और हाथ आता नहीं।

असारम् निंदितम् हेयम् इति निश्चित्य शाम्यति।

ऐसा जान कर कि यह बिलकुल व्यर्थ है, निंदित है, असार है, शांति उपलब्ध हो जाती है।

इति निश्चित्य शाम्यति...।

जैसे ही यह निश्चय हो जाता, कि यह जगत असार है, शांति फलित हो जाती है।

'वह कौन काल है और कौन सी अवस्था है, जिसमें मनुष्य को द्वंद्व, सुख-दुख न हो? उनकी उपेक्षा कर, यथाप्राप्त वस्तुओं में संतोष करने वाला मनुष्य, सिद्धि को प्राप्त होता है।'

ऐसा कोई काल नहीं है, जैसा कि लोग सोचते हैं, जैसा कि पुराण कहते हैं कि कभी ऐसा था। जैन-शास्त्र कहते हैं: सुखमा-सुखमा, एक ऐसा काल था जब सुख ही सुख था; फिर ऐसा काल आया जब सुखमा-दुखमा, सुख और दुख

मिश्रित थे; फिर ऐसा काल आ गया दुखमा-दुखमा, दुख ही दुख। या हिंदू कहते हैं: ऐसा काल था सतयुग, जब सुख ही सुख था, रामराज्य था। लेकिन ये सब मन की कल्पनाएं हैं।

दुनिया में दो तरह के कल्पनाशील लोगों ने दो तरह की धारणाएं बनाई हैं। एक कहते हैं अतीत में था स्वर्ग। सभी पुराने धर्म यही कहते हैं कि अतीत में सब ठीक था। दूसरा, जो नया पागलपन है दुनिया में, वह है कम्यूनिज्म, साम्यवाद—वे कहते हैं, भविष्य में है स्वर्ग। लेकिन इसे तुम जान लो। स्वर्ग कभी नहीं रहा है। न राम के समय में रामराज्य था। रामराज्य ही होता तो रामकथा के बनने की कोई जगह नहीं थी। अगर सुख ही सुख हो तो समाचार होते ही नहीं। रामकथा बनेगी कहां से? सीता चुराएगा कौन? चौदह वर्ष का वनवास खुद राम को भोगना पड़ा। सब तरह की कलह और सब तरह की राजनीति थी। खुद की सौतेली मां धोखा दे गई। खुद का बाप कामी और लोलुप सिद्ध हुआ। पत्नी की गलत बात मान कर भी—लेकिन पत्नी युवा थी—अपने प्यारे से प्यारे बेटे को घर के बाहर भेज दिया, जंगल भेज दिया। तुम कहते हो रामराज्य?

सीता को राम ले भी आए लंका से छुड़ा कर, तो जो पहले शब्द उन्होंने कहे, वे कुछ बड़े अच्छे शब्द नहीं। उन्होंने सीता से कहा: तू यह मत सोचना कि तेरे लिए मैंने युद्ध किया; यह युद्ध तो प्रतिष्ठा, कुल के लिए किया। फिर जरा सी बात पर कि किसी धोबी ने कह दिया अपनी औरत को कि तूने क्या समझा है! कह दिया, मैं कोई राम नहीं हूं। एक रात धोबिन कहीं और रह गई तो धोबी नाराज हो गया, उसने कहा कि मैं कोई राम नहीं हूं, तूने समझा क्या है मुझे, कि वर्षों रावण के घर रह आई सीता और फिर भी स्वीकार कर लिया! इतनी सी बात से, अग्नि-परीक्षा ले लेने के बाद भी, सीता को जंगल में फेंक दिया। राजनीति ज्यादा रही होगी, रामराज्य कम। अगर ऐसा ही था तो सीता के साथ खुद भी जंगल चले गए होते। अगर ऐसा ही था, मर्यादा ही रखनी थी, तो सीता को भी ले जाते जंगल और खुद भी चले गए होते।

लेकिन सब कहानियां हैं कि रामराज्य था। दीन थे, दरिद्र थे, दुखी, पीड़ित थे—सब तरह के लोग थे। सब तरह के उपद्रव, सब तरह की जालसाजियां, सब तरह की कूटनीति-राजनीति थी। कब था सुख? अब उससे लोग घबड़ा गए। अतीत का सुख, अतीत के उटोपिआ व्यर्थ हो गए, तो लोगों ने नये ईजाद कर लिए। नये पुराणकार हैं मार्क्स, एंजिल्स, लेनिन, माओ। अब इन्होंने नये पुराण ईजाद कर लिए। ये कहते हैं, भविष्य में होगा।

एक बात तो पक्की है, कोई भी नहीं कहता कि अभी है; क्योंकि अभी कहोगे

तो दुनिया में कौन मानेगा, कैसे मानेगा? दुख ही दुख दिखाई पड़ता है। अभी तो दुख ही दुख दिखाई पड़ता है। या तो कहो, कभी था या कभी होगा। अब इसमें कुछ विवाद करना मुश्किल हो जाता है—कभी था, कुछ निर्णायक नहीं हैं। मगर शायद अतीत को तो खंडित भी किया जा सकता है, भविष्य को कैसे खंडित करोगे? इसलिए कम्यूनिज्म और भी चालाक है। वह कहता है : भविष्य में होगा; स्वर्णयुग आता है, आने वाला है। तुम कुर्बान होओ उसके लिए, तो आएगा।

अष्टावक्र कहते हैं, 'वह कौन काल है, कौन अवस्था है, जिसमें मनुष्य को द्वंद्व न रहा हो? सुख-दुख न रहे हों?'

नहीं, किसी काल की प्रतीक्षा मत करो, किसी स्थिति की प्रतीक्षा मत करो। एक चैतन्य की क्रांति चाहिए। वह क्रांति कैसे घटित होगी?

'उनकी उपेक्षा कर, यथाप्राप्त वस्तुओं में संतोष करने वाला मनुष्य सिद्धि को प्राप्त होता है।'

यथा प्राप्तवर्ती सिद्धिम!

जो मिला है! जो मिला है, उसमें ही बरतने वाला पुरुष मोक्ष को उपलब्ध हो जाता है।

जो है, उसमें ही बरतो। उससे ज्यादा की चाह मत करो। उससे अन्यथा कभी नहीं हुआ है, कभी नहीं होगा। ऐसा ही रहा है। कथा यही की यही है। युग बदलते हैं, आदमी नहीं बदलता। चीजें बदलती हैं, चैतन्य नहीं बदलता। सब समय में ऐसा ही रहा है। यही वारदातें, यही झंझटें, यही उपद्रव—कमोबेश—मगर सब ऐसा ही रहा है।

'कौन सिद्धि को उपलब्ध होता है?'

अष्टावक्र कहते हैं: जो जैसा है, जो मिला है, जो वर्तमान है—यथा प्राप्तवर्ती—जो है, जो मिला है, उसमें जो संतोष मान लेता कि ठीक है।

तो दौड़ पैदा नहीं होती। तो अभीप्सा पैदा नहीं होती, आकांक्षा पैदा नहीं होती, चाह पैदा नहीं होती। संतोष पैदा होता है कि जो है, ठीक है। जो है, इससे अन्यथा हो नहीं सकता, अन्यथा कभी हुआ नहीं, अन्यथा कभी होगा नहीं—इसलिए अन्यथा की चाह नहीं करनी।

'उनकी उपेक्षा कर, यथाप्राप्त वस्तुओं में संतोष कर लेने वाला मनुष्य सिद्धि को प्राप्त होता है।'

'महर्षियों के, साधुओं के, योगियों के अनेक मत हैं। ऐसा देख कर उपेक्षा को प्राप्त हुआ कौन मनुष्य शांति को नहीं प्राप्त होता है?'

यह भी बड़ी महत्वपूर्ण बात वे कहते हैं।

नाना मतं महर्षीणां...।

महर्षियों के बहुत से सिद्धांत हैं, दार्शनिकों के बड़े सिद्धांत हैं। अगर उनमें उलझे तो कोई पारावार नहीं है, भटकते ही रहोगे। साधुओं के अनेक सिद्धांत हैं, योगियों के अनेक सिद्धांत हैं। सिद्धांतों की भरमार है। जीवन एक है, जीवन को समझाने वाली दृष्टियां बहुत हैं। और जिसको तुम सुनोगे, वही ठीक लगेगा। जिसको तुम पढ़ोगे, वही ठीक लगेगा। निश्चित ही तुमसे ज्यादा प्रतिभाशाली लोगों ने उनको ईजाद किया है, महर्षियों ने ईजाद किया है, योगियों ने ईजाद किया है। तो उन्होंने जरूर बड़ा तर्कबल भरा है उनमें। तुम उससे प्रभावित हो जाओगे। लेकिन जब तुम दूसरे को सुनोगे, दूसरा ठीक लगने लगेगा। जब तुम तीसरे को सुनोगे, तीसरा ठीक लगने लगेगा। ऐसे तो तुम न घर के रहोगे न घाट के। ऐसे तो तुम दर-दर के भिखारी हो जाओगे।

अष्टावक्र कहते हैं: ऐसा देख कर कि अनेक मत हैं, बुद्धिमान व्यक्ति मतों को ही छोड़ देता है, मतों की झंझट में ही नहीं पड़ता। ऐसा देख कर कि अनेक शास्त्र हैं—कौन ठीक? कुरान कि बाइबिल? वेद कि धम्मपद? कौन सही? कौन गलत? इस झंझट में बुद्धिमान आदमी नहीं पड़ता। इस झंझट में जो पड़ जाते हैं वे कभी इस झंझट के बाहर नहीं आ पाते हैं। उस झंझट का कोई अंत ही नहीं है। उसमें तो एक उलझन में से दूसरी उलझन निकलती चली जाती है। एक प्रश्न का उत्तर हल करो, तो उस उत्तर में से दस नये प्रश्न खड़े हो जाते हैं। चलता ही चला जाता है। अंतहीन श्रृंखला है। उससे कभी कोई बाहर नहीं आ पाता।

नाना मतं महर्षीणां साधुनां योगिनां तथा।
दृष्टव निर्वेदमापन्नः को न शाम्यति मानवः।।

'ऐसा देख कर कि इस विवाद में क्या सार है? यह कहीं ले जाएगा नहीं...'

दृष्टव निर्वेदमापन्नः को न शाम्यति मानवः।

'...ऐसा कौन व्यक्ति है जो इतनी सी बात समझ कर शांत न हो जाए?'

शांत अगर होना है तो सिद्धांतों से बचना। शांत अगर होना है तो मतवादों से बचना। शांत अगर होना हो तो हिंदू, मुसलमान, ईसाई, जैन, बौद्ध होने से बचना। शांत अगर होना हो तो स्वयं में खोजना, सिद्धांतों में मत भटक जाना।

नाना मतं महर्षीणां...।

और सभी महर्षि हैं, झंझट तो यह है! अगर ऐसे ही होता कि एक आदमी बुरा होता और एक आदमी अच्छा होता, तो अच्छे की हम मान लेते, बुरे की हम छोड़ देते। यहां झंझट बड़ी गहरी है, दोनों अच्छे हैं। किसको पकड़ो, किसको छोड़ो! जीसस की सुनो कि मोहम्मद की? कि महावीर की? सभी अदभुत पुरुष

हैं! सभी के व्यक्तित्व में बड़ा चमत्कार है। जब वे कहते हैं तो उनकी बातों में सम्मोहन है। लेकिन उलझना मत।

ऐसा देख कर कि यह तो सिद्धांत और दर्शनशास्त्र का जाल चला ही आ रहा है, कभी समाप्त नहीं हुआ...।

दर्शनशास्त्र से एक भी प्रश्न का उत्तर नहीं मिला है, और तर्क से जीवन को हल करने वाला एक आधार नहीं मिला है। और तर्क बड़ा दोगला है। और तर्क से तुम ऐसा भी सिद्ध कर सकते हो और वैसा भी सिद्ध कर सकते हो। तर्क वेश्या जैसा है। तर्क का कुछ लेना-देना नहीं।

मैं एक बड़े वकील हरि सिंह गौर से परिचित था। उन्होंने सागर विश्वविद्यालय का निर्माण किया। वे बड़े वकील थे, सारी दुनिया के ख्यातिलब्ध वकील थे। प्रिवि कौंसिल में एक मुकदमा था। वे किसी महाराजा की तरफ से मुकदमा लड़ रहे थे। वे तो जिसके पक्ष में खड़े हो जाते थे, वह जीतेगा ही—यह निश्चित था। इसलिए वे कुछ ज्यादा फिकर भी नहीं करते थे।

धीरे-धीरे उनकी प्रतिष्ठा ऐसी हो गई थी कि वे जिसके पक्ष में हों, वह जीतने ही वाला है। तो विरोधी तो पस्त हो जाते थे। उनका ज्ञान-भंडार भी बहुत था। और उनके पास काम भी बहुत था। एक दिल्ली में दफ्तर था, एक पेकिंग में, एक लंदन में। भागे फिरते थे तीनों जगह। काम भी बहुत था, उलझन भी बहुत थी। रात किसी पार्टी में संलग्न थे और देर से आए और सो गए और देख नहीं पाए फाइल। सुबह अदालत में जाना पड़ा बिना फाइल देखे, तो सीधे खड़े हो गए, भूल गए कि किसके पक्ष में हैं—और विपक्षी के पक्ष में दलील देने लगे।

विपक्षी के पक्ष में उन्होंने घंटे भर तक दलील की। बड़ा सन्नाटा छा गया अदालत में कि यह हो क्या रहा है! मजिस्ट्रेट भी बेचैन, विरोधी वकील भी बेचैन कि यह मामला क्या है? विरोधी भी बेचैन! और उनका जो आदमी था, जिसके पक्ष में वे लड़ रहे थे—किसी महाराजा के—वह तो पसीने-पसीने हो गया कि जब अपना ही वकील यह कह रहा है, तो अब क्या रहा? अब तो कोई उपाय नहीं है। अब तो मारे गए।

आखिर उनके सेक्रेटरी ने हिम्मत जुटाई, उनके पास जाकर कान में कहा कि आप यह क्या कर रहे हैं? यह तो आपने अपने आदमी को मार डाला। आपने तो बुरी तरह उसे खराब कर दिया। अब तो यह मुकदमा जीतना मुश्किल है।

उन्होंने कहा, क्या मतलब? क्या मैं विरोधी की तरफ से बोल रहा हूं? उन्होंने कहा, घबड़ा मत! उन्होंने टाई-वाई ठीक की और मजिस्ट्रेट से कहा कि महानुभाव,

अभी मैंने वे दलीलें दीं जो मेरा विरोधी वकील देगा, अब मैं इनका खंडन शुरू करता हूं।

और खंडन शुरू कर दिया और मुकदमा जीत गए। और बड़ी सुगमता से जीते, क्योंकि अब विरोधी को कुछ कहने को बचा ही नहीं; वह जो कहता और जितनी अच्छी तरह से कह सकता था, उससे भी ज्यादा अच्छी तरह से उन्होंने कह ही दिया था, अब कुछ बचा ही नहीं था कहने को, और उसका खंडन भी कर दिया था।

तर्क की कोई निष्ठा नहीं है। तर्क तो वेश्या है। वह तो किसी के भी साथ खड़ा हो जाता है। जिसमें भी थोड़ी अक्ल हो, तर्क उसी के आस-पास नाचने लगता है। उससे तुम चाहो ईश्वर को सिद्ध कर दो, चाहो ईश्वर को असिद्ध कर दो। तुम चाहो आत्मा को सिद्ध कर दो, तुम चाहो आत्मा को असिद्ध कर दो।

अष्टावक्र कहते हैं : बुद्धिमान पुरुष वही है जो तर्क में आस्था नहीं रखता, तर्क का त्याग कर देता है। यह देख कर कि साधुओं के, योगियों के, महर्षियों के बहुत मत हैं, तो एक बात तो सच है कि मतों में सत्य नहीं हो सकता, नहीं तो बहुत मत नहीं होते। सत्य तो मतातीत है। तर्कों में सत्य नहीं हो सकता, नहीं तो तर्क का एक ही निष्कर्ष होता। तो सत्य तो तर्कातीत है।

ऐसा देख कर मतों के प्रति उपेक्षा पैदा हो जाती है। और जो उस उपेक्षा को प्राप्त होता है, वह मनुष्य निश्चित ही शांति को प्राप्त हो जाता है।

'जो उपेक्षा, समता और युक्ति द्वारा चैतन्य के सच्चे स्वरूप को जान कर संसार से अपने को तारता है, क्या वह गुरु नहीं है?'

यह बड़ा महत्वपूर्ण सूत्र है। अष्टावक्र कह रहे हैं कि गुरु तेरे भीतर छिपा है। अगर तू उपेक्षा, समता और युक्ति द्वारा चैतन्य के सच्चे स्वरूप को जान ले, तो मिल गया तुझे तेरा गुरु।

कृत्वा मूर्तिपरिज्ञानं चैतन्यस्य न किं गुरुः।

क्या यही गुरु नहीं है? समता से, उपेक्षा से, युक्ति द्वारा स्वयं के चैतन्य-स्वरूप को जान लेना-क्या यही गुरु नहीं है? क्या यही जान लेने की घटना पर्याप्त नहीं है?

निर्वेदसमतायुक्त्या यस्तारयति संसृतेः।

बाहर जिसको तुम गुरु की तरह स्वीकार भी करते हो...जनक ने अष्टावक्र को स्वीकार किया है। जनक अष्टावक्र को ले आया है अपने राजमहल में और कहा : गुरुदेव, मुझे समझाएं ज्ञान क्या? मुक्ति क्या? सच्चिदानंद परमात्मा क्या? मुझे समझाएं।

गुरु का यह अंतिम कृत्य है कि वह समझाए कि जो मैंने तुझे समझाया, वह तेरे भीतर ही घट सकता है। गुरु की यह अंतिम कृपा है कि वह शिष्य को गुरु से भी छुटकारा दिला दे। यह आखिरी काम है। जो गुरु यह न करे, वह सदगुरु नहीं। जो गुरु शिष्य को उलझा ले और फिर अपने में ही उलझाए रखे, वह गुरु ही नहीं है। क्योंकि वह फिर इस शिष्य का शोषण कर रहा है। फिर उसकी चेष्टा यही है कि तुम शिष्य ही बने रहो।

लेकिन वास्तविक गुरु तो जल्दी ही जैसे ही तुम्हारे शिष्यत्व का काल पूरा हुआ और बोध का जागरण शुरू हुआ—कहेगा कि अब, अब मेरी तरफ देखने की जरूरत नहीं, अब भीतर देख, अब आंख बंद कर। मैं तो दर्पण था। तब तक मेरी जरूरत थी, जब तक तेरी अपनी आंख साफ न थी। अब तो तू अपनी ही आंख से देख लेगा। मैंने तुझे जो दिखाया वह वही था जो तू भी देख सकता है। मेरी जरूरत पड़ी थी, क्योंकि तू बेहोश था। अब मेरी कोई जरूरत नहीं रही।

'जो उपेक्षा, समता और युक्ति द्वारा चैतन्य के सच्चे स्वरूप को जान कर अपने को तारता है, क्या वही गुरु नहीं है?'

वही गुरु है! गुरु तो भीतर है। बाहर का गुरु तो केवल प्रतीक-रूप है। जो तुम्हारे भीतर घटना है, वह किसी में घट गया है, बस। लेकिन आत्यंतिक घटना तुम्हारे भीतर घटती है।

बाहर के गुरु से संकेत ले लेना, लेकिन बाहर के गुरु को जंजीर मत बना लेना। बाहर का गुरु तुम्हारा कारागृह बन जाए, इससे सावधान रहना।

जरथुस्त्र का बड़ा बहुमूल्य वचन है। जब जरथुस्त्र अपने शिष्यों को छोड़ कर बाहर जाने लगा, विलीन होने को अपनी अंतिम समाधि में, तो उसने कहा, 'अब आखिरी सूत्रः जरथुस्त्र से सावधान रहना! आखिरी सूत्रः जरथुस्त्र से सावधान रहना।' बस, इतना कह कर वह पहाड़ों में चला गया। 'बिवेयर ऑफ जरथुस्त्रा!' सब समझाया, आखिर में यह समझाया कि अब मुझसे सावधान रहना, कहीं ऐसा न हो कि तुम मुझसे बंध जाओ! कहीं तुम्हारी आसक्ति मुझ पर न टिक जाए! नहीं तो फिर चूक हो गई।

दर्पण में तुम्हारा चेहरा दिखाई पड़ता है। इससे तुम यह मत समझ लेना कि दर्पण में तुम्हारा चेहरा है, नहीं तो पागल हो जाओगे। फिर दर्पण लिए फिरोगे कि अब दर्पण न ले जाएंगे तो चेहरा घर ही छूट जाएगा।

मुल्ला नसरुद्दीन एक धनपति के घर मस्जिद के लिए कुछ दान मांगने गया। जैसे कि धनपति होते हैं, धनपति ने ऐसा खिड़की से झांक कर देखा, देखा कि मुल्ला आया है, जरूर कुछ दान मांगने आया होगा। उसने अपने दरबान को कहा

कि कह दो कि वे बाहर गए हैं। मुल्ला ने भी देख लिया था। उस सिर को मुल्ला भी देख चुका था खिड़की से।

दरबान ने कहा कि महानुभाव, आप गलत समय आए, मालिक बाहर गए हैं।

तो मुल्ला ने कहा, कोई हर्जा नहीं, हम फिर आ जाएंगे। मालिक आ जाएं तो हमारी तरफ से मुफ्त एक सलाह उनको दे देना कि बाहर तो जाएं, लेकिन सिर घर न छोड़ कर जाया करें। इसमें कभी खतरा हो सकता है।

अगर तुमने समझा कि दर्पण में तुम्हारा चेहरा है, तो फिर तुम्हें दर्पण को लेकर घूमना पड़ेगा; नहीं तो चेहरा घर छूट जाएगा, बिना चेहरे के तुम जाओगे।

गुरु तो दर्पण है; तुम्हें तुम्हारा चेहरा पहचनवा देता है। लेकिन एक दफा पहचान आनी शुरू हो गई, तो अंततः तो अपने भीतर ही खोजना है।

गुरु तो वही है जो तुम्हें तुम्हारे गुरु से मिला दे। गुरु तो वही है जो तुम्हारे भीतर के सोए गुरु को जगा दे। स्वयं में छिपा है गुरु। बाहर का गुरु तो केवल प्रतिध्वनि है तुम्हारे भीतर के गुरु की।

'जब भूत-विकारों को, देह, इंद्रिय आदि को यथार्थतः भूत-मात्र देखेगा, उसी क्षण तू बंध से मुक्त हो कर अपने स्वभाव में स्थित होगा।'

पश्य भूतविकारास्त्वं भूतमात्रान् यथार्थतः।

—जो जैसा है, जब तू उसको वैसा ही देखने लगेगा।

तत्क्षणाद् बंध निर्मुक्तः

—उसी क्षण तू बंधन से मुक्त हो जाएगा।

स्वरूपस्थो भविष्यसि

—और अपने स्वभाव में थिर हो जाएगा। पहुंच जाएगा उस आंतरिक केंद्र पर जहां कोई तरंग नहीं पहुंचती।

'जब भूत-विकारों को, देह, इंद्रिय आदि को यथार्थतः वैसा ही देखेगा, जैसे वे हैं...।'

शरीर को जब तू शरीर की भांति देखेगा। अभी हम देखते हैं : मेरा शरीर, मैं शरीर; मेरा मन, मैं मन। अभी हम चीजों को वैसा देखते हैं जैसी वे नहीं हैं; हम अन्यथा देखते हैं। और हम अन्यथा इसलिए देखते हैं कि अभी हमारी देखने की क्षमता ही साफ नहीं है, बड़ी धूमिल है; कुछ का कुछ दिखाई पड़ता है।

अष्टावक्र कहते हैं : जो जैसा है, उसे वैसा ही देख लेना है। शरीर, शरीर है। मन, मन है। और मैं तो दोनों के पार हूं—जो दोनों को देखता, दोनों को पहचानता।

तुमने कभी खयाल किया? मन में क्रोध आता है, तब भी तो कोई तुम्हारे भीतर देखता है कि क्रोध आ रहा है। तुमने उस भीतर देखने वाले को थोड़ा

पहचानने की कोशिश की—कौन देखता है क्रोध आ रहा है? जब क्रोध आता है तो कोई देखता है क्रोध आ रहा है। तुम देखते हो कि शरीर में जहर फैल रहा है, हिंसा की भावना उठ रही है। कौन देखता है? कौन देखता है? कोई अपमान कर देता है तो अपमान हो जाता है; तुम्हारे भीतर कोई देखता है कि मैं अपमानित अनुभव कर रहा हूं। कौन देखता है कि अपमान हो गया?

तुम मुझे सुन रहे हो। मैं यहां बोल रहा हूं, तुम वहां सुन रहे हो—यह बोलने और सुनने के पीछे तुम्हारा साक्षी खड़ा है, जो यह देख रहा है कि तुम सुन रहे हो। और कभी-कभी तुम्हारा साक्षी तुमसे यह भी कहेगा कि तुमने सुना तो, फिर भी सुना नहीं, चूक गए!

तुम एक पन्ना पढ़ते हो किताब का, पूरा पन्ना पढ़ जाते हो—अचानक खयाल आता है कि अरे, पढ़ते तो रहे, लेकिन चूक गए! यह किसको याद आया? पढ़ने के अतिरिक्त भी तुम्हारे पीछे कोई खड़ा है—अंतिम निर्णायक—जो कहता है, फिर से पढ़ो, चूक गए! यह जो अंतिम है तुम्हारे भीतर, यही तुम्हारा स्वरूप है।

'जो जैसा है उसे वैसा ही देख लेकर उसी क्षण तू बंध से मुक्त होकर अपने स्वभाव में स्थिर होगा।'

'वासना ही संसार है। इसलिए वासना को छोड़।'

संसार को नहीं! वासना संसार है, इसलिए वासना को छोड़।

'वासना के त्याग से संसार का त्याग है। अब जहां चाहे वहां रह।'

बड़े क्रांतिकारी वचन हैं! अब जहां चाहे वहां रह! अब संसार में रहना है, संसार में रह; बाजार में रहना है, बाजार में रह। अब जहां चाहे वहां रह। बस, तेरा साक्षी सुस्पष्ट बना रहे, फिर कुछ और चाहिए नहीं।

वासना एव संसार इति सर्वा विमुग्च ताः।

तत्त्यागो वासनात्यागात् स्थितिरद्य यथा तथा।।

जैसा है फिर तू, जहां है फिर तू, बिलकुल ठीक है और सुंदर है। कहीं कुछ करने को नहीं है। बस, एक बात जानते रहने को है कि मैं सिर्फ साक्षी-मात्र! अहो चिन्मात्रम्!

वासना एव संसारः...।

इस भेद को समझना। लोग तुमसे कहते हैं, वासनाएं छोड़ो तो संसार छूटेगा। लोग तुमसे कहते हैं, वासनाएं छोड़ो तो संसार छूटेगा। वासनाएं नहीं हैं, वासना है। कोई बहुत वासनाएं नहीं हैं; वासना तो एक ही है। वासना तो एक ही वृत्ति हैः कुछ होना है, कुछ पाना है। उनके नाम तुम कुछ भी रखो। किसी को धन पाना है, किसी को पद पाना है, किसी को मोक्ष पाना है—वासना तो एक ही है। वासना का अर्थ हैः

जो मैं हूं, उससे मैं राजी नहीं; कुछ और होना चाहिए, तब मैं राजी होऊंगा। वासना का अर्थ है : जो है, उससे मैं नाराज, और जो नहीं है वह होना चाहिए। जब तुम जो है उससे राजी हो जाओगे, और जो नहीं है उसकी मांग न करोगे—वासना गई।

वासना एव संसारः...!

और वासना ही संसार है!

कुछ हैं जो कहते हैं : संसार छोड़ो, तब वासना छूटेगी। गलत कहते हैं। संसार छोड़ने से कुछ भी न होगा। तुम जंगल में भाग जाओगे, वासना तुम्हारे साथ छाया की तरह लगी रहेगी। तुम मंदिर में बैठ जाओगे वासना तुम्हारा पीछा करेगी; वहीं संसार बन जाएगा। जहां तुम हो, वहां वासना होगी। वासना होगी, वहीं संसार निर्मित हो जाएगा। इससे कुछ फर्क नहीं पड़ता।

वासना एव संसारः...।

—वासना संसार है, इसलिए वासना छूट जाए!

इति ज्ञात्वा...।

—ऐसा जो जान लेता है।

ताः सर्वा विमुग्च...।

—वह सबसे मुक्त हो ही गया। उससे सब छूट गया। इस सत्य को पहचान लिया कि वासना ही संसार है, बस इस पहचान में ही सब छूट हो गई।

वासना त्यागात तत्त्यागः...।

—इधर वासना गई, वहां संसार गया।

अद्य यथा तथा स्थिति।

—फिर तेरी जनक, जहां मर्जी हो, वहां रह। फिर जहां चाहे वहां रह।

इस सूत्र को भी खयाल में ले लेना। इसका यह अर्थ हुआ कि फिर जहां पाए अपने को, वहीं ठीक है। फिर जो हो रहा हो, वही ठीक है। महल में पाए तो महल ठीक है, जंगल में पाए तो जंगल ठीक है।

एक फकीर एक सम्राट का मित्र था। सम्राट उस फकीर से बहुत ही प्रभावित था। इतना प्रभावित था कि एक दिन उसने कहा कि प्रभु, मुझसे देखा नहीं जाता कि इस वृक्ष के नीचे धूप, छाया, गर्मी में आप बैठे रहें; राजमहल चलें!

सोचा था सम्राट ने कि जब मैं यह कहूंगा, फकीर कहेगा कि 'नहीं-नहीं, नहीं-नहीं, राजमहल और मैं? मैं छोड़ चुका संसार!' ऐसा कहा होता फकीर ने तो सम्राट प्रसन्न हुआ होता। उसके मन में और भी फकीर के प्रति आदर बढ़ा होता। लेकिन फकीर मेरे जैसा रहा होगा। वह उठ कर खड़ा हो गया। उसने कहा, घोड़ा इत्यादि कहां है? सम्राट थोड़ा सकुचाया कि अरे, यह कैसा त्यागी! मगर अब कुछ

कह भी न सकता था। ले आया घोड़ा, लेकिन बेमन से लाया। वह तो फकीर चढ़ कर घोड़े पर बैठ गया। उसने कहा कि चलो।

ले आया महल, लेकिन मजा चला गया। क्योंकि मजा तो यही था सम्राट का कि महात्यागी गुरु! यह कैसा त्यागी? अब लेकिन कह भी कुछ नहीं सकता, अपने हाथ से ही फंस गया, बुला लाया। उसको अच्छे से अच्छे कमरे में रखा, जो श्रेष्ठतम, सुंदरतम महल का हिस्सा था। वह वहीं रहने लगा। वह जैसे वृक्ष के नीचे बैठा रहा था, वह सुंदर महल में बैठा रहने लगा।

कुछ दिन बाद सम्राट की बेचैनी बढ़ने लगी। उसने कहा, यह तो बात अजीब हो गई। छह महीने बीत जाने पर उसने कहा कि महाराज एक प्रश्न उठता रहा है।

फकीर ने कहा, इतनी देर क्यों की? प्रश्न तो उसी दिन उठ गया था जब मैंने कहा, घोड़ा ले आओ!

सम्राट डरा। उसने कहा कि आपको पता है?

'पता कैसे नहीं होगा? क्योंकि तत्क्षण तुम्हारा चेहरा बदल गया था। उसी क्षण मेरा तुमसे संबंध छूट गया, जब मैंने घोड़े से संबंध जोड़ा। उसी क्षण मैं कोई त्यागी नहीं रहा तुम्हारे लिए। बोलो, छह महीने क्यों रुके? इतनी देर क्यों तकलीफ सही? मुझे पता है कि तुम बेचैन हो रहे। क्या है?'

कहा, 'इतना सा पूछना है कि अब तो मुझमें और आपमें कुछ भी अंतर नहीं है। अब तो ठीक आप भी मेरे जैसे हैं—महल में रहते हैं, सुख-सुविधा, नौकर-चाकर, अच्छा खाना-पीना! भेद तो तब था, जब आप बैठे थे वृक्ष के नीचे—आप फकीर थे, त्यागी थे, महात्मा थे; मैं राजा था, भोगी था। अब क्या भेद है?'

उस फकीर ने कहा, जानना चाहते हो भेद, तो गांव के बाहर चलो।

राजा ने कहा, ठीक।

दोनों गांव के बाहर गए। फकीर ने कहा, थोड़ी दूर और चलें।

दोपहर हो गई। सम्राट ने कहा, अब बता भी दें, बताना है तो कहीं भी बता दें, अब आधा जंगल आ गया यह।

नहीं, उसने कहा कि थोड़ी दूर और। सूरज अस्त होते ही समझा दूंगा।

सूरज अस्त होने लगा। सम्राट ने कहा, अब...अब बोलें!

उसने कहा कि इतना ही समझाना है कि अब मैं वापिस नहीं जा रहा। तुम जाते हो कि चलते हो?

सम्राट ने कहा, मैं कैसे चल सकता हूं आपके साथ? महल है, पत्नी है, बच्चे हैं, सारी व्यवस्था...। मैं कैसे चल सकता हूं?

फकीर ने कहा, लेकिन मैं जा रहा हूं। फर्क समझ में आया?

सम्राट उसके पैरं पर गिर पड़ा। उसने कहा कि नहीं, मुझे छोड़ें मत, मुझसे बड़ी भूल हो गई।

उसने कहा, मैं तो अभी फिर घोड़े पर बैठने को तैयार हूं। लेकिन तुम फिर मुश्किल में पड़ जाओगे। ले आ, घोड़ा कहां है?

जब अष्टावक्र कह रहे हैं तो उनका इशारा यही है: अब जहां चाहे, वहां रह।

अद्य यथा तथा स्थितिः।

फिर जो हो, जैसा हो—ठीक है, स्वीकार है। तथाता! ऐसे तथाता के भाव में जो रहता है, उसी को बौद्धों ने तथागत कहा है।

बुद्ध का एक नाम है: तथागत। तथागत का अर्थ है: जो हवा की तरह आता, हवा की तरह चला जाता; पूरब कि पश्चिम का कोई भेद नहीं, उत्तर कि दक्षिण का कोई भेद नहीं। रेगिस्तानों में बहे हवा कि मरूद्यानों में बहे हवा—कुछ भेद नहीं। जो ऐसा आया और ऐसा गया! तथागत! जिसे सब स्वीकार है!

अद्य यथा तथा स्थितिः।

इस सूत्र को महावाक्य समझो। इस पर खूब-खूब ध्यान करना। इसे धीरे-धीरे तुम्हारे अंतर्तम में विराजमान कर लेना। यह तुम्हारे मंदिर का जलता हुआ दीया बने—तो बहुत प्रसाद फलित होगा, बहुत आशीष बरसेंगे!

तुम वही हो सकते हो, जिसको अष्टावक्र ने कहा है: कस्य धन्यस्य अपि! कोई धन्यभागी! तुम वही धन्यभागी हो सकते हो। उसका ही मैंने तुम्हारे लिए द्वार खोला है।

हरि ॐ तत्सत्!

* * *

प्रवचन : 28

बोध से जीयो—सिद्धांत से नहीं

पहला प्रश्न: अष्टावक्र ने कहा कि महर्षियों, साधुओं और योगियों के अनेक मत हैं—ऐसा देख कर निर्वेद को प्राप्त हुआ कौन मनुष्य शांति को नहीं प्राप्त होता है? कहीं इसलिए ही तो नहीं आप एक साथ सबके रोल—महर्षि, साधु और योगी के; अष्टावक्र, बुद्ध, पतंजलि और चैतन्य तक के रोल-पूरा कर रहे हैं, ताकि हम निर्वेद को प्राप्त हों?

निश्चय ही ऐसा ही है। जिससे मुक्त होना हो, उसे जानना जरूरी है। जाने बिना कोई मुक्त नहीं होता।

तर्क से मुक्त होना हो तो तर्क को जानना जरूरी है। तर्क में जिनकी गहराई है, वे ही तर्क के पार उठ पाते हैं। बुद्धि के पार जाना हो तो बुद्धि में निखार चाहिए। अति बुद्धिमान ही बुद्धि के पार जा पाते हैं। बुद्धि के पार जाने के लिए जितनी धार रखी जा सके बुद्धि पर, उतना ही सहयोगी है।

वैसे तो यह बात उल्टी दिखाई पड़ेगी, क्योंकि जब बुद्धि से मुक्त होना है तो धार क्यों रखनी? मगर बुद्धू बुद्धि से मुक्त नहीं हो पाते। जिन्होंने बुद्धि का खेल जाना ही नहीं, वे तो सदा तत्पर होंगे उस जाल में उलझ जाने को।

विश्वास बुद्धि से नीचे है; आस्था बुद्धि के पार है। विश्वास कर लेने के लिए किसी बुद्धिमत्ता की जरूरत नहीं है; मूढ़ता पर्याप्त है। लेकिन आस्था को जगाने के लिए बड़ी बुद्धिमत्ता की जरूरत है। बुद्धि की सारी सीढ़ियों को, सरणियों को जो पार करता है, उसके ही जीवन में आस्था का प्रकाश होता है।

आस्तिक होना सत्य नहीं है। नास्तिक हुए बिना कोई कभी आस्तिक हुआ ही नहीं; जो हुआ हो तो उसकी आस्तिकता सदा कच्ची रहेगी। वह बिना पका घड़ा

है। धोखे में मत आ जाना। उसमें पानी भर कर मत ले आना। नहीं तो घर आते-आते न तो घड़ा रहेगा न पानी रहेगा।

आग से गुजरना जरूरी है घड़े के पकने के लिए।

इस जगत में जो परम आस्तिक हुए हैं, वे परम नास्तिकता की अग्नि से गुजरे हैं। और यह ठीक भी मालूम पड़ता है, क्योंकि जिसे 'नहीं' कहना ही न आया, उसकी 'हां' में कितना बल होगा? उसकी 'हां' तो नपुंसक की 'हां' होगी। उसकी नपुंसकता ही उसका विश्वास बनेगी। उसकी कमजोरी, उसकी दीनता ही उसका विश्वास बनेगी।

और आस्था तो व्यक्ति को बना देती है सम्राट! आस्था तो व्यक्ति को बना देती है विराट! आस्था तो देती है विभुता, प्रभुता!

आस्था से तो साम्राज्य फैलता ही चला जाता है—ऐसा साम्राज्य जिसमें सूर्य का कभी कोई अस्त नहीं होता; क्योंकि वहां अंधकार नहीं है, प्रकाश ही प्रकाश है।

नास्तिकता को मैं कहता हूं आस्तिकता की अनिवार्य सीढ़ी। इनकार करना सीखना ही होता है, तभी हमारे 'हां' कहने में कुछ सार्थकता होती है। जो आदमी हर बात में 'हां' कह देता हो उसकी 'हां' का कितना मूल्य है? जो आदमी कभी 'नहीं' भी कहता हो, उसी की 'हां' में मूल्य हो सकता है।

तो दुनिया में तुम्हें दो तरह के आस्तिक मिलेंगे—एक, जो भय के कारण आस्तिक हैं। उनका नास्तिक मौजूद ही रहेगा भीतर। गहरे में तो नास्तिकता रहेगी; ऊपर-ऊपर पतली सी पर्त रहेगी, झीनी-झीनी चादर रहेगी आस्तिकता की—जरा खरोंच दो, फट जाएगी और नास्तिक बाहर आ जाएगा। सब ठीक चलता रहे तो आस्तिकता बनी रहेगी, जरा अस्तव्यस्त हो जाए तो सब खो जाएगा। तुम्हारा लड़का जवान हो और मर जाए—और ईश्वर पर संदेह आ जाएगा। तुम्हारी दूकान ठीक चलती थी और दिवाला निकल जाए—और ईश्वर पर संदेह आ जाएगा। तुमने ईमानदारी से काम किया था और तुम्हें फल न मिले और कोई बेईमान ले जाए—बस, संदेह आ जाएगा। संदेह जैसे तैयार ही बैठा है! जैसे संदेह बिलकुल हाथ के पास में बैठा है, मौका मिले कि आ जाए!

जिनको तुम आस्तिक कहते हो—मंदिरों में, मस्जिदों में झुके हुए लोग, प्रार्थना-नमाज में—उनके भीतर भी गहरा संदेह है; शक उठता है बार-बार कि हम जो कर रहे हैं, वह ठीक है? लेकिन किए जाते हैं भय के कारण—पता नहीं परमात्मा हो ही, पता नहीं स्वर्ग और नरक हों! इसलिए होशियार आदमी को दोनों का इंतजाम कर लेना चाहिए।

एक मुसलमान मौलवी मरने के करीब था। गांव में कोई और पढ़ा-लिखा आदमी नहीं था, तो मुल्ला नसरुद्दीन को ही बुला लिया कि वह मरते वक्त मरते आदमी को कुरान पढ़ कर सुना दे। मुल्ला ने कहा, कुरान इत्यादि छोड़ो। अब इस आखिरी घड़ी में मैं तो तुमसे सिर्फ एक बात कहता हूं, इस प्रार्थना को मेरे साथ दोहराओ।

और मुल्ला ने कहाः कहो मेरे साथ कि हे प्रभु और हे शैतान, तुम दोनों को धन्यवाद! मेरा खयाल रखना।

उस मौलवी ने आंखें खोलीं। मर तो रहा था, लेकिन अभी एकदम होश नहीं खो गया था। उसने कहा, तुम होश में तो हो? तुम क्या कह रहे हो—हे प्रभु, हे शैतान?

मुल्ला ने कहा, अब इस आखिरी वक्त में खतरा मोल लेना ठीक नहीं। पता नहीं कौन असली में मालिक हो! तुम दोनों को ही याद कर लो। और फिर पता नहीं तुम कहां जाओ—नरक जाओ कि स्वर्ग जाओ! नरक गए तो शैतान नाराज रहेगा कि तुमने ईश्वर को ही याद किया, मुझे याद नहीं किया। स्वर्ग गए तब तो ठीक। लेकिन पक्का कहां है? और ऐसी घड़ी में कोई भी खतरा मोल लेना ठीक नहीं। जोखिम मोल लेना ठीक नहीं; तुम दोनों को ही खुश कर लो। राजनीति से काम लो थोड़ा।

तो जिनको तुम मंदिरों में प्रार्थना करते देखते हो, वे राजनीति से काम ले रहे हैं थोड़ा। इस जगत को भी सम्हाल रहे हैं; मौत के बाद कुछ होगा तो उसको भी सम्हाल रहे हैं। नहीं हुआ तो कुछ हर्ज नहीं; लेकिन अगर हुआ...।

फिर इस जगत में भी सहारा चाहिए, अकेले बहुत कमजोर हैं। तो आदमी सहारे की आकांक्षा से ईश्वर को मान लेता है। लेकिन यह कोई आस्था नहीं है। यह कोई श्रद्धा नहीं है। जब तक ईश्वर की धारणा का तुम कोई उपयोग कर रहे हो तब तक आस्था नहीं है। जब ईश्वर की धारणा तुम्हारे आनंद का अहोभाव हो, जब तुम्हारा कोई भी संबंध ईश्वर से कुछ लेने-देने का न रह जाए, कुछ मांगने का न रह जाए, भिखमंगेपन का न रह जाए; जब तुम्हारे और ईश्वर के बीच प्रेम की धार बहने लगे, जो कुछ भी मांगती नहीं; जब तुम्हारे और ईश्वर के बीच एक संगीत का जन्म हो, तुम्हारी वीणा उसकी वीणा के साथ कंपने लगे, तुम्हारा कंठ उसके कंठ के साथ बंध जाए, तुम्हारे प्राण उसके छंद में नाचने लगें और इसके पार कुछ न पाना है न खोना है—तब आस्था! लेकिन ऐसी आस्था तो उन्हीं को मिलती है, जो सब तरह की नास्तिकता को काट कर, सब तरह की नास्तिकता से गुजर कर निकले हैं।

'नहीं' कहना सीखना ही होता है, तो ही 'हां' कहा जा सकता है। इसलिए मैं तुमसे सारी परंपराओं की बात करता हूं, क्योंकि मैं चाहता हूं कि तुम परंपराओं के पार हो जाओ। इससे मैं तुमसे सारे धर्मों की बात करता, क्योंकि मैं तुम्हें उस परम धर्म की तरफ इशारा करता हूं जो सब धर्मों के पार है। इसलिए कभी मोहम्मद की, कभी महावीर की, कभी पतंजलि की, कभी मीरा की तुमसे बात करता, कि तुम्हें यह स्मरण रहे कि सत्य तो एक है; मत बहुत हैं, अनेक हैं। इसलिए मतों में सत्य नहीं हो सकता। तुम मत से मुक्त हो सको...।

पहले तो नास्तिकता को ठीक से जान लेना जरूरी है। नास्तिकता से मुक्त होने से फिर आस्तिकता के जो बहुत से सिद्धांत हैं उनको जान लेना जरूरी है, ताकि उनसे भी तुम मुक्त हो जाओ। तुम ही रह जाओ तुम्हारी परिशुद्धि में, चैतन्यमात्र, चिन्मात्र! न कोई आस्था, न कोई मत, न कोई 'हां' न कोई 'ना'। जहां कोई विकार न रह जाए, दर्पण कोरा हो—बस वहीं तुम अपने घर आ गए। निर्वेद का वही अर्थ है।

'निर्वेद' शब्द में बड़ी बातें छिपी हैं। इसका एक अर्थ होता है : निर्भाव। इसका एक अर्थ होता है : निर्विचार। ज्ञान के मूल शास्त्र को हम वेद कहते हैं। निर्वेद का अर्थ है : समस्त वेदों से मुक्त हो जाना; समस्त ज्ञान से मुक्त हो जाना; ज्ञान मात्र से मुक्त हो जाना; मत, सिद्धांत, धारणाएं, विश्वास सबसे मुक्त हो जाना; वेद से मुक्त हो जाना। फिर वेद तुम्हारा हो सकता है कुरान हो। मुसलमान का वेद कुरान है, बौद्ध का वेद धम्मपद है, ईसाई का वेद बाइबिल है। इससे कुछ फर्क नहीं पड़ता। जहां-जहां तुमने सोचा है ज्ञान है, जिन-जिन शब्दों में, सिद्धांतों में तुमने सोचा है ज्ञान है, उन सबसे मुक्त हो जाना।

निर्वेद की दशा का अर्थ होगा : निर्विचार की दशा; निर्भाव की दशा। तुम्हारे भीतर कोई शास्त्र नहीं, कोई शब्द नहीं, कोई सिद्धांत नहीं—तुम शून्यवत। तुम फिर हिंदू नहीं, मुसलमान नहीं, ईसाई नहीं, जैन नहीं, बौद्ध नहीं—क्योंकि वे सब नाम तो वेदों से मिलते हैं। किसी ने एक वेद को माना है तो वह हिंदू है; किसी ने दूसरे वेद को माना है तो वह जैन है। किसी ने कहा, हमें तो महावीर में ही वेद का अनुभव होता है, तो वह जैन है। और किसी ने कहा, हमें बुद्ध में वेद का अनुभव होता है, तो वह बौद्ध है।

लेकिन अष्टावक्र कह रहे हैं, परमज्ञान की अवस्था है, जब तुम्हें सिर्फ अपने में ही वेद का अनुभव हो। बाहर के सब वेदों से मुक्ति-निर्वेद।

निर्वेद का अर्थ होगा : बड़ा कुंआरापन; जैसे ज्ञान है ही नहीं! इसको अज्ञान भी नहीं कह सकते। क्योंकि बोध परिपूर्ण है। होश पूरा है। इसको अज्ञान नहीं कह

सकते। यह बड़ा ज्ञानपूर्ण अज्ञान है। ईसाई फकीरों ने, विशेषकर तरतूलियन ने दो विभाजन किए हैं। उसने दो विभाजन किए हैं मनुष्य के जानने के। एक को वह कहता है: इग्नोरेंट नॉलेज ; अज्ञानी ज्ञान। और एक को वह कहता है: नोइंग इग्नोरेंस; जानता हुआ अज्ञान। बड़ा अदभुत विभाजन किया है तरतूलियन ने!

एक तो ऐसा ज्ञान है कि तुम जानते कुछ भी नहीं—खाक भी नहीं—और फिर भी लगता है खूब जानते हो! शास्त्र कंठस्थ हैं, तोते बन गए हो। मस्तिष्क में सब भरा है, दोहरा सकते हो—ठीक से दोहरा सकते हो। स्मृति तुम्हारी प्रखर है, याददाश्त सुंदर है—तुम दोहरा सकते हो। भाषा का तुम्हें पता है, व्याकरण का तुम्हें पता है—तुम शब्दों का ठीक-ठीक अर्थ जुटा सकते हो। और फिर भी तुम कुछ नहीं जानते। क्योंकि जो भी तुमने जाना है उसमें तुम्हारा जानना कुछ भी नहीं है; सब उधार है; सब बासा है; मांगा-तूंगा है; अपना नहीं है; निज का नहीं है। और जो निज का नहीं है वह कैसा ज्ञान?

तो एक तो ज्ञान है, जिसके पीछे अज्ञान छिपा रहता है। जिसको हम पंडित कहते हैं, वह ऐसा ही ज्ञानी है। पंडित यानी पोपट। पंडित यानी तोता। पंडित यानी दोहराता है, जानता नहीं; कह देता है, लेकिन क्या कह रहा है, उसे कुछ भी पता नहीं। यंत्र जैसा है, यांत्रिक है—इग्नोरेंट नालेज!

और फिर तरतूलियन कहता है, एक दूसरा आयाम है: नोइंग इग्नोरेंस; जानता हुआ अज्ञान। निर्वेद का वही अर्थ है। निर्वेद का अर्थ है: कुछ भी नहीं जानते—बस इतना ही जानते हैं। और जानना पूरा जागा हुआ है, भीतर दीया जल रहा है अपनी प्रखरता में। उस दीये के आस-पास वेदों का कोई भी धुआं नहीं है। उस दीये के आस-पास कोई छाया भी नहीं है किसी सिद्धांत की। बस, शुद्ध अंतरतम का दीया जल रहा है। उस अंतरतम के दीये के प्रकाश में सब कुछ जाना जाता है, फिर भी जानने का कोई दावा नहीं उठता।

उपनिषद कहते हैं: जो कहे मैं जानता हूं, जान लेना कि नहीं जानता।

सुकरात ने कहा है: जब मैं कुछ-कुछ जानने लगा, तब मुझे पता चला कि मैं कुछ भी नहीं जानता हूं। जब कुछ-कुछ जानने लगा, तब पता चला कि मैं कुछ भी नहीं जानता हूं।

लाओत्सु ने कहा है: ज्ञानी अज्ञानी जैसा होता है।

जीसस ने कहा है: जो बच्चों की भांति भोले हैं, वे मेरे प्रभु के राज्य में प्रवेश करेंगे।

बच्चों की भांति भोले हैं! बात साफ है। बच्चे में पांडित्य नहीं होता। बच्चे का अभी कोई अनुभव ही नहीं है कि पांडित्य हो सके। अभी कहीं पढ़ा-लिखा नहीं, सोचा-सुना नहीं—अभी तो भोला-भाला है। ऐसा भोला-भाला अज्ञान,

जानता हुआ अज्ञान! तुम कुछ जानते नहीं, लेकिन तुम प्रज्वलित अग्नि हो; तुम्हारा प्रकाश सब तरफ फैलता है।

निर्वेद की दशा बड़ी अनूठी दशा है। इसलिए परम ज्ञानियों ने वेदों को तो अज्ञानियों के लिए माना है। अष्टावक्र भी वही मानते हैं, बुद्ध भी वही मानते हैं, महावीर भी वही मानते हैं। वेदों को तो माना है उनके लिए जिन्हें अभी कुछ भी समझ नहीं है। उनके लिए वेद हैं। जिनको कुछ भी समझ है, वे तो निर्वेद में अपना बोध खोजते हैं, वेद में नहीं। उनकी आंखें तो शब्दातीत शून्य की तरफ उठने लगती हैं, द्वंद्वातीत सत्य की तरफ उनकी उड़ान शुरू हो जाती है।

तुमसे मैं इन सारे सिद्धांतों की इसीलिए बात कर रहा हूं, ताकि तुम जान कर मुक्त हो सको; तुम परिचित हो लो, तो मुक्त हो जाओ। परिचित नहीं हुए तो मुक्त न हो सकोगे।

अगर तुम मुझे सुनते ही रहे शांत भाव से, तो तुम धीरे-धीरे पाओगेः सब आया और सब गया! खतरा तो तब है कि जब तुम सुनते-सुनते मुझे, ज्ञान को पकड़ने लगो, तब खतरा है। वेद बनने लगा, तुम निर्वेद से चूके। मगर मैं तुम्हें टिकने न दूंगा। इसलिए रोज बदल लेता हूं। एक दिन बोलता हूं बुद्ध पर, तो तुम धीरे-धीरे राजी होने लगते हो। जैसे ही मुझे लगा कि अब राजी हो रहे, तुम ज्ञानी बन रहे; जैसे ही मुझे लगा कि अब बुद्ध तुम्हारा वेद बने जा रहे हैं...।

आदमी इतनी जल्दी सुरक्षा पकड़ता है, इतनी जल्दी मान लेना चाहता है कि जान लिया—बिना श्रम के, बिना चेष्टा के! मुफ्त कुछ मिल जाए तो ज्ञानी बन जाने का मजा कौन नहीं लेना चाहता है! सुन ली बुद्ध की बात, बड़े प्रसन्न हो गए, गदगद हो गए, थोड़ी जानकारी बढ़ गई—अब उस जानकारी को तुम फेंकते हुए रास्ते पर चलोगे; कोई भी मिल जाएगा, फंस जाएगा जाल में, तो तुम उसकी खोपड़ी में वह जानकारी भरोगे, तुम मौका न चूकोगे। तुम्हें कोई भी मौका मिल जाएगा तो किसी भी बहाने तुम अपनी जानकारी को जल्दी से किसी भी आदमी की खूंटी पर टांग दोगे। तुम निमित्त तलाशोगे कि जहां निमित्त मिल जाए; कोई कुछ पूछ ले, कोई कुछ बात उठा दे, तो तुम अपनी बात ले आओगे।

यह जानकारी तुम्हें मुक्त नहीं करवा देगी। यह जानकारी तुम्हारे अहंकार का आभूषण भला हो जाए, यह अहंकार से मुक्ति नहीं होने वाली है।

तो जैसे ही मैं देखता हूं कि तुम बुद्ध को वेद मानने लगे, तो मुझे तत्क्षण महावीर की बात करनी पड़ती है, ताकि तुम्हारे पैर के नीचे से जमीन फिर खींच ली जाए। ऐसा मैं बहुत बार करूंगा। ऐसा बार-बार होगा तो तुम्हें एक बोध आएगा कि यह जमीन तो बार-बार पैर के नीचे से खींच ली जाती है। किसी दिन तो तुम्हें

यह समझ में आएगा कि अब जमीन न बनाएं; अब सुन लें और सिद्धांत को न पकड़ें; सुन लें, गुन लें, लेकिन अब किसी मत को ओढ़ें न। जिस दिन तुम्हें यह समझ में आ गई, उसी दिन निर्वेद उपलब्ध हुआ।

इन सारी कक्षाओं से गुजर जाना जरूरी है। क्योंकि जिससे तुम नहीं गुजरोगे, उसका खतरा शेष रहेगा; कभी अगर मौका आया तो शायद फंस जाओ।

इसलिए मैं निरंतर कहता हूं: जिससे भी मुक्त होना हो, उसे ठीक से जान लो। जानने के अतिरिक्त न कोई मुक्ति है न कोई क्रांति है।

दूसरा प्रश्न: शिष्य के अंदर अपने सदगुरु के प्रति उसका प्रेम और शिष्य का अहंकार क्या दोनों एक साथ टिक सकते हैं?

थोड़े दिन टिकते हैं, ज्यादा दिन टिक नहीं सकते। लेकिन प्रथमतः तो टिकेंगे। प्रथमतः तो जब शिष्य गुरु के पास आता है, तो एकदम से थोड़े ही अहंकार गिरा देगा, एकदम से थोड़े ही अहंकार छोड़ देगा। शुरू में तो शायद अहंकार के कारण ही गुरु के पास आता है। धन खोजा, कुछ नहीं पाया; अहंकार को वहां तृप्ति न मिली; पद खोजा, वहां कुछ न पाया; अहंकार को वहां भी तृप्ति न मिली—अब अहंकार कहता है, ज्ञान खोजो।

देखा तुमने, अष्टावक्र ने तीन वासनाएं गिनाईं—उनमें एक और आखिरी वासना ज्ञान की! अहंकार ही तुम्हें गुरु के पास ले आया है। इसलिए जो गुरु के पास ले आया है, वह एकदम साथ न छोड़ेगा; वह कहेगा कि प्रथमतः तो हम ही तुम्हारे गुरु हैं, हम ही तुम्हें यहां लाए। पहले तुम हमें नमस्कार करो! ऐसे कहां हमें छोड़ कर चले? इतने जल्दी न जाने देंगे।

तो अहंकार रहेगा; लेकिन अगर गुरु का प्रेम...गुरु के प्रति प्रेम उठने लगा, तो ज्यादा दिन न रह सकेगा। क्योंकि ये विपरीत घटनाएं हैं, ये दोनों साथ-साथ नहीं हो सकतीं। दीया जलने लगा, ज्योति बढ़ने लगी, प्रगाढ़ होने लगी—पहले टिमटिमाती-टिमटिमाती होगी तो थोड़ा-बहुत अंधेरा बना रहेगा; फिर ज्योति जैसे-जैसे प्रगाढ़ होगी, वैसे-वैसे अंधेरा कटेगा। फिर एक घड़ी आएगी ज्योति के थिर हो जाने की, और अंधकार नहीं रह जाएगा।

गुरु के पास लाता तो अहंकार ही है, इसलिए एकदम से छोड़ा नहीं जा सकता। इस तरह के अहंकार को ही तो लोग सात्विक अहंकार कहते हैं, धार्मिक अहंकार कहते हैं, पवित्र अहंकार! तो अहंकार भी...।

जैसे तुमने कहावत सुनी होगी कि कोई बिल्ली हज को जाती थी, तो उसने

सब को निमंत्रण दिया—चूहे इत्यादि को—कि अब तो तुम मुझसे आकर मिल लो। अब मैं हज को जा रही हूं, पता नहीं लौटूं न लौटूं! पुराने जमाने की बात होगी। अब तो लोग लौट आते हैं। पहले तो कोई तीर्थयात्रा को जाता था तो आखिरी नमस्कार करके जाता था—लौटना हो या न हो! होना भी नहीं चाहिए तीर्थ से लौटना। क्योंकि जब तीर्थ चले ही गए तो फिर क्या लौटना? फिर लौटना कैसा?

तो बिल्ली ने खबर भेज दी। चूहे बड़े चिंतित हुए। चूहों में बड़ी अफवाह, सरगर्मी हो गई। उन्होंने कहा कि जा तो रही हज को, लेकिन इसका भरोसा क्या? सौ-सौ चूहे खाए, हज को चली, पता नहीं...! इतने चूहे खा गई है, आज अचानक धर्म-भाव पैदा हुआ है!

अहंकार ने बहुत चूहे खाए हैं, इसलिए एकदम भरोसा तो तुम्हें भी नहीं आएगा। कि अहंकार, और सदगुरु के पास ला सकता है! लेकिन बिल्लियां भी हज की यात्रा को जाती हैं। आखिर आदमी थक जाता है, हर चीज से थक जाता है। और अहंकार की खूबी एक है कि वह किसी चीज से भरता नहीं; इसलिए थकोगे नहीं तो करोगे क्या? कितना ही धन इकट्ठा करो जन्मों-जन्मों तक, अहंकार भरता ही नहीं। अहंकार तो ऐसी बाल्टी है, जिसमें पेंदी है ही नहीं। तुम उसमें डालते जाओ, डालते जाओ, सब खोता चला जाता है।

मुल्ला नसरुद्दीन के पास एक युवक आया और उसने कहा कि किसी ने मुझसे कहा है कि तुम्हें ज्ञान की कुंजी मिल गई है। तो मुझे स्वीकार करो गुरुदेव, मैं आपके चरणों में रहूंगा!

मुल्ला ने कहा, कुंजी तो मिल गई है, लेकिन सीखने के लिए बड़ा धैर्य चाहिए। तो मेरी एक ही शर्त है कि धैर्य रखना पड़ेगा। और धैर्य की अगर परीक्षा में तुम खरे उतरे, तो ही मैं तुम्हें स्वीकार करूंगा।

उसने कहा, मैं तैयार हूं, परीक्षा मेरी ले लें।

मुल्ला ने कहा, अभी तो मैं कुएं पर जा रहा हूं पानी भरने, तुम मेरे साथ आ जाओ, वहीं परीक्षा भी हो जाएगी।

जब मुल्ला ने उठाई बाल्टी, तो उस युवक ने देखा उसमें पेंदी नहीं है। वह थोड़ा हैरान हुआ, मगर उसने सोचाः अपना बोलना ठीक नहीं, अभी परीक्षा का वक्त है। अब यह जो कर रहा है करने दो; मगर यह आदमी पागल मालूम होता है। रस्सी इत्यादि ले कर और बिना पेंदी की बाल्टी लेकर यह जा कहां रहा है! शिष्य बड़ा बेचैन तो हुआ, लेकिन उसने अपने को संभाले रखा। उसने कहा कि धैर्य की परीक्षा है, पता नहीं यही परीक्षा हो।

मुल्ला ने कुएं में बाल्टी फेंकी, हिला कर उसमें पानी भर लिया। तो नीचे जब

पानी में डूब गई तो भरी मालूम पड़ने लगी। वह युवक खड़ा देख रहा है। उसने कहा, हद हो रही है! यह अज्ञानी हमको ज्ञान देगा! इस मूढ़ को इतना भी पता नहीं है कि यह क्या कर रहा है! इसको ज्ञान की कुंजी मिल गई है? हम भी कहां चक्कर में पड़े जाते थे!

उसने बाल्टी खींची, बाल्टी खाली आई। मुल्ला ने कहा, मामला क्या है? फिर से पानी में डाली।

अब उसका बरदाशत करना...। वह भूल ही गया। उसने कहा कि ठहरो जी, तुम मुझे जब सिखाओगे तब सिखाओगे, कुछ मैं तुम्हें सिखा दूं, मुफ्त! यह बाल्टी कभी न भरेगी।

मुल्ला ने कहा, तुम बीच में बोले, तुमने धैर्य तोड़ दिया। तुमसे मैं इतना ही कहना चाहता हूं कि तुम्हारे अहंकार की बाल्टी की कुछ जांच-परख करोगे, कभी भरी? अब तुम भाग जाओ यहां से। मैं तुम्हें शिष्य की तरह स्वीकार नहीं करूंगा, क्योंकि तुमने नियम भंग कर दिया। तुम धैर्य तो रखते। मैं तुम्हें कुछ दिखा रहा था।

भगा दिया तो शिष्य चला गया, लेकिन रात भर सो न सका। बात तो उसे भी जंची कि बात तो यही है: कितने जन्मों से भर रहे हैं अहंकार को, भरता नहीं है; तो शायद पेंदी न होगी। यही कारण हो सकता है।

अहंकार में पेंदी है भी नहीं। तो तुम ज्ञान से भरो, धन से भरो, पद से, त्याग से, प्रेम से—किसी से भी भरो, भरेगा नहीं। अंततः अहंकार का यह न भरना ही, अहंकार की यह विफलता ही तो परमात्मा के द्वार पर लाती है। सौ-सौ चूहे खाकर बिल्ली हज को जाती है। और हज की तरफ जाने का उपाय ही नहीं है।

तो जो तुम्हें गुरु के पास ले आता है, वह भी अहंकार की विफलता ही है। लेकिन अहंकार कितना ही विफल हो जाए, आशा नहीं छोड़ता। आशा अहंकार का प्राण है। वह गुरु के पास आता है, अब वह सोचता है धर्म से भर लेंगे, ज्ञान से भर लेंगे, ध्यान से भर लेंगे। तो थोड़े दिन सरकता है। भरने की चेष्टा यहां भी करता है।

लेकिन अगर गुरु के प्रति समर्पण का सूत्र पैदा हो गया, तो अहंकार ज्यादा दिन टिकेगा नहीं। दोनों थोड़े दिन साथ रह सकते हैं, ज्यादा दिन साथ नहीं रह सकते।

रहीम का एक वचन है:

कहु रहीम कैसे निभै बेर केर को संग
वह डोलत रस आपने उनके फाटत अंग।

केले का वृक्ष और बेर का वृक्ष, दोनों का साथ-साथ होना ज्यादा दिन चल नहीं सकता।

कहु रहीम कैसे निभै बेर केर को संग
वह डोलत रस आपने...
बेर तो अपने आनंद में मग्न हो कर डोलता है।
उनके फाटत अंग।

लेकिन उसकी शाखाओं के छूने, कांटों के छूने से केले के तो पत्ते फट जाते हैं। कोई केले के पत्ते फाड़ने के लिए बेर कोई चेष्टा करता नहीं; वह तो अपने रस में डोलता है; हवाएं आ गईं सुबह की, मग्न हो कर नाचने लगता है। लेकिन उसका नाचना ही केले की मौत होने लगती है।

अगर तुम्हारे भीतर अहंकार भी है—जो कि स्वाभाविक है, और तुम्हारा सदगुरु के प्रति प्रेम भी है—जो कि बड़ा अस्वाभाविक; जो कि बड़ी महत्वपूर्ण घटना है, बड़ी अद्वितीय घटना है, अपूर्व घटना है, क्योंकि अपने प्रति प्रेम का नाम तो अहंकार है, किसी और के प्रति प्रेम का नाम निरहंकार है। और सदगुरु के प्रति प्रेम का तो अर्थ है कि जहां से तुम्हारे अहंकार को तृप्त करने का कोई भी मौका न मिलेगा। अगर तुम सदगुरु के समर्पण में, सदगुरु के सत्संग में नाचने लगे, मदमस्त होने लगे, तो ज्यादा दिन यह अहंकार टिकेगा नहीं, यह तो केर-बेर का संग हो जाएगा। इसके तो पत्ते अपने से फट जाएंगे। यह तो अपने से **नष्ट** हो जाएगा।

तुम इस पर विचार भी मत दो, इसका ध्यान भी मत करो, इसकी चिंता भी न लो। तुम तो डूबो सत्संग में, समर्पण में। यह धीरे धीरे अपने से विदा हो जाएगा। इसे विदा करने की चेष्टा भी मत करना। क्योंकि इस पर ध्यान देना ही खतरनाक है। इसकी उपेक्षा ही इससे मुक्ति का उपाय है। रहने दो, जब तक है ठीक है। तुम इसकी फिक्र मत करो। तुम तो अपनी सारी ऊर्जा समर्पण में डालो।

जैसे कोई आदमी सीढ़ी चढ़ता है, तो तुमने देखा, एक पैर पुरानी सीढ़ी पर होता है, एक पैर नई सीढ़ी पर रखता है! फिर जब नई सीढ़ी पर पैर जम जाता है, तो पिछले पैर को उठा लेता है, फिर नये पैर को आगे की सीढ़ी पर रखता है। लेकिन ऐसी बहुत घड़ियां होती हैं, जब एक पैर पुरानी सीढ़ी पर होता है और एक नई सीढ़ी पर होता है—तभी तो गति होती है।

अहंकार तुम्हारी अब तक की सीढ़ी है; समर्पण तुम्हारा पैर है—नये की तलाश में। जब तक नये पर पैर न पड़ जाए, तब तक पुराने से पैर हटाया भी नहीं जा सकता—हटाना भी मत, नहीं तो मुंह के बल गिरोगे। जब पैर जम जाए नई सीढ़ी पर, तो फिर उठा लेना, फिर कोई डर नहीं है। एक बार पैर को समर्पण में जम जाने दो, अहंकार से उठ जाने में ज्यादा अड़चन न आएगी।

लेकिन जल्दी की भी कोई जरूरत नहीं है। चीजों को उनके स्वाभाविक ढंग से धैर्यपूर्वक होने दो। इससे चिंता मत लेना कि मुझमें अहंकार है तो कैसे समर्पण होगा?

कमरे में अंधेरा होता है तो तुम यह पूछते हो कि कमरे में इतना अंधेरा है, और दिन दो दिन का नहीं, जन्मों-जन्मों का है, न मालूम कब से है, यहां दीया जलाएंगे छोटा सा—जलेगा? इतने अंधकार में दीया जलेगा? ऐसा तुम पूछते नहीं, क्योंकि तुम जानते हो अहंकार या अंधकार कितना ही सदियों पुराना हो, उसका कोई अस्तित्व नहीं है। दीया जले—बोध का, समर्पण का, प्रेम का तो जैसे अंधकार दीये के जलने पर विसर्जित हो जाता है, ना-नुच भी नहीं करता; यह भी नहीं कहता खड़े हो कर कि यह क्या अन्याय हो रहा है; मैं इस कमरे में हजारों साल से था और आज तुम अचानक आ गए मेहमान की तरह और मुझे निकलना पड़ रहा है; मैं मेजबान हूं, तुम मेहमान हो; दीया अभी जला है, मैं कब से यहां मौजूद हूं! नहीं, अंधकार शिकायत भी नहीं करता, कर ही नहीं सकता। अंधकार का कोई बल थोड़े ही है! वह तो था ही इसलिए कि दीया नहीं था। अब दीया आ गया, अंधकार गया।

तो अगर तुम्हारे भीतर समर्पण का भाव पैदा हो गया है तो घबड़ाओ मत। अहंकार कितना ही प्राचीन हो, इस समर्पण की नई सी फूटती कोंपल के सामने भी टिक न सकेगा। यह छोटी सी जो ज्योति तुम्हारे भीतर समर्पण की पैदा हुई है, यह पर्याप्त है। यह सदियों पुराने, जन्मों पुराने अहंकार को जला कर राख कर देगी। इसका बल बड़ा है। इसका बल तुम्हें पता नहीं है, इसलिए चिंता उठती है। और इस चिंता में तुम कहीं भूल मत कर बैठना, तुम इस चिंता में कहीं अहंकार के संबंध में बहुत विचार मत करने लगना कि कैसे इसे छोड़ें, कैसे इसे हटाएं! इस चिंता में वह जो ऊर्जा दीये को जलाने में लगनी चाहिए थी, वह खंडित हो जाएगी।

तुम तो समग्र भाव से, सब चिंताएं छोड़ कर समर्पण में अपनी ऊर्जा को उंडेले चले जाओ। वही तो ऊर्जा है; जब सारी की सारी समर्पण में समाविष्ट हो जाएगी तो अहंकार के लिए कुछ भी न बचेगा। अहंकार अपने से चला जाता है।

तीसरा प्रश्न : मेरे जीवन के कोरे कागज पर आपने क्या लिख दिया कि मेरा जीवन ही बदल गया? जिस प्रेम और आनंद की तलाश मुझे जन्मों से थी, वह प्रेम और आनंद मुझे अयाचित गुरु-प्रसाद के रूप में मिल गया। मैं तो इसका पात्र भी नहीं था। प्रभु, जो संपदा आपने मुझे दी है, उसको मैं बांटना चाहता हूं। कृपा कर निर्देश और आशीष दें।

पहली तो बात, तुम्हारे जीवन के कोरे कागज पर मैंने कुछ लिखा नहीं। तुम्हारे जीवन का कागज कोरा नहीं था, उसे कोरा किया। इस भ्रांति को पालना मत, अन्यथा ज्ञान की जगह जानकारी में जकड़ जाओगे।

मैंने तुम्हारे जीवन के कागज पर कुछ लिखा नहीं; तुमने लिख लिया हो, तो मेरी कोई जिम्मेवारी नहीं। मेरी तो सारी चेष्टा तुम्हारे जीवन के कागज पर जो-जो तुमने लिख रखा है, उसको पोंछ डालने की है। मैं तुम्हारी सारी जानकारी छीन लेना चाहता हूं। मैं तुम्हें निपट निर्वेद की दशा में छोड़ देना चाहता हूं। निर्वेद ही निर्वाण है। और वही हुआ भी है। लेकिन तुम्हारी पुरानी आदत देखने और सोचने की गलत व्याख्या किए चली जाती है। वही हुआ भी है।

तुम कहते हो : 'मेरे जीवन के कोरे कागज पर आपने क्या लिख दिया कि मेरा जीवन ही बदल गया?'

मैंने कुछ भी नहीं लिखा है क्योंकि लिखने से कभी किसी का जीवन बदला नहीं। लिखने से तो जो लिखा था, उसमें ही और थोड़ा जुड़ जाता है। सब लिखा हुआ फुटनोट सिद्ध होता है। तुम्हारी किताब बहुत पुरानी है। तुम बड़ा शास्त्र लिए बैठे हो, बड़ी बही-खाता! इसमें मैं कुछ लिखूंगा तो वह भी एक फुटनोट बनेगा; इससे ज्यादा कुछ होने वाला नहीं है। तुम्हारा लिखा हुआ तो तुम्हारा पूरा अतीत है। इसमें मैं लिखूंगा भी तो वह खो जाएगा। नहीं, लिखने का मैं प्रयास भी नहीं कर रहा हूं।

शिक्षक और गुरु में यही फर्क है। शिक्षक लिखता है; गुरु मिटाता है। शिक्षक सिखाता है; गुरु, जो तुम सीख चुके हो, उससे तुम्हें मुक्त करता है। शिक्षक ज्ञान देता है; गुरु ज्ञान के ऊपर उठने की कला देता है। शिक्षक गुरु नहीं है; गुरु शिक्षक नहीं है। इन शब्दों का बड़ा भिन्न आयाम है।

शिक्षक वह, जो तुम्हें शिक्षा दे, संस्कार दे, अनुशासन दे, जीवन-व्यवस्था, शैली दे! शिक्षक वह, जो तुम्हें कुछ दे, तुम्हें भरे! शिक्षक वह, जो तुम्हारे भीतर उंडेलता जाए और तुम्हें भर दे, और तुम्हें यह भ्रांति देने लगे कि तुम भी जानते हो, प्रमाण-पत्र दे दे, डिग्रियां दे दे। गुरु वही, जो तुम्हें कोरा करे; जो तुमने सीखा है, उसे कैसे अनसीखा करो, यही सिखाए।

एक जर्मन विचारक रमण महर्षि के पास आया। और उसने कहा कि मैं बड़ी दूर से आया हूं और आपसे कुछ सीखने की आशा है। रमण ने कहा, फिर तुम गलत जगह आ गए। हम तो यहां सीखे को भुलाते हैं। अगर सीखना है तो कहीं और जाओ। यहां तो जब भूलने की तैयारी हो, तब आना।

लेकिन वही हुआ है, जो मैं कह रहा हूं। क्योंकि अगर वह नहीं हुआ होता, तो वह जो तुम्हें जीवन की बदलाहट मालूम हो रही है, वह बदलाहट नहीं हो सकती थी। तुम्हारे पुराने जाल में कुछ भी जोड़ दो, तुम्हारे पुराने खंडहर में कुछ भी जोड़ दो—कुछ फर्क होने वाला नहीं; तुम्हारा खंडहर, खंडहर रहेगा। तुम्हारी प्राचीनता बड़ी है; उसमें कुछ भी नया जोड़ा जाए, वह खो जाएगा। वह तो ऐसा है कि जैसे सागर में कोई एक चम्मच शक्कर डाल दे और आशा करे कि सागर मीठा हो जाएगा। तुम्हारे भीतर शक्कर डालने का सवाल नहीं है—तुम्हारे भीतर से तो कैसे तुम्हारे विष को बाहर किया जाए…। और तुम अब तक जो भी रहे हो, गलत रहे हो। जो भी तुमने किया है और सोचा है वह सब गलत हुआ है तुम्हारा जीवन सिर्फ एक समस्या है। तुमने जीवन के रहस्य को जाना नहीं और न जीवन के उत्सव में तुम प्रविष्ट हुए हो। तुम तो समस्याओं के जंगल में खो गए हो।

मैं तुम्हें सिद्धांत नहीं दे रहा हूं। मैं तुम्हारी समस्याएं छीन रहा हूं। पर तुम्हारी व्याख्या स्वाभाविक है। जो घटेगा नया, उसको भी तो तुम पुरानी ही आंखों से देखोगे।

तो तुम कहते हो : 'मेरे जीवन के कोरे कागज पर आपने क्या लिख दिया कि मेरा जीवन ही बदल गया?'

जीवन बदला है, क्योंकि तुम्हारे जीवन के कागज से मैंने कुछ लिखावटें छीन ली हैं; तुम्हें थोड़ी जगह दी; तुम्हें थोड़ा रिक्त स्थान दिया; तुम्हारे भीतर के कूड़े-कबाड़ को थोड़ा कम किया; तुम्हें थोड़ा अवकाश दिया है। उसी अवकाश में उतरता है परमात्मा। जब तुम बिलकुल खाली होते हो, तो परमात्मा उतरता है। जब तक तुम भरे होते हो, तब तक उसको जगह ही नहीं कि उतर आए।

वर्षा होती है, देखा? पहाड़ों पर भी होती है; लेकिन पहाड़ खाली रह जाते हैं, क्योंकि पहले से ही भरे हैं। फिर खाई-खड्डों में होती है तो झीलें बन जाती हैं; क्योंकि खाई-खड्डे खाली थे, जगह थी, तो पानी भर जाता है। परमात्मा तो बरस ही रहा है, सब पर बरस रहा है, जितना मुझ पर उतना तुम पर; लेकिन अगर तुम भरे हो तो तुम खाली रह जाओगे, अगर तुम खाली हो तो भर दिए जाओगे।

इस जीवन के रहस्यपूर्ण नियम को ठीक से खयाल में ले लेना। अगर तुम भरे हो पहाड़ की तरह और तुम्हारा अहंकार पहाड़ के शिखर की तरह अकड़ा खड़ा है,

तो परमात्मा बरसता रहेगा और तुम वंचित रह जाओगे। तुम बन जाओ झील की तरह, खाई-खड्डों की तरह, निर-अहंकार, विनम्र, ना-कुछ, दावेदार नहीं, सिर्फ शून्य के उदघोषक—और परमात्मा तुम्हें भर देगा। तुम मिटो!

यही तो अष्टावक्र ने कहा कि जब तक 'मैं हूं', तब तक सत्य नहीं। जहां 'मैं' न रहा, वहीं सत्य उतर आता है।

मेरी पूरी चेष्टा तुम्हें यह अदभुत कला सिखाने की है कि तुम कैसे मिटो, कि तुम कैसे मरो। इसलिए तो मैं कहता हूं: मैं मृत्यु सिखाता हूं। क्योंकि वही द्वार है परम जीवन को पाने का। इससे ही बदलाहट की किरण तुम्हारे भीतर आई है।

'जिस प्रेम और आनंद की तलाश मुझे जन्मों से थी, वह प्रेम और आनंद मुझे अयाचित गुरु-प्रसाद के रूप में मिल गया।'

अयाचित ही मिलता है। याचना से कुछ मिले, दो कौड़ी का है। मांग कर कुछ मिले, मूल्य न रहा। बिन मांगे मिले, तो ही मूल्यवान है।

ध्यान रखना, इस जगत में भिखारी की तरह तुम अगर मांगते रहे, मांगते रहे...वही तो वासना है। वासना का अर्थ क्या है? मांग। तुम कहते हो: यह मिले, यह मिले, यह मिले! तुम जितना मांगते हो, उतना ही बड़ा भिखमंगापन होता जाता है, और उतना ही जीवन तुम्हें लगता है विषाद से भरा हुआ। तुम जो मांगते हो, मिलता नहीं मालूम होता।

स्वामी राम ने कहा है कि एक रास्ते से मैं गुजरता था। एक बच्चा बहुत परेशान था। सुबह थी, धूप निकली थी, सर्दी के दिन थे और बच्चा आंगन में खेल रहा था। वह अपनी छाया को पकड़ना चाहता था। तो उचक-उचक कर छाया को पकड़ रहा था। बार-बार थक जाता था, दुखी हो जाता था, उसकी आंख में आंसू आ गए, फिर छलांग लगाता। लेकिन जब तुम छलांग लगाओगे, तुम्हारी छाया भी छलांग लगा जाती है। वह छाया को पकड़ने की कोशिश करता है, छाया नहीं पकड़ पाता है। राम खड़े देख रहे हैं, खिलखिला कर हंसने लगे। उस बच्चे ने राम की तरफ देखा। वे बड़े प्यारे संन्यासी थे, अदभुत संन्यासी थे! वे उस बच्चे के पास गए। उन्होंने कहा, जो मैं करता रहा जन्म-जन्म, वही तू कर रहा है। फिर मैंने तो तरकीब पा ली, मैं तुझे तरकीब बता दूं?

वह छोटा सा बच्चा रोता हुआ बोला: बताएं, कैसे पकड़ूं?

राम ने उसका हाथ उठा कर उसके माथे पर रख दिया। देखा उधर छाया पर भी उसका हाथ माथे पर पड़ गया। वह बच्चा हंसने लगा। वह प्रसन्न हो गया।

उस बच्चे की मां ने राम से कहा, आपने हद कर दी! आपके बच्चे हैं?

राम ने कहा, मेरे बच्चे तो नहीं। लेकिन जन्मों-जन्मों का यही अनुभव मेरा

भी है। जब तक दौड़ो, पकड़ो—हाथ कुछ नहीं आता। जब अपने पर हाथ रख कर बैठ जाओ, हाथ फैलाओ ही मत, मांगो ही मत, दौड़ो ही मत, छीना-झपटी छोड़ो—सब मिल जाता है।

राम ने कहा, मैंने एक घर क्या छोड़ा, सारा विश्व मेरा हो गया। एक कुटिया, एक आंगन क्या छोड़ा, सारा आकाश मेरा आंगन हो गया। अब चांद-तारे मेरे आंगन में चलते हैं, सूरज मेरे आंगन में निकलता है।

तुम्हारे जीवन में जो भी महत्वपूर्ण घटेगा, अयाचित घटेगा। और नहीं घट रहा है, क्योंकि तुम याचना से भरे हो; तुम्हारी याचना ही अवरोध बन रही है। मांगो मत। अगर चाहते हो तो मांगो मत। अगर चाहते हो तो चाहो मत। होगा, अपने से हो जाता है। यह तुम्हीं थोड़े ही परमात्मा को तलाश रहे हो, परमात्मा भी तुम्हें तलाश रहा है। अगर तुम्हीं तलाश रहे होते तो खोजना मुश्किल था। अगर वह छिप रहा होता तो खोजना मुश्किल था। कैसे तुम तलाशते? कुछ पता-ठिकाना भी तो नहीं उसका। वह भी तुम्हें तलाश रहा है। उसके भी अदृश्य हाथ तुम्हारे आसपास आते हैं, मगर तुम्हें मौजूद ही नहीं पाते। तुम कुछ और ही खोज में निकल गए हो।

दो मित्र एक सुबह मिले। एक ने कहा, रात मैंने सपना देखा कि गांव में जो प्रदर्शनी, नुमाइश लगी है, मैं उसे देखने गया हूं। बड़ा मजा आया सपने में, नुमाइश गया हूं देखने, बड़ा मजा आया। दूसरे ने कहाः अरे इसमें क्या रखा है, रात मैंने सपना देखा कि हेमामालिनी और मैं दोनों एक नाव पर सवार, पूर्णिमा की रात—शरदपूर्णिमा!

मित्र जरा उदास हो गया। उसने कहा कि अरे, तो तुमने मुझे क्यों नहीं बुलाया?

तो उसने कहा, मैं गया था, तुम्हारी मां ने कहा कि वह तो नुमाइश में गया है।

परमात्मा तुम्हारे पास आता है, लेकिन तुम कहीं और हो, तुम कभी घर मिलते नहीं, तुम कोई और सपना देख रहे हो, तुम किसी नुमाइश में गए हो, तुम किसी मेले में भटक रहे हो। तुम वहां तो होते ही नहीं जहां तुम दिखाई पड़ते हो। और परमात्मा अभी तक नहीं समझ पाया और कभी नहीं समझ पाएगा, क्योंकि परमात्मा तो वहीं होता है जहां दिखाई पड़ता है। वह अभी भी नहीं समझ पाया कि यह असंभव कैसे घट रहा है, कि आदमी जहां दिखाई पड़ता है वहां होता नहीं! वह तुम्हें वहीं खोजता है—अपने सीधे सरलपन में, जहां तुम दिखाई पड़ते हो; लेकिन वहां तुम होते नहीं। बैठे पूना में हो सकते हो, और होओ दिल्ली में। हो सकते हो कि बैठे दफ्तर के बाहर एक छोटे से मूढ़े पर—चपरासी—और सोच रहे हो कि राष्ट्रपति हो गए हो।

तो जो तुम सोच रहे हो, वहीं तुम्हारा होना है। यहां तो देह बैठी है मुर्दे की भांति; लेकिन परमात्मा यहीं खोजेगा। और तुम्हारा मन याचनाओं के जाल में भागा हुआ है—भविष्य में। न मालूम कहां-कहां पर मारते हो तुम! जिस दिन तुम कुछ न.मांगोगे, उस दिन एक क्रांति घटती है; उस दिन तुम अपने घर होते हो। जब मांग ही नहीं रही तो कहीं जाना न रहा। मांग ले जाती है, दूर-दूर भटकाती है—चांद-तारों में, भविष्य में, स्वर्ग-नरकों में।

मांग के, याचना के कारण ही समय पैदा होता है। मैं जब कहता हूं मांग के कारण समय पैदा होता है, तो तुम घड़ी के समय की मत सोचना। घड़ी का समय तो अलग बात है; लेकिन तुम्हारे अंतस-जगत में जो समय है, जो काल की घटना घटती है, वह याचना के कारण घटती है। तुम मांगते हो, इसलिए भविष्य पैदा होता है। अगर तुम मांगो न तो कैसा भविष्य? अगर तुम कल के संबंध में न सोचो तो कैसा कल? तो फिर सिर्फ आज है; आज भी कहना ठीक नहीं—'अभी' है—यही क्षण! बस एक क्षण ही सदा है—यही क्षण! यही शाश्वत है।

अयाचित मिलता है परमात्मा। क्योंकि जब तुम याचना नहीं करते, समय मिट जाता है, समय में भटकने के सपने मिट जाते हैं। जब तुम याचना नहीं करते, तब तुम ठीक वहां होते हो जहां तुम हो; तुम अपने केंद्र पर होते हो। वहीं परमात्मा का हाथ तुम्हें खोज सकता है और कहीं नहीं खोज सकता।

इसलिए अष्टावक्र ने कहाः जो जैसा है, उसे वैसा ही जान लेना। जो प्राप्त है, उस प्राप्त में संतुष्ट हो जाना। तो फिर तुम वहीं रहोगे, जहां तुम हो। जो प्राप्त है, उसमें संतुष्ट; और जो जैसा है उसका वैसा ही स्वीकार; न सुख की आकांक्षा, न दुख से बचने का उपाय; सुख है तो सुख है, दुख है तो दुख है—तुम साक्षी-मात्र! इस घड़ी में अयाचित स्वर्ग का राज्य तुम पर बरस उठता है। तुम थोड़े ही स्वर्ग के राज्य में जाते हो; स्वर्ग का राज्य तुम पर बरस जाता है।

'अयाचित गुरु-प्रसाद के रूप में मिल गया।'

और गुरु तो केवल द्वार है अगर तुम गुरु के पास झुके तो तुम द्वार के पास झुके। गुरु कोई व्यक्ति नहीं है और गुरु को भूल कर भी व्यक्ति की तरह सोचना मत; अन्यथा, गुरु को तुमने व्यक्ति सोचा कि दीवाल बना लिया।

गुरु व्यक्ति नहीं है। गुरु तो एक घटना है, एक अपूर्व घटना है! उसके पास झुक कर अगर तुमने देखा तो तुम गुरु के आर-पार देख पाओगे। गुरु है ही नहीं-नहीं है, इसीलिए गुरु है। उसके न होने में ही उसका सारा राज है। तुम अगर गुरु में गौर से देखोगे तो तुम पाओगे पारदर्शी है। जैसे कांच के आर-पार दिखाई पड़ता

है। शुद्ध कांच! पता भी नहीं चलता कि बीच में कुछ है—ऐसा गुरु है पारदर्शी व्यक्तित्व। ठोस नहीं है उसके भीतर कुछ भी।

अगर तुमने गुरु में गौर से देखा…और गौर से तो तुम तभी देखोगे जब तुम्हारे भीतर प्रेम और समर्पण होगा, श्रद्धा होगी, भरोसा होगा—तो तुम आंखें गड़ा कर गौर से देखोगे, तुम गुरु पर ध्यान करोगे।

तुमने सुनी है गुरु पर ध्यान करने की बात, लेकिन अर्थ शायद तुमने कभी न समझा हो। गुरु पर ध्यान करने का मतलब होता है कि अपने गुरु का नाम जपो?—नहीं। गुरु पर ध्यान करने का मतलब यह नहीं होता कि गुरु का फोटो रख लो और उसको देखो। नहीं, गुरु पर ध्यान करने का अर्थ होता हैः गुरु को देखो—और देखो उसके न होने को कि वह है नहीं। देखो उसके भीतर जो शून्य घना हो कर उपस्थित हुआ है; जो अनुपस्थिति उपस्थित हुई है, उसे देखो! और उस देखने में, देखने में से, अचानक तुम्हें परमात्मा की झलक मिलनी शुरू हो जाएगी। गुरु द्वार है।

जीसस ने कहा हैः 'मैं हूं द्वार! मैं हूं मार्ग!' ठीक कहा है। जिनसे कहा था, वे शिष्य थे; उनके लिए ही कहा था।

जो भी तुम्हें गुरु जैसा लगे, जो तुम्हारे मन को भा जाए, फिर उस पर ध्यान करने लगना। इस ध्यान की प्रक्रिया को हम सत्संग कहते रहे हैं। सत्संग का अर्थ होता हैः गुरु के पास बैठ जाना और चुपचाप बैठे रहना; देखना; झांकना; अपने को शांत करके, विचार-शून्य करके, खाली करके गुरु की मौजूदगी का आनंद लेना, स्वाद लेना! गुरु का स्वाद-सत्संग—धीरे-धीरे चखना! धीरे-धीरे गुरु की मधुरिमा तुममें व्याप्त होती जाए! धीरे-धीरे गुरु तुम्हारे भीतर उठने लगे, तुम्हारे कंठ से तुम्हारे हृदय में जाने लगे!

एक मुसलमान फकीर बायजीद एक मरघट से निकलता था। अचानक उसे ऐसा भास हुआ कि कोई उससे कहता है हृदय के अंतरतम से कि रुक जा! इस मरघट में कुछ होने को है। तो उसने और मित्रों को विदा कर दिया। मित्रों ने कहा भी कि यह मरघट है, यह कोई रुकने की जगह नहीं, रात तकलीफ में पड़ जाओगे, भूत-प्रेत होते हैं। उसने कहा कि भीतर मुझे कुछ कहता है, रुक जा! आप लोग जाएं।

वे तो वैसे भी नहीं रुकना चाहते थे, मरघट में कौन रुकना चाहता था! लेकिन अकेला बायजीद रुक गया। फिर भीतर से उसको आवाज हुई कि इसके पहले कि सूरज ढल जाए, तू बहुत सी खोपड़ियां इकट्ठी कर ले। थोड़ा भयभीत भी हुआ कि यह मामला क्या है! यह कोई भूत-प्रेत तो नहीं, जो मुझे इस तरह के सुझाव दे रहा है! लेकिन उसने कहा, मेरा अगर परमात्मा पर भरोसा है तो वह जाने।

उसने कुछ खोपड़ियां इकट्ठी कर लीं। जब वह खोपड़ियां इकट्ठी कर रहा था तो भीतर से आवाज हुई : एक-एक खोपड़ी को गौर से देख। तो उसने कहा, खोपड़ी में गौर से देखने को क्या है? सभी खोपड़ियां एक जैसी होती हैं। फिर भी आवाज हुई कि कोई खोपड़ी एक जैसी नहीं होती। दो आदमी एक जैसे नहीं होते तो दो खोपड़ियां कैसे एक जैसी हो सकती हैं? देख, गौर से देख!

उसने एक-एक खोपड़ी को गौर से देखा, वह बड़ा चकित हुआ। कुछ खोपड़ियां थीं, जिनके दोनों कान के बीच में दीवाल थी—तो एक कान में कुछ पड़े तो दूसरे कान तक नहीं पहुंचे। कुछ खोपड़ियां थीं, जिनके दोनों कान के बीच में सुरंग थी—एक कान में पहुंचे तो दूसरे कान तक पहुंच जाए। और कुछ खोपड़ियां थीं, जिनमें न केवल दोनों कानों के बीच में सुरंग थी, बल्कि उस सुरंग के मध्य से एक और सुरंग आती थी जो हृदय तक चली गई थी, जो नीचे कंठ में उतर गई थी। वह बड़ा हैरान हुआ। उसने कहा, हम तो सोचते थे सभी खोपड़ियां एक जैसी होती हैं। हे प्रभु! अब इसका अर्थ और बता दो!

तो उसने कहा, पहली खोपड़ियां उन लोगों की हैं, जो सुनते मालूम पड़ते थे, लेकिन जिन्होंने कभी सुना नहीं। दूसरी खोपड़ियां उन लोगों की हैं, जो सुनते थे, लेकिन दूसरे कान से निकाल देते थे—जिन्होंने कभी गुना नहीं। और तीसरी खोपड़ियां उन लोगों की हैं, जिन्होंने सुना और जो हृदय में पी गए। ये तीसरी खोपड़ियां सत्संगियों की हैं।

जब मैंने बायजीद के जीवन में यह उल्लेख पढ़ा तो बड़ा प्यारा लगा : तीसरी खोपड़ियां सत्संगियों की हैं! ये समादर योग्य हैं!

सत्संग का अर्थ होता है : गुरु के पास। अगर बोले गुरु तो उसके शब्द सुनना; अगर न बोले तो उसका मौन सुनना। कुछ करने को कहे तो कर देना; कुछ न करने को कहे तो न करना। गुरु के पास होना। इस पास होने को अपने भीतर उतरने देना। वह जो गुरु की तरंग है, उस तरंग के साथ तरंगित होना। वह जो गुरु की भाव-दशा है, थोड़े-थोड़े उसके साथ उड़ना।

तुमने देखा, छोटे-छोटे पक्षियों को उनके मां-बाप अपने साथ उड़ाते हैं! उनके पंख अभी कमजोर हैं, लेकिन मां-बाप साथ जा रहे हैं तो वे भी हिम्मत करते हैं। थोड़ी दूर जाते हैं, फिर थक कर लौट आते। फिर दूसरे दिन और थोड़ी दूर जाते, फिर थक कर लौट आते। फिर तीसरे दिन और थोड़ी दूर जाते। एक दिन, दूर सारा आकाश उनका अपना हो जाता है। फिर मां-बाप के साथ जाने की जरूरत भी नहीं होती, फिर वे अकेले जाने लगते हैं।

ऐसा ही है परमात्मा का अनुभव। गुरु के साथ थोड़ा-थोड़ा उड़ कर तुम्हारे

पंख मजबूत हो जाएं। थोड़ा-थोड़ा जाते-जाते, तुम्हारी हिम्मत बढ़ती जाएगी। श्रद्धा, स्वयं पर भरोसा पैदा होगा। एक दिन गुरु की कोई जरूरत न रह जाएगी—तुम्हारे भीतर का गुरु जग गया! बाहर का गुरु तो भीतर के गुरु को जगाने का एक उपाय मात्र है।

'जन्मों-जन्मों से जिसकी मुझे खोज थी, वह प्रेम और आनंद मुझे अयाचित गुरु-प्रसाद के रूप में मिल गया।'

अगर तुम याचना-शून्य हो तो मिलेगा। अगर तुम गुरु के पास हो तो प्रसाद बरसेगा। पास होने से ही बरसता है; कुछ करने की बहुत बात नहीं है। कोई पहुंच गया, उसकी मौजूदगी में तुम्हारा जीवन भी उस धारा में बहने लगता है। कोई पहुंच गया है, उसके साथ-साथ तुम भी उठने लगते हो आकाश की तरफ; गुरुत्वाकर्षण का वजन तुम पर कम होने लगता है। कोई उड़ चुका! किसी ने जान लिया कि उड़ने की घटना होती है, घटती है! किसी का सारा आकाश अपना हो गया! उसकी मौजूदगी में तुम भी अपने पंख धीरे-धीरे फड़फड़ाने लगते हो। बस इतना ही।

'मैं तो इसका पात्र भी नहीं था।'

जब भी यह घटना घटेगी, तो निश्चित यह भी अनुभव में आएगा कि मैं इसका पात्र नहीं था। क्योंकि परमात्मा इतनी बड़ी घटना है कि कोई भी उसका पात्र नहीं हो सकता। जो कहे कि मैं पात्र था, उसे तो परमात्मा घटता ही नहीं। अपात्र को घटता नहीं, क्योंकि अपात्र तैयार नहीं। सुपात्र को घटता है, लेकिन तभी, जब सुपात्र कहता है: मैं बिलकुल अपात्र हूं। यह विरोधाभास देखते हो! अपात्र को घटता नहीं; क्योंकि उसका पात्र तैयार नहीं, फूटा है, जगह-जगह से टूटा है; अगर ठीक भी है, तो उल्टा रखा है। बरसते रहो लाख उस पर, सब बह जाएगा, उसमें न भरेगा। या, सीधा भी रखा है तो ढक्कन बंद है। उसका ढक्कन भीतर न जाने देगा; खुला नहीं है; कुछ भीतर लेने को राजी नहीं है।

अपात्र को तो कभी परमात्मा नहीं घटता; सुपात्र को घटता है। सुपात्र का अर्थ है, जिसमें छिद्र नहीं! सुपात्र का अर्थ है, जो उलटा नहीं रखा। सुपात्र का अर्थ है, जो सीधा रखा है। सुपात्र का अर्थ है, जिसका ढक्कन खुला है, ढक्कन बंद नहीं। बस, यही तो शिष्यत्व है। लेकिन, सुपात्र का एक अनिवार्य अंग है: यह भाव कि मैं बिलकुल अपात्र हूं। मैं इतना छोटा सा पात्र, इतनी बड़ी घटना मुझमें घटेगी कैसे! तुम सीधे भला रखे रहो, ढक्कन खोल कर रखे रहो, छिद्र भी नहीं है, तो भी इतनी बड़ी घटना मुझमें घट सकती है—यह कभी भरोसा नहीं आता। जब घट जाता है, तब भी भरोसा नहीं आता।

सूफी फकीर कहते हैं कि संसार से परमात्मा को जोड़ने वाला जो सेतु है,

उसके इस पार खड़े हो कर भरोसा नहीं आता कि यह सेतु दूसरी पार जाता होगा, क्योंकि दूसरा पार दिखाई ही नहीं पड़ता! यह सेतु कहीं रास्ते में ही त्रिशंकु की तरह अटका तो नहीं देगा? क्योंकि दूसरा किनारा तो दिखाई ही नहीं पड़ता है।

और जब कोई उस सेतु पर चढ़ कर दूसरे किनारे पर पहुंच जाता है, तब भी यह भरोसा नहीं आता। क्योंकि अब पहला किनारा दिखाई नहीं पड़ता। अब शक-सुबहा होने लगता है कि पहला किनारा था भी! घटना इतनी बड़ी है—इस तरफ से भी समझ में नहीं आती, उस तरफ से भी समझ में नहीं आती। घटना इतनी बड़ी है! समझ से बड़ी है, इसलिए समझ में नहीं आती। पात्र छोटा है; जो प्रसाद बरसता है, वह बहुत बड़ा है। पात्र की सीमा है; प्रसाद है असीम, अनिर्वचनीय, अव्याख्य।

इसलिए सुपात्र की अनिवार्य शर्त है इस बात का बोध कि मैं तो अपात्र हूं। जो दावेदार बना, वह परमात्मा से चूका। जिसने कहा मुझे मिलना चाहिए—क्योंकि देखो कितनी मैंने की तपश्चर्या, कितने उपवास, कितने व्रत, कितने नियम, कितने अनुशासन, कितना ध्यान, कितनी नमाज, कितनी प्रार्थना; मुझे मिलना चाहिए; यह मेरा हिसाब है; मेरे साथ अन्याय हो रहा है; यह देखो तो मैंने क्या-क्या किया—वह चूक जाएगा। उसके इस दावे में ही चूक जाएगा, क्योंकि दावा क्षुद्र का है।

तुमने कितने बार सिर झुकाया, इससे क्या लेना-देना? परमात्मा के मिलने से क्या संगति है कि तुमने नमाज में बहुत सिर झुकाया? कवायद हो गई होगी तो उसका तुम्हें लाभ भी मिल गया होगा! कि तुमने योगासन किए, तो ठीक, तुम थोड़े ज्यादा दिन जिंदा रह लिए होओगे! कि तुमने प्रार्थना की तो प्रार्थना का मजा ले लिया होगा। प्रार्थना का संगीत है, उसमें थोड़ी देर तुम प्रफुल्लित हो लिए होओगे। और क्या चाहिए? तुमने जो किया, उससे कुछ दावा नहीं बनता। इसलिए जो दावेदार हैं, वे चूक जाते हैं। यहां तो गैर-दावेदार पाते हैं।

तो तुम पथ के दावेदार मत बनना। तुम यह तो कहना ही मत कभी भूल कर कि अब मुझे मिलना चाहिए; जो मैं कर सकता था, कर चुका। वही बाधा हो जाएगी—वह भाव! तुम तो यही जानना कि मेरे किए क्या होगा! करता हूं, क्योंकि बिना किए नहीं रहा जाता। कुछ करता हूं, लेकिन मेरे किए होना क्या है! मेरे हाथ छोटे हैं; जो पाना है, बहुत विराट है! मेरी मुट्ठी में कैसे समाएगा?

मैंने सुना है, एक कवि हिमालय की यात्रा को गया। उसने पहाड़ों से उतरते ग्लेशियर, उनकी सरकती हुई मरमर ध्वनि सुनी। वह अपनी प्रेयसी के लिए एक बोतल में ग्लेशियर का जल भर लाया। घर आ कर जब बोतल से जल उंडेला तो घुप्प-घुप्प, इसके सिवा कुछ आवाज न हुई। उसने कहा, यह मामला क्या है?

क्योंकि जब मैंने ग्लेशियर में देखा था उतरती पहाड़ से जलधार, बहती जलधार में बर्फ की चट्टानें, तो ऐसा मधुर रव था—वह कहां गया?

तुम कोशिश करके देख सकते हो। गए समुद्र के तट पर, देखीं समुद्र की उत्तुंग लहरें, टकरातीं चट्टानों से, करतीं शोरगुल, देखा उनका नृत्य, आह्लादित हुए—भर लाए एक बोतल में थोड़ा सा सागर। घर आकर उंडेला—घुप्प-घुप्प! वे सारी तूफानी आवाजें, सागर का वह विराट रूप, वह तांडव-नृत्य—कुछ भी नहीं, घुप्प-घुप्प—सब खो जाता है।

हमारी बोतलें बड़ी छोटी हैं! परमात्मा का सागर सभी सागरों से बड़ा है। हमारी समझ बड़ी छोटी है। हम इस समझ में न तो अनंत सौंदर्य भर पाते, न अनंत सत्य भर पाते, न अनंत जीवन भर पाते। इसलिए दावेदार मत बनना।

यह लक्षण है शिष्य का कि वह जानता रहे कि मैं तो इसका पात्र ही नहीं—और तुम पात्र हो जाओगे। जानते-जानते कि मैं पात्र नहीं—पात्रता बड़ी होगी। तुम जिस दिन कहोगे, मैं बिलकुल अपात्र हूं—उसी क्षण घटना घट जाएगी; उसी क्षण सब तुम्हारे भीतर उतर आएगा। तुम्हारे 'न होने' में सब है! तुम्हारे 'होने' में सब अटका है।

'जो संपदा आपने मुझे दी, उसको मैं बांटना चाहता हूं। कृपापूर्वक निर्देश और आशीष दें!'

चाह मत लाओ बीच में। बांटना चाहते हो तो गड़बड़ हो जाएगी। बंटेगी। तुम प्रतीक्षा करो। जब तुम खूब भर जाओगे तो ऊपर से बहेगी। जल्दी मत करना, क्योंकि बांटने की अगर चेष्टा की तो उसी चेष्टा में तुम्हारा अहंकार फिर से खड़ा हो सकता है। और उसी चेष्टा में, जो ज्ञान की तरह बन रहा था, वह जानकारी की तरह मर जा सकता है। तुम चेष्टा मत करना, तुम प्रतीक्षा करो। जैसे अयाचित घटना घटी है, ऐसे ही अयाचित तुमसे बंटनी भी शुरू हो जाएगी। क्या होगा? एक पात्र रखा है, वर्षा का जल गिर रहा है, भर गया, भर गया, भर गया—क्या होगा फिर? फिर पात्र के ऊपर से जलधार बहेगी। बड़ी से बड़ी झीलें भर जाती हैं तो उनके ऊपर से जलधार बहने लगती है। नदियां भर जाती हैं तो बाढ़ आ जाती है।

जब तुम्हारे भीतर इतना भर जाएगा कि तुम न सम्हाल सकोगे, तब अपने से बहेगा। बस, उसकी प्रतीक्षा करो। और कोई निर्देश मैं न दूंगा, क्योंकि तुमने कोई भी चेष्टा की तो खराब कर लोगे। तुम्हारी चेष्टा विकृति लाएगी। तुम तो कहोः जब तुझे बंटना हो, बंट जाना! फिर जब बंटने लगे तो तुम रोकना मत। तुम अपने को बीच से हटा लो—न तुम बांटना, न तुम रोकना।

दो तरह के लोग हैं। कुछ हैं, जब जिनके जीवन में थोड़ी सी किरण आती है,

तो वे तत्क्षण उत्सुक होते हैं कि बांट दें। स्वाभाविक है। क्योंकि जो इतना प्रीतिपूर्ण हमें घटता है, हम चाहते हैं हमारे प्रियजनों को भी मिल जाए। यह बिलकुल मानवीय है। पति को मिला तो सोचता है पत्नी को कह दे। पत्नी को मिला तो सोचती है पति को कह दे। किसी को मिला तो सोचता है जाऊं, अपने मित्रों को खबर दे दूं कि तुम कहां भटक रहे हो? मिल सकता है, मिला है! मैं स्वाद ले कर आ रहा हूं। अब यह मैं कोई धारणा की बात नहीं कर रहा हूं, अनुभव की कह रहा हूं!

तो तुम्हारा मन होता है कि तुम कह दो जा कर। मगर गलती में पड़ जाओगे। तुमने अगर चेष्टा करके कहा, तो तुम अभी पूरे न भरे थे। और घड़ा जब तक पूरा नहीं भरता, तब तक शोरगुल करता है। जब भर जाता है, तब मौन से बहता है। मौन से ही जाने देना इस बात को। और ध्यान रखना, तुमने अगर शोरगुल किया तो अड़चन होगी।

एक बात खयाल में लो, अगर पति को मिल गई कोई बात, ध्यान की थोड़ी सी संपदा मिली, स्वाभाविक है कि चाहे कि अपनी पत्नी को दे दे। और क्षुद्र संपदाएं भी पत्नी को दी थीं, इसके मुकाबले तो क्या भेंट होगी! सोचता है अपनी पत्नी को दे दे। लेकिन अगर चेष्टा की, कि अड़चन हो जाएगी। तुम्हारी चेष्टा के कारण ही पत्नी सुरक्षा करने लगेगी, तुम पर भरोसा न करेगी। हीरे-जवाहरात तुम ले आते हो, तो वे मान लेती हैं, क्योंकि वे प्रत्यक्ष दिखाई पड़ते हैं; यह ध्यान तो तुम्हीं को अनुभव होता है, उसे तो दिखाई नहीं पड़ता। वह कहेगी: 'दिमाग खराब हो गया, होश में तो हैं? किस जाल में पड़ गए हैं?'

और पत्नियां बड़ी व्यावहारिक हैं, बड़ी पार्थिव हैं, भूमि में उनकी जड़ें हैं। आदमी तो थोड़ा आकाश में भी उड़े; उनकी भूमि में जड़ें हैं, बिलकुल व्यावहारिक हैं। वे कहेंगी: 'किस नासमझी में पड़े हो? अरे, बाल-बच्चों की फिकर करो। कहां का ध्यान? अभी धन पास नहीं है, तुम ध्यान में लग गए? और अभी तो तुम जवान हो। यह क्या झंझट कर रहे हो?' पत्नी और उपद्रव खड़े कर देगी अगर तुमने कहा। क्योंकि पत्नी को लगेगा, तुम तो उसके हाथ के बाहर होने लगे।

पत्नी ऐसी कोई भी चीज बरदाश्त नहीं कर सकती, जो तुम्हें मिल गई है और जिसमें वह भागीदार नहीं हो सकती। कोई चीज प्राइवेट, निजी तुम्हें मिल गई है, जिसको तुम भागीदार नहीं बना सकते पत्नी को—पत्नी बरदाश्त नहीं करेगी। पहले तो वह यही सिद्ध करेगी कि तुम्हें मिली नहीं, तुम भ्रम में पड़ गए हो। कहां मिलता? किसको मिलता? किस नासमझी में पड़े हो, किसी के सम्मोहन में आ गए? छोड़ो ये बातें, दिमाग खराब हो जाएगा।

वह तुम्हें खींचने की कोशिश करने लगेगी। जब तक तुम आते थे ध्यान करने, शांति की तलाश में, वह शायद राजी भी थी। अगर तुम मस्त होने लगे...मस्ती उसने मांगी भी न थी। पत्नी चाहती थी, पति थोड़ा शांत हो जाए, छोटी-छोटी बातों में झल्लाए न, नाराज न हो; पत्नी की आकांक्षा यह नहीं थी कि तुम आत्मा-परमात्मा को जान लो। वह इतना ही जानती थी कि एक सज्जन पति हो जाओ—बस, पर्याप्त है! अब तुम कहने लगे, तुम्हें ध्यान घटा! अब तुम गुनगुनाने लगे, तुम डोलने लगे! अब पत्नी घबड़ाई कि यह जरा ज्यादा हो गया।

मैंने सुना है कि एक युवती किसी व्यक्ति के प्रेम में थी। युवती थी कैथोलिक ईसाई और जिसके वह प्रेम में पड़ी थी, वह था प्रोटेस्टेंट ईसाई। तो युवती की मां ने कहा, यह विवाह हो नहीं सकता; हमारे धर्म भिन्न-भिन्न, हमारा संप्रदाय भिन्न-भिन्न। लेकिन लड़की बहुत दीवानी थी तो मां ने कहाः एक ही रास्ता है यह विवाह करने का कि वह लड़का कैथोलिक होने को राजी हो जाए। पहले तू यह कोशिश कर।

तो लड़की कोशिश करने लगी। लड़का भी प्रेम में था। और रोज-रोज आकर मां को खबर देने लगी कि सब ठीक चल रहा है, धीरे-धीरे वह झुक रहा है।

एक दिन आ कर खबर दी कि आज तो चर्च भी गया था। एक दिन आ कर खबर दी कि अब तो वह कैथोलिक धर्म में विश्वास भी करने लगा है। ऐसे महीने बीते। एक दिन रोती हुई घर आई। मां ने पूछा, क्या हुआ? सब तो ठीक चल रहा था!

उसने कहा, जरूरत से ज्यादा हो गया। वह अब कैथोलिक पादरी होना चाहता है। अब वह विवाह करना ही नहीं चाहता, वह ब्रह्मचर्य...! तो कैथोलिक पादरी तो ब्रह्मचारी होते हैं। मैंने जरा जरूरत से ज्यादा कर दिया।

पत्नी ने ही, हो सकता है, तुम्हें ध्यान करने भेजा हो, लेकिन संन्यास लेने नहीं भेजा था। यह जरा ज्यादा हो गया। तुम तो कैथोलिक पादरी होने की तैयारी करने लगे। हो सकता है पति ने ही पत्नी को भेजा हो, क्योंकि कौन पति अपनी पत्नी से परेशान नहीं है! वह कहता है कि जा, चल चल अब ध्यान ही सीख ले—कुछ तो कलह बंद हो, कुछ तो घर में शांति रहे। मगर पति ने यह नहीं चाहा था कि तुम संन्यासी हो जाओ, कि पत्नी ध्यान में मस्त होने लगे, कि लोक-लाज खो कर मीरा की तरह नाचने लगे—यह नहीं चाहा था। यह तो मीरा के घर वालों को भी पसंद नहीं पड़ा था, इसलिए तो जहर का प्याला भेज दिया था।

जल्दी मत करना, नहीं तो दूसरा बाधा डालने लगेगा। जब तुम्हारे भीतर कुछ पैदा होने लगे तो सम्हालना, छिपाना। कबीर ने कहा हैः 'हीरा पायो गांठ

गठियायो!' जल्दी से गांठ लगा लेना, किसी को पता भी न चले! नहीं तो चोर बहुत हैं, बेईमान बहुत हैं, बाधा डालने वाले बहुत हैं और ईर्ष्यालु बहुत हैं! और ऐसा तो कोई भी मानने को राजी नहीं होगा कि तुमको ध्यान हो गया। क्योंकि इससे तो लोगों के अहंकार को चोट लगती है।

जब भी तुम कहोगे मुझे ध्यान हो गया, कोई नहीं मानने वाला है। क्योंकि उनको नहीं हुआ, तुम्हें कैसे हो सकता है! उनसे पहले, तुम्हें हो सकता है? कोई यह बात मानने को राजी नहीं। इसलिए जब भी तुम भीतर की संपदा की घोषणा करोगे, सब इनकार करेंगे।

वहां 'चमनलाल' बैठे हुए हैं। वे कल ही मुझसे कह रहे थे कि बड़ी मुश्किल हो गई है, बड़ी घबड़ाहट होती है। दो-तीन महीने में आपके पास आने का मन होने लगता है, लेकिन सारा परिवार बाधा डालता है। पत्नी बाधा डालती, बेटे बाधा डालते, बेटियां बाधा डालतीं, पड़ोसी तक समझाते कि मत जाओ, कहां जा रहे हो? कहते थे कि अभी भी आया हूं बामुश्किल, तो भी बेटा साथ आया है कि देखें कि मामला क्या है? कहां जाते हो बार-बार? हुलिया खराब कर लिया, गेरुए वस्त्र पहन लिए—अब बहुत हो गया, अब घर में बैठो, अब कहीं और आगे न बढ़ जाना!

अब उनका रस लग रहा है, अब उनका ध्यान जग रहा है, कुछ घट रहा है! निश्चित घट रहा है! उनके भीतर जो घट रहा है, उसे मैं देख पाता हूं। जन्म हो रहा है किसी अनुभव का। लेकिन अब सब बाधा डालने को उत्सुक हैं, क्योंकि इतनी सीमा के बाहर कोई भी जाने नहीं देना चाहता।

पत्नी समझाती है कि घर में ही रहो, यहीं ध्यान इत्यादि कर लो, वहां जाने की जरूरत क्या है? लेकिन जहां से मिलता हो, वहां आने की बार-बार आकांक्षा पैदा होती है—स्वाभाविक है। दो-चार महीने में लगने लगता है कि फिर उस रंग में थोड़ा डूब लें, फिर थोड़े उस संगीत में नहा लें, फिर थोड़ा वहां हो आएं तो फिर ताजगी हो जाए, फिर ऊर्जा आ जाए, फिर जीवन गतिमान होने लगे! नहीं तो जीवन में पठार आ जाते हैं।

तुम कहना ही मत; मिल जाए तो चुपचाप रख लो सम्हाल कर। जब बहने की घड़ी आएगी, तब अपने से बहेगा। और तब कोई भी बाधा न डाल सकेगा। लेकिन उसके पहले तो बाधा डल सकती है, उसके पहले तो अड़चन आ सकती है।

तो अभी जो हो रहा है उसे सम्हालो। तुम प्रतीक्षा करो। जब परमात्मा पाएगा कि अब घड़ी आ गई कि तुमसे दूसरों में भी बहा जा सकता है, तब अपने आप मार्ग खोज लेगा। न तो तुम्हें मेरे निर्देश की जरूरत है, न मार्ग-दर्शन की। परमात्मा

तुमसे मार्ग खोज लेगा, जब पाएगा कि तुम तैयार हो गए। जब फल पक जाते हैं तो गिर जाते हैं। जब बादल जल से भर जाते हैं तो बरस जाते हैं। उसके पहले मार्ग-दर्शन की जरूरत है।

इसलिए मैं मार्ग-दर्शन देता भी नहीं। मैं कहता हूं कि उसी के हाथ में छोड़ो। तुम भरते जाओ, अपने अंतस्तल को भरते जाओ, भरते जाओ—और छिपाए रखो! अपनी तरफ से चेष्टा मत करना बांटने की। आकांक्षा पैदा होगी, मगर उस आकांक्षा में पड़ना मत। और जिस दिन बंटने लगे, उस दिन दूसरा खतरा पैदा होता है। फिर रोकने की चेष्टा मत करना। जब अपने से बंटने लगे, तो बंटने देना। नहीं तो धीरे-धीरे, सम्हाले-सम्हाले, रत्न को गांठ में गठियाये-गठियाये गांठ पड़ने की आदत मत बांध लेना कि अब कैसे खोलें! नहीं, जब बंटना चाहे तो बंटने देना।

तुम प्रभु की मर्जी से जीयो! उससे कहो : जो तेरी मर्जी! तेरी मर्जी पूरी हो! तू चाहता हो हम छुपे रहें तो हम छुपे रहेंगे! तू चाहता हो हमारी किसी को खबर न हो तो हम किसी को खबर न होने देंगे! तू चाहता हो हम ऐसे ही तेरे को भीतर सम्हाले-सम्हाले जीएं और विदा हो जाएं, तो हम ऐसे ही विदा हो जाएंगे! तू चाहता हो कि गाएं, तू चाहता हो कि घरों के छप्पर पर चढ़ें और चिल्लाएं और सोयों को जगाएं, तो हम राजी हैं।

मगर अपनी तरफ से तुम कुछ करना ही मत। तुम्हारी तरफ से जो होता है, सब गलत ही होता है। तुम बीच से हट जाओ—तुम उसे मार्ग दो!

चौथा प्रश्नः आप कभी कहते हैं कि व्यक्ति नहीं, समष्टि ही है; एक पत्ता भी उसकी मर्जी के बिना नहीं डोलता। और कभी कहते हैं कि व्यक्ति की स्वतंत्रता इतनी पूरी है कि परमात्मा के लिए वहां जगह कहां? ऐसी ध्रुवीय विपरीतताओं के बीच हम बड़ी उलझन में पड़ जाते हैं। सत्य तो एक ही होना चाहिए। कृपापूर्वक हमें समझाएं।

सत्य तो एक ही है। लेकिन सत्य के दो पहलू हैं—एक इस किनारे से देखा गया और एक उस किनारे से देखा गया। सत्य के दो पहलू हैं—एक मूर्च्छा में मिली हुई झलक और एक परम जागृति में हुआ अनुभव।

इसलिए सत्य की दो व्याख्याएं हैं; सत्य तो एक ही है। एक उस समय की व्याख्या है, जैसे मैं तुमसे कह रहा हूं। जो मैं तुमसे कह रहा हूं, वह तुम्हारे लिए अभी सत्य नहीं है। और जो मेरा सत्य है, अगर तुम अपना सत्य मान लो, तो तुम भ्रांति में पड़ जाओगे। मेरा सत्य तुम्हारा सत्य नहीं है। तो मैं तुमसे दोनों बातें कहता

हूं। मैं तुमसे पहले तुम्हारा सत्य कहता हूं, क्योंकि वहीं से तुम्हें यात्रा करनी है। और फिर मैं तुमसे अपना सत्य कहता हूं कि वहां तुम्हें पहुंचना है।

अब समझो।

'आप कभी कहते हैं व्यक्ति नहीं, समष्टि ही है; एक पत्ता भी उसकी मर्जी के बिना नहीं डोलता।'

यह मैं कहता हूं—तुम्हारे कारण; तुम्हारी जगह से खड़े हो कर; तुम्हारे जूतों में खड़े हो कर कहता हूं कि उसकी बिना मर्जी के एक पत्ता भी नहीं हिलता। मैं चाहता हूं ताकि तुम अपने अहंकार को हटा दो, उसकी मर्जी से हिलने लगो—उसके पत्ते हो जाओ! उसकी हवाएं हिलाएं तो हिलो; उसकी हवाएं न हिलाएं तो न हिलो।

अभी देखते हैं, हवा नहीं है तो वृक्ष खड़े हैं! पत्ता भी नहीं हिलता। कोई परेशान नहीं हैं। कोई शिकायत नहीं कर रहे हैं कि हम हिल क्यों नहीं रहे हैं? हवा आएगी तो हिलेंगे; हवा नहीं आती तो मौन खड़े हैं, सन्नाटे में खड़े हैं—ध्यानस्थ, योगियों की भांति। अभी हवा आएगी तो नाचेंगे भक्तों की भांति। यह मैं तुम्हारी तरफ से कहता हूं कि उसकी मर्जी के बिना पत्ता नहीं हिलता। क्योंकि सच तो यह है कि हर पत्ते में वही है, इसलिए उसकी बिना मर्जी के हिल भी कैसे सकता है? यह मैं तुम्हारे लिए कह रहा हूं, ताकि तुम अपनी मर्जी छोड़ो और उसकी मर्जी की तरफ झुको। यह मैं तुमसे कह रहा हूं, ताकि तुम व्यक्ति को विसर्जित करो और समष्टि में जगो; तुम क्षुद्र को छोड़ो और विराट की तरफ चलो; तुम लड़ो मत, समर्पण करो—इसलिए।

अगर तुमने मेरी बात समझ ली और तुम चल पड़े, तो दूसरी बात सच हो जाएगी।

'और कभी आप कहते हैं कि व्यक्ति की स्वतंत्रता इतनी पूरी है कि परमात्मा के लिए वहां जगह नहीं।'

अगर तुमने मेरी बात मान ली और अहंकार का विसर्जन कर दिया, तो तुम स्वयं परमात्मा हो गए, अब परमात्मा के लिए भी जगह नहीं है। अगर तुमने अपने अहंकार को छोड़ दिया तो अब तुम्हारी स्वतंत्रता परम है, क्योंकि तुम स्वयं परमात्मा हो। अब तुम्हारी मर्जी से सारा जगत चलेगा और हिलेगा। इसलिए तुम्हें विरोधाभास मालूम पड़ता है।

एक दफे मैं कहता हूं, तुम्हारी मर्जी से कुछ नहीं होता, उसकी मर्जी के बिना पत्ता नहीं हिलता; और दूसरी दफे मैं तुमसे कहता हूं, तुम मालिक हो, तुम सब कुछ हो! तुम्हीं हो चांद-तारों को चलाने वाले!

स्वामी राम से किसी ने अमरीका में पूछा कि दुनिया को किसने बनाया? स्वामी राम ने कहा, मैंने।

'चांद-तारे कौन चलाता है?'

उन्होंने कहा, मैं चलाता हूं।

जो पूछा रहा था, उसने कहा कि क्षमा करें, आप जरा बड़ी विक्षिप्त सी बात कह रहे हैं! आप नहीं थे, तब कौन चलाता था?

राम ने कहा, ऐसा कभी हुआ ही नहीं कि मैं न रहा होऊं।

'आप मरेंगे कि नहीं?' उस आदमी ने पूछा।

राम ने कहा, ऐसा कभी हुआ ही नहीं कि मैं मरा होऊं या मर सकूं।

कठिनाई क्या हो रही है? दोनों के बीच दो अलग भाषाओं में बात हो रही है। वह आदमी देख रहा है राम का रूप, आकार, यह देह, यह व्यक्ति। और राम बात कर रहे हैं उसकी—जहां न कोई व्यक्ति है, न रूप, न कोई देह।

आखिर राम ने कहा कि सुनो जी, तुम समझ नहीं पा रहे। मैं राम के संबंध में नहीं कह रहा हूं। मैं यह नहीं कह रहा हूं कि राम के चलाए चांद-तारे चलते हैं, कि राम ने बनाई दुनिया। मैंने बनाई! मैं राम के पार हूं!

जब मंसूर को सूली लगी और उसने घोषणा कर दी अनलहक की—कि मैं ही सत्य हूं—तो मुसलमान न समझ पाए। क्योंकि उन्होंने समझा, यह आदमी खुदा होने का दावा कर रहा है। मुसलमानों ने तो पहली ही बात पकड़ रखी है कि उसकी मर्जी के बिना पत्ता नहीं हिलता। वह दूसरा वक्तव्य खयाल में नहीं है।

जब पहली बात पूरी हो जाती है तो दूसरी भी घटती है। जब तुम अपने को बिलकुल खो देते हो, तो वही बचता है। तो जब मंसूर ने कहा अनलहक—मैं सत्य हूं, मैं ब्रह्म हूं—तो वे क्या कह रहे हैं? वे यह कह रहे हैं कि मंसूर तो अब बचा नहीं, अब ब्रह्म ही बचा है। अगर मंसूर ने यह बात भारत में कही होती तो कोई सूली न चढ़ाता। हमने पूजा की होती सदियों तक, उनके पैरों पर फूल चढ़ाए होते। हम कहते, यह तो उपनिषद का सार है: अहं ब्रह्मास्मि, मैं ब्रह्म हूं!

ये दो वक्तव्य विपरीत नहीं हैं; विपरीत दिखाई पड़ते हैं। एक वक्तव्य है तुम्हारी जगह से, क्योंकि अहंकार छोड़ना है; और एक वक्तव्य है उस जगह से, जहां अहंकार बचा नहीं। जहां अहंकार नहीं बचा वहां तो सिर्फ परमात्मा ही बचा—इतना अकेला परमात्मा बचा कि अब परमात्मा यह भी क्या कहे कि परमात्मा है। किससे कहना? किसको कहना? किसके बाबत कहना?

इसलिए तो महावीर ने कहा : अप्पा सो परमप्पा! आत्मा ही परमात्मा हो जाती है कोई और परमात्मा नहीं है। इसमें कुछ ईश्वर का विरोध नहीं है। हिंदू गलत समझे। यह तो उपनिषद का सार है।

इसलिए तो बुद्ध ने यह भी कह दिया कि न परमात्मा है, न आत्मा; क्योंकि इन दोनों में तो द्वंद्व मालूम होता है कि दो हैं। इसलिए बुद्ध ने कहा : जो है, उस संबंध में मैं कुछ कहूंगा ही नहीं। जो नहीं है, बस उसी तक अपने वक्तव्य को रखूंगा—न आत्मा है, न परमात्मा है। फिर जो है, उस संबंध में कुछ भी न कहूंगा। वह तुम इन दोनों को छोड़ दो और जान लो।

बुद्ध को हिंदुओं ने समझा कि नास्तिक है। नहीं, यह आस्तिकता की आखिरी घोषणा है। इससे ऊपर कोई घोषणा हो नहीं सकती।

कठिनाई इसलिए खड़ी होती है कि बुद्धपुरुषों को दोनों ही वक्तव्य देने पड़ते हैं। एक तो वक्तव्य तुम्हारी तरफ से, क्योंकि वहां से यात्रा शुरू होनी है। तुम वहीं से तो चलोगे न जहां तुम खड़े हो? लेकिन, अगर वक्तव्य यहीं समाप्त हो जाए तो फिर तुम पहुंचोगे कहां? चलते ही थोड़ी रहोगे। कहीं पहुंचना है। तो दूसरा वक्तव्य है। एक साधक के लिए है, एक सिद्ध के लिए।

यह जो अष्टावक्र की गीता है, यह सिद्धावस्था का अंतिम वक्तव्य है। इसमें साधना की जगह ही नहीं है। इसमें साधक के लिए कोई बात ही नहीं कही गई है। यह सिद्ध की घोषणा है। यह सिद्ध का गीत है। इसलिए मैंने इसको महागीता कहा है।

कृष्ण की गीता में अर्जुन का ध्यान है। अर्जुन की तरफ से बहुत बातें कही गई हैं। धीरे-धीरे, धीरे-धीरे अर्जुन को समझा-समझा कर यात्रा पर निकाला गया है। कृष्ण की गीता अर्जुन को समझाने-बुझाने में लगी है कि अर्जुन किसी तरह नाव पर सवार हो जाए, दूसरे तट की तरफ चले। कहीं-कहीं बीच में थोड़े-बहुत दूसरे तट के इशारे हैं, जहां कृष्ण कहते हैं : 'सर्वधर्मान परित्यज्य, मामेकं शरणं ब्रज!' सब छोड़, मेरी शरण आ! वहां वे दूसरे तट की घोषणा कर रहे हैं। वहां वे यह नहीं कह रहे हैं कि तू कृष्ण की शरण आ। वहां वे कह रहे हैं, वह जो आत्यंतिक रूप है मैं का; मामेकं; वह जो 'मैं एक!' उस 'मैं एक' में 'तू' भी सम्मिलित है। उसके 'तू' बाहर नहीं है। माम एकम्! उस 'मैं' में सभी सम्मिलित हैं, क्योंकि वह एक ही 'मैं' है।

यह बहुत मजे की बात है। तुम्हारा नाम राम, किसी का नाम विष्णु, किसी का नाम रहीम, किसी का नाम रहमान। लेकिन तुमने देखा, सब आदमी भीतर अपने को सिर्फ 'मैं' कहते हैं! सब! रहीम भी कहता है 'मैं', राम भी कहता है 'मैं',

विष्णु भी कहता है 'मैं', रहमान भी कहता है 'मैं'। 'मैं' मालूम होता है सबके भीतर का सार्वभौम सत्य है।

जब कृष्ण कहते, मामेकं शरणं ब्रज, तो वे यह कहते हैं कि इस 'मैं', इस एक 'मैं'—यही तो ब्रह्म है, यही तो परम सत्य है—इस एक की शरण आ जा, और सब छोड़! यह दूसरे तट की घोषणा है। लेकिन कहीं-कहीं घोषणाएं हैं।

जनक और अष्टावक्र के बीच जो महागीता घटी है, उसमें साधक की बात ही नहीं है; उसमें सिद्ध की ही घोषणा है; उसमें दूसरे तट की ही घोषणा है। वह आत्यंतिक महागीत है। वह उस सिद्धपुरुष का गीत है, जो पहुंच गया; जो अपनी मस्ती में उस जगत का गान गा रहा है, स्तुति कर रहा है। इसीलिए तो जनक कह सके : 'अहो अहं नमो मह्यम्! अरे, आश्चर्य! मेरा मन होता है, मुझको ही नमस्कार कर लूं!'

अब इससे ज्यादा उपद्रव की बात सुनी कभी? 'मुझको ही नमस्कार कर लूं, अपनी ही पूजा कर लूं, अपनी ही अर्चना कर लूं, नैवेद्य चढ़ा दूं!'—यह दूसरे तट की घोषणा है।

जब भी मैं तुमसे कुछ कह रहा हूं, तो दोनों बातें ध्यान में हैं। तुम्हारा अर्जुन होना मैं भूलता नहीं। क्योंकि वह भूल जाऊं, तो तुम्हें कोई लाभ न होगा। इसलिए अष्टावक्र की महागीता से कोई बहुत लाभ नहीं हुआ, क्योंकि यह सिद्धपुरुष की वाणी है। यह तो जब सिद्ध कोई होगा तो समझेगा; लेकिन सिद्ध होगा कोई, तब समझेगा न? इसमें साधक की यात्रा नहीं है। यह तो मंजिल की बात है। इसमें साधन की कोई बात ही नहीं है।

कृष्ण की गीता से ज्यादा लाभ हुआ, क्योंकि उसमें साधक की बात है। कृष्ण की गीता पर अगर तुम चलोगे, तो किसी दिन अष्टावक्र की महागीता पर पहुंचोगे।

मैं तुम्हारा ध्यान रखता हूं कि तुम कहां खड़े हो। तो कभी तुम्हारी तरफ से बोलता हूं। लेकिन सदा तुम्हारी तरफ से नहीं बोलता। मुझे अपने साथ भी तो न्याय करना चाहिए। कभी-कभी अपनी तरफ से भी बोलता हूं। मुझ पर भी तो दया करो!

इन दोनों के बीच तुम्हें कभी-कभी विरोध मालूम पड़ेगा, लेकिन वह आभास है।

आखिरी प्रश्नः शरीर पर गेरुआ और गले में माला देख कर लोग प्रश्न ही प्रश्न पूछते रहते हैं। वे मुझसे मेरे गुरु का प्रमाण भी मांगते हैं। ऐसे प्रश्नों के सामने क्या करना चाहिए मुझे—चुप रह जाना चाहिए या कुछ कहना चाहिए?

कोई नियम बनाने की जरूरत नहीं। परिस्थिति पर निर्भर करेगा। अगर पूछने वाला कुतूहलवश पूछ रहा हो तो चुप रह जाना चाहिए; अगर जिज्ञासावश पूछ रहा हो तो कुछ कहना चाहिए। अगर मुमुक्षावश पूछ रहा हो तो सब जो जानते हो, उंडेल देना चाहिए। परिस्थिति पर निर्भर करेगा।

इसलिए मैं तुम्हें कोई ऐसा सीधा आदेश नहीं दे सकता कि बोलो या चुप रहो। मैं तो तुम्हें सिर्फ निर्देश इतना दे सकता हूं कि पूछने वाले की आंख में जरा देखना। अगर तुम्हें लगे मात्र कुतूहल है, बचकाना कुतूहल है, तो चुप रह जाना। तुम्हारे चुप रहने से लाभ होगा। क्योंकि कुतूहल तो खाज जैसा है, खुजलाने से समाप्त थोड़े ही होता; चमड़ी छिल जाती और घाव हो जाता है। तुम चुप ही रह जाना।

लेकिन कोई अगर जिज्ञासा से पूछे, ऐसा लगे कि निष्ठावान है, साधक है, पूछता है इसलिए कि शायद मार्ग की तलाश कर रहा है, तो जरूर कहना। और अगर लगे मुमुक्षु है, ऐसे ही जिज्ञासा बौद्धिक नहीं है, प्राणपण से खोजने में लगा है, जीवन को दांव पर लगा देने की तैयारी है—तो अपने हृदय को पूरा खोल कर रख देना।

मैं तुमसे इतना ही कह सकता हूं कि कोई सूत्र पकड़ कर चलने की जीवन में जरूरत नहीं है, क्योंकि परिस्थिति रोज बदल जाती है। अगर जड़ सूत्र को पकड़ लिया तो बहुत अड़चनें खड़ी होती हैं; कुछ का कुछ होता रहता है।

झेन फकीरों की पुरानी कहानी है। दो मंदिर थे एक गांव के। दोनों मंदिरों में पुराना झगड़ा था। झगड़ा इतना था कि मंदिर के पुजारी एक-दूसरे से बोलते भी नहीं थे। दोनों पुजारियों के पास दो छोटे बच्चे थे जो उनके लिए सब्जी खरीद लाते और कुछ सेवा-टहल कर देते। उन पुजारियों ने कहा उन बच्चों से कि तुम भी आपस में बोलना मत, रास्ते में कहीं मिल जाओ तो। बच्चे बच्चे हैं! उनको बता दिया कि हमारा झगड़ा बहुत पुराना है, हजारों साल से चल रहा है। उस मंदिर को हम नरक मानते हैं। उस मंदिर के बच्चे से बोलना मत, बातचीत मत करना।

लेकिन बच्चे तो आखिर बच्चे हैं, रोकने से और उनकी जिज्ञासा बढ़ी। पहले मंदिर का बच्चा एक दिन खड़ा हो गया बाजार में। जब दूसरे मंदिर का बच्चा आता था तो उसने दूसरे मंदिर के बच्चे से पूछा, कहां जा रहे? तो उस बच्चे ने

कहा—सुनते-सुनते वह भी ज्ञानियों की बातें, ज्ञानी हो गया था—उसने कहा, जहां हवा ले जाए! पहला बच्चा बड़ा हैरान हुआ कि अब बात कैसे आगे चले? हवा ले जाए, अब तो सब बात ही खत्म हो गई! वह बड़ा उदास आया। उसने अपने गुरु को कहा कि भूल से मैंने उससे बात कर ली। उससे मैंने पूछ लिया, कहां जा रहे? आपने तो मना किया था, मुझे क्षमा करें! लेकिन मैं बच्चा ही हूं। मगर सच में आदमी उस मंदिर के बड़े गड़बड़ हैं। मैंने तो सीधा-सादा सवाल पूछा, वह बड़ा अध्यात्म झाड़ने लगा। वह बोला, जहां हवा ले जाए! और चला भी गया हवा की तरह!

गुरु ने कहा, मैंने पहले ही कहा था कि वे लोग गलत हैं। अब तू ऐसा कर, कल उससे फिर पूछना। और जब वह कहे, जहां हवा ले जाए, तो तू कहना, अगर हवा न चल रही हो तो फिर क्या करोगे?

वह बच्चा गया दूसरे दिन। उसने पूछा, कहां जा रहे हो? उस बच्चे ने कहा, जहां पैर ले जाएं। अब बड़ी मुश्किल हो गई। अब जहां पैर ले जाएं! वह तो बंधा हुआ उत्तर लेकर आया था। वह फिर लौट कर आया, उसने कहा कि वे तो बड़े बेईमान हैं। आप ठीक कहते हैं, वे आदमी तो बड़े बेईमान हैं! उस मंदिर के लोग तो बदल जाते हैं। कल बोला, जहां हवा ले जाए; आज बोला, जहां पैर ले जाएं!

गुरु ने कहा, मैंने पहले ही कहा था, उनकी बातों का कोई भरोसा ही नहीं। उनसे शास्त्रार्थ हो ही नहीं सकता। कभी कुछ कहते, कभी कुछ कहते। जैसा मौका देखते हैं, अवसरवादी हैं। तो तू ऐसा कर, कल तैयार रह। अगर वह कहे जहां हवा ले जाए, तो पूछना, हवा न चले तो? अगर कहे, जहां पैर ले जाएं, तो कहना: भगवान न करे कहीं अगर लूले-लंगड़े हो गए, फिर?

वह गया। अब दो उत्तर उसके पास थे। उसने फिर पूछा, कहां जा रहे हो? उस लड़के ने कहा, सब्जी खरीदने!

मैं तुम्हें उत्तर नहीं देता। मैं तुम्हें सिर्फ इतना इशारा देता हूं कि जो पूछे, उसकी तरफ गौर से देखना, उसकी स्थिति को समझना और जैसा उचित हो वैसा करना।

जीवन को कभी भी बंधे हुए नियमों में चलाने की जरूरत नहीं है। उसी से तो आदमी धीरे-धीरे मुर्दा हो जाता है। जीवन को जगाया हुआ रखो। बोध से जीयो, सिद्धांत से नहीं। जागरूकता से जीयो, बंधी हुई धारणाओं से नहीं। मर्यादा बस एक ही रहे कि बिना होश के कुछ मत करो। और सब मर्यादाएं व्यर्थ हैं।

हरि ॐ तत्सत्!

✳ ✳ ✳

प्रवचन : 29

ध्यान अर्थात उपराम

अष्टावक्र उवाच।

विहाय वैरिणं काममर्थं चानर्थसंकुलम्।
धर्ममप्येतयोर्हेतुं सर्वत्रानादरं कुरु।।91।।
स्वप्नेन्द्रजालवत् पश्य दिनानि त्रीणि पंच वा।
मित्रक्षेत्रधना गारदारदायादिसम्पदः।।92।।
यत्र यत्र भवेत्तृष्णा संसार विद्धि तत्र वै।
प्रौढ़वैराग्यमाश्रित्य वीततृष्णः सुखी भव।।93।।
तृष्णमात्रात्मको बंधस्तन्नाशो मोक्ष उच्यते।
भवासंसक्तिमात्रेण प्राप्तितुष्टिर्मुहुर्मुहुः।।94।।
त्वमेकश्चेतनः शुद्धो जडं विश्वमसत्तथा।
अविद्यापि ना किंचित्सा का बुभुत्सा तथापि ते।।95।।
राज्यं सुता कलत्राणि शरीराणि सुखानि च।
संसक्तस्यापि नष्टानि तव जन्मनि जन्मनि।।96।।
अलमर्थेन कामेन सुकृतेनापि कर्मणा।
एभ्यः संसारकांतारे न विश्रांतमभून्मनः।। 97।।
कृतं न कति जन्मानि कायेनं मनसा गिरा।
दुःखमायासदं कर्म तदद्याप्युपरम्यताम्।। 98।।

अष्टावक्र ने कहा:

'वैरी-रूप काम को और अनर्थ से भरे अर्थ को त्याग कर और उन दोनों के कारण-रूप धर्म को भी छोड़ कर तू सबकी उपेक्षा कर।'

साधारणतः अर्थ और काम को छोड़ने को सभी ने कहा है। अष्टावक्र कहते हैं: 'धर्म को भी छोड़ कर...।' इस बात को ठीक से समझ लेना जरूरी है।

धर्म की आत्यंतिक क्रांति धर्म को भी छोड़ने पर ही घटित होती है। धर्म का आत्यंतिक लक्ष्य धर्म से भी मुक्त हो जाना है। अधर्म से अर्थ है: जो बुरा है, अकर्तव्य है। धर्म से अर्थ है: जो शुभ है, कर्तव्य है। अधर्म से अर्थ है: पाप। धर्म से अर्थ है: पुण्य। पाप से तो छूटना ही है, अष्टावक्र कहते हैं, पुण्य से भी छूट जाना है। क्योंकि मूलतः पाप और पुण्य अलग-अलग नहीं हैं, एक ही सिक्के के दो पहलू हैं। और जो व्यक्ति पुण्य से बंधा है, वह पाप से भी बंधा रहेगा। पुण्य करने के लिए भी पाप करने होंगे। बिना पाप किए पुण्य नहीं किए जा सकते हैं।

तुम्हें दान देना हो, तो धन तो इकट्ठा करोगे न! धन इकट्ठा करने में पाप होगा, दान देने में पुण्य होगा। लेकिन धन इकट्ठा किए बिना कैसे दान करोगे?

ऐसा उल्लेख है कि लाओत्सु का एक शिष्य न्यायाधीश हो गया था। मुकदमा चला, एक आदमी चोरी में पकड़ा गया। गांव के सबसे बड़े नगरसेठ के घर में उसने डाका डाला था, सेंध लगाई थी। पकड़ा गया था रंगे हाथों, इसलिए कुछ उलझन भी न थी। लाओत्सु के शिष्य न्यायाधीश ने छह महीने की सजा चोर को दी और बारह महीने की सजा नगरसेठ को दी। नगरसेठ तो हंसने लगा। उसने कहा: ऐसा न्याय कभी सुना है? यह क्या पागलपन है?

सम्राट के पास बात गई कि यह तो हद हो गई, मेरी चोरी हो और फिर मुझे दंड दिया जाए! लेकिन उस न्यायाधीश ने सम्राट को कहा: न यह इतना इकट्ठा करता, न चोरी होती। चोरी नंबर दो है, इकट्ठा करना नंबर एक है। इसलिए छह महीने की सजा देता हूं चोर को, साल की सजा देता हूं इस आदमी को।

बात तो सम्राट को भी जंची, लेकिन नियम ऐसे नहीं चल सकते। सम्राट ने कहा: बात में तो बल है, लेकिन ऐसा कभी हुआ नहीं। और इस आधार पर तो, मैं भी अपराधी हो जाऊंगा। तुम नौकरी से इस्तीफा दे दो। तुम्हारी बात कितनी ही ठीक हो, व्यावहारिक नहीं है।

व्यवहार के नाम पर आदमी बहुत सी बातें छिपाए चला जाता है। सत्य प्रगट नहीं हो पाता, क्योंकि हम व्यवहार की आड़ में छिपा लेते हैं।

मनुष्य-जाति के इतिहास में यह एक ही घटना है, जब कि चोर को भी दंड दिया गया, और जिसके घर चोरी हुई थी उसको भी दंड दिया गया। और इस घटना में बड़ा राज है। चोरी हो ही तब सकती है जब कोई धन को इकट्ठा कर ले।

तो धन को इकट्ठा करना तो पुण्य के लिए भी जरूरी होगा। तभी तो त्याग करोगे।

तुम देखते हो, अगर कोई गरीब आदमी, कोई भिखमंगा घोषणा कर दे कि मैं सब त्याग करता हूं, तो लोग हंसेंगे। लोग कहेंगे, तुम्हारे पास है क्या? त्याग तुम किस बात का करते हो?

कोई महावीर, कोई बुद्ध जब त्याग करता है, तो उसकी घोषणा सदियों तक होती है। जैनों के शास्त्रों में, महावीर ने कितना त्याग किया, उसके बड़े बढ़ा-चढ़ा कर वर्णन हैं। कितने हाथी, कितने घोड़े, कितने रथ, कितना स्वर्ण, कितनी अशर्फियां—वह बढ़ा-चढ़ाया हुआ वर्णन है। उतना हो नहीं सकता था। क्योंकि महावीर एक बहुत छोटे-मोटे राजा के लड़के थे। उस राजा की हैसियत राजा जैसी नहीं थी, एक बड़े मालगुजार जैसी थी। आज की भाषा में अगर कहें, तो एक तहसील से बड़ा वह राज्य न था; तहसीलदार की हैसियत थी। इतना धन महावीर के घर में हो नहीं सकता, जितना शास्त्रों में लिखा है। लेकिन क्यों शास्त्रों में बढ़ा-चढ़ा कर लिखा होगा? क्योंकि शास्त्रकार महावीर को महात्यागी बताना चाहते थे। और त्याग को मापने का एक ही उपाय है: धन।

अब यह बड़ी हैरानी की बात है: यहां भोग भी धन से नापा जाता, यहां त्याग भी धन से नापा जाता! यहां अगर तुम किसी को प्रतिष्ठा देते हो तो भी धन के कारण। और अगर तुम कभी त्यागी को भी प्रतिष्ठा देते हो तो वह भी धन के कारण। धन की प्रतिष्ठा दिखाई पड़ती है, अंतिम है। उसके अतिरिक्त हमारे पास कोई मापदंड नहीं है। भिखमंगा छोड़े तो क्या छोड़ा?

इसलिए शायद जैनों के चौबीस तीर्थंकर ही राजपुत्र हैं। ऐसा तो नहीं है कि इन राजपुत्रों के काल में किसी गरीब ने त्याग न किया होगा। चौबीस ही राजपुत्र हैं: तीर्थंकर। बुद्ध भी राजा हैं, कृष्ण, राम, हिंदुओं के अवतार भी राजा हैं। थोड़ा सोचने जैसा है। धन की प्रतिष्ठा इतनी है कि अगर हम त्याग को भी मापेंगे तो वही तो एक मापदंड है। ये राजा रहे होंगे, तब सम्मानित थे। फिर उन्होंने जब राज त्याग दिया, तब और भी सम्मानित हो गए।

लेकिन क्या यह त्याग का सम्मान हुआ? यह तो धन का ही सम्मान हुआ। भिखमंगा छोड़ कर खड़ा हो जाए तो तुम हंसोगे। तुम कहोगे: था क्या तुम्हारे पास, जो तुमने छोड़ दिया? लंगोटी भी नहीं थी, नंगे तुम थे ही, अब दिगंबर होने की घोषणा क्या करते हो?

तो त्याग के लिए भी धन होना चाहिए। और पुण्य के लिए भी पाप करना होगा। इसलिए जो लोग जीवन की व्यवस्था को समझते हैं, वे कहेंगे: धर्म भी छोड़ देना होगा; पुण्य भी छोड़ देना होगा। ये दोनों बातें एक साथ छोड़ देनी होंगी।

इस सूत्र को समझने की कोशिश करें:

विहाय वैरिणं काममर्थं चानर्थसंकुलम्।
धर्ममप्येतयोर्हेतुं सर्वत्रानादरं कुरु।।

शत्रु है काम। क्यों समस्त शास्त्र सारी दुनिया के, काम को शत्रु कहते हैं? क्या कारण होगा कहने का? एक मत से शत्रु कहते हैं। हिंदू हों, जैन हों, बौद्ध हों, ईसाई हों—एक मत से कहते हैं कि काम शत्रु है। क्या कारण होगा काम को शत्रु कहने का? उसे हम समझने की कोशिश करें।

काम का बल ही, काम-ऊर्जा की शक्ति इतनी विराट है, कि उसके पाश के बाहर होना सर्वाधिक कठिन है, करीब-करीब असंभव जैसा है। मनोवैज्ञानिक तो मानते हैं, उसके पार हुआ ही नहीं जा सकता। और मनोवैज्ञानिकों की बात भी समझ लेने जैसी है। क्योंकि काम में ही हुआ है हमारा जन्म। जो पहली स्फुरणा तुम्हारे जीवन की थी, वह तुम्हारे मां और पिता की कामवासना ही थी। उसी तरंग से तुम आए हो, उसी तरंग से निर्मित हुए हो। तुम्हारा रोआं-रोआं काम से भरा है। तुम्हारा पहला अणु दो काम-अणुओं का जोड़ था। उससे तुम निर्मित हुए। फिर उन्हीं काम-अणुओं का फैलाव होता चला गया है। अब तुम्हारे पास करोड़ों सेल हैं शरीर में, लेकिन प्रत्येक सेल काम-कोष्ठ है।

और तुम ऐसा मत सोचना कि स्त्री तुम्हारे बाहर ही है। क्योंकि जब तुम्हारा जन्म हुआ तो आधा अंग तो मां से मिला, आधा पुरुष से मिला, पिता से मिला। तो तुम्हारे भीतर स्त्री-पुरुष दोनों मौजूद हैं। मात्रा का भेद है, पर दोनों मौजूद हैं।

हिंदुओं की धारणा है, अर्धनारीश्वर की। शंकर की तुमने प्रतिमाएं देखी होंगी, जिनमें आधे वे पुरुष हैं, आधे स्त्री। वह धारणा बड़ी बहुमूल्य है। तुम भी अर्धनारीश्वर हो, प्रत्येक व्यक्ति अर्धनारीश्वर है; अन्यथा होने का उपाय ही नहीं है। क्योंकि आधी तुम्हारी मां है, आधे तुम्हारे पिता हैं; दोनों के मिलन से तुम निर्मित हुए हो। पुरुष में पिता की मात्रा ज्यादा है, स्त्री में मां की मात्रा ज्यादा है; पर यह मात्रा का भेद है। इसीलिए तो कभी घटना घटती है कि किसी व्यक्ति का काम बदल जाता है, लिंग बदल जाता है।

अभी दक्षिण भारत में एक युवती युवक हो गई। कोई बीस-बाईस साल तक युवती थी, अचानक युवक हो गई। पश्चिम में बहुत घटनाएं घटी हैं। और अब तो शरीर-शास्त्री कहते हैं कि यह हमारे हाथ की बात हो जाएगी। लोग अगर अपना लिंग-परिवर्तन करना चाहें तो कर सकेंगे। कोई व्यक्ति ऊब गया पुरुष होने से तो स्त्री हो सकता है। कोई स्त्री ऊब गई स्त्री होने से तो पुरुष हो सकती है। यह तो सिर्फ थोड़े से हारमोन बदल देने की बात है, मात्रा बदल देने की बात है।

तुम्हारे भीतर, ऐसा समझो कि अगर तुम पुरुष हो, तो साठ प्रतिशत पुरुष के

जीवाणु हैं, चालीस प्रतिशत स्त्री के जीवाणु हैं। बस, इस अनुपात को बदल दिया जाए, तो तुम स्त्री हो जाओगे।

काम से हुआ है जन्म, दो विपरीत कामों के मिलन पर तुम्हारा जीवन खड़ा है। इसलिए यह करीब-करीब असंभव है—मनोवैज्ञानिक के हिसाब से तो बिलकुल असंभव है कि व्यक्ति कामवासना के पार हो जाए! धर्मशास्त्र भी यही कहते हैं। आत्मपुराण में बड़ा अदभुत वचन है :

कामेन विजितो ब्रह्मा, कामेन विजितो हरः।
कामेन विजितो विष्णुः शक्रः कामेन निर्जितः।।

काम ने जीता ब्रह्मा को, काम ने हराया शंकर को, काम ने हराया विष्णु को—काम से कौन कब जीता! काम से सब हारे हैं।

काम का बल तो प्रबल है। और जिसका जितना ज्यादा बल प्रबल है, उसके पार होने में उतना ही संघर्षण होगा। इसलिए कहते हैं : वैरी-रूप काम। इस जगत में अगर टक्कर ही लेनी हो किसी से, अगर हिम्मत ही हो टक्कर लेने की, अगर संघर्ष करने का और युद्ध करने का, योद्धा बनने का रस हो—तो छोटे-मोटे दुश्मन मत चुनना। खयाल रखना, जितना बड़ा दुश्मन चुनोगे उतनी ही बड़ी तुम्हारी विजय होगी। छोटे-मोटे को हरा भी दिया तो क्या सार है?

कहते हैं जंगल में—ईसप की कथा है—एक गधे ने सिंह को चुनौती दे दी और कहा : अगर हो हिम्मत तो आ मैदान में और हो जाए सीधा युद्ध। लेकिन सिंह चुपचाप चला गया। सियार यह सुन रहा था। उसने थोड़ा आगे बढ़ कर सिंह को पूछा कि सम्राट, बात क्या है? एक गधे की चुनौती को भी तुम स्वीकार नहीं किए!

उसने कहा : पागल हुआ है? अगर उसकी चुनौती मैं स्वीकार करूं, तो पहले तो अफवाह उड़ जाएगी कि सिंह गधे से लड़ा। यह बदनामी होगी। ऐसा कभी हुआ नहीं। यह हमारे कुल, वंश, परंपरा में नहीं हुआ कि गधे से लड़ें। लड़ना है गधे से...गधे को समाप्त कर दे सकते हैं, लड़ना क्या है? अगर गधा हारा तो उसका कोई अपमान नहीं है। हम जीते भी तो कोई सम्मान नहीं। लोग कहेंगे, क्या जीते, गधे से जीते! और कहीं भूल-चूक से जीत गया गधा—गधे हैं इनका भरोसा क्या—तो हम सदा के लिए मारे गए। इसलिए मैं चुपचाप चला आया हूं। गधे से झंझट में पड़ना ठीक नहीं है।

छोटे से अगर तुम उलझोगे, जीते भी तो छोटे से जीते। और काश अगर हार गए, तो छोटे से हारे! दुश्मन जरा सोच कर चुनना। मित्र तो कोई भी चल जाएगा, शत्रु जरा सोच कर चुनना। शत्रु जरा बड़ा चुनना। क्योंकि चुनौती, संघर्षण तुम्हें अवसर देगा, तुम्हारे अपने आत्म-विकास का।

तो जो बाहर की चीजों से लड़ते रहते हैं, वे अगर जीत भी जाएं तो चीजों से ही जीतते हैं। सिकंदर हो कि तैमूरलंग हो, कि नादिरशाह हो कि नेपोलियन हो, फैला लें विस्तार सारे जगत पर अपना, तो भी वस्तुओं पर ही विस्तार फैलता है।

इसलिए इस देश में हमने उनको सम्मान दिया जिन्होंने अपने को जीता। सबको भी जिन्होंने जीता, उन्हें भी हमने वैसा आदर नहीं दिया; हमने आदर उन्हें दिया, जिन्होंने स्वयं को जीता। क्योंकि स्वयं को जीतने का एक ही उपाय है और वह है—काम-ऊर्जा से अतिक्रमण हो जाना; काम-ऊर्जा के पार हो जाना। काम-ऊर्जा के पार होने का अर्थ है : अपने जन्म से मुक्त हो जाना; अपने जीवन से मुक्त हो जाना; अपनी मृत्यु से मुक्त हो जाना।

काम-ऊर्जा ने तुम्हें जन्म दिया, और काम-उर्जा की उत्फुल्लता ही तुम्हारी जवानी है, तुम्हारा जीवन है। और जब काम की ऊर्जा थक जाएगी, और विसर्जित होने लगेगी—वही तुम्हारी मृत्यु होगी। तो तुम्हारे जीवन की सारी कथा, प्रथम से लेकर अंत तक काम की कथा है। अगर तुम इस काम कें अंतर्गत ही बने रहे, तो तुम कभी मालिक की तरह न जीए, एक गुलाम की तरह जीए।

स्वयं का मालिक बनना हो और अगर चुनौती ही स्वीकार करनी हो किसी की, तो स्वयं में छिपी इस चुनौती को ही स्वीकार कर लेना उचित है। इसलिए धर्म-शास्त्र काम को वैरी-रूप कहते हैं। यह सिर्फ निंदा नहीं है, इसमें सम्मान भी छिपा है। वे यह कहते हैं कि अगर शत्रुता ही करनी हो तो काम से करना। क्योंकि कामेन विजितो ब्रह्मा! काम ने ब्रह्मा को भी हराया। कामेन विजितो हरः। काम ने महादेव को भी हराया।

तो अब अगर लड़ने योग्य कोई है तो काम ही है। जिससे देवता भी हार गए हों, उसको ही जीतने में मनुष्य के भीतर छिपा हुआ फूल खिलेगा। जिससे सब हार गए हों, उसको ही जीतने में तुम्हारे भीतर पहली दफे प्रभु का साम्राज्य निर्मित होगा।

भारत अकेला देश है, जहां हमने बुद्धपुरुषों के चरणों में देवताओं को झुकाया है। जब सिद्धार्थ गौतम बुद्धत्व को उपलब्ध हुए, तो कथा है कि ब्रह्मा, विष्णु, महेश, तीनों उनके चरणों में अपना नैवेद्य, अपनी पूजा चढ़ाने आए। जब महावीर परम ज्ञान को उपलब्ध हुए, तो देवताओं ने फूल बरसाए। लेकिन देवता क्यों बरसाते होंगे फूल एक मनुष्य के चरणों में? इसलिए कि यह मनुष्य उस सीमा के भी पार जा चुका, जिस सीमा के पार अभी देवता भी नहीं गए। अभी इंद्र भी अप्सराओं में उलझा है। अभी स्वर्ग में भी वही काम-व्यापार चल रहा है, जो पृथ्वी पर चल रहा है। थोड़ा व्यवस्थित चल रहा है; थोड़ा ढंग से चल रहा है; ज्यादा

सुंदर स्त्रियां हैं, ज्यादा सुंदर देह है, ज्यादा लंबी आयु है, भोग की सब सुविधाएं, सामग्रियां हैं।

जो हमने स्वर्ग में देवताओं के लिए व्यवस्था की है, वही व्यवस्था विज्ञान आदमी के लिए पृथ्वी पर कर देने की कोशिश कर रहा है।

मैंने तो सुना है, एक आदमी मरा और स्वर्ग पहुंचा। तो वह बड़ा हैरान हुआ। वहां उसने देखा कि कुछ लोग जंजीरों से बंधे हैं। स्वर्ग में जंजीरों से बंधे हैं! उसने द्वारपाल से पूछा कि यह तो मुझे घबड़ाहट का कारण मालूम होता है। नरक में बंधे हों, यह समझ में आता है। यह स्वर्ग में भी अगर बंधन हैं और लोग जंजीरों से बंधे हैं—यह किस तरह का स्वर्ग है?

वह द्वारपाल हंसने लगा। उसने कहा, ये अमरीकी हैं। ये जब से आए हैं, तब से यह धुन लगाए हैं कि हमें अमरीका वापिस जाना है, यहां से तो वहीं बेहतर था।

विज्ञान कोशिश कर रहा है कि स्वर्ग को जमीन पर घसीट लाए; लेकिन जमीन पर विज्ञान स्वर्ग ले आए, तो भी कोई फर्क नहीं पड़ता। तुम्हारी कामवासना को कितनी ही तृप्ति की सुविधा जुटा दी जाए, तृप्ति नहीं होगी। क्योंकि कामवासना का स्वभाव अतृप्ति है। जो मिल जाता है, उससे ही अतृप्ति हो जाती है। जो नहीं मिला, उसी में रस होता है। काम के इस स्वभाव को समझो—यही उसका बंधन है, यही उसका वैरी-रूप है।

जो मिल जाता है, वही व्यर्थ हो जाता है। जिस स्त्री को तुम चाहते थे, मिल गई; जिस पुरुष को तुमने चाहा, मिल गया—बस, तत्क्षण तुम किसी और की चाह में लग गए।

बायरन, अंग्रेजी का कवि हुआ। उसका अनेक स्त्रियों से संबंध था। सुंदर पुरुष था, प्रतिभाशाली पुरुष था, और महीने दो महीने से ज्यादा उसका संबंध नहीं चलता था। लेकिन एक स्त्री ने उसे बिलकुल मजबूर कर दिया विवाह करने को। उसने कहा, विवाह नहीं किया तो हाथ भी नहीं छुऊंगी। और वह दीवाना हो गया उसे अपने करीब लेने को। आखिर विवाह के लिए राजी होना पड़ा। जब वह विवाह हो गया और चर्च से बायरन उतरता था अपनी नई विवाहित पत्नी का हाथ पकड़े हुए, सीढ़ियां पार कर रहा था, ठिठक कर खड़ा हो गया। उसने अपनी पत्नी से कहा, आश्चर्य! मैं तेरे लिए दीवाना था, महीनों सोया नहीं, और अभी क्षण भर के लिए तेरा हाथ मेरे हाथ में है, लेकिन तेरी मुझे सुधि भूल गई। राह से वह जो स्त्री जा रही है, मेरा मन उसके पीछे चला गया।

अभी विवाह नहीं हुआ, और तलाक शुरू हो गया!

जो मिल जाता है, उसमें हमारा रस खो जाता है। तुम एक मकान बनाना चाहते

थे बहुत दिन से, बना लिया; जब तक नहीं बना था, तब तक खूब सपने देखे, खूब सोचा, खूब विचारा, वही-वही धुन थी, फिर मकान बन गया। एक दिन अचानक तुम थके-मांदे खड़े हो—कुछ भी तो नहीं मिला! अब तुम और दूसरा मकान बनाने की सोचने लगे।

काम की लक्षणा यही है कि वह तुम्हें कभी तृप्त न होने देगा, तृप्ति का वहां कोई उपाय नहीं। अतृप्ति की जलती हुई आग ही काम का स्वरूप है।

'वैरी-रूप काम को, और अनर्थ से भरे अर्थ को त्याग कर...।'

हिंदुओं ने चार पुरुषार्थ कहे हैं: अर्थ, काम, धर्म, मोक्ष। काम है साधारण आदमी की वासना, और अर्थ है उसे भरने का उपाय। धन की हम आकांक्षा इसलिए करते हैं कि हमारी कोई कामनाएं हैं, जिन्हें पूरा बिना धन के न किया जा सकेगा। अगर धन है, तो सुंदर स्त्री उपलब्ध हो सकती है। निर्धन को तो बचा-खुचा, जो शेष रह जाता है, वही उपलब्ध होता है। अगर धन है तो तुम जो चाहते हो, वह तुम्हारे हाथ में हो सकता है। अगर निर्धन हो तो चाहते रहो, चाहने से कुछ भी नहीं होता। धन चाह को यथार्थ बनने में सहयोगी होता है।

इसलिए एक बहुत मजे की बात है, तुम धनी से ज्यादा अतृप्त आदमी कहीं भी न पाओगे। निर्धन को तो आशा रहती है, धनी की आशा भी मर जाती है। निर्धन को आशा रहती है—आज नहीं कल धन हाथ में होगा, तो कर लेंगे जो भी करना है—धन के पीछे दौड़ता रहता है। धनी के पास धन है; जो करना है, करने की सुविधा है। लेकिन करने में कुछ अर्थ नहीं मालूम होता। इसलिए धनी व्यक्ति अनिवार्यरूपेण अशांत, अतृप्त हो जाता है।

तुम गरीब आदमी को पागल होते न देखोगे, अमीर आदमी को पागल होते देखोगे। अमीर मुल्कों में ज्यादा पागलपन घटता है। गरीब मुल्कों में मनोवैज्ञानिक अभी है ही नहीं, अभी मनोविश्लेषक है ही नहीं। बंबई में शायद एकाध कोई या पूना में एकाध कोई मनोविश्लेषक हो। लेकिन इस साठ करोड़ के मुल्क में तुम कहीं मनोविश्लेषक को न पाओगे; उसकी कोई जरूरत भी नहीं है। लेकिन न्यूयार्क में वह फैलता जा रहा है। उसकी संख्या उतनी ही होती जा रही है, जितनी कि शरीर के चिकित्सकों की है। संभावना तो यह है कि इस सदी के पूरे होते-होते, मन के चिकित्सकों की संख्या ज्यादा होगी शरीर के चिकित्सकों से। क्योंकि शरीर के लिए तो सारी सुविधाएं पश्चिम में मिलती जा रही हैं। और जितनी शरीर की सुविधाएं मिलती हैं, उतना मन पागल होता जा रहा है।

मेरे देखे, अगर गरीब आदमी धार्मिक हो तो यह चमत्कार है। और अगर आदमी अमीर हो और धार्मिक न हो, तो यह भी चमत्कार है। गरीब आदमी धार्मिक

हो तो अपवाद-स्वरूप है। क्योंकि गरीब आदमी को अभी मन से मुक्त होने का मौका कहां मिला? अभी तो मन की पीड़ा भी उसने नहीं जानी। अभी तो आशा टूटी नहीं है। इसलिए गरीब आदमी जब कभी धार्मिक हो जाए, तो अपवाद-स्वरूप है। धार्मिक आदमी अगर अमीर है तो बिलकुल स्वाभाविक है, ऐसा होना ही चाहिए था। अमीर आदमी को धार्मिक होना ही चाहिए; क्योंकि अब इस जगत में कुछ है, इसकी आशा समाप्त हो गई। उसके पास सब है। कोई एंड्रू कारनेगी, कोई रॉकफेलर, सब है उनके पास। जो खरीदना हो, सब खरीदा जा सकता है। जितनी मात्रा में खरीदना हो, खरीदा जा सकता है। जो खरीदा जा सकता है, खरीदने की क्षमता उससे ज्यादा है उनके पास। अब क्या करें?

तो अगर धार्मिक आदमी अमीर हो, तो साधारण बात है, होना ही चाहिए; गरीब हो, तो असाधारण घटना है। और अगर अमीर धार्मिक आदमी न हो, तो बड़ी असाधारण घटना है, ऐसा होना नहीं चाहिए। इसके दो ही अर्थ हो सकते हैं: या तो वह बुद्धू है, मूढ़ है, और या फिर अभी ठीक से धनी नहीं हुआ। ठीक से धनी हो और बुद्धि पास हो, तो धार्मिक होने के सिवाय कोई उपाय नहीं। गरीब आदमी को धार्मिक होना हो तो बड़ी प्रखर प्रतिभा चाहिए। अमीर आदमी को अगर धार्मिक होने से बचना हो तो बड़ी प्रखर मूढ़ता चाहिए।

भारत जब धनी था तो धार्मिक था। स्वर्ण-युग था भारत का बुद्ध-महावीर के समय में। शिखर पर था भारत दुनिया में, सोने की चिड़िया था! सारी दुनिया भारत की तरफ देखती थी, सारा धन जैसे यहां इकट्ठा था। उन घड़ियों में हमने जो शिखर छुए धर्म के, फिर नहीं छू सके हम, फिर सपना हो गया सब।

गरीब आदमी धार्मिक दिखाई भला पड़े, हो नहीं सकता। क्योंकि गरीब आदमी का अभी भी भरोसा अर्थ में है। अभी तो कामना ही पकड़े हुए है। अभी तो जीवन की छोटी-मोटी जरूरतें पूरी नहीं हुईं; धर्म तो जीवन की बड़ी आखिरी जरूरत है। कहते हैं, 'भूखे भजन न होय गोपाला!' वह जो भूखा आदमी है, कैसे भजन करे? उसके भजन में भी भूख की छाया होगी। उसके भजन में भी भूख होगी। वह भजन भी करेगा तो रोटी ही मांगेगा। उसके भजन में परमात्मा की मांग नहीं हो सकती। जब जीवन की छोटी जरूरतें पूरी हो जाती हैं, शरीर, मन की दौड़ के लिए सब उपाय हो जाते हैं, तब अचानक पता चलता है कि यहां तो पाने योग्य कुछ भी नहीं है। तो कहीं और है पाने योग्य, उसकी खोज शुरू होती है।

धर्म की यात्रा तभी शुरू होती है, जब अर्थ और काम की यात्रा व्यर्थ हो जाती है।

तो दो यात्राएं हैं इस जगत में, एक है—अर्थ, काम। अर्थ है साधन; काम है साध्य। फिर दूसरी यात्रा है—धर्म, मोक्ष। धर्म है साधन; मोक्ष है साध्य। तो साधारणतः, ऐसा समझा गया है कि जिस आदमी को मोक्ष पाना हो, उसे धर्म कमाना चाहिए। जैसे, जिस व्यक्ति को कामना तृप्त करनी हो, उसे धन कमाना चाहिए। क्योंकि धन के बिना कैसे तुम कामना तृप्त करोगे? जिसको काम का जगत पकड़े हो, उसे अर्थ कमाना चाहिए। और जिस व्यक्ति को यह बात व्यर्थ हो गई, अब उसे मुक्त होना है, परम मुक्ति का स्वाद लेना है—उसे धर्म कमाना चाहिए। यह साधारण धर्म की व्यवस्था है।

अष्टावक्र बड़ी क्रांतिकारी बात कह रहे हैं। वे कह रहे हैं : जिस व्यक्ति को वस्तुतः मोक्ष पाना हो, उसे धर्म से भी मुक्त हो जाना चाहिए। क्यों? क्योंकि मोक्ष को कामना नहीं बनाया जा सकता। मोक्ष का स्वभाव ऐसा है कि तुम उसकी चाह नहीं कर सकते। जिसकी भी तुमने चाह की, वह मोक्ष नहीं रह गया। तुम्हारी चाह अगर पीछे खड़ी है, तो तुम जो भी चाहोगे, वह संसार हो गया। मोक्ष का कोई साधन नहीं है। धर्म भी मोक्ष का साधन नहीं है।

यह तो हमारी गणित की दुनिया है। हम कहते हैं, यहां कामवासना पूरी करनी है तो धन कमाओ; और अगर मोक्ष पाना है तो धर्म कमाओ। लोग धर्म भी कमाते हैं, जैसा धन कमाते हैं। लोग पुण्य को भी तिजोरी में भरते चले जाते हैं, जैसे सिक्कों को भरते हैं। जैसे खाते-बही बनाते हैं, और बैंक-बैलेंस रखते हैं, वैसा ही पुण्य का भी हिसाब रखते हैं। परमात्मा के सामने खोल कर रख देंगे अपनी किताब कि ये-ये, इतने-इतने पुण्य किए थे, इनका बदला चाहिए।

साधारण आदमी का तर्क यही है कि जीवन में सब कुछ सौदा है, व्यवसाय है।

अष्टावक्र कहते हैं : मोक्ष कोई सौदा नहीं, कोई व्यवसाय नहीं; तुम्हारे कुछ करने से न मिलेगा। प्रसादरूप है यह। तुम्हारी चाह से नहीं मिलेगा। तुम्हारी चाह के कारण ही तुम चूक रहे हो। मोक्ष तो मिला ही हुआ है—तुम्हारी चाह के कारण तुम नहीं देख पा रहे; चाह ने तुम्हें अंधा किया है। तुम चाहत छोड़ो, तुम चाह छोड़ो। तुम बिना चाह के थोड़ी देर रह कर देखो—अचानक पाओगे, मोक्ष की किरणें तुम्हारे भीतर उतरने लगीं!

तो मोक्ष कोई साध्य नहीं है, जिसका साधन हो सके—मोक्ष स्वभाव है। मोक्ष है ही, हम मोक्ष में ही जी रहे हैं।

मैंने सुना है, एक मछली बचपन से ही सुनती रही थी सागर की, महासागर की बातें। शास्त्रों में भी मछलियों के महासागर की बातें लिखी हैं। बड़े ज्ञानी थे जो

मछलियों में, वे भी महासागर की बातें करते थे। वह मछली बड़ी होने लगी, बड़ी चिंता और विचार में पड़ने लगी कि महासागर है कहां? अब जब मछली सागर में ही पैदा हुई हो तो सागर का पता नहीं चल सकता। सागर में ही बड़ी हुई तो सागर का पता नहीं चल सकता। वह पूछने लगी कि यह महासागर कहां है? लोगों ने कहा, हमने सुनी हैं ज्ञानियों से बातें, सुनी है वार्ता, देखा तो किसी ने भी नहीं। कुछ धन्यभागी मछलियां, कोई बुद्ध-महावीर, कोई कृष्ण-राम जान लेते होंगे; बाकी साधारण मछलियां, हम तो सिर्फ सुन कर मानते हैं कि है महासागर कहीं।

वह बड़ी चिंता में रहने लगी। उसका जीवन बड़ा विक्षुब्ध हो गया। वह बड़ी विचारशील मछली थी। वह भूखी-प्यासी भी पड़ी रहती और सोचती रहती कि कैसे महासागर पहुंचे, वह अद्वितीय घटना कैसे घटेगी? महासागर का लोभ उसके मन में समाने लगा। वह सूखने लगी, वह दुर्बल होने लगी।

फिर कोई एक अतिथि मछली पड़ोस की नदी से आई थी। उसने उसकी यह हालत देखी। उसने कहा, पागल! जिसे तू खोजती है, वह चारों तरफ मौजूद है, हम उसी के भीतर हैं। न तो भूखे मरने की जरूरत है, न ध्यान करने की जरूरत है, न जप करने की जरूरत है—महासागर है ही। महासागर के बिना हम हो ही नहीं सकते।

जैसा उस मछली को बोध दिया गया, अष्टावक्र जैसे सदगुरु हमें भी यही कह रहे हैं कि हम मोक्ष में हैं ही, परमात्मा हमें चारों तरफ से घेरे हुए है! उसी में हमारा जन्म है, उसी में जीवन है, उसी में हमारा विसर्जन है। लेकिन इतना निकट है परमात्मा, इसलिए दिखाई नहीं पड़ता। दूर होता तो हम देख लेते। आंखें हमारी दूर को देखने में समर्थ हैं। जो निकट है, वही चूक जाता है। जो बहुत पास है, वह भूल जाता है। और परमात्मा से ज्यादा निकट कोई भी नहीं। मछली के लिए तो उपाय भी है कि कोई उसे उठा कर रेत के किनारे पर डाल दे तो तड़फ ले और पता चल जाए उसे कि सागर का छूट जाना कैसा होता है। हमारे लिए तो वह भी उपाय नहीं है, परमात्मा के बाहर हम जा ही नहीं सकते।

अष्टावक्र की उदघोषणा यही है कि तुम धर्म की चिंता में मत पड़ना। परमात्मा को पाने के लिए कुछ भी करना जरूरी नहीं है; वह मिला ही हुआ है। मोक्ष कहीं भविष्य में नहीं है—मोक्ष अभी और यहीं है। मोक्ष, तुम्हारी चाह से शून्य अवस्था का नाम है।

वैरिणं कामम्...।

काम है शत्रु क्योंकि वह तृप्त न होने देगा। शत्रु तो वही न जो तृप्त न होने दे! यह शत्रु का अर्थ समझो। मित्र तो वही न जो तृप्ति दे, विश्रांति दे, जिसके पास

बैठ कर आराम मिले! जिसके पास बैठ कर सुख हो—मित्र वही। जिसके साथ रह कर दुख ही दुख हो; जिसकी दोस्ती में सिवाय कांटों के कभी कुछ और न मिले; जो फूलों का भरोसा दे, लेकिन परिणाम में हमेशा कांटे हाथ आएं—शत्रु।

वैरिणं कामम् अनर्थसंकुलम् अर्थम्!

और अष्टावक्र कहते हैं : जिसको तुम अर्थ कहते हो, वह अनर्थ है। जिसको तुम धन कहते हो, अर्थ, अर्थशास्त्र, इक्नामिक्स, वह अनर्थ का शास्त्र है। दुनिया में जितना अनर्थ हो रहा है, वह धन के कारण होता है। इसलिए कुछ दुनिया के विचारक तो इस सीमा तक पहुंच गए कि उन्होंने कहा : जब तक दुनिया में धन है, तब तक शांति नहीं हो सकती।

तुमने निन्यानबे के चक्कर की कहानी पढ़ी है न, वह अनर्थ की घटना है। कहानी सीधी-साफ है, सरल है; मनुष्य को ठीक से प्रगट करती है।

एक सम्राट का एक नौकर था, नाई था उसका। वह उसकी मालिश करता, हजामत बनाता। सम्राट बड़ा हैरान होता था कि वह हमेशा प्रसन्न, बड़ा आनंदित, बड़ा मस्त! उसको एक रुपया रोज मिलता था। बस, एक रुपया रोज में वह खूब खाता-पीता, मित्रों को भी खिलाता-पिलाता। सस्ते जमाने की बात होगी। रात जब सोता तो उसके पास एक पैसा न होता; वह निश्चिंत सोता। सुबह एक रुपया फिर उसे मिल जाता मालिश करके। वह बड़ा खुश था! इतना खुश था कि सम्राट को उससे ईर्ष्या होने लगी। सम्राट भी इतना खुश नहीं था। खुशी कहां! उदासी और चिंताओं के बोझ और पहाड़ उसके सिर पर थे। उसने पूछा नाई से कि तेरी प्रसन्नता का राज क्या है? उसने कहा, मैं तो कुछ जानता नहीं, मैं कोई बड़ा बुद्धिमान नहीं। लेकिन, जैसे आप मुझे प्रसन्न देख कर चकित होते हैं, मैं आपको देख कर चकित होता हूं कि आपके दुखी होने का कारण क्या है? मेरे पास तो कुछ भी नहीं है और मैं सुखी हूं; आपके पास सब है, और आप सुखी नहीं! आप मुझे ज्यादा हैरानी में डाल देते हैं। मैं तो प्रसन्न हूं, क्योंकि प्रसन्न होना स्वाभाविक है, और होने को है ही क्या?

वजीर से पूछा सम्राट ने एक दिन कि इसका राज खोजना पड़ेगा। यह नाई इतना प्रसन्न है कि मेरे मन में ईर्ष्या की आग जलती है कि इससे तो बेहतर नाई ही होते। यह सम्राट होकर क्यों फंस गए? न रात नींद आती, न दिन चैन है; और रोज चिंताएं बढ़ती ही चली जाती हैं। घटना तो दूर, एक समस्या हल करो, दस खड़ी हो जाती हैं। तो नाई ही हो जाते।

वजीर ने कहा, आप घबड़ाएं मत। मैं उस नाई को दुरुस्त किए देता हूं।

वजीर तो गणित में कुशल था। सम्राट ने कहा, क्या करोगे? उसने कहा, कुछ

नहीं। आप एक-दो-चार दिन में देखेंगे। वह एक निन्यानबे रुपये एक थैली में रख कर रात नाई के घर में फेंक आया। जब सुबह नाई उठा, तो उसने निन्यानबे गिने, बस वह चिंतित हो गया। उसने कहा, बस एक रुपया आज मिल जाए, तो आज उपवास ही रखेंगे, सौ पूरे कर लेंगे!

बस, उपद्रव शुरू हो गया। कभी उसने इकट्ठा करने का सोचा न था, इकट्ठा करने की सुविधा भी न थी। एक रुपया मिलता था, वह पर्याप्त था जरूरतों के लिए। कल की उसने कभी चिंता ही न की थी। 'कल' उसके मन में कभी छाया ही न डालता था; वह आज में ही जीया था। आज पहली दफा 'कल' उठा। निन्यानबे पास में थे, सौ करने में देर ही क्या थी! सिर्फ एक दिन तकलीफ उठानी थी कि सौ हो जाएंगे। उसने दूसरे दिन उपवास कर दिया। लेकिन, जब दूसरे दिन वह आया सम्राट के पैर दबाने, तो वह मस्ती न थी, उदास था, चिंता में पड़ा था, कोई गणित चल रहा था। सम्राट ने पूछा, आज बड़े चिंतित मालूम होते हो? मामला क्या है?

उसने कहाः नहीं हजूर, कुछ भी नहीं, कुछ नहीं सब ठीक है।

मगर आज बात में वह सुगंध न थी जो सदा होती थी। 'सब ठीक है'—ऐसे कह रहा था जैसे सभी कहते हैं, सब ठीक है। जब पहले कहता था तो सब ठीक था ही। आज औपचारिक कह रहा था।

सम्राट ने कहा, नहीं मैं न मानूंगा। तुम उदास दिखते हो, तुम्हारी आंख में रौनक नहीं। तुम रात सोए ठीक से?

उसने कहा, अब आप पूछते हैं तो आपसे झूठ कैसे बोलूं! रात नहीं सो पाया। लेकिन सब ठीक हो जाएगा, एक दिन की बात है। आप घबड़ाएं मत।

लेकिन वह चिंता उसकी रोज बढ़ती गई। सौ पूरे हो गए, तो वह सोचने लगा कि अब सौ तो हो ही गए; अब धीरे-धीरे इकट्ठा कर लें, तो कभी दो सौ हो जाएंगे। अब एक-एक कदम उठने लगा। वह पंद्रह दिन में बिलकुल ही ढीला-ढाला हो गया, उसकी सब खुशी चली गई। सम्राट ने कहा, अब तू बता ही दे सच-सच, मामला क्या है? मेरे वजीर ने कुछ किया?

तब वह चौंका। नाई बोला, क्या मतलब? आपका वजीर...? अच्छा, तो अब मैं समझा। अचानक मेरे घर में एक थैली पड़ी मिली मुझे—निन्यानबे रुपये। बस, उसी दिन से मैं मुश्किल में पड़ गया हूं। निन्यानबे का फेर!

सारे अनर्थ की जड़ में कहीं अर्थ है। दुनिया में आज पर्याप्त संपत्ति है कि सभी लोग सुखी हो सकें। लेकिन कब्जा करने वालों की दौड़ इतनी है, मालकियत का नशा इतना है कि यह असंभव है, यह हो नहीं सकता। दुनिया आज इतनी संपन्न

हो सकती है कि कोई आदमी दुखी न हो; किसी को रोटी, रोजी, कपड़े की कोई तकलीफ न हो; दवा, छप्पर का कोई अभाव न हो—लेकिन यह हो नहीं सकता। क्योंकि कुछ लोग बिलकुल दीवाने हैं और पागल हैं। उनका एक ही रस है जीवन में—ढेर लगाना धन का। यह आब्सेशन है, यह एक विक्षिप्त चित्त की दशा है। कितनी हत्याएं, कितने युद्ध—वे सभी अर्थ के कारण हैं! कितनी राजनीति—वह सब अर्थ के कारण है।

टालस्टाय ने लिखा है कि दुनिया में शांति न होगी, जब तक सिक्के चलते रहेंगे। शायद, दुनिया में ऐसा तो कभी नहीं होगा कि सिक्के न चलें। क्योंकि वह भी अड़चन का कारण होगा, बहुत अड़चन हो जाएगी खड़ी। आज तो हम सोच ही नहीं सकते कि आदमी बिना सिक्के के रह सकता है। इसलिए टालस्टाय जैसे अराजकवादियों की बात कभी सुनी जाएगी, यह तो ठीक नहीं है। और मैं मानता भी नहीं कि सुनी जानी चाहिए। लेकिन सिक्कों के पागलपन से आदमी का छुटकारा हो सकता है।

खयाल करें, जिस आदमी को धन के पीछे तुम दौड़ते पाओगे, उस आदमी को अगर गौर से देखो तो एक बात तुम्हें पक्की मिलेगी, उस आदमी के जीवन में प्रेम न मिलेगा। कृपण प्रेमी नहीं होता—हो ही नहीं सकता! और प्रेमी कभी कृपण नहीं होता। तो ऐसा लगता है, जितना जीवन में प्रेम होता है, धन का पागलपन उतना ही कम होता है। और जितना जीवन में प्रेम कम होता है, धन का पागलपन उतना ही ज्यादा होता है। धन प्रेम की परिपूर्ति है। हृदय प्रेम से खाली रह गया है तो किसी चीज से भरना होगा। वह जो भीतर की रिक्तता है, घबड़ाती है, डर पैदा होतां है कि मैं भीतर खाली-खाली, भर लूं किसी चीज से!

मनस्विद कहते हैं कि बच्चा जब पहली दफे पैदा होता है, तो उसके जीवन में जो पहली महत्वपूर्ण घटना घटती है, वह है मां का स्तन। और मां के स्तन से दो चीजें साथ-साथ बहती हैं उस बच्चे में—प्रेम और दूध। अगर मां बच्चे को प्रेम करती है तो बच्चा कभी बहुत फिकर नहीं करता कि ज्यादा दूध पी ले। सच तो यह है कि मां बच्चे को प्रेम करती है तो बच्चे को बहुत फुसलाना पड़ता है, समझाना पड़ता है, तब वह दूध पीता है। वह फिकर ही नहीं करता दूध वगैरह पीने की। वह इतना भरा रहता है प्रेम से कि दूध से भरने की इच्छा पैदा नहीं होती। अगर बच्चे को शक हो जाए कि मां प्रेम नहीं करती, या सौतेली मां है, या नर्स है, या मां की उपेक्षा है; चाहती नहीं थी, बच्चा जबरदस्ती पैदा हो गया है; बर्थ-कंट्रोल की टिकिया शायद काम नहीं कर सकी, इसलिए पैदा हो गया है; एक तिरस्कार

है—तो बच्चा जल्दी ही समझ जाता है, फिर वह बहुत दूध पीने लगता है। क्योंकि घड़ी भर बाद दूध मिलेगा या नहीं, इसका भरोसा नहीं। कल की चिंता पकड़ लेती है। तो वह मां के स्तन से लगा ही रहता है। और जितना वह ज्यादा पीता है, उतना मां हटाती है उसको कि हो गया बहुत। जितना मां कहती है, हो गया बहुत, हटो—उतना ही उसको घबड़ाहट पैदा होती है भविष्य की: इकट्ठा कर लूं, दूध को इकट्ठा कर लूं, जितना हो सके इकट्ठा कर लूं!

तुमने देखा, गरीब बच्चों के पेट बड़े मिलेंगे, अमीर घर के बच्चों के पेट बड़े नहीं मिलेंगे। गरीब बच्चों के शरीर तो दुबले हो जाएंगे, पेट खूब बड़ा हो जाएगा। यह सबूत है कि बच्चा डरा है; कल रोटी मिलेगी या नहीं, इसका कुछ पक्का नहीं है। फिर यही भय पूरे जीवन पर फैल जाता है।

धन यानी रोटी। धन यानी दूध। धन यानी कल का भरोसा। धन यानी कल की सुरक्षा।

आदमी बैंक में बैलेंस रखता है, इंश्योरेंस करवाता है—वह कल का इंतजाम कर रहा है। वह यह कह रहा है, कल की फिकर नहीं रहेगी। कल बूढ़े हो जाएं, बीमार हो जाएं—कोई फिकर नहीं, पैसा पास में है तो सब सुरक्षा है। वह कहता है, प्रेम न भी हो तो चलेगा; पैसा तो होना ही चाहिए। प्रेम को क्या खाओगे, पीयोगे—क्या करोगे? फिर वह कहता है कि पैसा होगा तो प्रेम तो बहुत मिल जाएगा। जिसको पैसे का पागलपन होता है, वह सोचता है हर चीज पैसे से खरीदी जा सकती है।

नहीं, जीवन में कुछ महत्वपूर्ण चीजें हैं, जो पैसे से नहीं खरीदी जा सकतीं। सच तो यह है, जो भी महत्वपूर्ण है वह पैसे से नहीं खरीदा जा सकता—न प्रेम, न प्रार्थना, न परमात्मा। जीवन में जो क्षुद्र है और व्यर्थ है, वही पैसे से खरीदा जा सकता है। पैसा स्वयं क्षुद्र है। क्षुद्र से क्षुद्र ही मिल सकता है।

तो आदमी इकट्ठा करता जाता है। वह कहता है: प्रेम कल कर लेंगे, आज तो पैसा इकट्ठा कर लूं। कल निश्चिंत हो जाएंगे, फिर प्रेम कर लेंगे, फिर गीत गा लेंगे, फिर वीणा बजा लेंगे, फिर विश्राम करेंगे—आज तो कमा लूं! कल को हम कहते हैं, छोड़ो; आज कमा कर कल का इंतजाम कर लें। कल भी आज की तरह आएगा। फिर भी तुम यही करते रहोगे कि कल के लिए कमा लें, कल के लिए कमा लें। एक दिन मौत आ जाती है और कल कभी नहीं आता। धन का ढेर बाहर लग जाता है, और तुम नंगे भिखारी हो जाते हो। धन का ढेर लग जाता है, भीतर निर्धनता गहरी हो जाती है; भीतर घाव ही घाव हो जाते हैं। धीरे-धीरे तुम प्रेम करना भूल ही जाते हो।

धन, अर्थ अनर्थ है। इसे पहचानना। मैं तुमसे यह नहीं कह रहा हूं कि धन को छोड़ कर भाग जाओ। मैं तुमसे सिर्फ इतना कह रहा हूं कि जाग जाओ। धन का उपयोग है। मैं कोई अराजकवादी नहीं हूं और न धन-विरोधी हूं। धन का उपयोग है। धन की बाह्य उपयोगिता है। लेकिन धन से अपने को भरने की चेष्टा मत करना; वह नहीं हो सकता; वह असंभव है। असंभव को करोगे तो जीवन नष्ट हो जाएगा, अनर्थ हो जाएगा।

धन से कुछ चीजें मिलती हैं, जरूर मिलती हैं—और उन चीजों का मूल्य भी है; लेकिन उन चीजों से कोई तृप्ति नहीं मिलती।

जीसस का वचन है: मैन कैन नॉट लिव बाइ ब्रेड अलोन। आदमी अकेली रोटी से नहीं जी सकता। दूसरा वचन भी जोड़ा जा सकता है कि आदमी बिना रोटी के भी नहीं जी सकता; वह भी सच है। रोटी चाहिए, लेकिन रोटी पर्याप्त नहीं है; रोटी से कुछ ज्यादा चाहिए। जिस दिन तुमने समझा कि धन पर्याप्त है, उस दिन अनर्थ हुआ। जब तक तुमने समझा कि धन की उपयोगिता है एक सीमा तक और तुम सीमा के भीतर सजग रहे—फिर कोई हर्ज नहीं है। तो तुमने धन का उपयोग किया और धन ने तुम्हारा उपयोग नहीं किया। तुम मालिक रहे और धन मालिक न हुआ। संक्षिप्त में कहें तो ऐसा कह सकते हैं: जब अर्थ तुम्हारा मालिक हो जाए तो अनर्थ हो गया। जब अर्थ के तुम मालिक होते हो—तब अर्थ, अन्यथा अनर्थ।

वैरिणम् कामम् अनर्थसंकुलम् अर्थम्, एतयोः

हेतुम् धर्मम् अपि विहाय सर्वत्र अनादरम् कुरु।

और इन सबके भीतर—यह सूत्र बड़ा क्रांतिकारी है—और इन सबके भीतर, सबका मूलरूप कारण, सारे अनर्थ, काम और धन की दौड़ के पीछे जो मूल कारण है, वह धर्म है। यह तुम चौंकोगे सुन कर। क्योंकि तुमने सदा यही सुना है कि धर्म तो त्राण है, कि धर्म तो नाव है जिसमें बैठ कर हम उस पार उतर जाएंगे। और अष्टावक्र कहते हैं, इन दोनों का कारण-रूप धर्म है। इस सारे उपद्रव का कारण धर्म है। क्यों?

धर्म का अर्थ है कि मोक्ष पाना है। धर्म का अर्थ है कि मोक्ष पाने के लिए कुछ करना है। यह मूल कारण है उपद्रव का। तृप्ति के लिए कुछ करना है—फिर उसी से अर्थ भी पैदा होता है, उसी से काम भी पैदा होता है। मोक्ष की उदघोषणा यह है कि कुछ करना नहीं है, तुम मुक्त पैदा हुए हो। इस क्षण अभी और यहीं मोक्ष तुम्हारा स्वभाव है। तुम्हारी उदघोषणा की भर बात है। तुम जब चाहो घोषणा कर दो—और उसी क्षण से आनंद की वर्षा हो जाएगी। समझने की कोशिश करो।

साधारणतः हम चीजों को हमेशा दो में बांट देते हैं—साधन और साध्य। साध्य होता है भविष्य में, साधन होता है अभी। मोक्ष के संबंध में या परमात्मा के संबंध में बात उल्टी है। मोक्ष अभी है, यहीं है। किसी साधन की कोई जरूरत नहीं है—सिर्फ जागना है। सिर्फ आंख खोल कर देखना है—सूरज निकला हुआ है। रात कहीं भी नहीं; तुम पलक बंद करके बैठे हो, इसलिए अंधेरा मालूम हो रहा है।

किसी साधन की कोई भी जरूरत नहीं है, क्योंकि साधन का तो मतलब यह होगा कि आज तैयारी करेंगे, तब कल मिलेगा। यह तो फिर वही दौड़ शुरू हो गई। आज धन कमाएंगे तो कल धनी होंगे। आज स्त्री खोजेंगे, तो कल मिलेगी। यह तो फिर परमात्मा के नाम पर भी वही दौड़ शुरू हो गई।

नहीं, परमात्मा आज है! संसार कल है और परमात्मा आज हैः संसार में सदा दौड़ है और परमात्मा सदा मंजिल है। संसार मार्ग है और परमात्मा लक्ष्य है। वह लक्ष्य मौजूद ही है; तुम्हें कहीं जाना भी नहीं। तुम उसी में घिरे बैठे हो। वही तुम्हारे भीतर है और वही तुम्हारे बाहर है।

'तू सबकी उपेक्षा कर, अनादर कर। सर्वत्र! अर्थ, काम और धर्म, इन तीनों का तू अनादर कर। तेरे मन से साधन-मात्र अनादृत हो जाएं।'

ये तीनों साधन हैं। इन तीनों का अनादर हो जाए, तो जो शेष रह जाएगा वही मोक्ष है।

'मित्र, खेत, धन, मकान, स्त्री, भाई आदि संपदा को तू स्वप्न और इंद्रजाल के समान देख, जो तीन या पांच दिन ही टिकते हैं।'

इस जगत में जो भी हम पकड़ लेते हैं और जिसको भी हम सोचते हैं कि इससे हमें सुख मिलेगा—अष्टावक्र कहते हैं—वह द्रष्ट-नष्ट है, देखते-देखते ही नष्ट हो जाता है, स्वप्न जैसा है! जब होता है तो सच लगता है; जब खो जाता है तब बड़ी हैरानी होती है।

तुमने देखा, स्वप्न का यह स्वभाव देखा! रोज रात देखते हो, रोज सुबह जाग कर पाते हो झूठा था। और फिर जब रात सोते हो दूसरे दिन, तो फिर उस झूठ में पड़ जाते हो। फिर रात वही सपना फिर ठीक मालूम होने लगता है। सपने में तुम्हें कभी संदेह उठता ही नहीं। सपने में मैंने नास्तिक देखा ही नहीं, सपने में सभी आस्तिक हैं। सपने में संदेह उठता ही नहीं, भ्रम उठता ही नहीं, शक उठता ही नहीं। सपने में तो बिलकुल श्रद्धा रहती है। बड़े आश्चर्यजनक लोग हैं!

अगर तुम सपने में देख रहे हो कि अचानक एक घोड़ा चला आ रहा है, पास आकर अचानक तुम्हारी पत्नी बन गया है या पति बन गया है, तो भी तुम्हारा मन यह नहीं कहता कि यह कैसे हो सकता है! तुम स्वीकार करते हो। जरा भी, रंचमात्र

भी संदेह नहीं उठता। कुछ भी घटना घट सकती है। तुम सपने में आकाश में उड़ते हो, तुम शक भी नहीं करते कि मैं आकाश में कैसे उड़ सकता हूं! यह कैसे संभव है! तुम विराट हो जाते हो सपने में, सारा आकाश भर देते हो, कि बड़े छोटे हो जाते हो, कि चींटी से भी छोटे हो जाते हो कि दिखाई भी नहीं पड़ते, तो भी तुम्हें शक नहीं होता। सुबह जाग कर तुम हंसते हो कि क्या-क्या पागलपन देखा! सपने में सपना सच हो जाता है।

'मित्र, खेत, धन, मकान, स्त्री, भाई आदि संपदा को तू स्वप्न और इंद्रजाल के समान देख, जो तीन या पांच दिन ही टिकते हैं।'

भारत में सत्य की एक परिभाषा है और वह परिभाषा है: जो तीनों काल में टिके; त्रिकाल-अबाधित; कभी भी जिसका खंडन न हो; जो पहले भी था, अभी भी है और फिर भी होगा; जो शाश्वत है—वही सत्य है। जो कल नहीं था, आज है, और कल फिर नहीं हो जाएगा—उसे भारत असत्य कहता है।

भारत की इस परिभाषा को ठीक खयाल में लेना। यहां सत्य की परिभाषा ही यही है कि जो अबाधित रूप से रहे, जैसा था वैसा ही रहे। क्यों? जो कल नहीं था, आज है, और कल फिर नहीं हो जाएगा—इसका तो अर्थ हुआ कि दो 'नहीं' के बीच में होना घट सकता है। एक दिन था तुम नहीं थे, जन्म नहीं हुआ था; एक दिन आएगा कि तुम मर जाओगे, मौत हो जाएगी। दो 'नहीं' और उन दोनों के बीच में जिसको तुम जीवन कहते हो यह है। यह तो स्वप्नवत है—चाहे सत्तर साल देखो, चाहे सात सौ साल देखो, इससे कोई फर्क नहीं पड़ता। लंबाई से कुछ भेद नहीं पड़ता। जो सदा है...।

त्रिकालाबाध्यत्वे सत्यत्वम्।

'जो तीनों काल में अबाधित रहे, वही सत्य है।'

भारतीय मनोविज्ञान मनुष्य की चेतना की चार अवस्थाएं कहता है। तीन तो अवस्थाएं हैं, चौथा स्वभाव है। जाग्रत, स्वप्न, सुषुप्ति—तीन तो अवस्थाएं हैं; और साक्षी, तुरीय, चतुर्थ स्वभाव है। जागते में तुम एक दुनिया देखते हो। जब तुम सो जाते हो और सपने में पड़ते हो तो जागने की दुनिया झूठ हो जाती है। तुम ठीक अपनी पत्नी के पास सो रहे हो बिस्तर पर, लेकिन पत्नी झूठ हो गई जब तुम सो गए। तुम्हें सोने में पत्नी की कभी याद नहीं आती। तुम यह सोचते ही नहीं इस भाषा में कि वह मेरी पत्नी है। जब तुम सो गए तो बच्चे, तुम्हारा मकान, तुम गरीब हो कि अमीर, प्रतिष्ठित हो कि अप्रतिष्ठित, साधु हो कि संत, कि असाधु कि असंत, सब खो गया। जागना एक सपना था। जब दूसरा सपना शुरू हुआ; जागने का सपना खो गया।

फिर सुबह जब सपना टूटता है फिर दूसरा सपना शुरू हुआ। सपने में जो देखा था, वह अब खो गया। जब रात में गहरी नींद लगती है और सपना भी खो जाता है—तब जाग्रत में जो जाना, वह भी समाप्त हो गया; सपने में जो जाना, वह भी समाप्त हो गया। सुषुप्ति में दोनों ही खंडित हो गए। और जो लोग चौथी अवस्था को उपलब्ध होते हैं—चौथी, जो कि तुम्हारा निज-स्वरूप है; कहो बुद्धत्व, साक्षी-भाव, जिनत्व, जो भी नाम देना हो—जो उस चौथी शुद्ध अवस्था को उपलब्ध होते हैं, जहां परम जागरण रह जाता है, उनको पता चलता है कि वे तीनों अवस्थाएं खंडित हो गईं। स्वप्न, सुषुप्ति, जागृति—सब खंडित हो गए; कुछ और ही अनुभव में आता है। ब्रह्म ही ब्रह्म अनुभव में आता है। कहीं कोई संसार नहीं दिखाई पड़ता, कहीं कोई दूजा नहीं दिखाई पड़ता। अपना ही फैलाव मालूम होता है। न कोई मैं बचता, न कोई तू बचता।

तो भारत कहता है: साक्षी-भाव में जो जाना जाता है, वही केवल सत्य है; उसका फिर कभी खंडन नहीं होता। यह जगत जिसको हम सत्य मान बैठे हैं—भारतीय मनीषा कहती है—इस जगत की परिभाषा: गच्छतीति जगत! जो जा रहा है—जगत। जो गया-गया है—जगत। जो जा ही चुका है, जो जाने के किनारे खड़ा है—जगत। जगत का अर्थ है: जो अथिर है, जो थिर नहीं; जो नदी की धार की तरह बहा जा रहा है; जहां सब परिवर्तन ही परिवर्तन है और कुछ भी शाश्वत नहीं। जहां परिवर्तन है, वहां असत्य। और जहां अपरिवर्तित के दर्शन होते हैं, शाश्वत की प्रतीति होती है—वहीं सत्य। गच्छतीति जगत—जो भागा जा रहा है! जैसे आकाश में धुएं के बादल बनते हैं और मिटते हैं और रूप खड़े होते हैं और बिखरते हैं, क्षण भर भी कुछ ठहरा हुआ नहीं है—वैसा जगत! कोई गिर रहा, कोई उठ रहा; कोई जीत रहा, कोई हार रहा! जो हार रहा है, वह कल जीत सकता है। जो अभी जीत रहा है, वह कल हार सकता है। यहां कुछ भी पक्का नहीं है, यहां सब चीजें बदली जा रही हैं। समुद्र की लहरें हैं! इसमें जिसने सत्य को खोजना चाहा, वह खाली हाथों मरता है।

इस सारी बदलाहट के बीच, क्या तुम्हें कभी भी थोड़ा स्मरण आता है कि कोई ऐसी चीज है जो बिना बदली है? उस बिना बदले को ही हम आत्मा कहते हैं। दिन में तुम जागते हो—संसार—एक बात। यह जो भीतर तुम्हारे बैठा देखता है संसार को—यह दूसरी बात है। रात तुम सपने में सो जाते हो, सपना देखते हो, तब भी दो चीजें रहती हैं—सपना और तुम। फिर तुम गहरी नींद में पड़ जाते हो, तब भी दो चीजें रहती हैं—तुम और गहरी नींद। गहरी नींद कभी सपना बन जाती है, सपना कभी गहरी नींद बन जाता है। सपने से कभी जाग आते हो, दुनिया आ

जाती है, फिर दुनिया खो जाती है; लेकिन एक चीज शाश्वत बनी रहती है—तुम्हारा साक्षी-भाव, तुम्हारा द्रष्टा-भाव, तुम्हारी अंतर्दृष्टि।

तुमने देखा, गहरी नींद से भी उठ कर आदमी कहता है, रात बड़ी गहरी नींद आई, बड़ी आनंदपूर्ण नींद आई! पूछो उससे, अगर नींद पूरी लग गई थी तो यह पता किसको चला? यह किसने जाना? यह कौन खबर दे रहा है? जरूर तुम्हारे भीतर कोई था जो देखता रहा कि गहरी नींद लगी, बड़ी आनंदपूर्ण नींद लगी! किसी ने इसका प्रत्यक्ष किया है—वही तुम हो। और सब तो बदलता है, सिर्फ साक्षी नहीं बदलता।

तुम छोटे बच्चे थे, फिर तुम जवान हो गए, फिर तुम बूढ़े हो गए; कभी स्वस्थ थे, अब जीर्ण-जर्जर हो गए, खंडहर हो गए—लेकिन एक तुम्हारे भीतर अखंड, अबाध वैसा का वैसा बना है—वह द्रष्टा, साक्षी। एक दिन उसने देखा बच्चे जैसी देह है, एक दिन उसने देखा जवान हो गए; एक दिन उसने देखा, बूढ़े होने लगे; एक दिन उसने देखा, जीर्ण-जर्जर हो गए।

अगर तुम खयाल कर पाओ कि तुम्हारे भीतर यह साक्षी का जो अनस्यूत धागा है, इस पर हजारों घटनाएं घटी हैं, मगर यह वैसा का वैसा बना रहा है। सब इसके सामने आया और गया है। सब खेल इसके सामने चला है। यह सबसे पार, दूर अछूता, निष्कलुष मौजूद रहा है। यह मौजूदगी ही एकमात्र सत्य है।

'जहां-जहां तृष्णा हो, वहां-वहां ही संसार जान। प्रौढ़ वैराग्य को आश्रय करके वीततृष्णा हो।'

यत्र यत्र भवेत्तृष्णा संसार विद्धि तत्र वै।
प्रौढ़वैराग्यमाश्रित्य वीततृष्णः सुखी भव।।

प्रौढ़ वैराग्य! कच्चा वैराग्य खतरनाक है। पका वैराग्य! क्या फर्क है कच्चे और पके वैराग्य में? एक तो वैराग्य है जो तुम किसी की बातें सुन कर ले लो। किसी साधु-सत्संग में वैराग्य की चर्चा चलती हो, वैराग्य के अनूठे अनुभवों की बात होती हो—तुम्हारा लोभ जग जाए। वैराग्य के आनंद की प्रशस्ति गाई जा रही हो, कोई समाधि के सुख का वर्णन कर रहा हो—और तुम्हारे भीतर वासना जग जाए कि ऐसा आनंद हमें भी मिले, ऐसा सुख हम भी पाएं, ऐसी परम रसपूर्ण अवस्था हमारी भी हो! और इस कारण तुम वैराग्य ले लो, तो कच्चा वैराग्य। यह टिकेगा नहीं, यह तुम्हें बड़े खतरे में डालेगा। तुम अभी पके न थे, कच्चे तोड़ लिए गए। कच्चा फल टूट जाए तो वृक्ष को भी पीड़ा होती है, फल को भी पीड़ा होती है।

और कच्चा फल कच्चा है, इसलिए कुछ अनुभव घटेगा नहीं। जो पके फल

को घटा है, वह कच्चे को घट नहीं सकता; क्योंकि वह पकने में ही घटता है। जब पका फल वृक्ष से गिरता है तो कभी किसी को पता भी नहीं चलता कब गिर गया, चुपचाप! न वृक्ष पर घाव छूटता, न पके फल को कोई पीड़ा होती—चुपचाप सरक जाता है। हवा का झोंका भी न आया हो और चुपचाप सरक जाता है।

पका वैराग्य, प्रौढ़ वैराग्य—यह शब्द बहुत बहुमूल्य है—प्रौढ़ वैराग्य का अर्थ है: जीवन की असारता को अनुभव करके जो वैराग्य जन्मे। वैराग्य का गीत सुन कर, वैराग्य की प्रशस्ति सुन कर, जो लोभ के कारण वैराग्य आ जाए, तो वह कच्चा संन्यास है—उससे बचना, उसका कोई भी मूल्य नहीं; वह बड़े खतरे में डाल देगा। वह तुम्हें संसार का अनुभव भी न करने देगा और समाधि तक भी न जाने देगा; तुम बीच में अटक जाओगे त्रिशंकु की भांति। प्रौढ़ वैराग्य—संसार का ठीक-ठीक अनुभव करके, अपने ही अनुभव से जान कर।

बुद्ध तो कहते हैं: संसार दुख है। और अष्टावक्र कहते हैं कि काम शत्रु है। और महावीर कहते हैं: अर्थ में सिर्फ अनर्थ है। मगर यह वे कहते हैं, यह तुमने नहीं जाना। इनकी सुन कर एकदम चल मत पड़ना; अनुयायी मत बन जाना, नहीं तो खतरा होगा। तुम्हारे पास अपनी आंखें नहीं हैं—तुम कहीं न कहीं खाई, खड्डे में गिरोगे। इनकी बात समझना और जीवन की कसौटी पर कसना। अनुयायी मत बनना, अनुभव से सीखना। ये कहते हैं, तो ठीक ही कहते होंगे; इस पर विश्वास कर लेने की कोई जरूरत नहीं है। ये कहते हैं तो ठीक ही कहते होंगे इस पर अविश्वास करने की भी कोई जरूरत नहीं है, लेकिन इस पर प्रयोग करने की जरूरत है। ये जो कहते हैं, उसे जीवन में उतारना, देखना। देखना अपनी वासना को। अगर तुम्हारा भी यही निष्कर्ष हो, तुम्हारा अवलोकन भी यही कहे कि बुद्ध ठीक कहते हैं, अष्टावक्र ठीक कहते हैं...लेकिन निर्णायक तुम्हारा अनुभव हो, बुद्ध का कहना नहीं। बुद्ध गवाह हों। मौलिक निष्पत्ति तुम्हारी अपनी हो। फिर तुम्हारे जीवन में जो वैराग्य होगा, वह प्रौढ़ वैराग्य है।

'जहां-जहां तृष्णा हो, वहां-वहां संसार जान।'

अगर मोक्ष की भी तृष्णा हो, तो वह भी संसार है। इसलिए धर्म को भी कहा, त्याग कर देना।

'प्रौढ़ वैराग्य को आश्रय करके वीततृष्णा हो।'

प्रौढ़वैराग्यमाश्रित्य वीततृष्णः सुखी भव।

अभी हो जा सुख को उपलब्ध! लेकिन पहले वैराग्य को प्रौढ़ हो जाने दे।

यत्र यत्र तृष्णा भवेत तत्र संसारम् विधि वै।

जहां-जहां है वासना, वहां-वहां संसार। समझना। वासना संसार है, इसलिए

संसार को छोड़ने से कुछ भी न होगा। वासना छोड़ने से सब कुछ होगा। संसार तो वासना के कारण निर्मित होता है। तुम संसार से भाग गए तो कुछ लाभ नहीं। वासना साथ रही तो नया संसार निर्मित हो जाएगा। जहां तुम होओगे, वहीं ब्लूप्रिंट तुम्हारे पास है, फिर तुम खड़ा कर लोगे। उससे तुम बच न पाओगे। उसका बीज तुम्हारे भीतर है।

वासना बीज है, संसार वृक्ष है। बीज को दग्ध करो, वृक्ष से मत लड़ने में लग जाना।

...तत्र संसारम् विद्धि वै।

प्रौढ़ वैराग्यम् आश्रित्य वीततृष्णः सुखी भव।।

और प्रौढ़ता को उपलब्ध हो!

इसलिए कच्चे-कच्चे भागो मत। गैर अनुभव में भागो मत। भगोड़े मत बनो। पलायनवादी मत बनो। जीवन की गहराई में, सघन में खड़े हो कर, जीवन को सब तरह जान कर...। कामवासना में उतर कर ही तुम कामवासना से मुक्त हो सकोगे। कामवासना की गहराइयों में उतर कर ही तुम जान पाओगे व्यर्थता। धन की दौड़ में दौड़ कर ही तुम पाओगेः मिलता कुछ भी नहीं। महत्वाकांक्षा में जी कर ही तुम्हें पता चलेगा कि सिर्फ दग्ध करती है महत्वाकांक्षा, जलाती है; ज्वर है, सन्निपात है। राजनीति में पड़ कर ही तुम जानोगे कि राजनीति रोग है, विक्षिप्तता है, पागलपन है।

जीवन को अनुभव से पकने दो। और जब जीवन का अनुभव तुम्हारा कह दे, तो फिर वैराग्य सहज घट जाएगा; जैसे पका फल गिर जाता है।

'मात्र तृष्णा ही बंध है और उसका नाश मोक्ष कहा जाता है। और संसार-मात्र में असंग होने से निरंतर आत्मा की प्राप्ति और तुष्टि होती है।'

तृष्णामात्रात्मको बंधस्तन्नाशो मोक्ष उच्यते।

भवासंसक्तिमात्रेण प्राप्तितुष्टिर्मुहुर्मुहुः।।

यह सूत्र बड़ा विचारणीय है।

'मात्र तृष्णा बंध है!'

जब तक तुम कुछ भी चाहते हो, तब तक जानना बंधे रहोगे। ईश्वर को भी चाहा तो बंधे रहोगे।

कल ही 'गुणा' ने एक प्रश्न लिख कर मुझे भेजा है कि मैं तो आपको कभी नहीं छोड़ सकती और आप कोशिश भी मत करना मुझे छुड़ा देने की। मेरे लिए तो आप सब कुछ हो, मुझे कोई ईश्वर नहीं चाहिए, कोई मोक्ष नहीं चाहिए।

तुम्हें न चाहिए हो और तुम अपनी चाहत में कुछ गलत की मांग भी करो, तो भी मैं गलत का सहयोगी नहीं हो सकता हूं। कितनी ही कठोरता मालूम पड़े, मैं पूरी चेष्टा करूंगा कि तुम मुझसे मुक्त हो जाओ। अन्यथा, मैं तुम्हारा शत्रु हो गया। यह तो फिर चाहत ने नया रूप लिया। यह तो फिर तृष्णा बनी। पति से छूटे, पत्नी से छूटे, तो गुरु से बंध गए; मगर यह तो फिर नया जंजाल हुआ, फिर नई जंजीर बनी।

गुरु तो वही, जो तुम्हें आत्यंतिक जंजीर से मुक्त करवा दे; जो तुम्हें स्वयं से भी मुक्त करवा दे। कठिन लगता है, क्योंकि एक प्रेम जगता है। कठोर लगती है बात, लेकिन तुम्हारी मान कर मैं चलूं, तब तो तुम कभी भी कहीं न पहुंच पाओगे। फिर तो मैं तुम्हारा अनुयायी हुआ। तुम्हें कठोर भी लगे तो भी मैं वही किए चला जाऊंगा जो मुझे करना है। अगर मैं तुमसे कहूं भी कि घबड़ाओ मत, कभी नहीं छुड़ाऊंगा, तो भी तुम मेरा भरोसा मत करना। वह भी सिर्फ इसलिए कह रहा हूं कि कहीं छुड़ाने के पहले ही भाग मत खड़े होना। तो रोके रहूंगा, समझाता रहूंगा कि नहीं, कोई हर्जा नहीं, कहां छुड़ाना है? किसको छुड़ाना है? सदा-सदा तुम्हारे साथ रहूंगा! मगर नीचे से जड़ें काटता रहूंगा। एक दिन अचानक तुम पाओगे कि छुटकारा हो गया। मुझसे भी छुटकारा तो चाहिए ही!

सदगुरु वही है, जो तुम्हें स्वयं से भी मुक्त कर दे। नहीं तो संसार की सारी वासनाएं धीरे-धीरे गुरु पर लग जाती हैं; तुम्हारा मोह गुरु से बन जाता है। फिर तुम उसकी फिकर में लग जाते हो। फिर मोह कैसे अंधेपन में ले जाता है, कहना कठिन है।

मैं पंजाब जाता था, एक घर में ठहरता था। एक दिन सुबह उठ कर निकला तो देखा गुरु-ग्रंथ साहब—किताब!—को सजा कर रखा हुआ है। सामने दतौन रखी है और एक लोटा पानी भरा रखा है। मैंने पूछा, मामला क्या है? कहते हैं, गुरु-ग्रंथ साहब के लिए दतौन!

अब पागलपन की कोई सीमा होती है! नानक के लिए दी थी दतौन—ठीक, समझ में आता; तुम गुरु-ग्रंथ को दतौन लगा रहे?

लेकिन भक्त यही कर रहे हैं। मूर्ति को सजाते हैं, भोग लगाते हैं, उठाते-बिठाते, नहलाते-सुलाते, न मालूम क्या-क्या करते रहते हैं!

खेल-खिलौनों से कब छूटोगे? छोटे बच्चों जैसी बात हो गई, बचकानी हो गई। छोटे बच्चे अपनी गुड्डा-गुड्डी को सम्हाले फिरते हैं, स्नान करवाते हैं, कपड़े बदलाते हैं, भोजन भी करवाते हैं, सुलाते भी हैं—तुम उनको कहते हो बचकाने! और तुम रामचंद्र जी के साथ यही कर रहे हो। मगर मोह है। भक्त को लगता है:

यह तो भक्ति है, यह तो प्रेम है, यह तो बड़ी ऊंची बात है! यह कितनी ही ऊंची हो, यह तुम्हें कभी भी मुक्त न होने देगी, तुम बंधे ही रह जाओगे।

संसार से छूटना कठिन है, फिर धर्म से छूटना और भी कठिन हो जाता है। सांसारिक संबंधों से छूटना कठिन है, फिर धार्मिक संबंधों से छूटना और भी कठिन हो जाता है। क्योंकि धार्मिक संबंध इतने प्रीतिकर हैं!

अब गुरु और शिष्य का संबंध ऐसा प्रीतिकर है, उसमें कड़वाहट तो है ही नहीं, रस ही रस है। पति-पत्नी तो एक-दूसरे से ऊब भी जाते हैं; बाप-बेटा तो एक-दूसरे से कलह भी कर लेते हैं, झंझट भी हो जाती है—लेकिन गुरु-शिष्य का संबंध तो बड़ा ही मधुर है। वहां न कोई झंझट है, न कोई झगड़ा है, न कोई कलह है, न कोई कांटे हैं। वहां तो रस ही रस है। वहां तो शिष्य भी अपनी ऊंचाई में मिलता है। और गुरु तो अपनी ऊंचाई पर है। तुम जब गुरु के पास आते हो, तब तुम्हारे भीतर जो श्रेष्ठतम है, वह प्रगट होने लगता है। इसलिए मिलन श्रेष्ठ का श्रेष्ठ से होता है। तुम गुरु के पास अपनी गंदी शक्ल लेकर थोड़े ही आते हो। स्नान करके, ताजे हो कर, शुभ मुहूर्त में, पूजा-प्रार्थना के भाव से भरे, तुम गुरु की सन्निधि में आते हो; तुम्हारा शुद्धतम रूप तुम लाते हो। गुरु के श्रेष्ठतम से मिलना है तो जो भी तुम्हारे पास श्रेष्ठतम है, उसे लेकर आते हो। इन दो के बीच जो मिलन होता है, वह तो अति मधुर है। फिर उसमें बंधन पैदा होता है। फिर लगता है : बस, ऐसा ही बना रहे, ऐसा ही चलता रहे, सदा-सदा, यह सपना कभी टूटे न!

लेकिन यह सपना भी टूटना ही चाहिए। शिष्य न तोड़ना चाहे तो भी गुरु को तोड़ना पड़ेगा। शिष्य यह नासमझी कर सकता है, यह कामना कर सकता है—गुरु तो इस कामना को बल नहीं दे सकता।

'मात्र तृष्णा ही बंध है और उसका नाश मोक्ष कहा जाता है।'

तृष्णामात्रात्मकः बंधः तन्नाशः मोक्षः उच्यते।

'और जहां तृष्णा गिर गई, वहीं मोक्ष।'

और संसार-मात्र में असंग होने से निरंतर आत्मा की प्राप्ति और तुष्टि होती है।

भवासंसक्तिमात्रेण मुहुः मुहुः प्राप्तितुष्टिः।

और जैसे-जैसे वासना के गिरने की झलकें आती हैं...जैसे वासना गिरी कि तत्क्षण मोक्ष झलका! ऐसा बार-बार होगा। मुहुः मुहुः! प्राप्ति होगी, तुष्टि होगी! पहले-पहले तो कभी-कभी क्षण भर को वासना सरकेगी, लेकिन उतनी ही देर में आकाश खुल जाएगा और सूरज प्रकट हो जाएगा। जैसे किसी ने मूंदे-मूंदे आंख जरा सी खोली, फिर बंद कर ली, पुरानी आदतवश आंख फिर बंद हो गई, फिर

जरा सी खोली, फिर बंद कर ली, फिर धीरे-धीरे खोलने के लिए अभ्यस्त हुआ, फिर पूरी आंख खोली—और फिर कभी बंद न की। तो पहले तो बार-बार ऐसा होगा।

'संसार-मात्र में असंग होने से बार-बार आत्मा की प्राप्ति और तुष्टि होती है।'

बार-बार, फिर-फिर, पुनः-पुनः! और रस बार-बार बढ़ता जाता है, क्योंकि आंख बार-बार और भी खुलती जाती है।

जैसे-जैसे सत्य दिखाई पड़ना शुरू होता है, वैसे-वैसे असत्य से सारे संबंध टूटने लगते हैं। जैसे ही दिखाई पड़ गया कि असार असार है, वैसे ही हाथ से मुट्ठी खुल जाती है। जैसे ही दिखा सार सार है, वैसे ही सार को हृदय में संजो लेने की, हृदय को मंजूषा बना लेने की सहज प्रवृत्ति हो जाती है।

'तू एक शुद्ध चैतन्य है, संसार जड़ और असत है, वह अविद्या भी असत है—इस पर भी तू क्या जानने की इच्छा करता है?'

अष्टावक्र कहते हैं: यहां जानने को और कुछ भी नहीं। यहां तीन चीजें हैं: आत्मा है, जगत है और आत्मा और जगत के बीच एक भ्रांत संबंध है, जिसको हम अविद्या कहें, माया कहें, अज्ञान कहें। यहां तीन चीजें हैं: आत्मा, जगत-भीतर है कुछ हमारे, चैतन्य-मात्र, और बाहर है जड़ता का फैलाव—और दोनों के बीच में एक सेतु है। वह सेतु अगर अविद्या का है, तो हम उलझे हैं। वह सेतु अगर तृष्णा का है, तो हम बंधन में पड़े हैं। वह सेतु अगर मांग का है, याचना का है, तो हम भिखारी बने हैं। और हमें अपनी संपदा का कभी पता न चलेगा। अगर दिखाई पड़ गया कि वह अविद्या, और माया, और सपना, और मूर्च्छा व्यर्थ है और हम जागने लगे, तो बीच से सेतु टूट जाता है: वहां जड़ संसार रह जाता है, यहां चैतन्य आत्मा रह जाती है। जानने को फिर कुछ और नहीं है।

'तू एक शुद्ध चैतन्य है।'

त्वमेकश्चेतनः शुद्धो जडं विश्वमसत्तथा।

अविद्यापि न किंचित्सा का बुभुत्सा तथापि ते।।

त्वम् एकः—तू एक; शुद्धः—शुद्ध; चेतनः—चैतन्य; विश्वं जडं च असत्—और विश्व है जड़, स्वप्नवत। तथा सा अविद्या अपि न किंचित—और जैसा यह जड़ जगत असत है, स्वप्नवत है—इससे जो हमने संबंध बनाए हैं, स्वभावतः वे संबंध सत्य नहीं हो सकते।

असत्य से कैसे सत्य के संबंध हो सकते हैं? रात तुमने एक सपना देखा कि कोहिनूर तुम्हारे सामने रखा है—लड़ते रहें पाकिस्तान, हिंदुस्तान और सब, लेकिन कोहिनूर तुम्हारे सपने में सामने रखा है। कोहिनूर देखते ही तुम्हारा मन हुआ: उठा

लूं, रख लूं, अपना बना लूं, छिपा लूं! कोहिनूर देखा—वह तो झूठा है, सपने का है! अब तुम्हारे मन में यह जो भाव उठा—उठा लूं, संभाल लूं, रख लूं, कोई देख न ले, किसी को पता न चल जाए—यह जो भाव उठा, यह कैसे सच हो सकता है? जिसके प्रति उठा है वही असत है, तो जो भाव उठा है वह सत नहीं हो सकता है।

अष्टावक्र कहते हैं: अविद्या अपि न किंचित—और ये जो अविद्या के संबंध हैं, ये भी असार हैं। तथा अपि ते का बुभुत्सा—फिर तू और अब क्या जानना चाहता है? बस, जानना पूरा हो गया। इतना ही जानना है। इति ज्ञानं!

संसार है भागता हुआ! गच्छतीति जगत! परिवर्तन, तरंगों से भरा हुआ! और आत्मा है शाश्वत, निस्तरंग, असंग। और दोनों के बीच में जो संबंध हैं, वे संबंध सब झूठे हैं, अज्ञान के हैं, अविद्या के हैं। कोई कहता है, मेरा बेटा; कोई कहता है, मेरी पत्नी; कोई कहता, मेरा मकान!

मैंने सुना है, एक धनपति के मकान में आग लग गई। धू-धू करके मकान जल रहा है, वह छाती पीट कर रो रहा है। बड़ी भीड़ लग गई है। एक आदमी ने आकर कहा, 'तुम नाहक रो रहे हो। मुझे पक्का पता है, तुम्हारे बेटे ने कल ही शाम यह मकान बेच दिया है।' ऐसा सुनते ही धनपति एकदम प्रसन्न हो गया और उसने कहाः सच! मुझे तो पता ही नहीं। बेटे ने कुछ खबर न दी, बेटा दूसरे गांव गया है।

मगर अब...अब भी मकान जल रहा है, धू-धू करके जल रहा है, और लपटें बड़ी हो गई हैं; लेकिन अब आंसू सूख गए, वह बड़ा प्रसन्न है! तभी बेटा वापिस आया भागा हुआ और उसने कहा कि 'क्या खड़े हो? बात उठी थी बेचने की, लेकिन सौदा अभी हुआ नहीं था।' फिर रोने लगा, फिर छाती पीटने लगा। अब फिर अपना मकान! मकान अभी वही का वही है, अब भी जल रहा है। लेकिन बीच में थोड़ी देर को 'मेरे' का संबंध नहीं रहा। थोड़ी देर को भी 'मेरे' का संबंध छूट गया। सभी स्थिति वही की वही थी, कुछ फर्क न पड़ा था। यह आदमी वैसा का वैसा, यह मकान वैसा का वैसा। यह आदमी कोई बुद्ध नहीं हो गया था। यह बिलकुल वैसे का वैसा ही आदमी है, मकान भी जल रहा था; सिर्फ एक संबंध बीच से खो गया था—'मेरा'। बस, उस संबंध के खो जाने से दुख खो गया। फिर संबंध लौट आया, फिर दुख हो गया।

तुम जरा गौर करना। तुम्हारा दुख, असत के साथ तुम्हारे बनाए हुए संबंधों से पैदा होता है। तुम्हारा सुख, असत के साथ तुम्हारे संबंध छूट जाएं, उनसे घटित होता है।

'तेरे राज्य, पुत्र-पुत्रियां, शरीर और सुख जन्म-जन्म में नष्ट हुए हैं; यद्यपि तू उनसे आसक्त था।'

अष्टावक्र कहते हैं : लौट कर पीछे देख। जो तेरे पास आज है, ऐसा कई बार तेरे पास था। ऐसे राज्य कई बार हुए। ऐसी पत्नियां, ऐसे पुत्र कई बार हुए। बहुत-बहुत धन कई बार तेरे पास था। और हर बार तू आसक्त था। लेकिन तेरी आसक्ति से कुछ रुका नहीं—आया और गया। आसक्तियों से कहीं सपने ठहरते हैं?

राज्यं सुताः कलत्राणि शरीराणि सुखानि च।

संसक्तस्यापि नष्टानि तव जन्मनि जन्मनि।।

कितने जन्मों से जनक तू ऐसी ही चीजों के बीच में रहा है! हर बार तूने आसक्ति की! हर बार तूने चीजों से 'मेरा' संबंध बनाया—मेरी हैं—फिर छूट-छूट गईं। मौत आई और सब संबंध तोड़ गई, सब विच्छिन्न कर गई।

'अर्थ, काम और सुकृत कर्म बहुत हो चुके। इनसे भी संसार रूपी जंगल में मन विश्रांति को नहीं प्राप्त हुआ।'

सुनो : अर्थ, काम, सुकृत कर्म बहुत हो चुके! तू सब कर चुका, धन भी खूब कमा चुका, भोग भी खूब कर चुका।

ययाति की कथा है उपनिषदों में, कि जब वह मरने को हुआ, सौ साल का हो कर, मौत आई तो वह घबड़ा गया। उसने कहा, यह तो जल्दी आ गई। अभी तो मैं सौ ही साल का हूं। अभी तो मैं भोग भी नहीं पाया।

उसके सौ बेटे थे, सैकड़ों रानियां थीं। उसने अपने बेटों से कहा कि ऐसा करो, मुझ बूढ़े बाप के लिए इतना तो करो, तुममें से कोई मर जाए!

पुराने दिनों की कहानियां हैं। उन दिनों नियम इतने सख्त न रहे होंगे। परमात्मा सदय था। मौत ने भी कहा कि ठीक है, बूढ़ा आदमी है, छोड़ देते हैं; लेकिन किसी को तो मुझे ले जाना ही होगा, कोई भी राजी हो जाए। मौत ने सोचा, कौन राजी होगा! बड़े बेटे तो राजी न हुए। कोई सत्तर साल के थे, कोई तो अस्सी साल के हो रहे थे। वे भी जीवन देख चुके थे, अनुभव कर चुके थे; मगर, फिर भी रस छूटा न था। छोटा बेटा खड़ा हो गया। उसने कहा कि मुझे ले चलो। वह तो अभी पंद्रह सोलह साल का ही था। मौत ने कहा, नासमझ, तेरे और निन्यानबे भाई हैं, वे तुझसे उम्र में बड़े हैं। उनमें से कोई जाता तो समझ में आता। अस्सी साल के हैं—वे खुद भी तेरे बाप जितने बूढ़े हो रहे हैं, वे नहीं जाते। तेरा बाप खुद सौ साल का है, उसे खुद जाना चाहिए! वह किसी को भेजने को राजी है, कोई बेटा चला जाए तो तैयार है। तू क्यों मरता है?

उस बेटे ने कहा, यही देख कर कि सौ साल के होकर भी पिता को कुछ न

मिला, तो सौ साल अगर मैं जी भी लिया तो क्या पाऊंगा? यही देख कर कि अस्सी साल, सत्तर, साठ साल के मेरे भाई हैं, इनको अभी तक कुछ नहीं मिला, तो रह कर भी क्या सार है? मैं तैयार हूं।

बड़ा अभूतपूर्व व्यक्ति रहा होगा वह बेटा। मौत उसे ले गई। राजा सौ साल जीया। उस बेटे की उम्र उसे लग गई।

ऐसा कहते हैं कई बार हुआ—दस बार हुआ! हर बार मौत आई और हर बार ययाति ने कहाः अभी...अभी तो मैं भोग ही नहीं पाया। फिर किसी बेटे को भेजा, फिर किसी बेटे को भेजा। जब वह हजार साल का हो गया, मौत फिर आई। फिर ययाति को भी शर्म लगी। उसने कहा कि क्षमा करो, अब तो एक बात समझ में आ गई कि एक हजार साल क्या एक करोड़ साल भी जीऊं, तो भी कुछ नहीं होगा। कुछ यहां होता ही नहीं। समय का कोई सवाल नहीं है। वासना भरती ही नहीं, दुष्पूर है।

अष्टावक्र कहते हैं जनक कोः अर्थ, काम, सब तू कर चुका और ऐसा ही नहीं, सुकृत कर्म भी बहुत हो चुके, शुभ कर्म भी तू बहुत कर चुका, पुण्य भी खूब कर चुका है—उनसे भी कुछ भी नहीं हुआ।

'इनसे भी संसार-रूपी जंगल में मन विश्रांति को प्राप्त नहीं हुआ।'

न तो बुरे कर्म से विश्रांति मिलती, न अच्छे कर्म से विश्रांति मिलती। कर्म से विश्रांति मिलती ही नहीं—अकर्म से मिलती है। क्योंकि कर्म का तो अर्थ ही हैः अभी गति जारी है, भाग-दौड़ जारी है, आपाधापी जारी है।

अकर्म का अर्थ हैः बैठ गए, शांत हो गए, विराम में आ गए, पूर्ण विराम लगा दिया! अब सिर्फ साक्षी रहे, कर्ता न रहे।

अर्थेन कामेन सुकृतेन कर्मणा अपि अलम्!

बहुत हो चुका! सब तू कर चुका!

तथा अपि संसार कांतारे मनः न विश्रांतम् अभूत।

फिर भी इस जंगल में, इस उपद्रव में, इस उत्पात-रूपी संसार में मन को जरा भी विश्रांति का कोई क्षण नहीं मिला। तो अब जाग—अब करने से जाग!

'कितने जन्मों तक तूने क्या शरीर, मन और वाणी से दुखपूर्ण और श्रमपूर्ण कर्म नहीं किए हैं? अब तो उपराम कर।'

अब विश्रांति कर! जिसको झेन फकीर झाझेन कहते हैं। झाझेन का अर्थ होता हैः बस बैठे रहना और देखते रहना; उपराम! यह ध्यान की परम परिभाषा है।

ध्यान कोई कृत्य नहीं है। ध्यान का तुम्हारे करने से कुछ संबंध नहीं है। ध्यान का अर्थ हैः साक्षी-भाव। जो हो रहा है उसे चुपचाप देखना! बिना किसी लगाव

के, बिना किसी विरोध के, बिना किसी पक्षपात के—न इस तरफ, न उस तरफ;
निष्पक्ष; उदासीन—बस चुपचाप देखना!

कृतं न कति जन्मानि कायेन मनसा गिरा।
दुःखमायासदं कर्म तदद्याप्युपरम्यताम्।।
तत अद्यापि उपरम्यताम्।

अब तो उपराम कर! अब तो बैठ!

लोग अधर्म में उलझे हैं। किसी तरह अधर्म से छूटते हैं तो धर्म में उलझ जाते
हैं—मगर उलझन नहीं जाती। लोग पाप कर रहे हैं; किसी तरह पाप से छूटते, तो
पुण्य में उलझ जाते हैं—लेकिन उलझन नहीं जाती। कुछ तो करेंगे ही। अगर गाली
बक रहे हैं; किसी तरह उनको समझा-बुझा कर राजी करो, मत बको, तो वे कहते
हैं: अब हम जाप करेंगे, भजन करेंगे, मगर उपद्रव तो जारी रखेंगे!

तुमने देखा, लोग लाउड-स्पीकर लगा कर अखंड कीर्तन करने लगते हैं।
कीरंतन को कीर्तन कहते हैं! अब अखंड कीर्तन तुम कर रहे हो, पूर मोहल्ले को
सोने नहीं देते! बच्चों की परीक्षा है, उनकी परीक्षा की क्या गति होगी—तुम्हें
मतलब नहीं। तुम धार्मिक कार्य कर रहे हो! ये किस तरह के धार्मिक लोग हैं? ये
किसी से पूछने भी नहीं जाते। इन पर कोई रोक भी नहीं लगा सकता, क्योंकि यह
धार्मिक काम कर रहे हैं। अगर कोई आदमी माइक लगा कर रात भर अनर्गल बके,
तो पुलिस पकड़ ले जाए; लेकिन वह कीर्तन कर रहा है या सत्यनारायण की कथा
कर रहा है, तो कोई पुलिस भी पकड़ कर नहीं ले जा सकती। धार्मिक होने की तो
स्वतंत्रता है और धार्मिक कृत्य की स्वतंत्रता है। मगर यह आदमी वही का वही है।
यह चिल्ल-पों में इसका भरोसा है।

मेरे पास लोग आते हैं। वे कहते हैं कि आप कहते हैं: बस, शांत बैठ कर
ध्यान कर लें। मगर कुछ तो सहारा चाहिए, कुछ आलंबन दे दें, राम-राम बता दें,
कोई भी मंत्र दे दें, कान फूंक दें, कुछ तो दे दें—तो हम कुछ करें! अब उनको
अगर राम-राम दे दो, तो वे राम-राम करने को तैयार हैं—मगर बकवास जारी रही!
पहले कुछ और बक रहे थे भीतर, हजार चीजें बक रहे थे; अब सब बकवास
उन्होंने एक तरफ लगा दी, अब राम-राम बकने लगे। मगर चुप होने को राजी नहीं,
सिर्फ देखने को राजी नहीं! देखना बड़ा कठिन है, साक्षी होना बड़ा कठिन!

साक्षी ही ध्यान है। बैठ जाओ; मन चले, चलने दो। तुम हो कौन बाधा डालने
वाले? तुमसे पूछा किसने? तुमसे पूछ कर तो मन शुरू नहीं हुआ, तुमसे पूछ कर
बंद भी होने की कोई जरूरत नहीं है। तुम हो कौन? जैसे राह पर कारें चल रही हैं,
रिक्शे दौड़ रहे, भोंपू बज रहे, आकाश में हवाई जहाज उड़ रहे, पक्षी गुनगुना रहे,

बच्चे रो रहे, कुत्ते भौंक रहे—ऐसे तुम्हारे भीतर मन का भी ट्रैफिक हैः चल रहा, चलने दो! तुम बैठे रहो! उदासीन का यही अर्थ है।

'उदासीन' ठीक-ठीक झाझेन जैसा अर्थ रखता हैः बस, बैठ गए! जमा ली आसन भीतर, हो गए आसीन भीतर, बैठ गए, देखने लगे! जो चलता है, चलने दो। बुरा विचार आए तो बुरा मत कहो, क्योंकि बुरा कहा कि तुम डांवाडोल हो गए। बुरा कहा, कि तुम्हारा मन हुआ कि न आता तो अच्छा था। आ गया, तुम विचलित हो गए। अच्छा विचार आ जाए, तो भी पीठ मत थपथपाने लगना कि गजब, बड़ा अच्छा विचार आया। इतना तुमने कहा कि आसीन न रहे तुम, उखड़ गया आसन, तुम डांवाडोल हो गए, तुम्हारी थिरता खो गई। कुंडलिनी जगने लगे, तो परेशान मत होना कि उठने लगी कुंडलिनी, अब बस सिद्धपुरुष होने में ज्यादा देर नहीं है। प्रकाश दिखाई पड़ने लगे तो विचलित मत हो जाना। ये सब मन के ही खेल हैं। बड़े-बड़े खेल मन खेलता है! बड़े दूर के दृश्य दिखाई देने लगेंगे।

एक महिला, कोई अस्सी वर्ष बूढ़ी महिला, मेरे पास आई। वह कहने लगी कि बड़ा गजब अनुभव हो रहा है।

'क्या अनुभव हो रहा है?'

कि जब मैं बैठती हूं, तो ऐसे-ऐसे जंगल दिखाई पड़ते हैं जिनको कभी नहीं देखा।

'मगर इनको देख कर भी क्या करोगे? जंगल ही दिखाई पड़ रहे हैं न?'

वह मुझसे बड़ी नाराज हो गई। उसने कहा कि आप कैसे हैं? मैं तो जब भी किसी साधु-संत के पास जाती हूं, तो वे कहते हैंः बहुत अच्छा हो रहा है! बड़ा अनुभव हो रहा है!

अध्यात्म अनुभव नहीं है। और जब तक अनुभव होता रहे, तब तक अध्यात्म नहीं है। अनुभव का तो अर्थ ही है, तुम अभी भी अनुभोक्ता बने हो, अभी भी भोगी हो! बाहर का नहीं भोग रहे, भीतर का भोग रहे हो, लेकिन भोग जारी है। किसी की कुंडलिनी उठ रही, किसी को पीठ में सुरसुरी मालूम होने लगी...। और वह भी सुन लिया है, पढ़ लिया है शास्त्रों में कि ऐसा होगा। तो बैठे हैं, बैठे-बैठे बस खोज रहे हैं कि हो सुरसुरी। अब तुम खोजते रहोगे तो हो जाएगी। तुम कल्पित कर लोगे, तुम मान लोगे—हो जाएगी। और जब हो जाएगी, तो तुम बड़े प्रफुल्लित होने लगोगे। तुम प्रफुल्लित होने लगे कि गए, चूक गए, फिर ध्यान चूका!

कुछ भी हो, तुम सिर्फ देखना! तुम द्रष्टा से जरा भी डिगना मत। तुम सिर्फ साक्षी बने रहना। तुम कहनाः ठीक, गलत, जो भी हो, हम देखते रहेंगे। हम अपनी तरफ से कोई निर्णय न देंगे, कोई चुनाव न करेंगे। हम अच्छे-बुरे का विभाजन न करेंगे।

शुरू-शुरू में बड़ा कठिन होगा, क्योंकि आदत जन्मों-जन्मों की है निर्णय देने की।

जीसस का बड़ा प्रसिद्ध वचन है : जज ई नॉट; निर्णय मत करो; न्यायाधीश मत बनो! न कहो अच्छा, न कहो बुरा—बस देखते रहो। और तुम चकित हो जाओगे, अगर तुम देखते रहे, तो धीरे-धीरे भीड़ छंटने लगेगी। कम विचार आएंगे, कम अनुभव गुजरेंगे। कभी-कभी ऐसा होगा, रास्ता मन का खाली पड़ा रह जाएगा; एक विचार गुजर गया, दूसरा आया नहीं; बीच में एक खाली जगह, अंतराल—उसी अंतराल में, जिसको अष्टावक्र कहते हैं : भवासंसक्तिमात्रेण मुहुः मुहुः प्राप्ति तुष्टि! वही पुनः-पुनः तुष्टि और प्राप्ति होने लगेगी। मिलेगा प्रभु और परम तुष्टि मिलेगी! वह तुष्टि अनुभव की नहीं है कि कोई बड़ा अनुभव हुआ है, इसलिए अहंकार को मजा आया। नहीं, वह तुष्टि तो शून्य की है। वह तुष्टि तो समाधि की है, अनुभव की नहीं है; वह तुष्टि तो अनुभवातीत है। वह तुष्टि तो तुरीय अवस्था की है। वह तुष्टि तो परम उपराम, विश्रांति की है।

'अब तो उपराम कर!'

तत अद्यापि उपरम्यताम्!

यही मैं तुमसे भी कहता : अब तो उपराम करो! अब तो विश्राम करो! अब तो बैठो और देखो। अब तो साक्षी बनो! कर्ता बने बहुत, भोक्ता बने बहुत; अच्छे भी किए कर्म, बुरे भी किए—हो चुका बहुत! अब जरा साक्षी बनो! और जो तुम्हें न कर्ता बन कर मिला, न भोक्ता बन कर मिला—वही बरस उठेगा प्रसाद की भांति साक्षी में। साक्षी में मिलता है परमात्मा। साक्षी में मिलता है सत्य। क्योंकि साक्षी सत्य है!

हरि ॐ तत्सत्!

* * *

प्रवचन : 30

संन्यास बांसुरी है साक्षी-भाव की

पहला प्रश्न : आपने बताया कि जब अष्टावक्र मां के गर्भ में थे, उनके पिता ने उन्हें शाप दिया, जिसकी वजह से उनका शरीर आठ जगहों से आड़ा-तिरछा हो गया। भगवान, इस आठ का क्या रहस्य है? वे अठारह जगह से भी टेढ़े-मेढ़े हो सकते थे और अष्टादशवक्र कहलाते। यह आठ का ही आंकड़ा क्यों?

यह आठ आंकड़ा अर्थपूर्ण है। ये छोटी-छोटी कहानियां गहरे सांकेतिक अर्थ लिए हैं। इन्हें तुम इतिहास मत समझना। इनका तथ्य से बहुत कम संबंध है। इनका तो भीतर के रहस्यों से संबंध है।

आठ का आंकड़ा योग के अष्टांगों से संबंधित है। पतंजलि ने कहा है : आठ अंगों को जो पूरा करेगा—यम, नियम, आसन, प्राणायाम, प्रत्याहार, धारणा, ध्यान, समाधि—वही केवल सत्य को उपलब्ध होगा। यह पिता की नाराजगी, यह पिता का अभिशाप सिर्फ इतनी ही सूचना देता है कि वे आठ अंग, जिनसे व्यक्ति परम सत्य को उपलब्ध होता है, मैं तेरे विकृत किए देता हूं।

तुम्हें घटना फिर से याद दिला दूं। पिता वेदपाठी थे। वे सुबह रोज उठ कर वेद का पाठ करते। ख्यातिलब्ध थे, सारे देश में उनका नाम था। बड़े शास्त्रार्थी थे। और अष्टावक्र गर्भ में सुनता। एक दिन अचानक बोल पड़ा गर्भ से कि हो गया बहुत, इस तोता-रटन से कुछ भी न होगा। जाने बिना सत्य का कोई पता नहीं चलता—पढ़ो कितना ही वेद, शास्त्र सत्य नहीं है—सत्य तो अनुभव से उपलब्ध होता है।

पिता नाराज हुए। पिता के अहंकार को चोट लगी। पंडित और पिता दोनों

साथ-साथ। बेटे की बात बाप माने, यह बड़ी अनहोनी घटना है। नाराज ही होता है। बाप कभी यह मान ही नहीं पाता कि बेटा भी कभी समझदार हो सकता है। बेटा सत्तर साल का हो जाए तो भी बाप समझता है कि वह नासमझ है। स्वाभाविक है। बेटे और बाप का फासला उतना ही बना रहता है जितना शुरू में, पहले दिन होता है, उसमें कोई अंतर नहीं पड़ता। अगर बाप बीस साल बड़ा है तो वह सदा बीस साल बड़ा होता है। उतना अंतर तो बना ही रहता है। तो बेटे से ज्ञान ले लेना कठिन; फिर पंडित, तो और भी कठिनाई। बाप तो सोचता था मैं जानता हूं, और अब यह गर्भस्थ शिशु कहने लगा कि तुम नहीं जानते हो—यह तो हद हो गई! अभी पैदा भी नहीं हुआ।

तो बाप ने अभिशाप दिया होगा; वह अभिशाप ज्ञान के आठ अंगों को नष्ट कर देने वाला है। जिन आठ अंगों से व्यक्ति ज्ञान को उपलब्ध होता है, बाप ने कहा, तेरे वे नष्ट हुए। अब देखूं तू कैसे ज्ञान को उपलब्ध होगा—जिस ज्ञान की तू बात कर रहा है, जिस परम ज्ञान की तू घोषणा कर रहा है? अगर शास्त्र से नहीं मिलता सत्य तो दूसरा एक ही उपाय है कि साधना से मिलता है। तू कहता है शास्त्र से नहीं मिलता है, चल ठीक; साधना के आठ अंग मैं तेरे विकृत किए देता हूं, अब तू कैसे पाएगा?

और अष्टावक्र ने फिर भी पाया। अष्टावक्र के सारे उपदेश का सार इतना ही है कि सत्य मिला ही हुआ है; न शास्त्र से मिलता है न साधना से मिलता है। साधना तो उसके लिए करनी होती है जो मिला न हो। सत्य तो हम लेकर ही जन्मे हैं। सत्य तो हमारे साथ गर्भ से ही है, सत्य तो हमारा स्वरूप-सिद्ध अधिकार है। जन्म-सिद्ध भी नहीं, स्वरूप-सिद्ध अधिकार! सत्य तो हम हैं ही, इसलिए मिलने की कोई बात नहीं।...आठ जगह से टेढ़ा, चलो कोई हर्जा नहीं; लेकिन सत्य टेढ़ा नहीं होगा। स्वरूप टेढ़ा नहीं होगा। यह शरीर ही इरछा-तिरछा हो जाएगा।

साधना की पहुंच शरीर और मन के पार नहीं है। तो तुम अगर इरछे-तिरछे का अभिशाप देते हो तो शरीर तिरछा हो जाएगा, मन तिरछा हो जाएगा, लेकिन मेरी आत्मा को कोई फर्क न पड़ेगा। यही तो अष्टावक्र ने जनक से कहा कि राजन! आंगन के टेढ़े-मेढ़े होने से आकाश तो टेढ़ा-मेढ़ा नहीं हो जाता। घड़े के टेढ़े-मेढ़े होने से घड़े के भीतर भरा हुआ आकाश तो टेढ़ा-मेढ़ा नहीं हो जाता। मेरी तरफ देखो सीधे; न शरीर को देखो न मन को।

अष्टावक्र की पूरी देशना यही है कि न शास्त्र से मिलता न साधना से मिलता। इसलिए तो मैंने बार-बार तुम्हें याद दिलाया कि कृष्णमूर्ति की जो देशना है वही अष्टावक्र की है। कृष्णमूर्ति की भी देशना यही है कि न शास्त्र से मिलता न साधना

से मिलता। तुम घबड़ा कर पूछते हो: तो फिर कैसे मिलेगा? देशना यही है कि कैसे की बात ही पूछना गलत है—मिला ही हुआ है। जो मिला ही हुआ है, पूछना कैसे मिलेगा—असंगत प्रश्न पूछना है।

सत्य के लिए कोई शर्त नहीं है; सत्य बेशर्त मिला है। पापी को मिला है, पुण्यात्मा को मिला है; काले को मिला है, गोरे को मिला है; सुंदर को, असुंदर को; पुरुष को, स्त्री को। जिन्होंने चेष्टा की, उन्हें मिला है; जिन्होंने चेष्टा नहीं की, उन्हें भी मिला है। किन्हीं को प्रयास से मिल गया है, किन्हीं को प्रसाद से मिल गया है। न तो प्रयास जरूरी है, न प्रसाद की मांग जरूरी है, क्योंकि सत्य मिला ही हुआ है।

खिलता है रात में बेला
प्रभात में शतदल,
नहीं है अपेक्षित स्फुटन के लिए
उजाला, अंधेरा।
जागे जिस क्षण चेतना,
वही सवेरा।

बेला खिल जाता रात में, शतदल खिलता है सुबह प्रभात में; खिलने के लिए न तो रात है न दिन है। जाग जाता है आदमी हर स्थिति में। सवेरा ही जागने के लिए जरूरी नहीं है, आधी रात में भी आदमी जाग जाता है।

खिलता है रात में बेला
प्रभात में शतदल,
नहीं है अपेक्षित स्फुटन के लिए
उजाला, अंधेरा।
जागे जिस क्षण चेतना,
वही सवेरा।

और जागना है तो जागने के लिए कुछ भी और करना जरूरी नहीं है, सिर्फ जागना ही जरूरी है; आंख खोलना जरूरी है। आंख की पलक में ही सब छिपा है, आंख की ओट में ही सब छिपा है।

कभी तुमने देखा, आंख में छोटी सी किरकिरी चली जाती है, रेत का एक टुकड़ा चला जाता है, कचरा चला जाता है—और आंख की देखने की क्षमता समाप्त हो जाती है। ऐसे आंख हिमालय को भी समा लेती है। देखो जा कर हिमालय को, सैकड़ों मील तक फैले हुए हिम-शिखर, सब आंख में दिखाई पड़ते हैं। छोटी सी आंख ऐसे हिमालय को समा लेती है, लेकिन छोटी सी कंकरी से हार

जाती है। और कंकरी आंख में पड़ जाए तो हिमालय दिखाई नहीं पड़ता; कंकरी की ओट में हिमालय हो जाता है। जरा कंकरी अलग कर देने की बात है।

अष्टावक्र की देशना इतनी ही है कि जरा सी समझ, जरा सी पलक का खुलना—और सब जैसा होना चाहिए वैसा है ही; कुछ करने को नहीं है; कहीं जाने को नहीं है; कुछ पाने को नहीं है।

खुले नयन से सपने देखो, बंद नयन से अपने।

अपने तो रहते हैं भीतर, बाहर रहते सपने।

नाम-रूप की भीड़ जगत में, भीतर एक निरंजन।

सुरति चाहिए अंतर्दृग को, बाहर दृग को अंजन।

देखे को अनदेखा कर रे, अनदेखे को देखा।

क्षर लिख-लिख तू रहा निरक्षर, अक्षर सदा अलेखा।

समझो—

खुले नयन से सपने देखो, बंद नयन से अपने।

अपने तो रहते हैं भीतर, बाहर रहते सपने।

जो भी बाहर देखा है, सपना है। अपने को देखना है—तो भीतर! जो भी बाहर देखा, उसे अगर पाना चाहा तो बड़ी दौड़ दौड़नी पड़ेगी, फिर भी मिलता कहां? दौड़ पूरी हो जाती है—हाथ कुछ भी नहीं आता।

संसार का स्वभाव समझो। दिखता है सब—मिलता कुछ भी नहीं। लगता है यह रहा, जरा ही चलने की बात है, थोड़ा प्रयास और! जैसे क्षितिज छूता है, लगता है कुछ मील का फासला है दौड़ जाएंगे, पहुंच जाएंगे, आकाश और जमीन जहां मिलते हैं वह जगह खोज लेंगे; फिर वहां से आकाश में चढ़ जाएंगे, लगा लेंगे सीढ़ी, बना लेंगे अपना बेबिलोन, स्वर्ग की सीढ़ी लगा लेंगे—मगर कभी वह जगह मिलती नहीं जहां आकाश पृथ्वी से मिलता है; बस दिखता है कि मिलता है। आभास! जिसको हिंदुओं ने माया कहा है। प्रतीत तो बिलकुल होता है कि यह दिखाई पड़ रहा है आकाश मिलता हुआ; होगा दस मील, पंद्रह मील, बीस मील, थोड़ी यात्रा है—लेकिन तुम जितने क्षितिज की तरफ जाते हो, उतना ही क्षितिज तुमसे दूर चलता चला जाता है। दिखता सदा मिला मिला, मिलता कभी भी नहीं।

खुले नयन से सपने देखो, बंद नयन से अपने।

अपने तो रहते हैं भीतर, बाहर रहते सपने।

बाहर लगता है मिल जाएगा, और मिलता कभी नहीं। और भीतर लगता है कैसे मिलेगा? और मिला ही हुआ है। ठीक संसार से विपरीत अवस्था है भीतर

की। संसार देखना हो तो आंखें बाहर खोलो; सत्य देखना हो तो आंखें भीतर खोलो। बाहर से आंख बंद करने का कुल इतना ही अर्थ है कि भीतर देखो।

नाम-रूप की भीड़ जगत में, भीतर एक निरंजन।

सुरति चाहिए अंतर्दृग को, बाहर दृग को अंजन।

बाहर ठीक-ठीक देखना हो तो आंख में हम काजल आंजते, अंजन लगाते। बुढ़िया का काजल लगा लेते हैं न, बाहर ठीक-ठीक देखना हो तो। भीतर देखना हो तो भी बूढ़ों ने एक काजल ईजाद किया है। उसको कहते हैं; सुरति, स्मृति, जागृति, समाधि!

नाम-रूप की भीड़ जगत में, भीतर एक निरंजन।

सुरति चाहिए अंतर्दृग को, बाहर दृग को अंजन।

बाहर ठीक देखना हो, आंज लो आंख, ठीक-ठीक दिखाई पड़ेगा। भीतर ठीक-ठीक देखना हो तो एक ही अंजन है—निरंजन ही अंजन है! वहां तो एक ही बात स्मरण करने जैसी है, वहां तो एक ही प्रश्न जगाने जैसा है कि मैं कौन हूं? वहां तो एक ही बोध उठने लगे सब तरफ से कि मैं कौन हूं? एक ही प्रश्न गूंजने लगे प्राणों में कि मैं कौन हूं? धीरे-धीरे इसी प्रश्न की चोट पड़ते-पड़ते भीतर के द्वार खुल जाते हैं। यह चोट तो ऐसी है जैसे कोई हथौड़ी मारता हो ः मैं कौन हूं? मैं कौन हूं?

उत्तर मत देना, क्योंकि उत्तर बाहर से आएगा। तुमने जल्दी से पूछा कि मैं कौन हूं? और कहा, अहं ब्रह्मास्मि—तो आ गया उपनिषद बीच में। तुम उत्तर मत देना, तुम तो सिर्फ पूछते ही चले जाना। एक ऐसी घड़ी आएगी, प्रश्न भी गिर जाएगा। और जहां प्रश्न गिर जाता है...जहां प्रश्न गिर जाता है, वहीं उत्तर है। फिर तुम ऐसा कहते नहीं कि अहं ब्रह्मास्मि—ऐसा तुम जानते हो; ऐसा तुम अनुभव करते हो। शब्द नहीं बनते, निःशब्द में प्रतीति होती है।

देखे को अनदेखा कर रे, अनदेखे को देखा।

अभी तो तुम जिसे देख रहे हो, उसी में उलझे हो। और जो दिखाई पड़ रहा है, वही संसार है। दृश्य संसार है। और जो देख रहा है, जो द्रष्टा है, वह तो अदृश्य है, वह तो बिलकुल छिपा है।

देखे को अनदेखा कर रे, अनदेखे को देखा।

क्षर लिख-लिख तू रहा निरक्षर...!

लिखने-पढ़ने से कुछ भी न होगा। हम लिखते तो हैं और जो लिखते हैं उसको कहते हैं ः अक्षर। कभी तुमने सोचा, अक्षर का मतलब होता है जो मिटाया न जा सके! लिखते तो क्षर हो, कहते हो अक्षर। कैसा धोखा देते हो, किसको धोखा देते

हो? तुमने जो भी लिखा है, सब मिट जाएगा। लिखा हुआ सब मिट जाता है। शास्त्र लिखो, खो जाएंगे; पत्थरों पर नाम खोदो, रेत हो जाएंगे। यहां तुम कुछ भी लिखो, नदी के तट पर रेत में लिखे गए हस्ताक्षर जैसा है; हवा का झोंका आया और खो जाएगा। शायद इतना भी नहीं है, पानी पर लिखे जैसा है; तुम लिख भी नहीं पाते और मिटना शुरू हो जाता है।

क्षर लिख-लिख तू रहा निरक्षर...!

अपढ़! अज्ञानी! मूढ़! क्षर को लिख रहा है और भरोसा कर रहा है अक्षर का? समय में लिख रहा है और शाश्वत की आकांक्षा कर रहा है? क्षुद्र को पकड़ रहा है और विराट की अभिलाषा बांधे है?

क्षर लिख-लिख तू रहा निरक्षर, अक्षर सदा अलेखा।

और तेरी इस लिखावट में ही, यह क्षर में उलझे होने में ही, अक्षर नहीं दिखाई पड़ता। अक्षर तेरे भीतर है। थोड़ी देर लिख मत, थोड़ी देर पढ़ मत, थोड़ी देर कुछ कर मत। थोड़ी देर दृश्य को विदा कर। थोड़ी देर अपने में भीतर आंख खोल—सुरति में।

सूफियों के पास ठीक शब्द है सुरति के लिए, वे कहते हैं—जिक्र। जिक्र का भी वही अर्थ होता है, जो सुरति का। जिक्र का अर्थ होता है: स्मरण, याददाश्त, कि चलो बैठें, प्रभु का जिक्र करें, उसकी याद करें! जिसको हिंदू नाम-स्मरण कहते हैं। नाम-स्मरण का मतलब यह नहीं होता कि बैठ कर राम-राम, राम-राम करते रहे। अगर राम-राम करने से शुरू भी होता है राम का स्मरण, तो भी समाप्त नहीं होता।

सूफियों का जिक्र समझने जैसा है। कुछ तुममें से प्रयोग करना चाहें तो करें। सूफियों के जिक्र का आधार है: अल्लाह! शब्द बड़ा प्यारा है। शब्द में बड़ा रस है। वह तो हम हिंदू, मुसलमान, जैन, ईसाई में बांट कर दुनिया को देखते हैं, इसलिए बड़ी रसीली बातों से वंचित रह जाते हैं। मैंने बहुत—से शब्दों पर प्रयोग किया, 'अल्लाह' जैसा प्यारा शब्द नहीं है। 'राम' में वह मजा नहीं है। तुम जब गुनगुनाओगे, तब पता चलेगा। जो गुनगुनाहट अल्लाह में पैदा होती है और जो मस्ती अल्लाह में पैदा होती है—वह किसी और शब्द में नहीं होती। चेष्टा करके देखना।

कभी रात के अंधेरे में द्वार-दरवाजे बंद करके दीया बुझा कर बैठ जाना, ताकि बाहर कुछ दिखाई ही न पड़े, अंधेरा कर लेना। नहीं तो तुम्हारी आदत तो पुरानी है, कुछ न कुछ देखते रहोगे। फिर भीतर बैठ कर पहला कदम है जिक्र का: 'अल्लाह-अल्लाह' कहना शुरू करना। जोर से कहना। ओंठ का उपयोग करना। एक पांच-

सात मिनट तक 'अल्लाह-अल्लाह' जोर से कहना। पांच-सात मिनट में तुम्हारे भीतर रसधार बहनी शुरू होगी, तब ओंठ बंद कर लेना। दूसरा कदमः अब सिर्फ भीतर जीभ से कहना, 'अल्लाह-अल्लाह-अल्लाह'! पांच-सात मिनट जीभ का उपयोग करना, तब भीतर ध्वनि होने लगेगी; तब तुम जीभ को भी छोड़ देना, अब बिना जीभ के भीतर 'अल्लाह-अल्लाह-अल्लाह' करना। पांच-सात मिनट...तब तुम्हारे भीतर और भी गहराई में ध्वनि होने लगेगी, प्रतिध्वनि होने लगेगी। तब भीतर भी बोलना बंद कर देना, 'अल्लाह-अल्लाह' वहां भी छोड़ देना। अब तो 'अल्लाह' शब्द नहीं रहेगा, लेकिन 'अल्लाह' शब्द के निरंतर स्मरण से जो प्रतिध्वनि गूंजी, वह गूंज रह जाएगी, तरंगें रह जाएंगी। जैसे वीणा बजते-बजते अचानक बंद हो गई, तो थोड़ी देर वीणा तो बंद हो जाती है, लेकिन श्रोता गदगद रहता है, गूंज गूंजती रहती है; ध्वनि धीरे-धीरे-धीरे शून्य में खोती है।

तो तुमने अगर पंद्रह-बीस मिनट अल्लाह का स्मरण किया, पहले ओंठों से, फिर जीभ से, फिर बिना जीभ के, तो तुम उस जगह आ जाओगे, जहां दो-चार-पांच मिनट के लिए 'अल्लाह' की गूंज गूंजती रहेगी। तुम्हारे भीतर जैसे रोआं-रोआं 'अल्लाह' करेगा। तुम उसे सुनते रहना। धीरे-धीरे वह गूंज भी खो जाएगी।

और तब जो शेष रह जाता है, वही अल्लाह है! तब जो शेष रह जाता है, वही राम है। शब्द भी नहीं बचता, शब्द की अनुगूंज भी नहीं बचती—एक महाशून्य रह जाता है। सुरति!

'राम' शब्द का उपयोग करो, उससे भी हो जाएगा। 'ओम' शब्द का उपयोग करो, उससे भी हो जाएगा। लेकिन 'अल्लाह' निश्चित ही बहुत रसपूर्ण है। और तुम सूफियों को जैसी मस्ती में देखोगे, इस जमीन पर तुम किसी को वैसी मस्ती में न देखोगे। जैसी सूफियों की आंख में तुम शराब देखोगे, वैसी किसी की आंख में न देखोगे। हिंदू संन्यासी ओंकार का पाठ करता रहता है, लेकिन उसकी आंख में नशा नहीं होता, मस्ती नहीं होती।

'अल्लाह' शब्द तो अंगूर जैसा है, उसे अगर ठीक से निचोड़ा तो तुम बड़े चकित हो जाओगे। तुम चलने लगोगे नाचते हुए। तुम्हारे जीवन में एक गुनगुनाहट आ जाएगी।

सुरति, जिक्र, नाम-स्मरण-नाम कुछ भी हों।
नाम-रूप की भीड़ जगत में, भीतर एक निरंजन।
सुरति चाहिए अंतर्दृग को, बाहर दृग को अंजन।
देखे को अनदेखा कर रे, अनदेखे को देखा।
क्षर लिख-लिख तू रहा निरक्षर, अक्षर सदा अलेखा।

और वह जो भीतर छिपा है, वह हम ले कर ही आए हैं। उसे कुछ पैदा नहीं करना—उघाड़ना है, आविष्कार करना है। ज्यादा तो ठीक होगा कहनाः पुनर्आविष्कार करना है, रिडिस्कवरी! भीतर रखे-रखे हम भूल ही गए हैं, हमारा क्या है? अपना क्या है? सपने में खो गए हैं, अपना भूल गए हैं। सपने को थोड़ा विदा करो, अपने को थोड़ा देखो! अनदेखा दिखेगा! अलेखा दिखेगा! अक्षर उठेगा!

अष्टावक्र के आठ अंगों के टेढ़े हो जाने की कथा का कुल इतना ही अर्थ है कि सुरति में कोई बाधा नहीं पड़ती। अंग टेढ़े हैं कि मेढ़े, तुम बैठे कि खड़े...।

तुमने देखा, अलग-अलग आसनों में परम ज्ञान उपलब्ध हुआ! महावीर गौदोहासन में बैठे थे, बड़े मजे की बात है! जैनी बहुत चिंता नहीं करते कि क्या हुआ? गौदोहासन में बैठे, कर क्या रहे थे? गौदोहासन का मतलब है जैसे कोई गाय को दोहते वक्त बैठता है। न तो गाय थी, न दोहने का कोई कारण था उनको—गौदोहासन में बैठे थे। उस वक्त उन्हें परम ज्ञान उपलब्ध हुआ।

अब गौदोहासन कोई बहुत सुंदर आसन नहीं है, तुम बैठ कर देख लेना। बुद्ध तो कम से कम भले ढंग से बैठे थे, सिद्धासन में बैठे थे। महावीर गौदोहासन में बैठे थे। महावीर आदमी ही थोड़े अनूठे हैं। नंग-धड़ंग गौदोहासन में बैठे हैं—तब उन्हें परम ज्ञान उपलब्ध हुआ।

शरीर तिरछा हो कि इरछा, छोटा हो कि बड़ा, ऐसा बैठे कि वैसा—नहीं, आसन से कुछ लेना-देना नहीं है। मन की दशा पुण्य की हो कि पाप की, अच्छा करने की हो कि बुरा करने की—इससे भी कुछ लेना-देना नहीं है। अष्टावक्र का मौलिक सूत्र केवल इतना है कि तुम अगर साक्षी हो सको—तिरछा शरीर है तो तिरछे शरीर के साक्षी; और मन अगर पाप में उलझा है तो पाप में उलझे मन के साक्षी—तुम अगर साक्षी हो सको, दूर खड़े हो कर देख सको शरीर और मन को, तो घटना घट जाएगी। आठ अंगों से टेढ़े होने का अर्थ है, योग के अष्टांगों का कोई उपाय न था।

तुम पक्का समझो, अगर अष्टावक्र किसी योगी के पास जाते और कहते कि मुझे योग में दीक्षित करो, तो वह हाथ जोड़ लेता। कहताः महाराज, आप हमें क्यों मुसीबत में डालते हैं? यह नहीं हो सकता। आप, और योगासन कैसे करेंगे? एक अंग सीधा करने की कोशिश करेंगे, सात अंग तिरछे हो जाएंगे। इधर सम्हालेंगे, उधर बिगड़ जाएगा।

कभी ऊंट को योगासन करते देखा है? अष्टावक्र को भी कोई योगी अपनी योगशाला में भरती नहीं कर सकता था। उपाय ही न था।

यह तो केवल सूचक कथा है। यह कथा तो यह कहती है कि ऐसे आठ अंगों से टेढ़ा व्यक्ति भी परम ज्ञान को उपलब्ध हो गया, चिंता मत करो। देह इत्यादि में बहुत उलझे मत रहो।

दूसरा प्रश्नः स्वामी रामतीर्थ का एक शेर हैः
राजी हैं उसी हाल में जिसमें तेरी रजा है,
यूं भी वाह-वाह है, वूं भी वाह-वाह है।
लेकिन अपने राम को तो ऐसा लगता हैः
यूं भी गड़बड़ी है और वूं भी गड़बड़ी है,
यूं भी झंझटें हैं, और वूं भी झंझटें हैं।
अब आपका क्या कहना है?

मैं न तो रामतीर्थ से राजी हूं, न तुम्हारे राम से। एक है जीवन के प्रति विधायक (पाजिटिव) दृष्टिकोण। एक है जीवन के प्रति नकारात्मक (निगेटिव) दृष्टिकोण। जब रामतीर्थ कहते हैं—राजी हैं उसी हाल में जिसमें तेरी रजा है—तो उन्होंने जीवन को एक विधायक दृष्टि से देखा। कांटे नहीं गिने, फूल गिने; रातें नहीं गिनीं, दिन गिने। अगर रामतीर्थ से तुम पूछो तो वे कहेंगेः दो दिनों के बीच में एक छोटी सी रात होती है। वे फूलों की चर्चा करेंगे, वे कांटों की चर्चा न करेंगे। वे कहेंगेः क्या हुआ अगर थोड़े-बहुत कांटे भी होते हैं—फूलों की रक्षा के लिए जरूरी हैं! जीवन में जो सुखद है, उस पर उनकी नजर है; जो शुभ है, सुंदर है—असुंदर की उपेक्षा है। अशुभ के प्रति ध्यान नहीं है। और अगर प्रभु ने अशुभ भी चाहा है तो उसमें भी कोई छिपा हुआ शुभ होगा, ऐसी उनकी धारणा है।

यह आस्तिक की धारणा है। यह स्वीकार-भाव है। जो व्यक्ति कहता है प्रभु, मैंने तेरे लिए परिपूर्ण रूप से हां कह दी; जिस व्यक्ति ने अपनी चैकबुक बिना कुछ आंकड़े लिखे हस्ताक्षर करके प्रभु को दे दी कि अब तू जो लिखे, वही स्वीकार है।

'राजी हैं उसी हाल में जिसमें तेरी रजा है!
यूं भी वाह-वाह है, वूं भी वाह-वाह है।'

रामतीर्थ कहते हैं, जहां रख—यूं भी तो भी ठीक, वूं भी तो भी ठीक; स्वर्ग दे दे तो भी मस्त, नरक दे दे तो भी मस्त। तू हमारी मस्ती न छीन सकेगा, क्योंकि हम तो तेरी रजा में राजी हो गए।

फिर तुम कहते हो, लेकिन अपने राम को ऐसा लगता हैः

'यूं भी गड़बड़ी है, वूं भी गड़बड़ी है!'

यह रामतीर्थ से ठीक उलटा दृष्टिकोण है, यह नास्तिक की दृष्टि है—नकारात्मक! तुम कांटे गिनते हो। तुम कहते हो कि हां, दिन होता तो है, लेकिन दो रातों के बीच में एक छोटा सा दिन। इधर भी रात, उधर भी रात; इधरे गिरे तो कुआं, उधर गिरे तो खाई—बचाव कहीं नहीं दिखता। रामतीर्थ का स्वर है राजी का; तुम्हारा स्वर है नाराजी का। तुम कहते हो: गृहस्थ हुए तो झंझटें हैं, संन्यासी हुए तो झंझटें हैं। घर में रहो तो मुसीबत है, घर के बाहर रहो तो मुसीबत है। अकेले रहो तो मुसीबत है, किसी के साथ रहो तो मुसीबत है। मुसीबत से कहीं छुटकारा नहीं। तुम अगर स्वर्ग में भी रहोगे तो झंझट में रहोगे। स्वर्ग की भी झंझटें निश्चित होंगी। स्वर्ग में भी प्रतिस्पर्धा होगी: कौन ईश्वर के बिलकुल पास बैठा है? कौन दूर बैठा है? किसकी तरफ ईश्वर ने देखा और किसकी तरफ नहीं देखा? और राजनीति भी चलेगी ही। आदमी जहां है, राजनीति आ जाएगी।

जब जीसस विदा होने लगे तो उनके शिष्यों ने पूछा: अंत में इतना तो बता दें कि स्वर्ग में आप तो प्रभु के ठीक हाथ के पास बैठेंगे, हम बारह शिष्यों की क्या स्थिति होगी? कौन कहां बैठेगा?

जीसस को सूली लगने जा रही है और शिष्यों को राजनीति पड़ी है। कौन कहां बैठेगा! यह भी कोई बात थी? बेहूदा प्रश्न था, लेकिन बिलकुल मानवीय है।

'नंबर दो आपसे कौन होगा? नंबर तीन कौन होगा? चुने हुए कौन लोग होंगे? परमात्मा से हमारी कितनी निकटता और कितनी दूरी होगी?'

नहीं, तुम स्वर्ग में भी जाओगे तो वहां भी कुछ गड़बड़ ही पाओगे। किसी को सुंदर अप्सरा हाथ लग जाएगी, किसी को न लगेगी। तुम वहां भी रोओगे कि जमीन पर भी चूके, यहां भी चूके। वहां भी लोग कब्जा जमाए बैठे थे; यहां भी पहले से ही साधु-संत आ गए हैं, वे कब्जा जमाए बैठे हैं। तो मतलब, गरीब सब जगह मारे गए!

'यूं भी गड़बड़ी है, वूं भी गड़बड़ी है!
यूं भी झंझटें हैं और वूं भी झंझटें हैं।'

—यह देखने की दृष्टि है।

तुम मुझसे पूछते हो, मेरा दृष्टिकोण क्या है? मैं न तो आस्तिक हूं न नास्तिक। मैं न तो 'हां' की तरफ झुकता हूं न 'ना' की तरफ। क्योंकि मेरे लिए तो 'हां' और 'ना' एक ही सिक्के के दो पहलू हैं। रामतीर्थ ने जो कहा है, उसी को तुमने सिर के बल खड़ा कर दिया है—कुछ फर्क नहीं। तुमने जो कहा है उसी को रामतीर्थ ने पैर के बल खड़ा कर दिया—कुछ फर्क नहीं। तुम समझते हो तुम्हारी दोनों बातों में बड़ा विरोध है—मैं नहीं समझता। अब जरा गौर से देखने की कोशिश करो।

'राजी हैं उसी हाल में जिसमें तेरी रजा है!'

इसमें ही नाराजगी तो शुरू हो गई। जब तुम किसी से कहते हो कि मैं राजी हूं, तो मतलब क्या? कहीं न कहीं नाराजी होगी। नहीं तो कहा क्यों? कहने की बात कहां थी? 'कि नहीं, आप जो करेंगे वही मेरी प्रसन्नता है।' लेकिन साफ है कि वही आपकी प्रसन्नता है नहीं। स्वीकार कर लेंगे। भगवान जो करेगा, वही ठीक है। और किया भी क्या जा सकता है? एक असहाय अवस्था है।

लेकिन गौर से देखना, जब तुम कहते हो कि नहीं, मैं बिलकुल राजी हूं—तुम जितने आग्रहपूर्वक कहते हो कि मैं बिलकुल राजी हूं, उतनी ही खबर देते हो कि भीतर राजी तो नहीं हो; भीतर कहीं कांटा तो है।

मैं न तो आस्तिक हूं न नास्तिक। मैं न तो कहता हूं कि राजी हूं, न मैं कहता हूं नाराजी हूं। क्योंकि मेरी घोषणा यही है कि हम उससे पृथक ही नहीं हैं, नाराज और राजी होने का उपाय नहीं। नाराज और राजी तो हम उससे होते हैं, जिससे हम भिन्न हों। यही अष्टावक्र की महागीता का संदेश है।

तुम ही वही हो, अब नाराज किससे होना और राजी किससे होना? दोनों में द्वंद्व है। वह जो कहता है, मैं तेरी रजा से राजी हूं—वह भी कहता है: तू मुझसे अलग, मैं तुमसे अलग। और जब तक तुम अलग हो, तब तक तुम राजी हो कैसे सकते हो? भेद रहेगा। वह जो कहता है, मैं राजी नहीं हूं—वह भी इतना ही कह रहा है कि मेरी मर्जी और है, तेरी मर्जी और है, मेल नहीं खाती। एक झुक गया है। एक कहता है ठीक, मैं तेरी मर्जी को ओढ़े लेता हूं।

लेकिन जब तक तुम हो, तब तक तुम्हारी मर्जी भी रहेगी। तुम दूसरे की ओढ़ भी लो, इससे कुछ फर्क नहीं पड़ने वाला। जो महासत्य है, वह कुछ और है। महासत्य तो यह है कि उसके अलावा हम हैं ही नहीं। हम ही हैं। हमारी मर्जी ही उसकी मर्जी है! उसकी मर्जी ही हमारी मर्जी है। यह तुम्हारे चाहने न चाहने की बात नहीं है। तुम राजी होओ कि नाराजी होओ, इससे कुछ फर्क नहीं पड़ता। तुम्हारी राजी और नाराजगी दोनों एक बात की खबर देती हैं कि तुमने अभी भी जीवन के अद्वैत को नहीं देखा; तुम जीवन के द्वैत में अभी भी उलझे हो। तुम अपने को अलग, परमात्मा को अलग मान रहे हो। यहां उपाय ही नहीं है—किसको 'हां' कहो, किसको 'ना' कहो?

एक सूफी फकीर परमात्मा से प्रार्थना करता था रोज, चालीस वर्षों तक, कि 'प्रभु तेरी मर्जी पूरी हो! तू जो चाहे, वही हो!' चालीसवें वर्ष, कहते हैं, प्रभु ने उसे दर्शन दिया और कहा, बहुत हो गया! चालीस साल से तू एक ही बकवास लगाए है कि जो तेरी मर्जी हो वही पूरी हो! एक दफा कह दिया, बात खत्म हो गई थी;

अब यह चालीस साल से इसी बात को दोहराए जा रहा है! जरूर तू नाराज है। जरूर तू शिकायत कर रहा है—बड़े सज्जनोचित ढंग से, बड़े शिष्टाचारपूर्वक। लेकिन तू रोज मुझे याद दिला देता है कि ध्यान रखना, राजी तो मैं नहीं हूं। अब ठीक है, मजबूरी है। तुम्हारे हाथ में ताकत है और मैं तो निर्बल! अच्छा, तो राजी हूं, जो मर्जी!

'जो मर्जी' विवशता से उठ रहा है, जबरदस्ती झुकाए जा रहे हैं! जैसे कोई जबर्दस्ती तुम्हारी गर्दन झुका दे और तुम कुछ भी न कर पाओ तो तुम कहो, ठीक जो मर्जी! लेकिन तुमने परमात्मा को अन्य तो मान ही लिया। परमात्मा अनन्य है। वही है, हम नहीं हैं; या हम ही हैं, वह नहीं है। दो नहीं हैं, एक बात पक्की है। मैं और तू, ऐसे दो नहीं हैं। या तो मैं ही हूं, अगर ज्ञान की भाषा बोलनी हो; अगर भक्त की भाषा बोलनी हो तो तू ही है। मगर एक बात पक्की है कि एक ही है। तो फिर क्या सार है? क्या अर्थ है? 'हां' कहो कि 'ना' कहो, किससे कह रहे हो? अपने से ही कह रहे हो।

एक झेन फकीर, बोकोजू, रोज सुबह उठता तो जोर से कहताः बोकोजू! और फिर खुद ही बोलताः 'जी हां! कहिए, क्या आज्ञा है?' फिर कहता है कि देखो ध्यान रखना, बुद्ध के नियमों का कोई उल्लंघन न हो। वह कहताः 'जी हजूर! ध्यान रखेंगे।' कोई भूल-चूक न हो, स्मरणपूर्वक जीना! दिन फिर हो गया। वह कहताः 'बिलकुल खयाल रखेंगे।'

उसके एक शिष्य ने सुना कि यह क्या पागलपन है! यह किससे कह रहा है! बोकोजू इसी का नाम है। सुबह उठ कर रोज-रोज यह कहता हैः बोकोजू! और फिर कहता हैः 'जी हां, कहिए क्या कहना है?' उस शिष्य ने कहा कि महाराज, इसका राज मुझे समझा दें।

बोकोजू हंसने लगा। उसने कहा, यही सत्य है। यहां दो कहां? यहां हम ही आज्ञा देने वाले हैं, हम ही आज्ञा मानने वाले हैं। यहां हमीं स्रष्टा हैं और हमीं सृष्टि। हमीं हैं प्रश्न और हमीं हैं उत्तर। यहां दूसरा नहीं है।

इसलिए तुम इसको मजाक मत समझना—बोकोजू ने कहा। यह जीवन का यथार्थ है।

तुम मुझसे पूछते हो, मेरा क्या उत्तर है? मैं यही कहूंगाः एक है, दो नहीं हैं। अद्वय है। इसलिए तुम नकारात्मक के भी पार उठो और विधायक के भी पार उठो—तभी अध्यात्म शुरू होता है।

फर्क को समझ लेना—नकारात्मक यानी नास्तिक; अकारात्मक यानी आस्तिक। और नकार और अकार दोनों के जो पार है, वह आध्यात्मिक।

अध्यात्म आस्तिकता से बड़ी ऊंची बात है। आस्तिकता तो वहीं चलती है जहां नास्तिकता चलती है; उन दोनों की भूमि भिन्न नहीं है। एक 'ना' कहता है, एक 'हां' कहता है; लेकिन दोनों मानते हैं कि परमात्मा को 'हां' और 'ना' कहा जा सकता है; हमसे भिन्न है। अध्यात्म कहता है, परमात्मा तुमसे भिन्न नहीं—तुम ही हो! अब क्या 'हां' और 'ना'? जो है, है।

राजी हूं, नाराजी हूं—यह बात ही मत उठाओ। इसमें तो अज्ञान आ गया। तुम मुझसे पूछते हो, मैं क्या कहूं? मैं कहूंगा : जो है, है। कांटा है तो कांटा है, फूल है तो फूल है। न तो मैं नाराज हूं, न मैं राजी हूं। जो है, है। उससे अन्यथा नहीं हो सकता। अन्यथा करने की कोई चाह भी नहीं है। जैसा है, उसमें ही जी लेना। अष्टावक्र ने कहा : यथाप्राप्त! जो है, उसमें ही जी लेना; उसको सहज भाव से जी लेना। ना-नुच न करना, शोरगुल न मचाना, आस्तिकता-नास्तिकता को बीच में न लाना—यही परम अध्यात्म है।

तीसरा प्रश्न : अष्टावक्र ने जानने की इच्छा को भी अन्य इच्छाओं जैसी बताया हैं : जब कि अन्य ज्ञानी मुमुक्षा की बहुत महिमा बताते हैं। कृपापूर्वक इस पर प्रकाश डालें।

मुमुक्षा का पहले तो अर्थ समझ लें।

मुमुक्षा तुम्हारी सारी आकांक्षाओं का संगृहीत होकर परमात्मा की ओर उन्मुख हो जाना है; जैसे छोटी-छोटी आकांक्षाओं की नदियां हैं, छोटे-छोटे झरने हैं, छोटी-छोटी सरिताएं हैं, नाले हैं—ये सब गिर कर गंगा बन जाती है और गंगा सागर की तरफ दौड़ पड़ती है। तुम धन पाना चाहते हो, तुम पद पाना चाहते हो, तुम सुंदर होना चाहते, स्वस्थ होना चाहते, प्रतिष्ठित होना चाहते—ऐसी हजार-हजार आकांक्षाएं हैं। जब सारी आकांक्षाएं एक ही आकांक्षा में निमज्जित हो जाती हैं और तुम कहते, मैं प्रभु को जानना चाहता—तो गंगा बनी। सब झरने, सब छोटे-मोटे नाले इस महानद में गिरे— गंगा चली सागर की तरफ!

लेकिन अंततः तो गंगा को भी मिट जाना पड़ेगा, नहीं तो सागर से मिल न पाएगी। एक घड़ी तो आएगी सागर से मिलने के क्षण में, जब गंगा को अपने को भी मिटा देना होगा। नहीं तो गंगा का होना ही बाधा हो जाएगा। अगर गंगा सागर के तट पर खड़े हो कर कहे कि मैं इतने दूर से आई, इतनी मुमुक्षा, इतनी ईश्वर-मिलन की आस को ले कर; मैं मिटने को नहीं आई हूं, मैं तो ईश्वर को पाने आई

हूं—तो चूक हो गई। तो गंगा खड़ी रह जाएगी किनारे पर और चूक जाएगी सागर से। अंततः तो गंगा को भी सागर में गिर जाना है और खो जाना है।

पहले छोटी-मोटी इच्छाएं मुमुक्षा की महा अभीप्सा में गिर जाती हैं; फिर मुमुक्षा की आकांक्षा भी अंततः लीन हो जानी चाहिए। इसलिए परमज्ञानी तो यही कहेंगे कि मुमुक्षा भी बाधा है। यह जानने की इच्छा भी बाधा है। यह मोक्ष की इच्छा भी बाधा है।

मुमुक्षा यानी मोक्ष की इच्छा; मैं मुक्त होना चाहता हूं! कोई धनी होना चाहता है, कोई शक्तिशाली होना चाहता है, कोई अमर होना चाहता है, कोई मुक्त होना चाहता है—लेकिन चाह मौजूद है। निश्चित ही मोक्ष की चाह सभी चाहों से ऊपर है, लेकिन है तो चाह ही। खूब सुंदर चाह है, लेकिन है तो चाह ही। खूब सजी-संवरी चाह है, दुल्हन जैसी नई-नई—लेकिन है तो चाह ही। और चाह बंधन है।

जब तक मैं कुछ चाहता हूं, तब तक संघर्ष जारी रहेगा : क्योंकि मेरी चाह सर्व के विपरीत चलेगी। चाह का मतलब ही यह है : जो होना चाहिए वह नहीं है; और जो है, वह नहीं होना चाहिए। चाह का अर्थ ही इतना है। चाह में असंतोष है। चाह असंतोष की अग्नि में ही पैदा होती है। और मोक्ष तो तभी घटता है, जब हम कहते हैं : जो है, है; और यही हो सकता है। तत्क्षण विश्राम आ गया। जो नहीं है, उसकी मांग नहीं; जो है, उसका आनंद। संतोष आ गया, परितोष आ गया, तुष्ट हुए!

अष्टावक्र कहते हैं : बार-बार आत्मा मिलती, बार-बार तुष्टि मिलती। मुहुर्मुहुः! फिर-फिर! जैसे-जैसे संतोष घना होता है, फिर और बड़ी शांति बरसती है। और संतोष घना होता है, और बड़ा आनंद बरसता है। और शांति गहन होती है, और परमात्मा उतरता है! मुहुर्मुहुः! फिर-फिर, बार-बार, पुनः-पुनः! और कोई अंत नहीं इस यात्रा का!

तो मुमुक्षा परमात्मा के द्वार तक तो ले जाती है, लेकिन फिर द्वार पर अटका लेती है। अंततः मुमुक्षा को भी छोड़ देना होगा। अंततः सब चाह छोड़ देनी होगी, उसमें मुमुक्षा की चाह भी सम्मिलित है। अगर मुक्त होना है, तो मुक्ति की आकांक्षा भी छोड़ देनी होगी।

लेकिन जल्दी मत करना। पहले तो गंगा बनाओ, पहले तो और सब आकांक्षाओं को मुक्ति की आकांक्षा में समाविष्ट कर दो। एक ही आकांक्षा प्रज्वलित रह जाए। मन हजार तरफ दौड़ रहा है, वह एक ही तरफ दौड़ने लगे। मन में अभी खंड-खंड हैं, न मालूम कितनी मांगें हैं—एक ही मांग रह जाए। एक ही मांग रह जाएगी तो तुम एकजुट हो जाओगे। तुम्हारे भीतर एक योग फलित होगा। तुम्हारे खंड समाप्त हो जाएंगे, तुम अखंड बनोगे। फिर जब तुम पूरे अखंड हो

जाओ—तो अब तुम नैवेद्य बन गए। अब तुम जा कर परमात्मा के चरणों में अपनी अखंडता को समर्पित कर देना। अब तुम कहना : अब कुछ भी नहीं चाहिए! अब यह सब चाह—यह जानने की, मोक्ष की, तुझे खोजने की—यह भी तेरे चरणों में रख देते हैं! गंगा उसी क्षण सागर में सरक जाती है, उसी क्षण सागर हो जाती है।

झलक होश की है अभी बेखुदी में
बड़ी खामियां हैं मेरी बंदगी में!
झलक होश की है अभी बेखुदी में
बड़ी खामियां हैं मेरी बंदगी में!

अगर तुम्हें इतना भी होश रह गया कि मैं बेहोश हूं, तो अभी बंदगी पूरी नहीं हुई, अभी प्रार्थना पूरी नहीं हुई। तुम अगर राह पर मदमाते, मस्त हो कर चलने लगे, लेकिन इतना खयाल रहा कि देखो कितना मस्त हूं, तो मस्ती अभी पूरी नहीं! मस्ती तो तभी पूरी होती है जब मस्ती का भी खयाल नहीं रह जाता। मोक्ष तो तभी पूरा होता है जब मोक्ष की भी आकांक्षा नहीं रह जाती।

झलक होश की है अभी बेखुदी में
बड़ी खामियां हैं मेरी बंदगी में।
कैसे कहूं कि खत्म हुई मंजिले-फनां,
इतनी खबर तो है कि मुझे कुछ खबर नहीं।

अगर इतनी भी खबर रह गई भीतर कि मुझे कुछ खबर नहीं, तो काफी है बंधन, काफी अड़चन, काफी अवरोध।

और ध्यान रखना : बड़े-बड़े अवरोध तो आदमी आसानी से पार कर जाता है; छोटे अवरोध असली अड़चन देते हैं। धन पाना है, यह आकांक्षा तो बड़ी क्षुद्र है; इसको हम मोक्ष पाने की आकांक्षा में समाविष्ट कर दे सकते हैं। बड़ी आकांक्षा इसकी जगह रख देते हैं—मोक्ष पाने की आकांक्षा। सब विकृत, सब कुरूप, धीरे-धीरे सुंदर हो जाता है। मोक्ष की धारणा ही सौंदर्य की धारणा है—सब प्रसादपूर्ण हो जाता है। तब तो पता भी नहीं चलता कि कोई दुख है, कोई पीड़ा है। फिर तो इतनी छोटी बाधा रह जाती है—पारदर्शी, दिखाई भी नहीं पड़ती! अगर ईंट-पत्थर की दीवाल चारों तरफ हो तो दिखाई पड़ती है। कांच की दीवाल, शुद्ध कांच की दीवाल, स्फटिक मणियों से बनी है—कुछ बाधा नहीं मालूम पड़ती, आर-पार दिखाई पड़ता है! दीवाल का पता ही नहीं चलता। लेकिन दीवाल अभी है। अगर निकलने की कोशिश की तो सिर टकराएगा।

मुमुक्षा कांच की दीवाल है—दिखाई भी नहीं पड़ती। संसारी की तो वासनाएं बड़ी क्षुद्र हैं, स्थूल हैं, पत्थरों जैसी हैं। संन्यासी की आकांक्षा बड़ी सूक्ष्म है, बड़ी

पारदर्शी है और बड़ी सुंदर है—अटका ले सकती है।

अगर तुम्हें इतनी भी याद रह गई कि मुक्त होना है तो तुम अभी मुक्त नहीं हुए। और मुक्त होना है, यह वासना अगर मन में बनी है तो तुम मुक्त हो भी न सकोगे। क्योंकि मुक्त होने का कुल इतना ही अर्थ होता है कि अब कोई चाह न रही। मगर यह तो एक चाह बची—और इस चाह में तो सभी बच गया।

इसलिए अष्टावक्र ने बड़ी क्रांतिकारी बात कही: काम, अर्थ से तो मुक्त होना ही, धर्म से भी मुक्त होना। ऐसा कोई सूत्र किसी ग्रंथ में नहीं है। अर्थ और काम से मुक्त होने को सबने कहा है; धर्म से भी मुक्त होने को किसी ने नहीं कहा है। अष्टावक्र उस संबंध में बिलकुल मौलिक और अनूठे हैं। वे कहते हैं: धर्म से भी मुक्त होना है, नहीं तो धर्म ही बाधा बन जाएगा। अंततः तो सभी चाह गिर जानी चाहिए।

कैसे कहूं कि खत्म हुई मंजिले-फनां,
मंजिले-फनां का अर्थ होता है: शून्य हो जाना।
कैसे कहूं कि खत्म हुई मंजिले-फनां,
कैसे कहूं कि मैं शून्य हो गया?
इतनी खबर तो है कि मुझे कुछ खबर नहीं।
इतनी बाधा तो अभी बनी है।
इतनी खबर तो है कि मुझे कुछ खबर नहीं।
मगर इतना काफी है। इतनी दीवाल पर्याप्त है। इतनी दीवाल चुका देगी।
हिमगिरि लांघ चला आया मैं,
लघु कंकर अवरोध बन गया

क्षण का साहस केवल संशय,
अगर मूल में जीवित है भय,
जलनिधि तैर चला आया मैं,
उथला तट प्रतिरोध बन गया।

साध्य विमुक्त स्वयं से होना,
द्वंद्व विगत क्या पाना खोना,
हुआ समन्वय सबसे लेकिन,
निज से वही विरोध बन गया,
सूक्ष्म ग्रंथि में यह रेशम मन,

सुलझाने में उलझा चेतन,
क्रिया अहं से इतनी दूषित,
शोधन ही प्रतिशोध बन गया।

हिमगिरि लांघ चला आया मैं,
लघु कंकर अवरोध बन गया।

बड़े पहाड़ आदमी पार कर लेता है, छोटा सा कंकर अटका लेता है। हाथी आसानी से निकल जाता है; पूंछ ही मुश्किल से निकलती है; पूंछ ही अटक जाती है।

जलनिधि तैर चला आया मैं,
उथला तट प्रतिरोध बन गया।

बहुत लोग हैं, जो सागर तो तैर जाते हैं, फिर किनारे से उलझ जाते हैं।

महावीर के जीवन में बड़ा मीठा उल्लेख है। महावीर का प्रधान शिष्य था : गौतम गणधर। वह वर्षों महावीर के साथ रहा, लेकिन मुक्त न हो सका। वह सबसे ज्यादा प्रखर-बुद्धि व्यक्ति था महावीर के शिष्यों में। उसकी बेचैनी बहुत थी। वह बहुत मुक्त होना चाहता था, उसकी आकांक्षा में कोई कमी न थी और वह सोचता था : 'अब और क्या करूं? सब दांव पर लगा दिया। सब जीवन आहुति बना दिया। अब मोक्ष क्यों नहीं हो रहा है?' लेकिन यह बात उसकी समझ में नहीं आती थी कि यही बात बाधा बन रही है। यह जो आग्रह है, यह जो आकांक्षा है कि मोक्ष क्यों नहीं हो रहा—यही बेचैनी यही तनाव खड़ा कर रही है। यह मोक्ष की आकांक्षा भी अहंकार-जन्य है। यह अहंकार का आखिरी खेल है। अब वह मोक्ष के नाम पर खेल रहा है।

महावीर की मृत्यु हुई तो उस दिन गौतम बाहर गया था। कहीं पास के गांव में उपदेश करने गया था। लौटता था तो राहगीरों ने कहा कि तुम्हें पता नहीं, महावीर तो छोड़ भी चुके देह? तो वह वहीं रोने लगा। रोते-रोते उसने इतना पूछा राहगीरों से कि मेरे लिए कोई अंतिम संदेश छोड़ा है? क्योंकि वह निकटतम शिष्य था और महावीर की उसने अथक सेवा की थी, और सब दांव पर लगाया था; फिर भी कुछ अड़चन थी कि समझ में नहीं आता था, क्यों अटका है?

तो उन्होंने कहा : हम तो समझ नहीं पाए कि उपदेश का क्या अर्थ है, क्या संदेश का अर्थ है? उन्होंने छोड़ा जरूर है, वचन हमें याद है, हम वह कह देते हैं। हमें अर्थ मालूम नहीं, अर्थ तुम हमसे पूछना भी मत, तुम जानो और वे जानें। इतना ही उन्होंने कहा कि हे गौतम, तू पूरी नदी तो तैर गया, अब किनारे पर क्यों रुक गया है?

और कहते हैं, यह सुनते ही गौतम ज्ञान को उपलब्ध हो गया! यह सुनते ही मोक्ष घट गया!

हिमगिरि लांघ चला आया मैं,
लघु कंकर अवरोध बन गया।
जलनिधि तैर चला आया मैं,
उथला तट प्रतिरोध बन गया।

आदमी पूरा सागर तैर जाता है, फिर सोचता है, अब तो किनारा आ गया—अब किनारे को पकड़ कर रुक जाता है। किनारे को भी छोड़ना पड़े। सब छोड़ना पड़े। छोड़ना भी छोड़ना पड़े। तभी तुम बचोगे अपने शुद्धतम रूप में—निरंजन! तभी तुम्हारा मोक्ष प्रकट होता है।

चौथा प्रश्नः आपने जैसे मुझे मेरे पिछले स्वप्न से जगाया, मैं उसका बिलकुल गलत अर्थ किए बैठा था—वैसे ही इस स्वप्न के बारे में भी कुछ कहने की कृपा करें। पहले मैं अक्सर स्वप्न देखता था कि भीड़ में, सभा में, समाज में अचानक नग्न हो गया हूं। और उससे मैं बहुत चौंक उठता था। लेकिन संन्यास लेने के पश्चात वैसा स्वप्न आना बंद हो गया है। वर्ष भर से मैं अनेक बार स्वप्न में अपने को गैर-गैरिक वस्त्रों में देखता हूं और अपने को वैसा देख कर भी मैं बहुत चौंक उठता हूं। उल्लेखनीय है कि अब तो मैं गैरिक वस्त्र स्वेच्छा, आनंद और कृतज्ञता के भाव से पहनता हूं। मैंने जो कुछ पाया है, उसे बांटने में यह रंग बहुत सहयोगी साबित हुआ है। फिर यह स्वप्न क्या सूचित करता है?

इस स्वप्न को समझने के लिए आधुनिक मनोविज्ञान को कार्ल गुस्ताव जुंग के द्वारा दी गई एक धारणा समझनी होगी। कार्ल गुस्ताव जुंग ने उस धारणा को 'दि शैडो', छाया-व्यक्तित्व कहा है। वह बड़ी महत्वपूर्ण धारणा है। जैसे तुम धूप में चलते हो तो तुम्हारी छाया बनती है—ठीक ऐसे ही तुम जो भी करते हो, उसकी भी तुम्हारे भीतर छाया बनती है। वह छाया विपरीत होती है। वह छाया सदा तुमसे विपरीत होती है।

और जीवन का नियम है कि यहां सभी चीजें विपरीत से चलती हैं। यहां स्त्री चलती है तो पुरुष के बिना नहीं चल सकती। यहां पुरुष चलता है तो स्त्री के बिना नहीं चल सकता। यहां रात है तो दिन है और यहां जन्म है तो मौत है। यहां अंधेरा है तो प्रकाश है। यहां हर चीज अपने विपरीत से बंधी है। जगत द्वंद्व है; द्वैत; द्वि।

ठीक ऐसी ही स्थिति मन के भीतर है।

अब इस स्वप्न को समझने की कोशिश करो।

कहा है कि पहले स्वप्न देखता थाः भीड़ में, सभा में, समाज में अचानक नग्न हो गया हूं। वह छाया है। तुम वस्त्र पहन कर समाज में, भीड़ में, व्यक्तियों में मिलते-जुलते हो—तुम्हारी छाया उससे विपरीत भाव पैदा करती रहती है, नग्न हो जाने का। इसलिए अक्सर जब कभी कोई आदमी पागल हो जाता है तो वस्त्र फेंक कर नग्न हो जाता है। जो छाया सदा से कह रही थी और उसने कभी नहीं सुना था, पागल हो कर वह छाया के साथ राजी हो जाता है; जो उसने किया था, उसे छोड़ देता है और छाया की सुनने लगता है। उसका छाया-रूप सदा से कह रहा थाः हो जाओ नग्न, हो जाओ नग्न!

इसलिए तो समाज इतने जोर से आग्रह करता है कि नग्न मत होना, नग्न मत निकलना बाहर। क्योंकि सभी को पता हैः जिस दिन से आदमी ने वस्त्र पहने हैं, उसी दिन से नग्न होने की कामना छाया-रूप व्यक्तित्व में पैदा हो गई है। जिस दिन से वस्त्र पहने हैं—उसी दिन से!

जो लोग नग्न रहते हैं जंगलों में, उनको कभी ऐसा सपना नहीं आएगा। सपने में वे कभी नहीं देखेंगे कि वे नग्न हो गए हैं, क्योंकि वस्त्र उन्होंने पहने नहीं। हां, सपने में वस्त्र पहनने का सपना आ सकता है। अगर उन्होंने वस्त्र पहने हुए लोग देखे हैं, तो सपने में वस्त्र पहनने की आकांक्षा पैदा हो सकती है।

सपने में हम वही देखते हैं जो हमने इंकार किया है, जो हमने अस्वीकार किया है, जो हमने त्याग दिया है। सपने में वही हमारे मन में उठने लगता है जो हमने घर के तलघरे में फेंक दिया है। और जब भी हम कोई काम करेंगे, तो कुछ तो तलघरे में फेंकना ही पड़ेगा।

अगर तुमने किसी स्त्री को प्रेम किया तो प्रेम के साथ जुड़ी हुई घृणा को क्या करोगे? घृणा को तलघरे में फेंक दोगे। तुम्हारे सपने में घृणा आने लगेगी। तुम्हारे सपने में तुम किसी दिन अपनी पत्नी की हत्या कर दोगे। किसी दिन तुम सपने में पत्नी की गर्दन दबा रहे होओगे। और तुम सोच भी न सकोगे कि कभी ऐसा सोचा नहीं, जागते में कभी विचार नहीं आया—और पत्नी इतनी सुंदर है और इतनी प्रीतिकर है और सब ठीक चल रहा है, यह सपना कैसे पैदा होता है!

तुम कभी सपने में मित्र के साथ लड़ते हुए पाए जाओगे; क्योंकि जिससे भी तुमने मैत्री बनाई, उसके साथ जो शत्रुता का भाव उठा, उसे तुमने तलघरे में फेंक दिया।

हम चौबीस घंटे कुछ करते हैं तो तलघरे में फेंकते हैं। इसलिए तो अष्टावक्र तो कहते हैं कि तुम न तो चुनना पुण्य को न पाप को। तुमने पुण्य चुना तो पाप को तलघरे में फेंक दोगे। वह तुम्हारे सपनों में छाया डालेगा और वह तुम्हारे आने वाले जीवन का आधार बन जाएगा। अगर तुमने चुना पाप को तो तुम पुण्य को तलघरे में फेंकोगे। फर्क ही क्या है? जिसको हम पुण्यात्मा कहते हैं, उस आदमी ने पाप को भीतर दबा लिया है, पुण्य को बाहर प्रकट कर दिया है। जिसको हम पापी कहते हैं, उसने उलटा किया है : पुण्य को भीतर दबा लिया, पाप को बाहर प्रकट कर दिया। लेकिन सभी चीजें दोहरी हैं; जैसी सिक्के के दो पहलू हैं।

'तो जब पहले स्वप्न देखता था भीड़ में, सभा में, समाज में—तो देखता था, अचानक नग्न हो गया हूं!'

जिस दिन पहली दफा 'अजित' को मां-बाप ने वस्त्र पहनाए होंगे, उसी दिन छाया पैदा हो गई। बच्चे पसंद नहीं करते वस्त्र पहनना। उनको जबरदस्ती सिखाना पड़ता है, धमकाना पड़ता है, रिश्वत देनी पड़ती है कि मिठाई देंगे, कि यह टाफी ले लो, कि यह चाकलेट ले लो, कि इतने पैसे देंगे—मगर कपड़े पहन कर बाहर निकलो। तो बच्चे के मन में तो नग्न होने का मजा होता है; क्योंकि बच्चा तो जंगली है, वह तो आदिम है। वह कोई कारण नहीं देखता कि क्यों कपड़े पहनो? कोई वजह नहीं है। और कपड़े के बिना इतनी स्वतंत्रता और मुक्ति मालूम होती है, नाहक कपड़े में बंधो। और फिर झंझटें कपड़े के साथ आती हैं कि तुम कपड़ा फाड़ कर आ गए कि मिट्टी लगा लाए!

अब यह बड़े मजे की बात है कि यही लोग कपड़ा पहनाते हैं और यही लोग फिर कहते हैं कि अब कपड़े को साफ-सुथरा रखो, अब इसको गंदा मत करो। उसने कभी पहनना नहीं चाहा था। एक मुसीबत दूसरी मुसीबत लाती है। फिर सिलसिला बढ़ता चला जाता है। फिर अच्छे कपड़े पहनो, फिर सुंदर कपड़े पहनो, फिर सुसंस्कृत कपड़े पहनो—प्रतिष्ठा योग्य! फिर यह जाल बढ़ता जाता है। धीरे-धीरे वह जो मन में बचपन में नग्न होने की स्वतंत्रता थी, वह तलघर में पड़ जाती है। वह कभी-कभी सपनों में छाया डालेगी। वह कभी-कभी कहेगी कि क्या उलझन में पड़े हो? कैसा मजा था तब! कूदते थे, नाचते थे! पानी में उतर गए तो फिकर नहीं। वर्षा हो गई तो खड़े हैं, फिकर नहीं। रेत में लोटें तो फिकर नहीं। इन कपड़ों ने तो जान ले ली। इन कपड़ों से मिला तो कुछ भी नहीं है, खोया बहुत कुछ।

तो वह भीतर दबी हुई आकांक्षा उठ आती होगी। वह कहती है : 'छोड़ दो, अब तो छोड़ो, बहुत हो गया, क्या पाया? वस्त्र ही वस्त्र रह गए, आत्मा तो गंवा दी, स्वतंत्रता गंवा दी!' इसलिए सपने में नग्न हो जाते रहे होओगे।

फिर पूछा है कि 'जब से संन्यास लिया, वैसा स्वप्न आना बंद हो गया।'

साफ है प्रतीक। संन्यास तुमने लिया—मां-बाप ने नहीं दिलवाया। कपड़े मां-बाप ने पहनाए थे, तुम पर किसी न किसी तरह की जबर्दस्ती हुई होगी। यह संन्यास तुमने स्वेच्छा से लिया, यह तुमने अपने आनंद से लिया। ये वस्त्र तुमने अपने प्रेम से चुने, तुमने अहोभाव से चुने। निश्चित ही इन वस्त्रों से तुम्हारा जैसा मोह है वैसा दूसरे वस्त्रों से नहीं था। इन वस्त्रों से जैसा तुम्हारा लगाव है वैसा दूसरे वस्त्रों से नहीं था।

इसलिए नग्नता का स्वप्न तो विलीन हो गया, वह पर्दा गिरा, वह बात खत्म हो गई। वे वस्त्र ही तुमने गिरा दिए, जिनके कारण नग्नता का स्वप्न आता था। उन्हीं वस्त्रों से जुड़ा था नग्नता का स्वप्न, जो तुम्हें जबरदस्ती पहनाए गए थे। अब उस स्वप्न की कोई सार्थकता न रही। जब वे वस्त्र ही चले गए, तो उन वस्त्रों के कारण जो छाया पैदा हुई थी, वह छाया भी विदा हो गई। सिक्के का एक पहलू चला गया, दूसरा पहलू भी चला गया।

अब तुमने खुद अपनी इच्छा से वस्त्र चुने हैं। इसलिए नग्न होने का भाव तो पैदा नहीं होता।

'लेकिन कभी-कभी गैर-गैरिक वस्त्रों में अपने को सपने में देखता हूं।'

अब यह थोड़ा समझने जैसा है। यद्यपि इन वस्त्रों के साथ वैसा विरोध नहीं है, जैसा कि मां-बाप के द्वारा पहनाए गए वस्त्रों के साथ था, यह तुमने अपनी मर्जी से चुना है; लेकिन फिर भी, जो भी चुना है, उसकी भी छाया बनेगी। धूमिल होगी छाया, उतनी प्रगाढ़ न होगी। जो तुम्हें जबरदस्ती चुनवाया गया था, तो उसकी छाया बड़ी मजबूत होगी। जो तुमने अपनी स्वेच्छा से चुना है उसकी छाया बहुत मद्धिम होगी—मगर होगी तो! क्योंकि जो भी हमने चुना है उसकी छाया बनेगी। वह स्वेच्छा से चुना है या जबर्दस्ती चुनवाया गया है, यह बात गौण है। चुनाव की छाया बनेगी। सिर्फ अचुनाव की छाया नहीं बनती। सिर्फ साक्षी-भाव की छाया नहीं बनती। कर्तृत्व की तो छाया बनेगी।

यह संन्यास भी कर्तृत्व है। यह तुमने सोचा, विचारा, चुना। इसमें आनंद भी पाया। लेकिन स्वप्न बड़ी सूचना दे रहा है। स्वप्न यह कह रहा है कि अब कर्ता के भी ऊपर उठो, अब साक्षी बनो।

साक्षी बनते ही स्वप्न खो जाते हैं—तुम यह चकित होओगे जान कर। वस्तुतः कोई व्यक्ति साक्षी बना या नहीं, इसकी एक ही कसौटी है कि उसके स्वप्न खो गए या नहीं? जब तक हम कर्ता हैं तब तक स्वप्न चलते रहेंगे। क्योंकि करने का मतलब है: कुछ हम चुनेंगे!

अब समझो, अजित ने जब संन्यास लिया तो एकदम से कपड़े नहीं पहने। अजित ने जब संन्यास लिया शुरू में, तो ऊपर का शर्ट बदल लिया, नीचे का पैंट वे सफेद ही पहनते रहे। द्वंद्व रहा होगा। मन कहता होगा: 'क्या कर रहे? घर है, परिवार है, व्यवसाय है!' अजित डाक्टर हैं, प्रतिष्ठित डाक्टर हैं। 'धंधे को नुकसान पहुंचेगा। लोग समझेंगे: पागल हैं! यह डाक्टर को क्या हो गया?' माला भी पहनते थे तो भीतर छिपाए रखते थे—अब मुझसे छुपाया नहीं जा सकता। जो-जो भीतर छुपा रहे हैं, वे खयाल रखना—उसको भीतर छुपाए रखते थे। फिर धीरे-धीरे हिम्मत जुटाई, माला बाहर आई। जब भी मुझे मिलते, तो मैं उनसे कहता रहता कि अब कब तक ऐसा करोगे? अब यह पैंट भी गेरुआ कर डालो। वे कहते: करूंगा, करूंगा...। धीरे-धीरे ऐसा कोई दो-तीन साल लगे होंगे। तो दो-तीन साल जो मन डांवाडोल रहा, उसकी छाया है भीतर। चुना इतने दिनों में, सोच-सोच कर चुना—धीरे-धीरे पिघले, समझ में आया। फिर पूरे गैरिक वस्त्रों में चले गए। लेकिन वह जो तीन साल डांवांडोल चित्त-दशा रही—चुनें कि न चुनें, आधा चुनें आधा न चुनें—उस सबकी भीतर रेखाएं छूट गईं। वही रेखाएं स्वप्नों में प्रतिबिंब बनाएंगी।

जो भी हम चुनेंगे...चुनाव का मतलब यह होता है: किसी के विपरीत चुनेंगे। जो कपड़े वे पहने थे, उनके विपरीत उन्होंने गेरुए वस्त्र चुने। तो जिसके विपरीत चुने, वह बदला लेगा। जिसके विपरीत चुने, वह प्रतिशोध लेगा; वह भीतर बैठा-बैठा राह देखेगा कि कभी कोई मौका मिल जाए तो मैं बदला ले लूं। अगर सामान्य जिंदगी में मौका न मिलेगा...कुछ को मिल जाता है; जैसे 'स्वभाव' कल या परसों अपना साधारण कपड़े पहने हुए यहां बैठे थे। तो स्वभाव को सपना नहीं आएगा, यह बात पक्की है। सपने की कोई जरूरत नहीं है। वे बेईमानी जागने में ही कर जाते हैं, अब सपने की क्या जरूरत है? जब धोखा जागने में ही दे देते हो तो फिर सपने का कोई सवाल नहीं रह जाता। स्वभाव को सपना नहीं आने वाला, मगर यह उनका दुर्भाग्य है। यह अजित का सौभाग्य है कि सपना आ रहा है। इससे एक बात पक्की है कि जागने में धोखा नहीं चल रहा हैं। तो सपने में छाया बन रही है।

अब इस सपने की छाया के भी पार जाना है। इसके पार जाने का एक ही उपाय है: इसे स्वीकार कर लो। इसे सदभाव से स्वीकार कर लो कि संन्यास मैंने चुना था। इसे बोधपूर्वक अंगीकार कर लो कि संन्यास मैंने चुना था, पुराने कपड़ों से लड़-लड़ कर चुना था। तो पुराने कपड़ों के प्रति कहीं कोई दबी आसक्ति भीतर रह गई है; उसे स्वीकार कर लो कि वह आसक्ति थी और मैंने उसके विपरीत चुना था। उसको स्वीकार करते ही स्वप्नों से वह तिरोहित हो जाएगी। लेकिन उसके

स्वीकार करते ही तुम एक नये आयाम में प्रविष्ट भी होगे। ये गैरिक वस्त्र गैरिक रहेंगे, लेकिन अब यह चुनाव जैसा न रहा, यह प्रसाद-रूप हो जाएगा।

इस फर्क को समझ लेना।

अगर तुमने संन्यास मुझसे लिया है प्रसाद-रूप, तुमने मुझसे कहा कि आप दे दें अगर मुझे पात्र मानते हों, और तुमने कोई चुनाव नहीं किया—तो सपने में छाया नहीं बनेगी। अगर तुमने चुना, तुमने सोचा, सोचा, बार-बार चिंतन किया, पक्ष-विपक्ष देखा, तर्क-वितर्क जुड़ाया, फिर तुमने संन्यास लिया—तो छाया बनेगी।

अजित ने खूब सोच-सोच कर संन्यास लिया। इसलिए छाया रह गई है। अब तुम संन्यास को प्रसाद-रूप कर लो। अब तुम यह भाव ही छोड़ दो कि मैंने लिया। अब तो तुम यही समझो कि तुम्हें दिया गया—प्रभु-प्रसाद, प्रभु-अनुकंपा! यह मेरा चुनाव नहीं।

और जो तुम्हारे भीतर दबा हुआ भाव रह गया है, उसको भी अंगीकार कर लो कि वह है; वह तुम्हारे अतीत में था, उसकी छाया रह गई है। स्वीकार करते ही धीरे से यह सपना विदा हो जाएगा। और संन्यास को प्रसाद-रूप जानो। हालांकि चाहे तुमने सोच कर ही लिया हो, अगर तुम किसी दिन सत्य को समझोगे तो तुम पाओगे; तुमने लिया नहीं, मैंने दिया ही है।

कुरान में एक बड़ा अदभुत वचन है। वचन है कि फकीर कभी सम्राट या धनपतियों के द्वार पर न जाए। जब भी आना हो, सम्राट ही फकीर के द्वार पर आए।

जलालुद्दीन रूमी बड़ा पहुंचा हुआ सिद्ध फकीर हुआ। उसे उसके शिष्यों ने देखा एक दिन कि वह सम्राट के राजमहल गया। शिष्य बड़े बेचैन हुए। यह तो कुरान का उल्लंघन हो गया। जब जलालुद्दीन वापस लौटा तो उन्होंने कहा कि गुरुदेव, यह तो बात उल्लंघन हो गई। और आप जैसा सत्पुरुष चूक करे! कुरान में साफ लिखा है कि कभी फकीर धनपति या राजाओं या राजनीतिज्ञों के द्वार पर न जाए। अगर राजा को आना हो तो फकीर के द्वार पर आए।

पता है, जलालुद्दीन ने क्या कहा? जो कहा, वह बड़ा अदभुत है! कुरान के वचन की ऐसी व्याख्या ठीक कोई पहुंचा हुआ सिद्ध ही कर सकता है। जलालुद्दीन ने कहा: 'तुम इसकी फिकर न करो। चाहे मैं जाऊं राजा के घर, चाहे राजा मेरे पास आए—हर हालत में राजा मेरे पास आता है।' अजीब व्याख्या! हर हालत में! तुम आंखों की चिंता में मत पड़ना कि तुमने क्या देखा! चाहे मैं राजा के महल जाता दिखाई पड़ूं और चाहे राजा मेरे झोपड़े पर आता दिखाई पड़े, मैं तुमसे कहता हूं: हर हालत में राजा ही मेरे पास आता है।

अब जलालुद्दीन कहते हैं तो शिष्य सकते में आ गए, लेकिन बात तो समझ में नहीं आई कि यह क्या मामला है? हर हालत में!

जलालुद्दीन ने कहाः घबड़ाओ मत, परेशान मत होओ। कभी मैं राजा के द्वार पर जाता हूं, क्योंकि वह हिम्मत नहीं जुटा पा रहा आने की। वह तो नासमझ है, मैं तो नासमझ नहीं। मैं तो उसकी संभावना देखता हूं। मैं तो इसलिए गया कि उसके आने के लिए रास्ता बना आऊं। अब वह चला आएगा। मेरा जाना उससे अगर कुछ मांगने को होता तो मैं गया। मैं तो देने गया था, तो जाना कैसा? कुरान यही कहता है कि मत जाना—उसका कुल मतलब इतना है कि मांगने मत जाना। देने जाने के लिए तो कोई मनाही नहीं है। और जो देने गया है, वह गया ही नहीं है।

मैं जलालुद्दीन से राजी हूं। मैं अजित सरस्वती को कहता हूं कि तुमने सोच-सोच कर संन्यास लिया, वह तुम्हारी समझ होगी; जहां तक मुझसे पूछते हो, मैंने दिया। तुम सोचते न तो थोड़ी जल्दी मिल जाता; तुम सोचे तो थोड़ी देर से मिला—बाकी हर हाल में दिया मैंने।

जिन्होंने भी संन्यास लिया है, वे खयाल में ले लें कि तुम चाहे संन्यास लो चाहे मैं दूं, हर हाल में मैं देता हूं। तुम्हारे लेने का कोई सवाल नहीं है। तुम ले कैसे सकते हो? तुम उस विराट की तरफ हाथ कैसे फैला सकते हो?

संन्यास प्रसाद है। और यह भाव जिस दिन समझ में आ जाएगा उसी दिन यह स्वप्न खो जाएगा। इसमें थोड़ा कर्तृत्व-भाव बचा है, उतनी ही अड़चन है।

छठवां प्रश्नः मुझे अपने समर्पण पर शक होता है। क्या पूरा समर्पण शिष्य को ही करना होगा, या कि गुरु के सहयोग से वह शिष्य में घटित होता है? कृपया इस दिशा में हमें उपदेश करें।

समर्पण पर शक सभी को होता है, क्योंकि समर्पण तुम सोच-सोच कर करते हो। जो तुम सोच-सोच कर करते हो, उसमें शक तो रहेगा। शक न होता तो सोचते ही क्यों? तब समर्पण एक छलांग होता है—क्वांटम छलांग। तब तुम सोच कर नहीं करते। तब समर्पण एक पागलपन जैसा होता है, एक उन्माद की अवस्था होती है। तुम ऐसे भावाविष्ट हो जाते हो...एक श्रद्धा की क्रांति घटती है! लेकिन ऐसी क्रांति तो कभी सौ में एक को घटती है; निन्यानबे तो सोच कर ही करते हैं।

इसलिए जब तुम सोच कर करोगे, तो वह जो तुमने सोचा है बार-बार, वह जो तुमने निर्णय लिया है, वह चाहे बहुमत का निर्णय हो, लेकिन है पार्लियामेंट्री। तुमने बहुत सोचा, तुमने पायाः साठ प्रतिशत मन गवाही है समर्पण के लिए,

चालीस प्रतिशत गवाही नहीं। तुमने कहा, अब ठीक है, अब निर्णय लिया जा सकता है। लेकिन यह पार्लियामेंट्री है। वह जो चालीस प्रतिशत राजी नहीं था, वह कभी भी कुछ सदस्यों को फोड़ ले सकता है। रिश्वत खिला दे, भविष्य का आश्वासन दिला दे—मिनिस्टर बना देंगे, यह कर देंगे, वह कर देंगे—वह मन के कुछ खंडों को तोड़ ले सकता है। वह किसी भी दिन बल में आ सकता है। और उसके आने की संभावना है। क्योंकि जिस साठ प्रतिशत मन से तुमने समर्पण किया है, समर्पण करने के बाद कसौटी आएगी कि समर्पण से कुछ घट रहा है या नहीं? अब साठ प्रतिशत समर्पण से कुछ भी नहीं घटता, तो वह जो चालीस प्रतिशत मन है वह कहेगा : 'सुनो, अब आई अक्ल? पहले ही कहा था कि करो मत, इससे कुछ होने वाला नहीं है।'

यह भीतर की स्थिति है। घटती तो है घटना सौ प्रतिशत से। उसके पहले तो घटती नहीं, सौ डिग्री पर ही पानी भाप बनता है। साठ डिग्री पर बहुत से बहुत गर्म हो सकता है, भाप नहीं बन सकता। तो गरमा गए हो। पहले की शांति भी चली गई, और ज्वर आ गया, और उपद्रव ले लिया ये गेरुए वस्त्रों का! वैसे ही परेशान थे, वैसे ही झंझटें काफी थीं—और एक नई झंझट जोड़ ली। वह जो चालीस प्रतिशत बैठा हुआ है, उसकी तो तुम आलोचना नहीं कर सकते, वह तो विरोधी पार्टी हो गया!

विरोधी पार्टी को एक फायदा है। उसकी तुम आलोचना नहीं कर सकते। उसने कुछ किया ही नहीं, आलोचना कैसे करोगे? इसलिए विरोधी पार्टी के नेता बड़े क्रिटिकल और आलोचक हो जाते हैं। वे हर चीज की आलोचना करने लगते हैं—यह गलत, यह गलत! जो कर रहा है, निश्चित उस पर ही गलती का आरोपण लगाया जा सकता है। जो कुछ भी नहीं कर रहा...।

इसलिए बड़े मजे की घटना सारी दुनिया में घटती रहती है—भीतर भी और बाहर भी! जो पार्टी हुकूमत में होगी, वह ज्यादा देर हुकूमत में नहीं रह सकती। वह लाख उपाय करे, सदा हुकूमत में नहीं रह सकती। क्योंकि जो भी वह करेगी, उसमें कुछ तो भूलें होने वाली हैं, कुछ तो चूकें होने वाली हैं। जीवन की समस्याएं ही इतनी बड़ी हैं कि सब तो हल नहीं हो जाएंगी। जो नहीं हल होंगी, विरोधी पार्टी उन्हीं की तरफ इशारा करती रहेगी कि 'इसका क्या? इस संबंध में क्या? कुछ भी नहीं हुआ, बरबाद हो गया मुल्क!' तो लोग धीरे-धीरे विरोधी की बात सुनने लगेंगे कि बात तो ठीक ही कह रहा है। विरोधी का बल बढ़ जाता है। जैसे ही विरोधी सत्ता में आया, बस उसका बल टूटना शुरू हो जाता है। सत्ताधिकारी सत्ता में आते से ही कमजोर होने लगता है। गैर-सत्ताधिकारी सत्ता के बाहर रह कर शक्तिशाली होने लगता है।

इसलिए दुनिया में राजनितिज्ञों का एक खेल चलता रहता है। सारे लोकतंत्रीय मुल्कों में दो पार्टियां होती हैं। हिंदुस्तान अभी भी उतनी अक्ल नहीं जुटा पाया—इसलिए यहां व्यर्थ परेशानी होती है। दो पार्टियां होती हैं, एक खेल है। जनता मूर्ख बनती है। उन दो पार्टियों में एक सत्ता में होती है, उसे जो करना है वह करती है; जो गैर-सत्ता में होती है, इस बीच वह अपनी ताकत जुटाती है। अगले चुनाव में दूसरी पार्टी सत्ता में आ जाती है, पहली पार्टी जनता में उतर कर फिर अपनी ताकत जुटाने में लगती है। उन दोनों के बीच एक षडयंत्र है। एक सत्ता में होता है, दूसरा आलोचक हो जाता है।

और जनता की स्मृति तो बड़ी कमजोर है। वह पूछती ही नहीं कि तुम जब सत्ता में थे तब तुमने यह आलोचना नहीं की, अब तुम आलोचना करने लगे? यही काम तुम कर रहे थे, लेकिन तब सब ठीक था; अब सब गलत हो गया? और ये जो कह रहे हैं, सब गलत हो गया है, जब सत्ता में पहुंच जाएंगे, तब फिर सब ठीक हो जाएगा! इनके सत्ता में होने से सब ठीक हो जाता है, इनके सत्ता में न होने से सब गलत हो जाता है। इनकी मौजूदगी जैसे शुभ और इनकी गैर-मौजूदगी अशुभ है।

यही घटना मन के भीतर घटती है। जो मन का हिस्सा कहता था, 'मत करो समर्पण, मत लो संन्यास', वह बैठ कर देखता है : अच्छा! ले लिया, ठीक। अब क्या हुआ? अब वह बार-बार पूछता है : बताओ क्या हुआ? तो तुम्हारे जो साठ प्रतिशत हिस्से थे मन के, वे धीरे-धीरे खिसकने लगते हैं। कुछ हिस्से उसके पास चले जाते हैं। कई बार ऐसी नौबत आ जाती हैं—फिफ्टी-फिफ्टी, पचास-पचास की, तब संदेह उठता है, तब तुम बड़े डांवाडोल हो उठते हो।

कभी-कभी ऐसा भी हो सकता है कि हालत उलटी हो जाए, समर्पण के पक्ष में चालीस हिस्से हो जाएं और विपरीत में साठ हिस्से हो जाएं—तो तुम संन्यास छोड़ कर भागने की आकांक्षा करने लगते हो।

'मुझे अपने समर्पण पर शक होता है।'

समर्पण किया है तो शक होगा ही। क्योंकि समर्पण किया नहीं जा सकता। समर्पण होता है। यह तो प्रेम जैसी घटना है। किसी से प्रेम हो गया, तुम यह थोड़े ही कहते हो कि प्रेम किया—हो गया!

तो मेरे पास भी दो तरह के संन्यासी हैं—एक, जिन्होंने समर्पण किया है, उनको तो शक सदा रहेगा; एक, जिनका समर्पण हो गया है। शक की बात ही न रही। यह कोई पार्लियामेंट्री निर्णय न था। यह कोई बहुमत से किया न था। यह तो सर्व मत से हुआ था। यह तो पूरी की पूरी दीवानगी में हुआ था—उसको मैं क्वांटम छलांग कहता हूं। वह प्रक्रिया नहीं है सीढ़ी-सीढ़ी जाने की—वह छलांग है।

तो जिन मित्र ने पूछा है, उन्होंने सोच कर किया होगा। सोच कर करो तो पूरा हो नहीं पाता। पूरा हो न, तो कुछ हाथ में नहीं आता। हाथ में न आए तो संदेह उठते हैं।

फिर पूछा है कि 'क्या पूरा समर्पण शिष्य को ही करना होता है?'

समर्पण करना ही नहीं होता। समर्पण तो समझ की अभिव्यक्ति है—होता है। तुम सुनते रहो मुझे, पीते रहो मुझे, बने रहो मेरे पास, बने रहो मेरी छाया में—धीरे-धीरे, धीरे-धीरे, एक दिन तुम अचानक पाओगे: समर्पण हो गया! तुम सोचो मत इसके लिए कि करना है, कि कैसे करें, कब करें। तुम हिसाब ही मत रखो यह। तुम तो सिर्फ बने रहो। सत्संग का स्वाभाविक परिणाम समर्पण है।

न तो शिष्य को करना होता है, न गुरु को करना होता है। गुरु तो कुछ करता ही नहीं, उसकी मौजूदगी काफी है; शिष्य भी कुछ न करे, बस सिर्फ मौजूद रहे गुरु की मौजूदगी में! इन दो मौजूदगियों का मेल हो जाए, ये दोनों उपस्थितियां एक-दूसरे में समाविष्ट होने लगें, ये सीमाएं थोड़ी छूट जाएं, एक-दूसरे में प्रवेश कर जाएं, अतिक्रमण हो जाए! मेरे और तुम्हारे बीच फासला कम होता जाए! सुनते-सुनते, बैठते-बैठते, निकट आते-आते कोई धुन तुम्हारे भीतर बजने लगे।

न तो मैं बजाता हूं, न तुम बजाते हो—निकटता में बजती है। मेरा सितार तो बज ही रहा है, तुम अगर सुनने को राजी हो तो तुम्हारा सितार भी उसके साथ-साथ डोलने लगेगा; तुम्हारे सितार में भी स्वर उठने लगेंगे।

तो, न तो शिष्य करता समर्पण, न गुरु करवाता। जो गुरु समर्पण करवाए, वह असदगुरु है। और जो शिष्य समर्पण करे, उसे शिष्यत्व का कोई पता नहीं। समर्पण दोनों के बीच घटता है, जब दोनों परम एकात्ममय हो जाते हैं। गुरु तो मिटा ही है, जब शिष्य भी उसके पास बैठते-बैठते, बैठते-बैठते मिटने लगता है, पिघलने लगता है—समर्पण घटता है।

'या कि गुरु के सहयोग से वह शिष्य में घटित होता है।'

न कोई सहयोग है। गुरु कुछ भी नहीं करता। अगर गुरु कुछ भी करता हो तो वह तुम्हारा दुश्मन है। क्योंकि उसका हर करना तुम्हें गुलाम बना लेगा। उसके करने पर तुम निर्भर हो जाओगे। किसी के करने से मोक्ष नहीं आने वाला है। गुरु कुछ करता ही नहीं। गुरु तो एक खाली स्थान तुम्हें देता है। गुरु तो अपनी मौजूदगी तुम्हारे सामने खोल देता है। अपने को खोल देता है। गुरु तो एक द्वार है। द्वार में कुछ भी तो नहीं होता, दीवाल भी नहीं होती। द्वार का मतलब ही है: खाली। तुम उसमें से भीतर जा सकते हो। तुम अगर डरो न, तुम अगर सोचो-विचारो न, तो धीरे से द्वार तुम्हें बुला रहा है।

तुमने देखा, खुला द्वार एक निमंत्रण है! खुले द्वार को देख कर तुम अगर उसके पास से निकलो तो भीतर जाने का मन होता है। अगर तुम हिम्मत जुटा लो और खुले द्वार का निमंत्रण मान लो तो गुरु गुरुद्वारा हो गया; उसी से तुम प्रविष्ट हो जाते हो।

गुरु कुछ करता नहीं। गुरु केटेलिटिक एजेंट है। उसकी मौजूदगी कुछ करती है, गुरु कुछ भी नहीं करता। और मौजूदगी तभी कर सकती है जब तुम करने दो—तुम मौका दो, तुम अवसर दो, तुम अपनी अकड़ छोड़ो, तुम थोड़े अपने को शिथिल करो, विश्राम में छोड़ो।

जो है, वह तो तुम्हारे भीतर है—गुरु की मौजूदगी में तुम्हें पता चलने लगता है।

फिरा अपनी ही गंध से अंध कस्तूरा

वन-वन उत्स का अज्ञान

बन गया व्याध का संधान।

फिरा अपनी ही गंध से अंध कस्तूरा!

कस्तूरी कुंडल बसै! वह कस्तूरा फिरता है पागल, अंधा बना—अपनी ही गंध से!

फिरा अपनी ही गंध से अंध कस्तूरा!

दौड़ता फिरता, भागता कि कहां से गंध आती, गंध पुकारती...!

यह गंध जो तुम मुझमें देख रहे हो, यह तुम्हारी गंध है। यह स्वर जो तुमने मुझमें सुना है, यह तुम्हारे ही सोए प्राणों का स्वर है।

फिरा अपनी ही गंध से अंध कस्तूरा

वन-वन उत्स का अज्ञान

बन गया व्याध का संधान।

जो मारने वाला छिपा है व्याध कहीं, उसके हाथ में अचानक कस्तूरा आ जाता है। कस्तूरा अपनी ही गंध खोजने निकला था। तुम भी न मालूम कितने व्याधों के संधान बन गए हो—कभी धन के, कभी पद के, कभी प्रतिष्ठा के। न मालूम कितने तीर तुम में चुभ गए हैं और तुम भटक रहे हो—खोजते अपने को!

फिरा कस्तूरा अपनी ही गंध से अंध!

अपनी ही गंध का पता नहीं, भागते फिरते हो! अकारण संसार के हजार-हजार तीर छिदते हैं और तुम्हारे हृदय को छलनी कर जाते हैं।

सदगुरु का इतना ही अर्थ है, जिसकी मौजूदगी में तुम्हें पता चले कि 'कस्तूरी कुंडल बसै'। वह तुम्हारे भीतर बसी है।

अब समर्पण कर दिया। पहले भी सोचते रहे, अब भी सोच रहे हो—सोच-सोच कर कब तक गंवाते रहोगे? एक तो समर्पण ही सोच कर नहीं करना था। अब एक तो भूल कर दी, अब कर ही चुके, अब तो सोचना छोड़ो। अब तो पूंछ कट ही गई। अब तो उसे जोड़ लेने के सपने छोड़ो। वह जो थोड़ी सी जीवन-रेखा बची है, वह जो थोड़ी सी जीवन-ऊर्जा बची है, उसका कुछ सदुपयोग हो जाने दो—उसे सोचने-सोचने में गंवाओ मत!

एक बची चिनगारी, चाहे चिता जला या दीप।

जीर्ण थकित लुब्धक सूरज की लगने को है आंख
फिर प्रतीची से उड़ा तिमिर-खग खोल सांझ की पांख
हुई आरती की तैयारी शंख खोज या सीप।

मिल सकता मनवंतर क्षण का चुका सको यदि मोल
रह जाएंगे काल-कंठ में माटी के कुछ बोल
आगत से आबद्ध गतागत फिर क्या दूर समीप?

एक बची चिनगारी, चाहे चिता जला या दीप।

थोड़ी सी जो जीवन-ऊर्जा बची है, इसे तुम चिता के जलाने के ही काम में लाओगे या दीया भी जलाना है? हो गया सोच-विचार बहुत, अब इस सारी ऊर्जा को बहने दो समर्पण में! आओ निकट, आओ समीप-ताकि जो मेरे भीतर हुआ है, वह तुम्हारे भीतर भी संक्रामक हो उठे।

एक बची चिनगारी, चाहे चिता जला या दीप।
हुई आरती की तैयारी, शंख खोज या सीप।

समर्पण किया, संन्यास मैंने तुम्हारे हाथ में दे दिया—अब इसे हाथ में रखे बैठे रहोगे? इस बांसुरी को बजाओ!

भले ही फूंकते रहो बांसुरी
बिना धरे छिद्रों पर अंगुलियां
नहीं निकलेगी प्रणय की रागिनी!

दे दी बांसुरी तुम्हें, अब तुम ऐसे ही खाली फूंक-फूंक करते रहोगे? सोच-विचार फूंकना ही है। कुछ जीवन-ऊर्जा की अंगुलियां रखो बांसुरी के छिद्रों पर!

भले ही फूंकते रहो बांसुरी
बिना धरे छिद्रों पर अंगुलियां

नहीं निकलेगी प्रणय की रागिनी!

यह जो संन्यास तुम्हें दिया है, यह परमात्मा के प्रणय के राग को पैदा करने का एक अवसर बने! सोच-विचार बहुत हो चुका। सुना नहीं अष्टावक्र को? कहा जनक को : कितने-कितने जन्मों में तुमने अच्छे किए कर्म, बुरे किए कर्म, क्या काफी नहीं हो चुका? पर्याप्त नहीं हो चुका? बहुत हो चुका, अब जाग! अब उपशांति को, विराम को, उपराम को उपलब्ध हो। अब तो लौट आ घर! अब तो वापस आ जा मूलस्रोत पर!

उस मूलस्रोत का नाम साक्षी है। संन्यास तो बांसुरी है, अगर अंगुलियां रख कर बजाई तो जो स्वर निकलेंगे, उनसे साक्षी-भाव जन्मेगा। संन्यास तो केवल यात्रा है—साक्षी की तरफ। और जब तक साक्षी पैदा न हो जाए, समझना : संन्यास पूरा नहीं हुआ है।

हरि ॐ तत्सत्!

✳ ✳ ✳

ओशो का हिंदी साहित्य

उपनिषद
सर्वसार उपनिषद
कैवल्य उपनिषद
अध्यात्म उपनिषद
कठोपनिषद
ईशावास्य उपनिषद
निर्वाण उपनिषद
आत्म-पूजा उपनिषद
केनोपनिषद
मेरा स्वर्णिम भारत (विविध उपनिषद-सूत्र)

कृष्ण
गीता-दर्शन (आठ भागों में अठारह अध्याय)
कृष्ण-स्मृति

महावीर
महावीर-वाणी (दो भागों में)
जिन-सूत्र (दो भागों में)
महावीर या महाविनाश
महावीर : मेरी दृष्टि में
ज्यों की त्यों धरि दीन्हीं चदरिया

बुद्ध
एस धम्मो सनतनो (बारह भागों में)

अष्टावक्र
अष्टावक्र महागीता (नौ भागों में)

लाओत्से
ताओ उपनिषद (छह भागों में)

कबीर
सुनो भई साधो
कहै कबीर दीवाना
कहै कबीर मैं पूरा पाया
न कानों सुना न आंखों देखा
(कबीर व फरीद)

शांडिल्य
अथातो भक्ति जिज्ञासा (दो भागों में)

अन्य रहस्यदर्शी
नाम सुमिर मन बावरे (जगजीवन)
अरी, मैं तो नाम के रंग छकी (जगजीवन)
कानों सुनी सो झूठ सब (दरिया)
अमी झरत बिगसत कंवल (दरिया)
हरि बोलौ हरि बोल (सुंदरदास)
ज्योति से ज्योति जले (सुंदरदास)
अजहूं चेत गंवार (पलटू)
सपना यह संसार (पलटू)
काहे होत अधीर (पलटू)
जस पनिहार धरे सिर गागर (धरमदास)
का सोवै दिन रैन (धरमदास)
सबै सयाने एक मत (दादू)
पिव पिव लागी प्यास (दादू)
कन थोरे कांकर घने (मलूकदास)
रामदुवारे जो मरे (मलूकदास)
भक्ति-सूत्र (नारद)
शिव-सूत्र (शिव)
भजगोविन्दम् मूढ़मते (आदिशंकराचार्य)
एक ओंकार सतनाम (नानक)
जगत तरैया भोर की (दयाबाई)
बिन घन परत फुहार (सहजोबाई)
पद घुंघरू बांध (मीरा)
नहीं सांझ नहीं भोर (चरणदास)
संतो, मगन भया मन मेरा (रज्जब)
कहै वाजिद पुकार (वाजिद)
मरौ हे ज़ोगी मरौ (गोरख)
सहज-योग (सरहपा-तिलोपा)
बिरहिनी मंदिर दियना बार (यारी)

प्रेम-रंग-रस ओढ़ चदरिया (दूलन)
दरिया कहै सब्द निरबाना
(दरियादास बिहारवाले)
हंसा तो मोती चुगैं (लाल)
गुरु-परताप साध की संगति (भीखा)
मन ही पूजा मन ही धूप (रैदास)
झरत दसहुं दिस मोती (गुलाल)
जरथुस्त्र : नाचता-गाता मसीहा (जरथुस्त्र)

प्रश्नोत्तर

नहिं राम बिन ठांव
प्रेम-पंथ ऐसो कठिन
उत्सव आमार जाति, आनंद आमार गोत्र
मृत्योर्मा अमृतं गमय
प्रीतम छवि नैनन बसी
रहिमन धागा प्रेम का
उड़ियो पंख पसार
सुमिरन मेरा हरि करैं
पिय को खोजन मैं चली
साहेब मिल साहेब भये
जो बोलैं तो हरिकथा
बहुरि न ऐसा दांव
ज्यूं था त्यूं ठहराया
ज्यूं मछली बिन नीर
दीपक बारा नाम का
अनहद में बिसराम
लगन महूरत झूठ सब
सहज आसिकी नाहिं
पीवत रामरस लगी खुमारी
रामनाम जान्यो नहीं
सांच सांच सो सांच
आपुई गई हिराय
बहुतेरे हैं घाट
कोंपलें फिर फूट आईं
फिर पत्तों की पांजेब बजी
फिर अमरित की बूंद पड़ी
क्या सोवै तू बावरी
चल हंसा उस देस
कहा कहूं उस देस की
पंथ प्रेम को अटपटो
माटी कहै कुम्हार सूं

मैं धार्मिकता सिखाता हूं, धर्म नहीं

झेन, सूफी और उपनिषद की कहानियां

बिन बाती बिन तेल
सहज समाधि भली
दीया तले अंधेरा

तंत्र

संभोग से समाधि की ओर
तंत्र-सूत्र (पांच भागों में)

योग

पतंजलिः योग-सूत्र (पांच भागों में)
योगः नये आयाम

विचार-पत्र

क्रांति-बीज
पथ के प्रदीप

पत्र-संकलन

अंतर्वीणा
प्रेम की झील में अनुग्रह के फूल
पाथेय

बोध-कथा

मिट्टी के दीये

ध्यान, साधना

ध्यानयोग : प्रथम और अंतिम मुक्ति
नेति-नेति
चेति सकै तो चेति
हसिबा, खेलिबा, धरिबा ध्यानम्
समाधि कमल
साक्षी की साधना
धर्म साधना के सूत्र
मैं कौन हूं
समाधि के द्वार पर
अपने माहिं टटोल
ध्यान दर्शन
तृषा गई एक बूंद से
ध्यान के कमल
जीवन संगीत
जो घर बारे आपना
प्रेम दर्शन

साधना-शिविर

साधना-पथ
मैं मृत्यु सिखाता हूं

ओशो के ऑडियो-वीडियो, प्रवचन एवं साहित्य के संबंध में
समस्त जानकारी हेतु संपर्क सूत्रः

साधना फाउंडेशन

17, कोरेगांव पार्क, पुणे-411001
फोन : 020-6136655, फैक्स : 020-6139955
E-mail: distrib@osho.net, Website: www.osho.com

ओशो—एक परिचय

सत्य की व्यक्तिगत खोज से लेकर ज्वलंत सामाजिक व राजनैतिक प्रश्नों पर ओशो की दृष्टि उनको हर श्रेणी से अलग अपनी कोटि आप बना देती है। वे आंतरिक रूपांतरण के विज्ञान में क्रांतिकारी देशना के पर्याय हैं और ध्यान की ऐसी विधियों के प्रस्तोता हैं जो आज के गतिशील जीवन को ध्यान में रख कर बनाई गई हैं।

अनूठे ओशो सक्रिय ध्यान इस तरह बनाए गए हैं कि शरीर और मन में इकट्ठे तनावों का रेचन हो सके, जिससे सहज स्थिरता आए व ध्यान की विचार रहित दशा का अनुभव हो।

ओशो की देशना एक नये मनुष्य के जन्म के लिए है, जिसे उन्होंने 'ज़ोरबा दि बुद्धा' कहा है—जिसके पैर जमीन पर हों, मगर जिसके हाथ सितारों को छू सकें। ओशो के हर आयाम में एक धारा की तरह बहता हुआ वह जीवन-दर्शन है जो पूर्व की समयातीत प्रज्ञा और पश्चिम के विज्ञान और तकनीक की उच्चतम संभावनाओं को समाहित करता है। ओशो के दर्शन को यदि समझा जाए और अपने जीवन में उतारा जाए तो मनुष्य-जाति में एक क्रांति की संभावना है।

ओशो की पुस्तकें लिखी हुई नहीं हैं बल्कि पैंतीस साल से भी अधिक समय तक उनके द्वारा दिए गए तात्कालिक प्रवचनों की रिकार्डिंग से अभिलिखित हैं।

लंदन के 'संडे टाइम्स' ने ओशो को 'बीसवीं सदी के एक हजार निर्माताओं' में से एक बताया है और भारत के 'संडे मिड-डे' ने उन्हें गांधी, नेहरू और बुद्ध के साथ उन दस लोगों में रखा है, जिन्होंने भारत का भाग्य बदल दिया।

ओशो इंटरनेशनल मेडिटेशन रिजॉर्ट

ओशो मेडिटेशन रिजॉर्ट का निर्माण इसलिए किया गया ताकि लोग जीने की नई कला का सीधा अनुभव ले सकें—अधिक होशपूर्वक होकर, हास्य और आराम के साथ। यह भारत के मुंबई शहर से सौ मील दक्षिण पूर्व में पूना के कोरेगांव पार्क में वृक्षों से परिपूर्ण चालीस एकड़ आवासीय क्षेत्र में स्थित है। रिजॉर्ट सौ से अधिक देशों से हर साल आने वाले हजारों लोगों के लिए अलग-अलग तरह के कार्यक्रम प्रस्तुत करता है। नवनिर्मित ओशो गेस्ट हाउस परिसर में लोगों के लिए आवास की सुविधा उपलब्ध है।

मेडिटेशन रिजॉर्ट में मल्टीवर्सिटी कार्यक्रम प्रसिद्ध झेन उद्यान, ओशो तीर्थ से सटे पिरामिड परिसर में संचालित होते हैं। ये कार्यक्रम व्यक्तिगत रूपांतरण के लिए व लोगों को जीने की एक नई कला सिखाने के उद्देश्य से तैयार किए गए हैं—एक जाग्रत अवस्था जिसे वे दैनिक जीवन में उतार सकते हैं। आत्म-खोज सत्र, सैशन, कोर्स और अन्य ध्यान प्रक्रियाएं पूरे साल चलती हैं। शरीर को स्वस्थ रखने के लिए एक खूबसूरत व्यवस्था का प्रावधान है जिसमें झेन प्रक्रिया के साथ खेल और मनोरंजन का अनुभव लिया जा सकता है।

मुख्य ध्यान सभागार में सुबह छह बजे से रात ग्यारह बजे तक प्रतिदिन सक्रिय व अक्रिय ध्यान विधियां होती हैं, जिसमें रोज संध्या-सभा ध्यान भी शामिल है। रात को रिजॉर्ट का बहुसांस्कृतिक जीवन खिल उठता है-मित्रों के संग खुले आकाश के नीचे भोजन-स्थल और अक्सर संगीत व नृत्य के साथ। रिजॉर्ट की साफ व शुद्ध पीने

के पानी की अपनी व्यवस्था है और यहां परोसे गए भोजन में रिज़ॉर्ट के अपने फार्म हाउस में उगाई गई सब्जियों का प्रयोग होता है।

मेडिटेशन रिज़ॉर्ट का ऑन लाइन टूर, साथ ही यात्रा और कार्यक्रमों की जानकारी www.osho.com से प्राप्त की जा सकती है। यह अलग-अलग भाषाओं में विस्तार में दी गई वेबसाइट है, जिसमें हैं—ऑन लाइन ओशो टाइम्स पत्रिका, ऑडियो व वीडियो वेबकास्टिंग, ऑडियो बुक क्लब, ओशो प्रवचनों के संपूर्ण अंग्रेजी व हिंदी अभिलेख और ओशो के वीडियो, ऑडियो व पुस्तकों की संपूर्ण सूची। साथ ही हैं ओशो द्वारा विकसित किए गए सक्रिय ध्यानों की जानकारी जो ज्यादातर वीडियो प्रदर्शन के साथ हैं।

मेडिटेशन रिज़ॉर्ट में सहभागी होने व अधिक विस्तृत जानकारी के लिए संपर्क करें:

ओशो इंटरनेशनल मेडिटेशन रिज़ॉर्ट

17 कोरेगांव पार्क, पुणे-411001, महाराष्ट्र

फोन: 020-56019999 फैक्स: 020-56019990

e-mail - resortinfo@osho.net

Website - www.osho.com